TRAITÉ DES PASSIONS
DE L'ÂME

Tout commence dans le bureau d'un juge d'instruction qui interroge le meurtrier d'un ingénieur et un point final à un lourd dossier traitant du « Mouvement populaire du 17 octobre ». Cette organisation terroriste, aussi secrète qu'hétéroclite, se compose, outre « L'homme » interrogé, employé dans une compagnie d'assurances, de cinq autres personnes : un étudiant en chimie, un universitaire, un génie manqué, un prêtre révolutionnaire et la propriétaire d'une maison de repos. Tous sont coupables d'assassinats, de braquages, d'attentats à la bombe, et autres actions violentes. Le juge, chargé par le secrétaire d'État de ramener l'ordre public, doit s'assurer de l'arrestation de chacun des complices. A ses côtés, la Brigade spéciale interviendra, poursuivant les différentes pistes recueillies, et usant de méthodes parmi les plus basses pour mettre un terme aux activités de l'organisation. Mais l'homme interrogé n'est pas n'importe qui. Ce n'est autre que le compagnon d'enfance du juge d'instruction, chacun d'eux ayant eu un destin contraire. L'un, le fils du propriétaire terrien, est un raté, devenu révolutionnaire par hasard, l'autre, le fils du fermier de la propriété, a lentement gravi les échelons de l'appareil judiciaire.

L'enquête suit dès lors un cours sinueux, où chaque protagoniste entre en scène dans les mouvements intimement mêlés du passé et du présent. Les souvenirs et les monologues s'entrelacent, multiplient tant les notes d'humour et de dérision que les situations sordides, les visions de l'enfance que les complexes réalités politiques et historiques du pays. Et à travers cette trame judiciaire, c'est une véritable mise en évidence de tout un pan de l'histoire du Portugal qu'António Lobo Antunes réalise. Une fresque grandiose où les différences sociales fondamentales et souvent cruelles, les modes de vie d'hier et d'aujourd'hui, finement décrits, rencontrent les perversions et les hypocrisies de la bourgeoisie, les constantes manipulations du pouvoir. Au rythme d'une prose effrénée, ironique et féroce, Lobo Antunes nous mène au cœur d'un Portugal où les rêves de révolution riment avec le sombre fatalisme du fado.

Né en 1942, António Lobo Antunes vit à Lisbonne. Médecin, il participe à la guerre coloniale du Portugal en Angola de 1969 à 1973 et exerce, dès son retour, à l'hôpital dans un service psychiatrique qu'il finit par diriger. Auteur d'une douzaine de livres, dont La Mort de Carlos Gardel, Le Manuel des inquisiteurs, *ou encore* Le Cul de Judas, *son second roman, qui lui apporta la célébrité au Portugal. Il est aujourd'hui considéré comme l'un des auteurs portugais les plus importants de sa génération.*

António Lobo Antunes

TRAITÉ
DES PASSIONS
DE L'ÂME

*Traduit du portugais
par Geneviève Leibrich*

Christian Bourgois Éditeur

TEXTE INTÉGRAL

TITRE ORIGINAL
Tratado das paixões da alma

© original : 1990, António Lobo Antunes

ISBN 2-02-032459-8
(ISBN 2-267-01154-9, 1ʳᵉ édition)

© Christian Bourgois Éditeur, 1993, pour la traduction française

La famille du Juge d'instruction habitait de l'autre côté du champ de foire (et celui-ci, quand il l'a revu des années plus tard, était bien plus petit qu'il ne lui avait semblé dans son enfance), au-delà des cyprès du collège et de la maison du médecin appuyée à des giroflées et à des ombres, dans la partie de la petite ville qui avait grandi face aux brumes de Caramulo en des ruelles plus étroites encore, étouffant les ruines de la synagogue dans un labyrinthe de greniers à foin. Les hivers pluvieux apportaient à la nuit le pas menu des loups de la montagne aux paupières angoissées d'ermite qui flairaient avec hésitation l'urine des agneaux sur les pans de la muraille et sur les arcs tordus des bergeries. Dans son appartement de Miratejo ou dans son cabinet à la police judiciaire, pendant qu'il interrogeait un prisonnier, le Juge se souvenait parfois des portes closes de janvier, des mèches trempées dans l'huile qui amplifiaient la misère et les saintes en plâtre, d'avoir vu dans les venelles le vent véloce emporter des feuilles, des bouts de papier, des aiguilles de pin, des débris, et soudain le fou à la barbe démesurée qui gravissait la ruelle pieds nus, se retenant aux murs avec son bâton de pèlerin et ses guenilles de naufragé, s'arrêtant pour crier à la tempête au coin des rues désertes :

— Je suis Dom João, empereur de tous les royaumes du monde.

— Ici, dans ce fauteuil, monsieur le juge, je vous en prie.

Le Juge d'instruction a effleuré de la pointe des fesses l'arête du fauteuil que lui offrait le Secrétaire d'État au-dessus du quai des Colonnes, du triste destin des accordéons joués par des aveugles et des roues à aubes des bacs, et c'était maintenant l'époque des vendanges, des femmes en noir sous le soleil inflexible charriaient les paniers jusqu'aux barriques que les bœufs transportaient au pressoir, le patron, un chapeau de paille sur la tête, gesticulait des ordres depuis les terrasses et le fou surgissait à grandes enjambées des poulaillers vides, une couverture sur l'épaule, indiquant d'un doigt convulsé la misère de la petite ville, les chèvres qui broutaient des cailloux, l'haleine de bois sculpté des anges dans la chapelle et la fumée du train de Guarda au bout de la vallée, au-delà des oliviers de l'ingénieur qui rapetissaient avec la distance :

— Je suis Dom João, empereur de tous les royaumes du monde.

Le Secrétaire d'État valsant dans ses petits souliers vernis avec l'étrange légèreté des gros s'est approché des bouteilles et des verres d'un bar pompeux aux vitres violettes, encastré dans une étagère de codes :

— Le médecin s'est prévalu de l'état de mon foie pour me prescrire un régime de légumes verts et d'eau minérale. Vous en voulez un verre ? a-t-il dit en inclinant un cou soumis vers le Juge d'instruction qui a refusé avec une grimace difficile

car c'est aux visiteurs de marque qu'il offre un petit whisky, a pensé le Magistrat, perdu dans un immense salon avec de hauts plafonds ornés dans les angles de corbeilles en stuc écaillé, avec des meubles en marqueterie, des tentures solennelles, un lustre déjà oblique, prêt à se décoller : je parie qu'il a même des cigares du Venezuela et des coupe-papier en argent. Ce couillon se dorlote comme un prince et moi je n'ai qu'à me débrouiller dans un cagibi minuscule avec des affaires de pickpockets minables et de coups de couteau de jules du Cap-Vert sur l'Intendente.

Les loups à la croupe frissonnante sous la pluie surgissaient en bandes de sept ou huit de la pinède de Zé Rebelo où ils naviguaient à la bouline, ils tournaient lentement sur le parvis, soupesant la frayeur des bêtes enfermées et le sursaut des chiens, ils épiaient la grange du muet et le grillage des pigeonniers et disparaissaient au trot, la tête basse, dans un fourré de ronces, épargnant le fou qui discourait sur les marches du pilori en répétant ses titres à la brume. Il ronflait dans les fossés et mangeait d'aumônes, encore que la paroisse tout entière lui appartînt, avec ses champs arides de pommes de terre et d'oignons et les fantômes des grandes maisons abandonnées, dans les vestibules desquelles pâlissaient les flambées allumées par les gitans. Les vagabonds, eux, préféraient le couvent en ruine avec ses martyrs décolorés sur les panneaux des autels, et pour dormir ils choisissaient les tombeaux des infantes coiffées de tresses et chaussées d'escarpins pointus, sculptées dans la face du calcaire, avec de l'herbe poussant dans le creux de leurs oreilles. Avant de s'allonger sur un canapé à ramages, le Secrétaire d'État a placé un dossier cartonné et un verre d'eau gazeuse sur une petite table d'osier surmontée d'un bouquet de fleurs artificielles :

— Je suis incapable de discuter de choses sérieuses sans un minimum de confort

et le Juge d'instruction a imaginé l'abstinent dans une villa au Restelo, à cheval sur le fleuve et son asthme d'égout, une demeure avec des poutres apparentes et des palmiers nains, des ancêtres dénichés chez des antiquaires et des lions en basalte sur le porche, loin de la respiration drue des mules de mon enfance sur le sol en terre battue sous la chambre qui réchauffaient le plancher de leurs lèvres brûlantes. Il n'avait sûrement pas voyagé à Lisbonne à neuf ans comme moi, sur l'ordre du patron, pas le jeune à petite moustache qui arrivait à Nelas en août, vêtu d'un uniforme, dans une auto décapotable bourrée de sacs et de valises, et qui passait l'été à Urgeiriça, à jouer au tennis avec les Anglais du wolfram, mais son oncle, qui habitait la Beira toute l'année, se plaignant du gel, se plaignant des merles dans le potager, se plaignant de sa vésicule, se plaignant de son arthrose, et qui carburait à l'anis dès le matin, après le café et les tartines de pain grillé, et qui restait immobile des heures entières, les coudes sur la nappe en toile cirée, à contempler le néflier du jardin avec une mélancolie féroce. Le Secrétaire d'État, ses lunettes accrochées à une chaîne sur le nez, soulignait au crayon rouge un rapport obèse :

— J'ai ici, dans votre curriculum, toute une documentation qui n'en finit plus, a-t-il dit au Juge en balançant le verre entre ses doigts, l'œil rivé sur l'essaim de petites bulles qui montait du fond. On vous tient en grande estime au ministère, les résultats de vos inspections sont excellents et personne parmi nous ne souhaite, Dieu nous en garde, que votre réputation pâtisse de la moindre égratignure. Il y a énormément à attendre de magistrats comme vous et, croyez-moi, le Conseil, qui n'est pas constitué uniquement d'imbéciles, s'en est rendu compte : cette semaine encore, à une réception très barbante à l'ambassade d'Argentine, un conseiller à la Cour suprême m'a assuré qu'avec une demi-douzaine de garçons de votre trempe nous irions loin.

— Finalement, je veux bien de votre eau, a dit le Juge d'instruction en pensant Quelle conversation inepte, et au même moment il s'est souvenu du vieux patron titubant dans le verger, un cigare entre les dents, mêlant le sucre de l'anis au parfum des cerisiers.

Il habitait à cinq minutes de la gare dans un immeuble murmurant et sombre, avec un balcon en demi-lune où la splendeur de fer-blanc des saints d'oratoire scintillait sur les trumeaux des paliers. Il s'est souvenu du vieux patron, installé devant la toile cirée, le myosotis du verre à liqueur vacillant dans sa paume, qui leur avait envoyé à six heures du matin, un dimanche de foire, la bonne avec laquelle il couchait sans honte, il y a vingt ou trente ans, dans le lit orné de damas de ses aïeux, laquelle avait débarqué à leur porte avant le fracas des mortiers et de la philharmonie de Mortagua qui jouait des paso doble héroïques sur une estrade de fortune. Le jour commençait à poindre du côté de la serra da Estrela, on apercevait les lumières gelées et fixes des bourgades dans les replis de la montagne. La tuberculeuse toussait dans la soupente voisine, une cuvette en émail sur les genoux, un mouchoir imprégné de camphre pressé contre la bouche.

— La même chose que moi ? s'est réjoui le Secrétaire d'État en traçant des croix sur un bloc-notes. Eh bien, voilà, le gouvernement a appris, peu importe comment, que la Judiciaire a cueilli à Campolide par hasard, armé et avec tout le tremblement, un opérationnel d'un réseau de poseurs de bombes : attentats contre des voitures officielles, assassinats de hauts fonctionnaires, dynamite oubliée à l'entrée des commissariats de police, victimes innocentes dans la population civile. La télévision et les journaux transmettent la nouvelle, l'armée est inquiète, les gens clabaudent et les partis d'opposition, bien entendu, nous accusent de nous croiser les bras.

Il s'est interrompu pour corriger un paragraphe et le Juge d'instruction a vu la bonne contourner des flaques à Nelas, chasser des chiens, éviter des rigoles, gravir les marches de granit avec une rapidité virile, gênée par son col en bakélite et son tablier amidonné, et frapper de ses paumes à plat sur les planches disjointes de la porte, attachées les unes aux autres par des bouts de corde et des lacets de berger. Dehors, les façades émergeaient laborieusement des brumes de l'aurore et les arbres languissants en ce mois de l'année sortaient des ténèbres, leur musette à l'épaule. Bientôt les orfèvres débarqueraient, vêtus de flanelle noire que l'on soit en juillet ou en décembre, le pli de leur pantalon maintenu par des pinces à linge, ahanant entre les roues inégales de leur bicyclette antique sur laquelle ils transportaient des coffres bosselés, fermés par un double cadenas, attachés derrière la selle et remplis de bracelets, de bagues et de boucles d'oreilles. Ensuite viendraient les marchandes de cruches, de poêlons, de bougeoirs en terre cuite étalés à perte de vue sur une plaine de toile, les vendeurs de cochons de lait, de brebis, de cabris, de volaille, les faux prêtres en haillons qui plaçaient des images pieuses et des estampes représentant des miracles, les pharmaciens en blouse blanche qui proposaient des sirops contre les vers intestinaux et les maux de la mémoire, et enfin les tristes enfants acrobates qui déroulaient de longs tapis effilochés pour leurs sauts, le propriétaire de l'âne savant qui faisait les quatre opérations avec ses sabots et les gitans, en rapport intime avec les mystères de l'avenir, accroupis sous un platane pour de secrets conciliabules. Un des trois tableaux du Secrétaire d'État, dans un cadre en acajou, représentait une vue de Lisbonne (balcons, tourterelles, petits palais, coupoles d'église, le Tage), peut-être la Lapa, étant donné les couleurs suaves, comme vitrifiées, des façades et de l'air.

— Il est évident que le dossier du terroriste présumé, a dit le gouvernant en comparant des photocopies, tombe sous le

11

coup du secret judiciaire, cela va de soi, il n'y a rien que la démocratie apprécie plus que l'indépendance des tribunaux et le secret judiciaire. Le programme de la majorité est formel sur ce point.

Malgré son régime c'était un homme vaste et jovial, avec des bretelles en élastique, toujours prêt à commenter les mots d'ordre de son parti avec des phrases d'une vulgarité douloureuse, en tout cas pour moi, a pensé le Juge d'instruction en explorant avec sa langue un interstice entre deux dents, comme ont été douloureux les coups frappés par la bonne à la porte de mes parents : nous dormions dans l'unique chambre de la maison, pêle-mêle avec les poules, les canards, la dinde de Noël, ma marraine infirme qui frissonnait dans son châle à franges, les rais de lumière argentée entre les fentes des volets et les relents de l'haleine et de la crotte domestique de la génisse et des mules à l'étage du dessous, aussi familière et tiède que si c'était la nôtre. Nous dormions et le tambourinement à la porte nous arrachait sans pitié au sommeil, ma mère, assise sur le lit, demandait Il y a le feu? ma sœur disait, étonnée On n'entend pas les cloches, mon père se levait, hébété, en caleçon et tricot de corps, marchant à l'aveuglette et au hasard entre des corps étendus, piétinant une cheville ou un tronc qui gémissait, et j'avais l'impression d'être couché dans de la bouse de vache humide, pétrie de paille et de barbe de maïs, sous un grand ventre qui me versait des gouttes de lait dans les yeux. Le deuxième tableau, une aquarelle violente sur un rectangle d'aluminium, représentait des torses de femmes vautrées sur des coussins orientaux dans une ambiance de sérail, sous des voûtes multicolores et des rideaux rayés. Les freins d'un tramway ont grincé dans la rue, un employé appelait désespérément Estácio, Estácio, dans le corridor. Le Secrétaire d'État a gonflé la poitrine et avancé la lèvre inférieure comme un coq de combat :

— Là-dessus je suis entièrement d'accord : indépendance des tribunaux, secret judiciaire, respect total de la démocratie, à condition que tout cela, notez-le bien, ne mette pas en péril l'ordre public, ni la tranquillité et la sécurité des citoyens. Et là nous sommes bien au cœur du problème, monsieur le juge : il se trouve que l'ordre et la tranquillité sont sérieusement menacés par une organisation subversive qui a anéanti la paix sociale du pays depuis l'automne, et quand je dis anéanti la paix sociale je n'emploie pas une expression exagérée, malheureusement.

La paix sociale chez moi, a pensé le Juge d'instruction, a été anéantie il y a quarante ans, à peu de chose près, quand mon père a atteint la porte dans un ultime titubement, qu'il a fait glisser le loquet rouillé, qu'il a soulevé la bobinette en effrayant les poules, une pluie froide est entrée dans la chambre avec les sapins du cimetière et les châtaigniers sauvages du chemin de traverse qui menait à Viseu, et avec la pluie la bonne du patron est arrivée, en blouse noire, col de bakélite et tablier à volants, Monsieur l'architecte veut vous voir là-haut dans cinq minutes au plus tard.

La paix sociale chez moi, a pensé le Juge d'instruction en se piquant la langue avec les petites bulles de l'eau, consistait à dormir avec la respiration asthmatique d'un jars sur mon oreiller, à épier les formes de mes sœurs en train de se déshabiller à la lueur d'une tuile manquante, à dîner dans un coin de la chambre, empoisonnés par le pétrole, entre des photos floues prises dans un photomaton et un appareil de radio surmonté d'un napperon au crochet qui n'a jamais marché, faute de courant dans cette partie de la petite ville, une caisse en bois que ma mère cirait avec amour et dont elle tournait longuement les boutons, fascinée par l'aiguille qui tressautait le long d'une forêt de chiffres et fière de la musique et des voix muettes qu'elle renfermait. La paix sociale chez moi c'était les beuveries de mon père le samedi soir, ma tante qui l'attendait dans la rue, enfouie sous son fichu, menacée par des chiens affamés et par les prunelles phosphorescentes de l'obscurité, et qui essuyait le vomi sur son menton quand il trébuchait sur une marche, supportant ses gifles incertaines, l'aidant à gravir les escaliers en le hissant par les aisselles, le débarrassant avec les autres femmes de la famille du remugle d'urine et de vinaigre de ses bottes, de sa chemise, de son caleçon, et qui le laissait ronfler, les bras en croix, après qu'il eut renversé deux ou trois chaises et lancé une savate contre le saint Expédit en porcelaine, avec une petite lampe à ses pieds, qui nous assistait dans nos maladies et dans nos rêves. La paix sociale *chez moi c'était mon père ronflant et rotant sur le matelas où il nous avait tous fabriqués, les jours chômés, casquette sur l'occiput et pantalon baissé jusqu'aux genoux, soufflant en des assauts paillards de paon.*

— A la réunion de mardi, a dit le Secrétaire d'État en passant le petit doigt sur des pages manuscrites, il a été décidé de mettre un terme à ce jeu macabre de mitraillettes et de pistolets : qu'ils parlent, qu'ils défilent, qu'ils crient, qu'ils récitent Lénine en chœur, qu'ils participent aux élections mais qu'ils ne tuent pas. Et c'est précisément pour empêcher ces bêtises dangereuses que nous avons besoin de votre collaboration discrète, monsieur le juge : il se trouve que la police a attrapé à Campolide un petit inconscient du Mouvement populaire du dix-sept octobre (un sacré nom, hein?), et vous avez été chargé par qui de droit, sans la moindre intervention de notre part, d'instruire son procès. Le secret judiciaire, laissez-moi rire : tout le monde parle des merveilles du secret judiciaire mais on oublie que le Portugal est un petit village, vous vous en êtes rendu compte, non ? Un type avec des grenades plein les poches qui lorgne une vitrine de dessous pour dames, ça ne se voit qu'à Lisbonne, je vous le certifie.

Le troisième tableau dans le bureau, une nature morte dans des tons gris où abondaient les concombres, les carottes, les têtes d'ail, les lièvres ainsi qu'un vase de fleurs à moitié brisé par une torsion cruelle, se dissolvait sur les granulosités du mur, loin des mouchetures de soleil qui animaient le portrait officiel du Président de la République et d'une commode Empire dont le dessus en marbre était encombré d'une collection de cristaux à facettes qui multipliaient la lumière en minuscules écailles aiguës.

— Je n'irai pas par quatre chemins, a poursuivi le Secrétaire d'État, jambes croisées, laissant voir des chaussettes lilas qui n'étaient pas assorties à sa cravate, nous voudrions que vous mettiez au point avec le détenu la façon, la meilleure façon possible, peu m'importe laquelle, d'attraper ses complices sans verser de sang, ou en versant du sang, à condition que ce soit le leur, et c'est pour examiner avec vous ces détails techniques que la Brigade spéciale vous rendra visite la semaine prochaine : au jour d'aujourd'hui,

monsieur le juge, seuls les résultats intéressent le gouverne-
ment car ce sont eux qui nous font gagner des voix, et avec
l'Europe sur ses talons, le pays ne peut se permettre de
s'aliéner la majorité qui le sert.

Il a abandonné les pages manuscrites, l'eau vibrait et
frémissait dans sa main comme la veilleuse de saint Expedit
le matin pluvieux où mon père a revêtu son lugubre costume
de cérémonie qui lui donnait l'air d'un prêtre en civil, celui
des mariages, des enterrements et des convocations du
patron, enfoui sous des couches de papier de soie et des
poupées de lavande dans la malle cloutée qui contenait les
trésors de la tribu : cierges de baptême, petite fille en
porcelaine sans bras, cornets remplis de colliers en cuivre
avec des ornements en ivoire, dentelles écumeuses, pauvres
merveilles dérobées hâtivement à la marée du passé, comme
font les mendiants sur les plages. Étourdi par les pétards de
la foire qui explosaient dans le brouillard, il a confondu son
radieux dentier postiche avec l'enfilade de molaires de ma
grand-mère, rangés tous deux côte à côte et riant aux éclats
pendant la nuit sur l'étagère de la farine et du sucre, et ses
hurlements de sanglier nous ont tous déboussolés, il ne
retrouvait pas un de ses souliers de luxe rouge et blanc, avec
des lacets de clown, qu'une des cousines, celle qui est morte
de typhoïde l'automne suivant, a fini par découvrir, tout
rongé, glands déchiquetés et semelle béante, sous l'oreiller
de l'infirme qui mordait en poussant des cris tout ce qui
passait à sa portée. Mon père, qui n'avait pas mis de gilet
depuis des années et dont le veston ne fermait pas sur son
ventre, a titubé vers la porte en refusant toute aide, a
repoussé ma mère d'un coup qui a raté sa cible, a renversé
la boîte de riz, a perdu l'équilibre, a plongé une jambe dans
une bassine de lessive et a disparu en claudiquant dans un
sillage de mousse de savon en direction de la bonne, de la
pluie et des bijoutiers qui exposaient l'or des galions
castillans sous de petites tentes en percale. La tempête
secouait les châtaigniers et les acacias, un oiseau aux plumes
mouillées s'est réfugié dans un trou de pierre. Le Secrétaire
d'État a administré une chiquenaude autoritaire au dossier :

— Considérez que ce que je vous ai dit est un ordre,
a-t-il dit avec un soupir au Juge d'instruction qui serrait son

verre contre sa poitrine comme un célébrant à la messe. Vous pouvez refuser, bien entendu, trouver des excuses, présenter des certificats, vous faire opérer de l'appendicite, renoncer à instruire le procès, demander a être envoyé à Macao, mais, vu les circonstances, cela me semble fortement déconseillé.

Tout comme, a pensé le Juge, mon père trouvait fortement déconseillé de contrarier le patron et il se tenait devant lui, entouré de dressoirs sculptés, enroulant son béret autour de ses poignets devant le vieux qui tenait sa bouteille d'anis comme un sceptre, diluant les cristaux de sucre au fond. J'avais dix ans, je fréquentais les cours de catéchisme de l'amie du curé, je voulais être pompier et me marier avec la prof de gymnastique, et le jour suivant ma vie et mes espoirs ont été bouleversés quand nous nous sommes installés avec une valise et une malle d'osier dans un wagon de troisième classe d'un train de marchandises en route pour Lisbonne qui a traversé pinède après pinède avec une lenteur interminable, des passages à niveau où attendaient des bicyclettes et des charrettes, des ponts au-dessus de rivières ensablées, des serres, des salines, des villages perdus dans les replis inguinaux de la terre. Un employé en uniforme nous demandait de temps en temps nos billets en faisant claquer l'articulation de sa pince. Nous nous sommes longuement arrêtés à des haltes désertes, faites de constructions en planches avec des bancs de jardin et des affiches publicitaires déchirées, en attendant le Rapide du Nord ou l'International pour l'Espagne, privée du bercement des roues, ma petite sœur se mettait à pleurer, en face de nous un douanier lisait le journal ou dormait, une croûte de crasse sur le revers de son costume, et cela dix-huit heures d'affilée avec, au bout, une gare avec d'innombrables voies et des wagons qui pourrissaient sur des rails secondaires, de longs édifices gris, des entrepôts malodorants, des quais au ciment ébréché, une mer grumeleuse de nuages et de lichens, des bouées, des cordages, le reflet omniprésent du château, des pêcheurs de crustacés dans des barques immobiles, des oiseaux inconnus de moi volaient en cercle au-dessus du sillage noir de gazole des bateaux, les passagers entassaient des montagnes de bagages et un chauffeur en uniforme bleu avec des boutons métalliques nous faisait signe, nous conduisait vers une automobile immense, incommodé par nos habits, par notre odeur, par nos sacs contenant nos restes de nourriture, par notre façon de parler, par notre ébahissement, et tout de suite après, de part et d'autre de la voiture, la même pluie que dans la Beira tombant maintenant sur une géométrie d'immeubles morts, d'églises baroques ornées de martyrs et des symboles des navigateurs sur les ogives, de merceries encombrées, d'épiceries de banlieue, de pharmacies dissimulées, de camionnettes qui déchargeaient leurs marchandises sur les trottoirs devant les cafés, et le portail, et la cour, et la roseraie, et des nez qui épiaient derrière des rideaux, et une bicoque de trois pièces collée à la cage des dobermans qui s'aplatissaient de fureur contre les grilles, et des chambres remplies d'un bric-à-brac bancal, et une baignoire qui s'écaillait, et des champignons dans les siphons, et la cuisinière empressée qui s'essuyait les mains sur son tablier Demain Monsieur le Professeur et Madame vous expliqueront tout, si vous voulez uriner, c'est le cabinet à la turque, là-bas dans le hangar.

— Vendredi, les gars de la Brigade iront vous voir pour que vous mettiez tout au point.

Pendant qu'il traversait la moquette en direction des accordéons maladroits du Terreiro do Paço, le Juge d'instruction a senti le parquet s'incliner comme les ruelles dans la Beira, les fanes de navet se flétrir dans le potager, le vent glapir dans les interstices entre les meubles en charriant des crottes, des bouts de journal, des aiguilles de pin, des débris, les cèdres être ébranchés par la pluie. Il a atteint le pilori du tableau aux concombres et aux carottes et il s'est retourné pour faire face au Secrétaire d'État qui criait aux éclairs et à la nuit du bourg avec une barbe d'oracle et des haillons terribles, à l'heure où les bijoutiers pédalaient comme un essaim de corbeaux funèbres sur la route de Canas, un coffre bosselé attaché derrière la selle et des pincettes de bois retenant les plis de leur pantalon :

— Je suis Dom João, empereur de tous les royaumes du monde.

1

Il s'est souvenu du temps où il avait douze ou treize ans,
il dérobait des cigarettes à son grand-père, il les partageait
avec le fils du fermier et tous deux se couchaient dans
l'herbe pour fumer et regarder le ciel de septembre entre
les acacias. Il a souri au jet d'eau du bassin et aux bancs
tapissés de carreaux de faïence qui séparaient le jardin de
la roseraie, et le Juge d'instruction s'est immédiatement
penché en avant, les mains à plat sur les papiers en
désordre :

— Quoi ?

— Rien, ce sont des choses anciennes qui me reviennent
en mémoire, ne faites pas attention.

Le grand-père en bas, dans son veston d'été, sur une
chaise longue sous le parasol décoloré installé sur le
dallage où la famille montait les tables pour la canasta le
dimanche après le déjeuner, et eux, tirant sur des mégots
clandestins au ras des glaïeuls, la boîte d'allumettes de
cuisine dans la poche, regardant la queue du moulin
danser à droite, à gauche, en quête de vent. Eux ici, des
siècles plus tard, l'un questionnant, l'autre répondant,
dans ce réduit de la police bourré de dossiers (une
gabardine d'enfant était suspendue à un clou), avec un
garde sur le pas de la porte et un tube de néon qui lui
brouillait la vue :

— Nous allons commencer la déposition depuis le
début : l'après-midi où vous avez refroidi l'ingénieur, vous
étiez combien, racontez un peu.

21

Il suffit d'un mois dans les cachots sans volets de la Judiciaire, avec une petite ampoule au plafond comme une verrue, et les jours et les nuits se transforment en un unique crépuscule meurtri, interrompu seulement par l'ouverture de la cellule pour les repas ou pour les visites du sous-inspecteur. Visites et repas qui avaient presque immanquablement lieu quand l'Homme venait tout juste de s'endormir, qu'il dormait ou qu'il croyait dormir, et un toussotement tout contre son oreille le jetait par terre de frayeur : la bectance, l'ami, bon appétit, et déjà les gonds se refermaient, un sifflement au loin, plus personne, le plateau avec la soupe et le riz par terre.

— Moi, pour ma part, j'attendrai tout le temps qu'il faudra, a dit le Juge d'instruction en desserrant le nœud de sa cravate avec une minutie d'araignée. Je ne bougerai pas d'ici tant que je ne saurai pas comment vous avez mis l'ingénieur en charpie.

Et en effet il ne bougeait pas, petit, chauve, noiraud, velu, attendant, fumant les cigarettes de mon grand-père pendant que le fermier, son père, élaguait des arbustes en se retenant à une statue de porcelaine en équilibre sur un parapet de pierre. Les édifices inégaux de la rue Gomes Freire s'entassaient derrière le Magistrat : plaques de cabinets d'avocats et de salons de coiffure, dentistes, papeteries, rumeur découragée de circulation, de cuisines de restaurants, de voix. L'Homme a pensé Combien étions-nous réellement, quatre, cinq, six, même si je voulais le confier à la lampe allumée, plantée dans les os de mon crâne, le raisonnement et la mémoire me feraient défaut. Il se rappelait des bribes, des épisodes décousus, des souvenirs vagues qui se dérobaient et réapparaissaient, la rue Padre Manuel da Nobrega en descendant de l'Areeiro, avec ses concessionnaires de voitures japonaises, une silhouette marchant d'un pas pressé, un petit paquet de confiserie à la main. L'Artiste qui conduisait la fourgonnette de la Compagnie du gaz a dit C'est lui, les mitraillettes tchèques sont sorties spasmodiquement de sous la banquette, le Curé a aboyé derrière ses lunettes de mica Allez-y, une odeur de cartouches, de la fumée, des gens qui s'enfuient, une vitrine qui vole en éclats, la silhouette au paquet qui s'effondre sur le trottoir, l'Étudiant qui hurle à l'Artiste, lequel faisait grincer les vitesses, Appuie sur le champignon, bon Dieu, et immédiatement après l'Avenida de Roma, des librairies, des discothèques, des magasins de faïence, des boutiques de prêt-à-porter, la paix du soir peuplée de moineaux, le trajet paisible, en silence, en respectant les feux rouges, jusqu'à la grange d'une ferme à Odivelas où étaient entreposés d'autres armes et un système radio enfoui sous la paille. Cela s'était sûrement passé comme cela, cela se passait toujours comme cela, et pour finir la poignée de main du religieux en guise d'adieu, Soyez tranquilles, le contact vous fera signe, que chacun se terre tranquillement dans sa tanière, vous aurez certainement de mes nouvelles la semaine prochaine, et sur ces entrefaites la femme du fermier a appelé son fils de la roseraie, Zé, viens ici un petit instant, Zé, et le Juge d'instruction, sourd, tapotait la pointe de son stylobille sur son pouce, et il a soulevé un des téléphones sur la petite table à côté de lui, Prévenez ma légitime que je ne sais pas à quelle heure je rentrerai aujourd'hui.

Cela s'était sûrement passé comme cela, a pensé l'Homme, la spirale métallique de l'ampoule plantée dans son front, nous ne travaillions jamais autrement dans notre groupe d'assaut : on nous communiquait l'identité de la personne et on nous donnait un délai pour expédier le boulot, et nous, à tour de rôle, nous confirmions les horaires, nous corrigions les croquis, nous changions les itinéraires, nous discutions dans un sous-sol d'un quartier-dortoir à Almada ou dans un entrepôt désert à Marvila, autour d'un cendrier débordant. L'Artiste voulait à toute force se débarrasser de la besogne dès le lendemain matin en rasant à la bombe tout un pâté de maisons, le Curé le retenait par la manche, Du calme, du calme, si nous ne nous sommes pas fait prendre jusqu'à aujourd'hui, c'est parce que nous préparons les choses avec soin, et quelques jours plus tard des fusils surgissaient avec une Honda volée, Préparez-vous, les enfants, c'est pour maintenant. Une ou deux fois, avant même de commencer à tirer, quand les canons étaient déjà appuyés contre la vitre de la voiture et que les grenades gonflaient leurs poches comme des pommes de pin, l'Homme a eu l'impression très nette que la cible les fixait avec des pupilles de lapereau traqué, un œil vitreux de perdrix, et ces nuits-là il ne parvenait pas à dormir malgré les calmants, couché sur le dos, baigné de sueur, il revoyait la silhouette s'effondrer devant lui, le Curé, une mitraillette à l'épaule, insulter le moribond, Salaud, salaud, salaud, l'Étudiant bourrer la nuque de l'Artiste de coups de poing, Appuie sur le champignon, putain de bon Dieu, des places et encore des places, le radar de l'aéroport, des terrains vagues où broutaient des brebis, un restaurant presque sur le macadam, et la Propriétaire de la maison de repos, Arrête, où veux-tu aller maintenant, c'est insensé, arrête. Le Juge a indiqué un cahier en papier épais sur le bureau :

— Deux cents pages de confidences sur l'Organisation, des secrets, des saloperies, des infamies, des malheurs, des témoins. Il ne me manque plus que l'histoire complète racontée par vous.

Il ne ressemble même pas à sa mère, a pensé l'Homme en se souvenant de la femme du fermier qui demandait à son grand-père de l'aider pour les études de son fils, intimidée par le poids des tentures et les reflets des objets plaqués argent. Sa mère, dont le chignon se défaisait, qui appelait le Juge d'instruction à grands cris et qui lançait contre lui ses sabots de bois, baisant l'anneau du vieillard en pleurant et en riant à la fois, de reconnaissance, et eux fumaient dans l'herbe, les doigts sous la nuque, pendant que les bonnes en blouse de coutil époussetaient les petites pièces du premier étage. Le moulin s'est immobilisé dans un soupçon de brise et les ailes ont commencé à tourner avec une lenteur rouillée.

— D'après les dépositions, la base de votre groupe est constituée de cinq personnes, y compris un étudiant en première année de chimie, a récité le Juge d'instruction en suivant une liste de noms avec la pointe de son stylo : un universitaire, un génie manqué, un prêtre qui s'imagine que la révolution continue, la propriétaire d'une maison de repos et vous, qui ne vous imaginez rien mais qui avez eu la bêtise de vous amouracher de la dame. Je suppose que les photos dans cette enveloppe ne vous intéressent pas et c'est dommage : les gars de la Judiciaire vous ont assez flatté, de face et de profil, chaque photo comporte un numéro d'ordre en dessous. Et qui dit photos dit noms, âge, profession, état civil, Dieu sait quoi encore. Je peux ainsi vous raconter en guise d'échantillon, tout est consigné là-dedans, que ce que l'Artiste a fait de mieux ça a été de vivre pendant huit mois aux crochets d'une femme infirme, professeur au lycée d'Oeiras. Il y a toutefois des détails qui m'intriguent et en échange d'explications sans importance il se pourrait bien que le tribunal se laisse attendrir : les procureurs de la République sont les gens les plus sentimentaux du monde.

Des bobards, a pensé l'Homme, il veut me faire avaler les boniments habituels sur la bonté du ministère public, tout cela étayé par des photos truquées, il n'est au courant de rien, il me fait marcher : en ce moment même, il ne savait pas quelle heure il était, les montres lui étaient interdites, l'Artiste devait être en train de fabriquer un de ses collages hideux au deuxième étage de la Calçada dos Mestres, cerné par la puanteur des pinceaux, des diluants, des tubes de peinture, l'Étudiant, dans son minuscule appartement aux balcons jaunes de la route des Laranjeiras, bavardait au téléphone avec une amie médecin en regardant les girafes du Jardin zoologique dont le cou se dressait au-dessus des platanes, la Propriétaire de la maison de repos additionnait ses dépenses dans son bureau, le Curé préparait un message codé, la langue pointant à la commissure des lèvres, ou il traversait le pont pour rencontrer un camarade de séminaire dans une maison de la Cova da Piedade assombrie par les vapeurs des usines qui se déversent dans le fleuve au milieu d'un silence de marécage.

— Vous avez envie de jeter un coup d'œil ? lui a demandé aimablement le Juge d'instruction en lui tendant l'enveloppe.

Les immeubles de la rue Gomes Freire se résumaient aux rectangles des fenêtres illuminées où des locataires en pyjama contemplaient les ambulances de la nuit.

Je ne mordrai pas à l'hameçon, a décidé l'Homme, on m'a mis en garde des centaines de fois contre ce genre d'offres et de promesses, contre l'amabilité factice des flics, contre leurs coups de pied affables, leurs tendres matraques, leurs énormes gifles administrées avec âme et un gentil sourire. Au premier signe de faiblesse, lui avait dit l'Employé de banque il y a des années sur une plage déserte de la Costa de Caparica, tandis que les vagues se brisaient par-delà les dunes et que des chiens jaunes erraient sur le sable, ils te tombent dessus, te sautent à la gorge et tu es foutu, et en l'écoutant l'Homme songeait que si un batelier occasionnel ou une bande d'adolescents les voyaient ainsi, collés l'un contre l'autre, adossés à un enchevêtrement de racines, dans une zone où l'été les homosexuels s'enduisaient de crème et s'embrassaient, ils se croiraient en présence d'un couple de tantouses en train de se roucouler des mots doux.

— Rien qu'un tout petit coup d'œil? a insisté le Juge d'instruction en agitant l'enveloppe. Vous serez ébahi par ce qu'elle contient, je vous le garantis.

En novembre, le vent de la mer souffle parallèlement aux vagues, s'est dit l'Homme qui avait oublié le Juge et qui revoyait l'Employé de banque en train de dessiner des spirales avec un fragment de roseau didactique, indifférent aux albatros, aux mouettes et à ce que pouvait penser l'unique ouvrier perché sur les sacs de ciment d'un bar en cours de construction. Il avait adhéré au Mouvement dès le début, avec une confiance absurde, imperméable aux doutes et aux critiques. Il était doux, sérieux, posé et portait des chaussures éculées, bouffées par les vers, qui ressemblaient à des godasses de défunt avec plusieurs mois de cercueil derrière elles. Quand il n'escomptait pas des chèques, il s'occupait de la formation théorique des groupes d'assaut à laquelle il se consacrait avec une application minutieuse de maîtresse de novices, le missel contenant les épîtres de Staline à la main.

— Depuis le début de l'interrogatoire, a soupiré l'Homme sans la moindre conviction, je me tue à répéter que je suis chef de section dans une compagnie d'assurances. Je travaille huit heures par jour, j'habite dans une maison qui appartient à ma famille, je m'occupe de la comptabilité d'une entreprise car je gagne un salaire de misère et je n'ai pas le temps de faire de la politique. Et le jour où vous vous en convaincrez tous et où vous me relâcherez, c'est vous qui aurez un procès sur les bras.

Certes, mais en attendant c'est moi qui habite le cachot là en bas, a-t-il pensé, une cellule blindée, un matelas hérissé de bosses, un lavabo de poupée, un seau hygiénique et la lampe qui aigrit sur mes paupières une gouttelette de lumière. Quand je m'approche de la porte je n'entends pas le moindre pas, pas la moindre respiration, pas la moindre toux, pas la moindre voix, pourtant le corridor est bordé de cages plus ou moins comme la mienne, j'imagine, chacune enfermant un révolutionnaire qu'on incite à renoncer à l'internationalisme prolétarien. Qui sait si l'Employé de banque n'habite pas l'une d'elles, enseignant ses trucs de guérillero à la Judiciaire, qui sait si un requin du Comité de coordination, excédé par les questions des policiers, n'a pas donné mon nom, celui de l'Artiste, d'autres encore pour pouvoir dormir sans être réveillé par une bourrade dans les reins, Magne-toi le popotin, le Juge n'a rien à faire, il a envie de tailler une petite bavette avec toi, dormir sans ampoule, dans le noir, en faisant des rêves lourds de citerne, sans mémoire et sans avenir. Quand ils étaient petits, un après-midi, l'Homme et le fils du fermier étaient descendus par l'escalier de fer jusqu'aux lézards et aux algues desséchées au fond du puits et ils n'avaient vu qu'un serpent rayé onduler sur les briques à la recherche d'une fente par où s'échapper, et tout en haut, à mesure que la clarté augmentait, un cercle parfait de bleu incandescent qu'aucun nuage ne traversait.

On a frappé à la porte, le Juge d'instruction a dit Entrez, et c'était le dîner du Magistrat qu'un garde a posé sur un coin du bureau avec des précautions respectueuses : du poulet et des pommes de terre sautées, du pain, une pomme, une petite bouteille de vin, Et tout cela à cause de vous, figurez-vous, s'est lamenté le Juge en disséquant la peau du poulet sans appétit et en essayant d'écraser le serpent avec sa semelle, un petit peu de compréhension de votre part et vous seriez déjà libre comme l'air, l'ami, en train de fumer les cigarettes de votre grand-père sous une statue de porcelaine.

Et l'Homme s'est souvenu qu'un des premiers boulots qui leur avaient été confiés, après quinze jours d'entraînement sommaire à Almoçageme sous les ordres d'un Libyen enturbanné, avait concerné un camarade sorti de prison la semaine précédente, un rouquin bavard et inquiet, toujours nerveux, toujours hésitant, toujours en proie au doute, que le Curé affirmait être protégé par la Brigade antiterroriste en échange de tuyaux sur la provenance de certains dollars. Ils avaient préparé l'opération de février à mai, surveillant les allées et venues du bonhomme qui se claquemurait dans un petit pavillon à l'intérieur de Carcavelos, loin de la mer, avec un chien minuscule qui jappait derrière le portail et des massifs de fleurs échevelées de chaque côté d'une allée de gravier. Accroupis dans une fourgonnette de déménagement ils avaient observé, stylo-bille au poing, le laitier, le boulanger, les habitudes des voisins, les esclaves en guenilles qui colmataient les fissures dans le goudron sous la surveillance d'un contremaître coiffé d'une casquette, l'instant auquel la lumière s'éteignait dans le salon, les murmures inconnus des ténèbres. Ils l'avaient finalement attrapé à huit heures et demie du matin, suivi de l'horrible bestiole, à trente mètres du kiosque à journaux, ils avaient tiré une rafale de balles, blessant à la poitrine deux petites gitanes et ils avaient détalé à grand renfort de klaxon dans des ruelles en sens interdit jusqu'au moment où ils avaient aperçu la huppe ébouriffée des mouettes et la muraille de la route côtière par-dessus laquelle le fleuve sautait en déployant ses éventails dans les affres de janvier. L'Homme avait vomi tout l'après-midi, agonisant de fièvre dans une ferme à Loures, avec l'image du corps du rouquin atteint à la tête, plissé et inerte comme celui des bêtes écrabouillées sur les autoroutes, et les petites gitanes en larmes qui essayaient de s'enfuir loin de la poudre. Les fillettes avaient fini par s'effondrer le long d'une façade près d'une bijouterie en miettes, et l'Artiste l'avait réconforté à coups de cognac et de précédents historiques, On ne fait pas d'omelette sans casser d'œufs, mon garçon, quand il s'agit de libérer le peuple la marée emporte toujours un ou deux innocents. Il était revenu à Benfica en songeant à abandonner, se disant Je ne tiendrai pas le coup, je n'ai pas l'étoffe, je n'y arriverai pas. C'était un dimanche, cousins et bonnes étaient sortis, les glaces des penderies reflétaient silencieusement sa pâleur et son effroi. Il avait envie de téléphoner sans savoir à qui, il avait ouvert les portes-fenêtres du salon, le gravier craquait sous ses pieds dans le jardin, il s'était étendu sur le gazon et avait fumé tout seul car s'il avait appelé le fils du fermier il n'y aurait pas eu de réponse : cela faisait des siècles qu'ils se parlaient peu et mal, une poignée de main, une tape dans le dos, Tu as maigri, au revoir, quand il le rencontrait dans la propriété, venu rendre visite à ses parents. Son ami s'était marié, il portait de solennelles cravates et habitait un appartement à Miratejo, mais le goût du tabac solitaire était différent et amer, et cela a été la dernière fois que le Juge en culottes courtes avec des ongles en deuil lui avait manqué. Il avait erré ensuite parmi les massifs de fleurs, s'était penché sur le bassin des poissons rouges pour écouter les nénuphars, avait effeuillé la bougainvillée autour de la tonnelle et découvert le puits et le moulin en toile de fond avec sa grande aile d'aluminium rouillé qui avait désappris le vent.

— Le mois dernier, je suis descendu au puits sans toi, a-t-il dit d'un ton de reproche au Juge d'instruction qui pelait la pomme et introduisait des morceaux dans sa bouche avec la pointe du couteau. J'ai trouvé le serpent pourri, couvert de taches, dans une fissure dans la terre.

Le Magistrat a terminé sa pomme, a craché un pépin, a repoussé l'assiette, et l'Homme a remarqué une île plus claire au sommet de son crâne, là où les cheveux se faisaient rares, qui étendait vers le front une tache de peau squameuse : un de ces jours il se fera la raie sur l'oreille, avec des masses de brillantine, pour cacher cela.

— Nous vous promettons une aide efficace et vous nous fournissez une douzaine d'éclaircissements sans importance, a négocié le Juge, indifférent au puits, en agitant un réceptacle transparent rempli de cure-dents. Et quand je dis aide, je veux parler de tireurs d'élite, d'une nouvelle identité, d'une opération de chirurgie plastique, d'une subvention mensuelle, d'un petit voyage discret à l'étranger. Il y a des villes au Brésil, par exemple, qui ne figurent même pas sur les cartes. Et remarquez que je ne vous demande pas de dénoncer qui que ce soit, ce n'est pas mon genre : juste quelques confirmations de dates, de lieux de réunion, de paperasserie clandestine, lettres, journaux, circulaires, de me dire simplement si vous reconnaissez telle ou telle écriture. Tout cela restant très impersonnel, très anodin et n'engageant personne, comme vous voyez. Et le cauchemar du cachot prendra fin, plus de gardiens, plus de police et, à votre soulagement et au mien, cette enquête horriblement ennuyeuse prendra fin.

Et pendant ce temps-là, quand son fils est entré au Centre d'études judiciaires, avec des ongles propres cette fois, pour apprendre à condamner, le fermier a continué à s'occuper des fleurs et des légumes du potager, et sa femme à plumer les poules des patrons, à califourchon sur un banc dans la cour devant la cuisine, submergée par les plumes pelucheuses et blanches qui voletaient, montaient, descendaient, comme si elle étripait un édredon. Le fermier a continué à sarcler et à installer des pièges à ressort dans la propriété contre les oiseaux qui picoraient les figues et abîmaient les cerises et les poires, de tout petits oiseaux, à l'exception des merles, étranglés par le fil de fer et éparpillés au pied des troncs et voués à l'appétit des fourmis. Le fils juge et sa mère, raide de timidité, se levaient au passage de l'Homme qui avait raté année après année tous ses examens au lycée et qui était entré comme commis de bureau dans la compagnie d'assurances de la famille. La femme baissait la voix pour le saluer Bonjour, jeune maître, elle sentait l'eucalyptus et le granit des villages sans destin de la Beira d'où elle était venue pour habiter une bicoque coincée entre la serre et la cage des chiens et encastrée dans un mur hérissé de tessons de verre de couleur, deux pièces remplies de meubles pourris et de pénombre, avec l'ovale subit d'une glace, un fourneau sur une dalle, des lits moribonds parce qu'il y avait d'autres enfants, deux filles pieds nus et un garçon aide-mécanicien enfermé entre d'énormes sourcils dans une fâcherie perpétuelle. Les jours de congé, le fermier dormait dans un panier d'osier, au frais sous la treille, une chienne jaunâtre à ses pieds, un animal mélancolique et sans grâce, aux oreilles tristes, qui chassait les mouches d'octobre avec sa queue. Le gardien est venu chercher le plateau et l'a emporté comme s'il transportait une relique, dans un tintement de vaisselle. Le Juge d'instruction regardait par la fenêtre le crépuscule augmenter les dimensions de la ville :

— Vous ne trouvez pas que c'est une aide généreuse, a-t-il demandé à l'Homme en lui tournant le dos et en lui présentant sous son costume des omoplates maigres d'ange inachevé. Au stade où en est l'enquête, il n'y a pratiquement rien que je ne sache déjà et quand vos copains auront craché le morceau, préparez-vous à écoper de dix ans au minimum, que vous passerez à relier des livres dans l'atelier de la prison. Ça ne sera d'ailleurs pas une mauvaise chose, quand j'y pense, vous apprendrez au moins un métier, ce qui ne vous est encore jamais arrivé dans la vie.

Par un effet de réverbération de son feuillage la treille se prolongeait en direction de la porcherie et de la remise à râteaux, dans laquelle des sécateurs, des faux et des pelles étaient suspendus à des crochets et où un cône de pommes de terre germait sur le sol. D'un côté du mur un ouistiti attaché à une chaîne admirait ses doigts avec les pupilles tourmentées d'un hépatique et de l'autre on entendait à toute heure, venant d'un balcon où personne ne paraissait jamais, les notes discordantes d'une leçon de violon tâtonnant le long de la portée. La belle-mère du fermier, dans les vêtements noirs du veuvage, cousait des chemises sur une marche.

— Quelques dates, quelques lieux, quelques petits détails sans conséquence, a dit le Juge, et la semaine prochaine nous vous installons au Brésil, une mulâtresse à chaque bras.

Il a allumé une lampe et la lumière a accentué les rides, a creusé les os de la mâchoire, a augmenté la laideur de la cravate, a révélé une égratignure sur le menton et un tic qui contractait les muscles de la bouche tiraillée par le spasme d'un tendon. L'éclat des lunettes empêchait l'Homme de déchiffrer la sincérité des promesses, tout comme les ordres et les jurons du Curé rongé par la vermoulure se brisaient sur une cible et dissimulaient l'anxiété et la peur, ils se bousculaient tous les cinq, se fâchaient, sursautaient dans la voiture volée en attendant l'apparition du traître à la classe ouvrière, Et si par hasard, c'est une supposition, il était arrivé quelque chose et que le couillon ne se montre pas?

Il a allumé la lampe et son visage ne gardait plus trace du passé et ne présentait aucune ressemblance avec les souvenirs que l'Homme avait de son père ou de sa mère, la couleur des cheveux et des yeux, les gestes de furet, la forme des pommettes. Aucune ressemblance avec ces esclaves frustes et soumis, façonnés dans la province par le wolfram, les cactus, la faim et les platanes de l'hiver, avec qui mon grand-père conversait parfois avec une bonhomie de marquis pour s'enquérir de la maladie des acacias. Juste ses lunettes sérieuses qui attendaient et un stylo qui se balançait entre ses petits doigts pointus :

— Alors?

L'Artiste a peut-être été arrêté, a pensé l'Homme, le Curé est peut-être surveillé, la Propriétaire de la maison de repos est peut-être en train de vider son sac au commissariat du Beato, deux gars de la Secrète sont peut-être en train de fouiller les tiroirs de l'Étudiant, sur la route des Laranjeiras, ou de s'ébaubir devant la naïveté de ses draps constellés de Snoopy car même l'avant-garde du prolétariat a le droit de rester enfant et de regarder des girafes et des cynocéphales entre le linge qui sèche sur le balcon et les arbres en forme de bec de plume qui s'agitent dans le ciel. Peut-être que le Comité de coordination a chuchoté C'est Untel et Untel et encore Untel et que par miracle trois ou quatre opérationnels ont pu s'enfuir en auto-stop à travers l'Alentejo vers l'Espagne ou en se frayant un chemin parmi les cistes de la frontière, glissant dans les terrains déserts, effrayés par le froufrou d'un lapin, cherchant la lame de couteau de la rivière argentée par la lune. Mais même si c'était le cas, les orangs-outans d'Interpol devraient fouiller les bidonvilles de Paris, venelle après venelle, et avec cette arnaque qu'est la CEE, on n'échappe plus à l'extradition, pas même dans la pluie belge, et on est reconduit à l'aéroport dans un tourbillon d'agents de police, tout cela finalement est aussi facile que la mort des petites gitanes désespérées et paniquées qui couraient dans le matin de Carcavelos le long de ruelles sans mouettes, loin de la mer.

— Je connais un endroit à Carcavelos où on ne sent pas les vagues, a dit subitement l'Homme.

— Comment? a rétorqué le Juge d'un air intéressé en accentuant son sourire, et l'Homme a pensé Il fait de moi ce qu'il veut, il commence à s'apercevoir qu'il fait de moi ce qu'il veut et que désormais il n'a qu'à appuyer avec précaution un peu plus fort pour voir le pus sortir.

— On ne sent ni l'odeur, ni l'ombre, ni le reflet de la mer, a dit l'Homme, c'est comme si on était dans le linceul d'un village de montagne peuplé d'absences et de fantômes de Maures.

Des chemins malcommodes, des mûriers, d'antiques tombeaux, des chèvres qui lèchent la mousse sur les rochers, un mur du château, des poules qui avalaient des gravillons sur le parvis de l'église : les lèvres du Juge d'instruction, décolorées par les reflets métalliques de la lampe, s'arrondissaient à côté de l'arête de la joue :

— Où ça? a-t-il demandé en cherchant une gomme parmi les papiers sur le secrétaire. Figurez-vous, c'est une coïncidence, que j'ai une affection particulière pour Carcavelos. N'est-ce pas là que sont morts un ministre et plusieurs mendiantes, il y a quelques mois?

Ne plus avoir à huiler des culasses dans une pinède avant l'aube, sous des nuages couleur d'uniforme et dans une petite bise cruelle, tous les cinq (ou six? ou sept?) autour d'un bout d'étoffe sur les aiguilles de pin où étaient posées les armes tandis qu'une troupe remuante d'oiseaux chantait dans le feuillage et que la Ford sortie la veille les attendait dans un sentier encombré de ronces. Ne plus éprouver la tension de l'attente avant de se mettre en route, dérapant sur une route secondaire et se partageant les munitions dans une caisse : le Curé chronométrait le temps d'un air préoccupé, l'œil fixé sur sa montre, l'Artiste urinait en sifflotant à quelques mètres de nous, l'Étudiant remplissait les poches de sa veste de cartouches. En finir avec la peur, avec les coliques, avec les soubresauts dans la poitrine, ne plus avoir à se raser la moustache ou se la laisser pousser, ne plus avoir à changer de coiffure, à se teindre les cheveux, à recourir à ces ridicules déguisements de théâtre. Cesser d'épier par les rideaux, de marcher posément, la main sur le revolver, vers un supermarché, cesser de trembler quand la sonnette retentit, de bondir quand le plancher craque, de poser une grenade à côté du verre d'eau destiné aux insomnies nocturnes. Se libérer du tombeau de sa cellule au bout d'un dédale compliqué de tunnels et de marches, silencieux et menaçant comme après la détonation d'un coup de feu, se libérer de la verrue de la petite ampoule qui le poursuivait comme la photo du Magistrat-bébé dans la petite salle du fermier avec une fenêtre donnant sur une cascade de magnolias qui exhalait le sucre sans âme des morts.

— Ça vous ennuie que j'appelle un agent? a demandé le Juge d'instruction en se penchant au-dessus de la table pour atteindre le téléphone et renversant un cadre. Il me faut résoudre un problème pratique : j'ai là une diable d'écriture impossible à lire, je mets des éternités à déchiffrer ces gribouillis. Et mercredi ou jeudi vous atterrirez à São Paulo, en short blanc, panama et chemise à ramages, avec une danseuse de samba dans le lit de votre hôtel.

Peu importe que j'avoue puisqu'ils sont tous en prison, le Curé, l'Étudiant, l'Artiste, la Propriétaire de la maison de repos, l'Employé de banque, tous fourrés dans différents cachots sur toute l'étendue du pays, sans droit de visite, sur dénonciation du contrôleur des groupes d'assaut, lequel se trouve maintenant en Suisse avec une pension de l'État. Tous en prison, a pensé l'Homme pendant que l'agent ôtait la housse de la machine à écrire, cherchait une chaise, introduisait une feuille derrière le rouleau, regardait le Juge, mains en l'air comme un pianiste regarde le maestro, faisant vibrer les pans de sa redingote, attendant anxieusement le signal d'attaquer. C'était un gars frêle, vêtu modestement, un policier qui n'avait pas l'air d'un policier, un de ces collectionneurs effacés de sauterelles et de timbres, un malheureux rond-de-cuir de la police judiciaire tyrannisé par ses collègues. Tous en prison, a pensé l'Homme, en train de s'expliquer dans des bureaux identiques devant des juges et des dactylos identiques, de séparer des photos, d'élucider des détails, d'affirmer, de nier, d'accepter un cognac, de dire pas du tout, monsieur, ce n'était pas dans l'Algarve que le bateau de pêche marocain déchargeait la dynamite et les bazookas, c'était sur la côte espagnole et ils traversaient la frontière dans des camions qui transportaient des appareils électroménagers et du bétail. Tous en prison en train de m'accuser, triomphants, furieux, déboussolés, a pensé l'Homme. Il a fusillé les gitanes lui-même, c'est lui seul qui a trucidé le ministre, exécuté le rouquin, il coinçait l'arme sous l'aisselle, nous disait d'un ton autoritaire Ne tirez pas, et il nettoyait les avenues à coups de rafales, s'il avait pu il aurait suspendu les scalps à sa ceinture et achevé les mourants à coups de couteau. Une fois, sans la moindre raison, il m'a craché au visage, a révélé l'Artiste, et les autres de renchérir C'est vrai, Il a voulu me violer dans les fourrés, a dit la Propriétaire de la maison de repos d'un ton plaintif, il m'a débité des cochonneries, il a déchiré ma robe, tenez, regardez, Il n'avait aucun respect de la hiérarchie, a aboyé le Curé, il n'obéissait pas à ses chefs, la notion d'éthique marxiste n'avait plus aucun sens pour lui, et l'Employé de banque... Un après-midi, à Guincho, pour parfaire la précision de son tir, il a voulu s'exercer sur le dernier surfiste, à mon avis il ne savait pas ce que c'est qu'un sentiment, avec l'aide des camarades basques nous avions mis au point un plan pour nous débarrasser de lui. Quand il a sorti les cigarettes de son grand-père de la poche de sa culotte, le ciel au-dessus des acacias est resté bleu et l'Homme a souri aux bancs tapissés de carreaux de faïence du jardin et au jet d'eau du bassin plein d'anguilles transparentes et de lotus en décomposition :

— Je vais te dire une chose qui te laissera pantois pendant trois jours, a-t-il dit au Juge d'instruction qui nettoyait ses lunettes avec un petit chiffon et qui, privé de la protection des verres, le regardait avec l'expression nue et résignée des enfants de la province assis sur la paille, le dimanche, entre des pots en terre cuite et des porcelets geignards. Malgré nos fumeries sur la pelouse, nos galopades dans la propriété et nos indigestions de fruits verts, je ne t'ai jamais aimé.

Le grand-père en bas, dans la chaise longue sous le parasol décoloré, se teignait de l'humeur des agapanthes. La femme du fermier appelait à grands cris sous la treille son fils juge qui a dégrafé son gilet avec des gestes murmurés et une main fine est sortie de la manchette de la chemise pour refuser une cigarette. Le pianiste à la machine à écrire a essayé la note d'une touche avec l'annulaire et les lèvres du Magistrat se sont tordues avec la grimace de son père quand il mutilait les rosiers qui maltraitaient avec leurs épines les statues de faïence du jardin :

— Et moi, en contrepartie, je vais te confier un secret encore plus secret, a-t-il dit en replaçant délicatement la monture métallique sur ses oreilles. Tu ne peux imaginer la masse de saindoux que j'ai employée à graisser les marches du puits, dans l'espoir de te voir tomber.

A Benfica, le samedi, a dit le Juge d'instruction, quand son grand-père remplissait la table du dîner de prêtres, de chanoines et de coupelles d'amandes pour des conversations de grenouilles de bénitier autour du rôti de veau, nous grimpions par le grand platane sur le toit de la salle d'eau des bonnes qui était sans doute une ancienne remise construite derrière la maison principale et cachée du jardin par un rideau de vigne vierge, et nous nous aplatissions contre le rectangle de la lucarne en étouffant nos petits rires excités dans nos mains. Les vitres reflétaient un pan du poulailler et le début du potager, et en dessous de nous il y avait la cour où on tuait le cochon en octobre en le laissant saigner, suspendu par le cou, au-dessus de jattes en chêne, entouré d'hommes en tablier et de bonbonnes de vin rouge. La villa des leçons de violon aux stores obliques où jamais personne ne se montrait sombrait dans la forêt de l'abandon : une des clôtures, démolie, s'affaissait dans la cour de récréation de l'école où une clochette fanée retentissait toutes les heures. Et quand nous entendions, plus ou moins à cinq heures de l'après-midi à en juger d'après le vol des cigognes, les gémissements de l'instrument qu'on accordait, nous tentions vainement de repérer le balcon d'où provenait le son et nous nous imaginions parcourant craintivement des salles et des salles irrespirables à force de poussière, lourdes de meubles énormes et d'horloges anciennes, jusqu'à découvrir un squelette de femme en jupe longue sur une chaise à bascule, avec des poignées de cheveux collées au crâne, levant l'archet de son violon pour une valse spectrale dont les notes embuaient les théières et flétrissaient les corolles des géraniums.

— Si vous étiez tellement amis quand vous étiez petits, a dit le Monsieur de la Brigade spéciale en regardant la fenêtre de la pédicure dans l'édifice en face, au-dessus de l'entrée d'un magasin de jouets, je parie que vous le connaissez bien, monsieur le juge.

Ils étaient dans le cabinet du Juge d'instruction, au milieu de dossiers concernant des marchandes de volaille et d'une odeur de ragoût froid, un bruit de conversation et des raclements de tiroirs voilés arrivaient du bureau contigu où on remplissait des mandats d'arrêt et où des fichiers cancanaient. Dans une blouse à côté d'une étagère couverte de limes et de pinces, la pédicure se penchait au-dessus des pieds d'une dame blonde qui lui signalait un défaut sur un ongle.

— Amis? s'est exclamé le Juge d'une voix étonnée. Nous nous sommes fréquentés jusqu'à l'âge du service militaire, c'est tout. Ensuite je me suis marié, j'ai été ballotté de poste en poste à travers tout le pays, je le rencontrais parfois en train de déambuler dans le jardin de son grand-père, le nez au ras des narcisses, toujours soucieux, toujours seul.

Accroupis sur le toit, épiant par une cicatrice sur la lucarne, ils attendaient en ricanant et en fumant que la jeune bonne arrivée d'Alcobaça il y avait quelques semaines, celle qui se trompait dans les couverts et renversait les tranches dorées du plat, pénètre dans la remise, plie son uniforme sur un cintre, attache ses cheveux sur sa nuque avec une multitude d'épingles et ouvre d'abord le robinet de l'eau chaude et ensuite celui de l'eau froide en tâtant la température avec son bras : une fleur liquide s'élargissait à partir de la tige de la douche, les pétales se changeaient en spirales de vapeur à peine ils touchaient les murs et les vitres se troublaient peu à peu comme les lunettes de larmes des vieillards.

— Quoi qu'il en soit, a dit le Monsieur qui s'intéressait à la pédicure, laquelle discutait avec la dame blonde en brandissant une espèce de tenaille un détail concernant sa cheville, les gens ne changent pas tellement que cela avec le passage du temps.

Et en effet, a pensé le Juge d'instruction avec envie, pendant que je me consumais dans des bleds perdus à Ourique, à Loulé, à Vila Viçosa, inscrivant chaque fois les enfants dans une école différente et conversant le soir dans l'arrière-boutique du pharmacien avec un notaire amer et un président du conseil municipal sans illusions, l'Homme, messieurs, lui, n'avait presque pas changé : malgré quelques petites rides par-ci, par-là, quelques petits cheveux blancs et un visage un tout petit peu plus rond, il était encore facile de l'imaginer en culottes courtes, penché au-dessus des feuilles mortes et des crottes de pigeon, essayant d'apercevoir le corps de la servante qui se savonnait dans un brouillard tiède, distinguant son petit pubis, ses larges épaules, ses cuisses sombres, la bonde vers laquelle l'eau se précipitait en écumant, les champignons roussâtres du plafond. Je transpirais dans mes costumes de casimir dans la canicule de l'Alentejo et en revenant du tribunal je devais supporter mes enquiquineurs d'enfants et les je-n'en-peux-plus de ma femme, tandis que ce vaurien se la coulait douce à Lisbonne, terrasses de café, cinémas, amourettes, théâtres, se juchant peut-être le samedi sur le toit de la remise, cigarette au bec, pour se rincer l'œil sur la nudité des bonnes. La pédicure a ajusté une petite lampe et s'est penchée d'un air affairé, le talon de la dame sur ses genoux.

— Monsieur le juge, a dit le Monsieur en décollant une pellicule de ses lèvres, vous le convaincrez sûrement de se montrer coopératif avec nous. Car si le bonhomme ne nous aide pas, le reste de la bande continuera à mitrailler à droite et à gauche et le Secrétaire d'État est tout à fait capable de se mettre dans une fureur noire contre vous.

— La voilà, la voilà, a soufflé l'Homme en pinçant le Juge occupé à nettoyer un coin de vitre avec sa manche. A peine une nouvelle bonne arrive, boum !

— Un petit mot opportun, a suggéré le Monsieur, un tour de vis au bon moment, et il chantera comme un canari.

Une branche de platane frôlait la cornière, des ombres

d'ombres dansaient sur le mur. Enveloppée dans la serviette-éponge, les épaules luisantes, la bonne regardait la cuisinière plantée dans ses savates informes dans l'embrasure de la porte, les coudes croisés sous la poitrine. Une tache de soleil ou le reflet des feuilles oscillait sur le mur au moment où la pédicure écartait la lampe et se redressait, la dame blonde étudiait ses ongles, indécise, avant de les plonger dans une bassine, et à l'angle de la rue Gomes Freire et de la rue Conde Redondo un agent de police qui faisait sa ronde engueulait un vendeur de billets de loterie en haillons et menaçait de son bâton un camionneur qui avait pris la défense du mendiant.

— Vous pensez que regarder deux bonniches se bécoter suffit pour connaître quelqu'un? a demandé le Juge en enroulant et déroulant un élastique sur son poignet. Les enfants n'aiment pas beaucoup assister seuls à ce genre de spectacle.

Dans la salle d'eau déserte, un flocon de savon se cristallisait au-dessus d'une fissure dans le ciment, sur le portemanteau la serviette-éponge avait l'air d'un chiffon, un talon de chaussure avait laissé une trace boueuse et sous la pomme de la douche les dernières vapeurs s'estompaient en volutes légères. Dans la villa inhabitée des leçons de musique, une clarté dépourvue de poids glissait de rideau en rideau et naviguait sur les lattes des persiennes griffées par les épines des arbustes. La cisaille du fermier tondait la pelouse, les immeubles de la Pontinha s'assombrissaient, le Monsieur de la Brigade spéciale a fait craquer les articulations de ses doigts et a soulevé une paupière lasse de lézard en direction du Magistrat :

— Comme vous pouvez l'imaginer, l'instruction de cette affaire ne vous a pas été confiée par hasard, il nous fallait quelqu'un qui connaisse le type, qui soit susceptible de l'attendrir, de le faire parler en évoquant des souvenirs d'enfance. (Et le Juge s'est souvenu du propriétaire du singe, un boiteux frénétique et hargneux qui les avait chassés à coups de bâton un mardi de Pâques où ils avaient sauté par-dessus les tessons du mur pour observer de près les mimiques anxieuses de l'animal.) Dans ces sortes d'affaires rien de tel qu'un peu de tendresse entrecoupée de rossées pour pousser quelqu'un à sympathiser avec nous.

— Je me suis tellement dépêché que je me suis écorché, j'ai le genou en sang, qu'est-ce que je vais faire? a pleurniché l'Homme qui se cramponnait au tronc d'une vigne en montrant sa jambe, pendant que le propriétaire du ouistiti qui même en courant courbé et poussant des glapissements ressemblait à sa bête, les insultait par-dessus les fragments de verre qui étincelaient au soleil. Ne me quitte pas, ne me laisse pas seul, aide-moi, il faut que je désinfecte ça avec de la teinture.

— Je n'ai jamais vu quelqu'un d'aussi froussard, d'aussi douillet, il se cassait la figure pour un oui pour un non, il ne tenait pas sur ses guibolles, a dit la voix du Juge venue des limbes du passé, pendant que la pédicure reparaissait avec une nouvelle cliente, cette fois une vieille dame qui avait engraissé sur sa chaise, comme une poule dans son nid, à caqueter des rhumatismes.

— Je ne peux plus bouger, a sangloté l'Homme, je me suis cassé un os, c'est sûr, je me suis bousillé la rotule, il va falloir me mettre dans un plâtre à l'hôpital. Si tu ne me portes pas, je dirai à ma grand-mère que tu grimpes sur la lucarne pour espionner le bain des bonnes.

Mon père et moi, a dit le Juge d'instruction, étions en train de défaire les paquets du voyage, ma mère, dans la cuisine, sa radio muette sous le bras, ouvrait l'armoire grillagée destinée aux assiettes et le tiroir à couverts et elle s'extasiait devant les interrupteurs électriques quand Madame est entrée dans notre bicoque, Bonjour, un sourire, des doigts pleins de bagues, un parfum intense qui a aussitôt transformé la crasse, la moisissure et la suie sur les murs, Je suis sûre que nous allons très bien nous entendre, avant de vous mettre dans le train Aurélio m'a dit le plus grand bien de vous. Et ce n'est que des années et des années plus tard, à la faculté, quand l'anis a complètement détruit la vésicule du vieillard, que j'ai compris qu'Aurélio était le vieux patron de Nelas, l'homme qui conversait dans la salle à manger avec le néflier du potager et qui marchait le long des terrains en terrasse pendant les vendanges, un chapeau de paille sur

41

le chef, avec une lenteur de bœuf asthmatique, exhalant une odeur de fleurs en feutre et d'insomnie.

— Je suis Dom João, empereur de tous les royaumes du monde, a dit le Monsieur harcelé par les loups en avançant à grandes enjambées dans une pinède déserte.

A peine Madame a-t-elle trouvé ses lunettes dans son sac à main qu'elle s'est mise à arpenter les pièces, le cou tendu, nous dévisageant et scrutant les meubles avec la curiosité que l'on met à regarder les cendres encore chaudes d'un incendie. Elle nous a promis un lavabo en bon état et des journaux pour tapisser les armoires, elle a plié un billet ostensiblement discret dans la paume de mon père, elle a déclaré J'adore la Beira, dès que j'aurai une semaine un peu plus tranquille je m'enfournerai dans l'auto et je monterai là-haut, mais les dévotions, les bonnes œuvres, les antiquaires et le bridge l'occupaient à plein temps, le jacquet et l'église l'exténuaient, le choix des menus faisait grimper sa tension. Son mari revenait de la compagnie d'assurances à la nuit tombée, il traversait la cuisine, son manteau sur les épaules, avec une élégance de prestidigitateur, aveugle aux salutations des domestiques et aux bouillonnements des casseroles, et le vieux patron, portant enfin une cravate mais sans son chapeau de paille, a fait le voyage de sa mort tout seul, abandonné par ses amis dans la sacristie d'une église glaciale en écoutant le vent se fâcher dans les peupliers de la place.

— Tu es sûr que je n'ai rien de cassé? s'est étonné l'Homme en palpant une égratignure. Et qu'il n'est pas nécessaire de désinfecter avec de la teinture, tu es sûr qu'on peut mettre ça sous le robinet et que ça s'en ira? Dans ce cas escaladons de nouveau le mur et lançons des pierres au singe.

— C'est un hystérique, a décrété le Monsieur, appliquez-lui un pinçon un peu plus musclé et il se mettra à table. Ce qu'il y a de bien dans ce pays c'est que même les poseurs de bombes sont des pleutres lamentables.

Mais le boiteux était toujours là, montant la garde devant son ouistiti, grondant son indignation armé d'une énorme houe, a raconté le Juge d'instruction, si bien que nous nous sommes amusés à exciter au combat deux coqs de deux cages différentes dans le poulailler jusqu'à ce que ma mère crie sous la treille Zé, tu as donné leur maïs aux pigeons, Zé, et je faisais la sourde oreille et je pensais au jour mémorable où elle avait ciré la radio avec une pommade spéciale qui avait dû coûter au moins la moitié des gages de mon père, elle avait installé l'appareil sur la table de la salle à manger, sur la nappe semée de petits personnages et d'oiseaux de son trousseau de mariée, elle l'avait coiffé d'un napperon amidonné et de la photo de mon parrain à l'époque où il s'était enrôlé dans l'armée à Viseu, jambes croisées sur un banc de jardin devant une toile peinte représentant la tour Eiffel, elle avait déplacé l'aiguille des voix et de la musique bâillonnées par l'absence d'électricité à Nelas et prêtes à se bousculer pour sortir de la caisse de résonance dans un flux féroce de marches militaires et de publicité pour les pastilles contre la toux. Le cadran s'était illuminé, il était passé du noir au rose, et du rose à l'or vif des auréoles de saints, un hurlement de phare était sorti des entrailles de la machine pour annoncer des brouillards hertziens, mon père et nous tous étions assis devant la radio comme devant un écran de cinéma, le vacarme a enflé, accompagné de ronflements et de crachotements, ma mère, écarlate de déception, a tourné le bouton à la recherche d'une station plus amène, une trachée malade a balbutié un discours incompréhensible et a sombré dans une tempête de croassements, remplacée immédiatement par un fragment de valse et une deuxième gorge qui semblait dialoguer avec la première et qu'un chuintement de friture ou de lait en train de bouillir à engloutie dans une nuée d'étincelles.

— Débranche ça, a imploré mon père, inquiet, en voyant la radio déborder de la table. Tu vas faire sauter tous les fusibles de la ville.

— Une autre bonne est arrivée, a dit l'Homme tout excité en pinçant le Juge qui balayait la cage des perruches dans le jardin. Samedi prochain, ça sera la fête.

Et effectivement, à la fin de l'après-midi, a dit le Juge d'instruction au Monsieur, nous étions là tous les deux, la paupière collée à la lucarne pour épier les cheveux courts d'une adolescente grassouillette, frottant la vitre avec un mouchoir pour mieux distinguer ses seins, la peau de son ventre, ses orteils écartés comme une patte de crapaud, ses gestes estompés par la vapeur d'eau, ses vêtements sur le portemanteau, la poignée de la porte. Nous étions là, attendant la cuisinière dans son tablier, bras croisés sur le seuil, qui avançait sans hâte sur le sol mouillé en se défaisant de sa blouse et de sa jupe, souriant comme une plante carnivore, offrant un sein à la bouche de la bonne tout en l'étreignant contre son ventre avec la tenaille d'un coude, sauf que cette fois-là ce n'est pas la cuisinière qui est entrée, a dit le Juge au Monsieur distrait par les manœuvres de la pédicure et les instruments à raccommoder les talons qui prenaient vie sous la lampe, mais Madame, en manteau de renard, avec une coiffure compliquée et de longs ongles rouges, Madame, en souliers vernis à hauts talons, agenouillée sur le ciment, vous imaginez la scène, devant la petite bonne, écartant son col, exhibant son décolleté, ses perles, les tendons fripés de son cou, Madame appuyant son corps contre les jambes de la jeune fille qui enfonçait ses doigts dans ses mèches laquées, qui l'obligeait à effleurer son nombril de ses lèvres maquillées de violet, qui l'agrippait par la doublure de sa robe, qu'elle déchirait presque, pour sentir la peau de ses aisselles sur ses hanches, et moi, a dit le Juge, je n'arrêtais pas de remuer tant j'étais gêné, j'éteignais ma cigarette sur les tuiles, je chuchotais On s'en va, j'essayais d'embuer les vitres avec mon haleine, Boucle-la, il était immobile, mâchoire tombante, cramponné avec tant de force au rebord du toit que ses pouces en étaient blancs, et moi j'insistais On s'en va et lui Ne m'embête pas, va-t'en si tu veux, ne m'embête pas, se trompant de poche en cherchant ses allumettes, allumant cigarette sur cigarette, oubliant de les fumer, regardant avec une obstination douloureuse la bonne et Madame se vautrer nues sur la serviette-éponge, regardant leurs caresses, leurs baisers, leurs mouvements de piston, se laissant enfin tomber le long du platane en murmurant Je te déteste, va au diable, je n'ai jamais été ton ami, à moi qui n'avais rien fait, monsieur, sinon l'accompagner parce qu'il m'avait invité, parce qu'il m'avait cassé les oreilles toute la semaine, hors de lui, Elle est à moitié rousse, bon sang, tu sais ce que c'est une rouquine à poil ? à moi qui devais étudier ma géographie, savoir l'Australie par cœur pour la composition du mardi, et cet imbécile qui marchait sur le gravier, côtes concaves, en direction de la villa de la musique, Je te déteste, disparais de ma vue, ne m'adresse plus la parole, ce nigaud qui s'effondrait à plat ventre dans le gazon, fixant le bassin des poissons sans une larme, avec une étrange expression absorbée, pour se relever quelques minutes plus tard, des herbes et des feuilles collées à son pull-over, comme si je n'avais pas existé tout ce temps-là, pendant lequel je ruminais mes soucis à côté de lui, et s'enfuir chez lui en chassant les guêpes avec ses manches, sans même m'offrir la misère d'une cigarette d'adieu.

— Comme vous le voyez, vous faites de lui ce que vous voulez, c'est du tout cuit, a dit le Monsieur en se mouchant, puis repliant le mouchoir dans ses plis et le serrant à l'intérieur de sa veste avec le soin par lequel les sacristains rangent les parements. Rien ne m'ennuierait plus, monsieur le juge, que de devoir bouleverser votre vie personnelle, par exemple, la mutation de votre femme à Monção, de graves ennuis avec le fisc, cette employée veuve racontant partout que vous l'avez engrossée et qu'elle refuse d'avorter, le genre de choses qui sèment la zizanie dans les familles. Parlez au bonhomme de sa chère grand-mère lesbienne, suggérez des noms de témoins, mentionnez la publication d'un entrefilet dans les journaux, d'habitude ça donne des résultats formidables.

La pédicure enlevait sa blouse sous la lumière du plafonnier, elle se brossait les cheveux, elle prenait sa gabardine et quelques minutes plus tard elle surgissait dans la rue au milieu des clients du photomaton et elle sautillait avec son parapluie fermé vers l'arrêt du tram. Une fourgonnette Renault s'est garée dans la cour de la Judiciaire et trois agents en civil ont poussé un nègre à coups de pied vers le guichet dans l'entrée. Le Monsieur qui déshabillait un bonbon contre les spasmes pulmonaires (une brise sylvestre a parfumé la salle) a fixé la fenêtre en suçant son médicament avec de petits clappements de langue :

— La lesbienne, a-t-il dit, la lesbienne est la clé, bon Dieu. Explorez-moi à fond cette histoire de lesbienne, et basta.

— Maman, regarde, a dit la grande sœur du Juge d'instruction, de la fumée sort de la radio.

— Je vous répète depuis le début que les fusibles vont tous sauter, a dit mon père dans son coin en cherchant à tâtons une bouteille de rouge derrière la banquette.

Et alors, a expliqué le Magistrat, ma mère s'est précipitée sur la radio avec l'idée de placer l'aiguille du cadran sur le Te Deum de l'émetteur catholique qui sauverait son trésor des flammes avec l'aide de la Sainte Vierge, mon père a renversé un hippopotame nickelé en se lamentant Il n'y a jamais de vin dans cette baraque, putain de merde, j'en ai ma claque de ces patates et de ces haricots qui ne tiennent pas au corps, et sur ces entrefaites une bobine ou une résistance a explosé dans les entrailles de l'appareil, mes sœurs se sont enfuies de la salle en poussant des cris, et une deuxième résistance a grillé au moment même où les doigts inquisiteurs de mon père atteignaient le goulot d'une bouteille de piquette planquée derrière le réfrigérateur. Un paso doble tauromachique a fait irruption avec une majesté liturgique et a expiré dans des éclairs de magnésium, et soudain, a dit le Juge, la boîte s'est transformée en une pyrotechnie d'étincelles, de fusées larmoyantes, d'éclairs, de serpenteaux, de ressorts zigzagants, de bois brûlé, de métal coulant, ma mère, armée d'un traversin bourré de paille, éteignait les flammes qui surgissaient sur la table, soufflait sur le napperon en feu, versait une cafetière d'eau sur la radio anéantie, piétinait la photo de la tour Eiffel qui était tombée par terre dans des scintillations d'iode, et quand la lumière est revenue nous l'avons vue rassembler dans son tablier les morceaux calcinés de ce qui l'avait fait rêver pendant tant d'années dans la Beira, hiver après hiver, de fox-trot de kiosques à musique et de fandangos de fêtes populaires, et placer les charbons dans le napperon plein de trous, nous l'avons vue jeter par la fenêtre les cendres de la photographie et s'asseoir, la main en entonnoir derrière l'oreille, à côté de ma grande sœur, pour écouter avec ravissement les speakers inaudibles de toujours qui chuchotaient pour elle seule depuis son mariage des mots d'amour ardents faits de déraillements de trains en Pologne, de typhons dans les Caraïbes et de scandales financiers au Japon, pendant que mon père, à plat ventre par terre et les fesses à l'air, pérorait dans la paix épaisse du vin, peuplée de temps en temps de frayeurs d'araignées ou de souris. Le Monsieur, qui ressemblait à un orphelin dans un internat depuis que la fenêtre de la pédicure s'était assombrie, a étendu sa paume sur son genou pour scruter une verrue et il a dit avec douceur :

— L'ennui avec mon vieux à moi, c'est qu'il ne supportait pas le moindre petit verre. J'ai passé mes années de gosse à le charrier sur un brancard à l'hôpital de Faro.

Le Juge d'instruction a ouvert et refermé un tiroir, empilé des codes, déplacé un presse-papiers de droite à gauche et de gauche à droite, aligné la gomme parallèlement au buvard, la rue Conde Redondo s'animait de sexagénaires en rut, la vitrine biseautée d'une pâtisserie envoyait des scintillations géométriques de cristal, et le Monsieur et lui m'ont fait penser, à moi qu'on envoyait du ministère par autocar pour prendre en sténo leurs conversations, assis sur une chaise à côté de la petite table des téléphones, à deux adolescents attardés, à de tristes gamins avançant seuls dans des couloirs d'infirmeries, de pleurs et de malheurs derrière les civières où étaient étendus leurs parents jusqu'à disparaître dans un enchevêtrement de paravents derrière lesquels une dame en manteau de renard tendait ses ongles rouges et le vertige de son décolleté vers un pubis de servante.

— Comment est-ce que je peux me souvenir de tout ça, a dit la pédicure, cela fait si longemps.

Nous aurions pu laisser l'auto dans le parking de la Judiciaire mais je n'ai pas voulu courir le risque de tomber nez à nez sur la mocheté avec laquelle ma femme avait décampé deux ans plus tôt, un sous-inspecteur squelettique avec une barbiche d'objecteur de conscience, rongé par le haschisch et les philosophies hindoues, qui l'avait emmenée en vacances en Thaïlande, un fifre de charmeur de serpents sous l'aisselle, pour y adorer des dieux à huit jambes. Un beau jour, en rentrant chez moi, je l'avais trouvée à genoux sur la moquette en train de faire sa valise, entourée de corsages et de soutiens-gorge, pendant que le gourou, mains dans les poches, vautré dans mon fauteuil, admirait sa croupe de vache sacrée et lui prodiguait des conseils Prends juste tes slips noirs, c'est ceux que je préfère, et je les ai imaginés, stores baissés, dans un rez-de-chaussée saturé d'encens à Bobadela, s'embrassant effrontément pendant mes heures de travail sur des coussins d'indienne et des faux tapis indonésiens, dans le va-et-vient des ombres d'une multitude de cierges qui se liquéfiaient dans des soucoupes. J'ai encore réussi à demander, indiquant l'énergumène avec mon journal plié, Qu'est-ce qu'il a cet ours que je n'ai pas? et ma femme, très calme, a cessé d'entasser des transparences en nylon, a retiré son alliance, l'a posée sur la commode et a répondu Il bande, j'ai encore essayé de discuter en la voyant fermer la valise, un genou posé dessus, serrant les courroies de cuir avec force, Ce type est la honte de la police, Manuela, j'ai même songé à gifler l'objecteur de conscience qui tapotait une cigarette sur le paquet, le nez sur une Dernière Cène en émail, mais le type m'a demandé du feu et sans réfléchir je lui ai tendu une allumette enflammée en protégeant la flamme avec mes mains parce qu'un courant d'air traître soufflait entre la cuisine et le salon (j'ai toujours soutenu que les vitres du balcon couvert joignaient mal), et pendant que je protégeais la flamme il a disparu dans le couloir avec ma femme, laquelle m'a lancé du vestibule Ciao Alberto, bonne chance, la porte a claqué, mes phalanges commençaient à brûler et je me suis précipité en criant vers la salle de bains pour atténuer la douleur avec de l'eau froide.

Par conséquent, pour éviter de tomber sur cet animal qui m'a obligé à me balader pendant une semaine avec des doigts enduits de beurre (je viens d'apprendre qu'il a quitté la police, et qu'il est de plus en plus oriental et maigre, pour monter une industrie de cornes en ivoire, de bracelets sacrés et de serpents venimeux de Ceylan, idéaux pour remplacer les poissons d'aquarium qui n'aboient même pas quand il y a des cambrioleurs), nous avons garé la Fiat à vingt mètres de l'immeuble de la pédicure, derrière une camionnette qui déchargeait de l'eau bicarbonatée pour réconforter la vésicule et des boissons au citron pour l'esquinter, nous avons dit au mulâtre Attends bien peinardement au volant, dans cinq minutes nous t'amènerons le paroissien, et nous sommes entrés tous les deux, Super-Rat et moi, dans un édifice minable, avec une façade à laquelle manquaient des masses de carreaux de faïence et un vestibule sombre où on distinguait vaguement des boîtes aux lettres et des marches ébréchées et qui sentait la friture et le kapok. Nous avons gravi l'escalier en nous marchant mutuellement sur les pieds, chuchotant alternativement Merde et Pardon, et nous avons aperçu sur un palier une lanterne qui pâlissait avec une résignation anémique, une plaque métallique dénichée dans des abysses, avec des lettres dévorées par le vert-de-gris, et un rai de lumière sous la porte qui traversait les poils du paillasson en diagonale.

50

— Il y a vingt ans, dites-vous, monsieur? a demandé la pédicure, surprise. Vous êtes sûrs que vous ne vous trompez pas de personne?

Mon collègue a appuyé sur le bouton sous la plaque et une sonnette aussi braillarde qu'une sirène de pompier a secoué l'immeuble jusque dans ses fondations, entrechoquant les briques des murs avec une rage d'extraction dentaire. Serrés l'un contre l'autre sous l'effet de la panique, Super-Rat et moi avons attendu les yeux fermés, dans le silence de catastrophe qui a suivi, qu'une poutre du plafond ou une pluie de tuiles nous tombe sur la tête dans une poussière de plâtre, mais la seule chose qui s'est produite a été le déclenchement de la serrure électrique qui a sauté comme le couvercle d'une montre de gousset et nous avons découvert un porte-canne chromé (flanqué d'habitude dans les vitrines des magasins de meubles d'un tigre en porcelaine d'un mètre et demi de haut) et une petite salle d'attente avec des chaises en skaï sur lesquelles un couple de vieillards portant des lunettes à double foyer et une revue sur les genoux contemplait nos joues unies et nos cuisses entrelacées avec une réprobation sans bornes.

— Si j'ai travaillé à Benfica dans ma jeunesse? a répété la pédicure en fronçant les sourcils et en fouillant dans les étagères de sa mémoire. Cela se pourrait bien, pendant les quatre ou cinq premiers mois, quand j'ai débarqué de Tomar.

Pour dissiper tout soupçon, j'ai avancé avec un déhanchement viril de bandit de western, nous nous sommes installés sur un petit canapé en osier aussi vétuste que l'appartement, devant une table avec un cendrier en ferblanc et des piles de revues pour salon de coiffure qui relataient des histoires de mariages de princesses à faire rêver Carnide. Une fenêtre donnait sur une cour cernée de balcons et de cordes à linge où l'eau de décembres anciens s'évaporait dans des jardinières, il y avait des sous-verre avec des vues de plages, de barques et de vagues immobilisées à mi-parcours dans un friselis d'écume colorée. La tenture qui isolait la pièce contiguë s'est écartée dans un tressautement d'anneaux et la pédicure a surgi sur le seuil, nous regardant avec une méfiance sévère :

— Vous avez rendez-vous?

Super-Rat a levé vers elle le plus aimable des sourires, accompagné d'un battement de cils suggestif :

— Non, madame, nous voudrions juste vous dire deux mots en privé, nous attendrons.

La femme a hésité, Super-Rat a élargi son sourire jusqu'à découvrir ses canines mal plantées, le vieux a bêlé en toussotant, J'attends depuis quarante-cinq minutes, madame Fernanda, la pédicure nous a regardés, elle l'a regardé, elle nous a regardés de nouveau, intriguée, elle a rajusté une mèche rebelle, Super-Rat continuait à lui prodiguer son sourire en fermeture éclair, d'une innocence inaltérable, une voix derrière le rideau a demandé J'enlève le coton de l'ongle, ma chérie? la pédicure a répondu sans tourner la tête Un petit instant, monsieur Bénard, il faut que l'infection se calme, et elle a dit à Super-Rat qui s'amusait à lui lancer des œillades séductrices, Si vous êtes des Finances, les miennes sont en ordre, dès que j'aurai fini mon travail je vous montrerai mes livres de comptes. Super-Rat, galant, a eu un murmure appréciatif pour ses bas antivarices, Nous attendrons ici, pas de problème, le vieux a gémi Quarante-cinq minutes, madame Fernanda, il va falloir que je rentre bientôt chez moi pour prendre mes gouttes contre la tension, Super-Rat, les pupilles allumées, léchait lentement le filtre de sa cigarette, la pédicure a disparu derrière le rideau en piaulant comme une chouette dans la brume Allons, voyons, monsieur Bénard, pliez donc le petit doigt, vous voyez comme ça s'est détaché tout seul?

— C'est pour ça que vous m'avez amenée ici, pour que je vous raconte ma vie d'il y a vingt-cinq ans? a-t-elle protesté, indignée, en s'agitant sur le siège rembourré. Je n'ai jamais eu le moindre ennui avec la police, je ne vois pas en quoi mon passé peut vous intéresser.

Si bien que nous sommes restés tous les quatre dans la petite salle d'attente, au milieu des lithographies maritimes où jusqu'au vent, jusqu'à la lumière et l'odeur de l'océan étaient encadrés dans du bois taillé en biseau, avec la porte donnant sur la rue à droite, la tenture derrière et à gauche la fenêtre avec les jardinières où surnageaient au ras de l'eau croupie de tristes tricyrtis de veillée funèbre, et quand je dis tous les quatre je veux parler de Super-Rat, sûr de ses pouvoirs magnétiques, qui rectifiait l'ordonnancement de ses mèches d'un peigne nonchalant, traçant sa raie plus nettement et faisant boucler ses pattes, de moi-même qui observais ses gestes avec envie tout en pensant C'est peut-être ça qui m'a manqué avec Manuela, c'est peut-être parce que je ne possède pas tous ces attraits que le vendredi soir je vais au bar du Poço dos Negros où je commande un gin solitaire et où je regarde les clients danser des rumbas avec les filles de l'établissement, du vieux des quarante-cinq minutes qui palpait son soulier avec un rictus de douleur, préoccupé par une cloque ou une enflure quelconque, et de son épouse, une dame presque chauve avec une douzaine de poils sur la nuque et autour des oreilles, qui tenait un de ces petits toutous chinois avec une frimousse de nouveau-né qui ne mesurent pas plus de seize centimètres de long, lequel toutou escaladait constamment ses colliers pour aller lécher son double menton. Nous sommes restés tous les quatre, Super-Rat qui entre-temps avait fait bouffer sa cravate d'une chiquenaude adroite et qui écrasait ses mégots dans le cendrier en fer-blanc, moi, décidé à m'acheter un peigne dans la première mercerie venue et étudiant les vêtements carmin de mon collègue dans l'espoir de dénicher un complet pareil dans la Calçada do Combro, le vieux qui se déchaussait et remontait sa chaussette pour se masser la cheville, et l'épouse au toutou suspendu et gigotant parmi les tendons de son cou qui chapitrait son mari Tiens-toi tranquille, Ramiro, madame Fernanda va te crever ton abcès. Le soleil naviguait au-dessus du balcon au-dehors et des tricyrtis moribonds, la tenture a émis un tintement de laiton et un homme avec une allure de soldat vaincu s'est traîné dans la salle d'attente en boitillant, une pantoufle à un pied et une botte à l'autre, cramponné à sa canne tel un gondolier à sa rame et il s'est dirigé vers l'escalier.

— Au prochain, a dit la pédicure dans un fracas de fers.

Le vieux qui avait accompagné l'invalide jusqu'à ce que la porte se soit refermée derrière lui comme le couvercle définitif d'un cercueil s'est recroquevillé de peur sur sa chaise en skaï, il s'est agrippé de toutes ses forces aux barreaux de bois, et il a fallu que Super-Rat et moi le portions, toujours installé sur son siège et gloussant Je ne veux pas, et que nous le transférions sur une espèce de chaise articulée, que nous appelions la pédicure qui nettoyait ses instruments avec de l'alcool, Voici votre client, madame, ne lui cassez pas tous les os en même temps, et avant de quitter le cabinet nous avons prodigué des encouragements au vieux qui soupirait Je suis un homme mort, sous forme de petites tapes amicales sur les joues, Super-Rat a tiré sur ses poignets de chemise, a bombé le torse, a remis sa doublure en place et a lancé à la pédicure qui le regardait sans comprendre une œillade assassine où l'on devinait des draps humides d'extases successives et des corps écartelés dans la houle des oreillers.

— Oui, j'ai travaillé dans cette maison, a-t-elle reconnu en regardant une photo qui portait un numéro au verso et le cachet de la Judiciaire. J'ai commencé comme bonne à tout faire, je n'en ai pas honte.

Nous sommes retournés dans la salle d'attente avec ses bateaux ancrés dans leur cadre où l'épouse du vieux, index dressé, réprimandait avec une voix de bébé son toutou qui pissait irrespectueusement sur les franges du tapis. La nuit tombait sur les balcons et sur les jardinières remplies d'eau croupie, des ombres grisâtres s'épaississaient à l'angle des maisons, Super-Rat léchait le filtre d'une autre cigarette et la faisait tourner sur sa langue, l'épouse a sorti un mouchoir de son sac et a essuyé le ventre du toutou qu'elle a serré contre son décolleté, et j'ai pensé, songeant à mon mariage, Nous n'avons même pas acheté de chien, zut alors, qui l'aurait accompagnée au bout d'une laisse à la droguerie ou au marché ou pour la promenade digestive d'après-dîner sous les arbres de la place, un chien, bon sang, une petite chose avec des orbites velues et stupides, dormant dans une caisse de sciure et lançant un grognement soupçonneux au moindre changement d'humeur du réfrigérateur, qui aurait donné une apparence de foyer à notre appartement et un semblant de vie de couple à nos soirées tout au long de ces années où nous avions été éloignés l'un de l'autre par des kilomètres d'isolement et d'indifférence. Şi je t'avais acheté un chien, Manuela, tu te serais intéressée à moi en échange, tu m'aurais répondu sans parler avec de grandes pupilles humides, soumises, reconnaissantes, humaines, tu aurais escaladé mes jambes pour salir ma cravate et nous aurions réussi à dévider le temps sans que tu trébuches sur le premier objecteur de conscience à s'affaler sur la moquette et sans que tu partes avec lui, avec tes vêtements et avec mes chandeliers d'argent, pour une Inde impossible où des créatures enturbannées se baignent dans des fleuves de boue et flottent à la dérive sous un ciel couleur de bronze ciselé.

— Attendez, j'ai ici d'autres photos, a dit le chef qui mettait des papiers de côté, qui alignait des pellicules et indiquait des visages avec une règle transparente. Ce blondinet est l'enfant de la maison, il a légèrement grandi depuis, mais que voulez-vous, la vie passe, ce maigrelet avec une croix dessous est le fils du fermier au milieu de sa famille, vous vous souvenez sûrement aussi de lui, bon sang, on n'oublie pas les amis aussi vite, cette femme mal centrée est la cuisinière, celles-là à côté ce sont les servantes de la maison, cet élégant en guêtres est le patron qui a été emporté par un cancer il y a trois ans, le pauvre, après sept mois de perfusion à l'hôpital, une mort dégueulasse, vous ne trouvez pas ? la dame avec les plumes est sa femme, elle a eu l'intelligence de trépasser avant lui pour ne pas avoir à supporter ses coliques, ses vomissements, les tubes au fond de la bouche et la puanteur des tripes, et maintenant, ma petite, cartes sur table, car je ne sais pas jouer autrement : j'ai branché le magnétophone, je vais appuyer sur le bouton de cet engin et vous vous allez me parler de cette époque.

Super-Rat était en train d'allumer sa sixième cigarette avec un briquet à essence qui fumait comme un remorqueur quand le vieux s'est mis à brailler, faisant sursauter la mer apprivoisée sur les murs, suivi aussitôt par les jappements du toutou chinois qui s'étranglait avec les colliers de la dame et par les cris de l'épouse suffoquée par l'animal qui se débattait avec ses perles de chiromancienne, ses chaînettes de fiancée du Minho, ses médailles bénites et ses émeraudes de fakir, levant le menton comme les pendus et tombant lentement sur le flanc, complètement déséquilibrée, la cire d'une ultime larme glissant le long de son oreille en laissant un sombre sillage de rimmel. Le soleil n'illuminait plus les tricyrtis des jardinières qui avaient l'air de plantes de cimetière après des dizaines d'hivers implacables, des femmes en robe de chambre se penchaient au-dessus des appuis des fenêtres vers des caleçons qui séchaient sur des portées musicales en fil de fer. Une ambulance qui lançait dans la rue des appels urgents de chalutier s'est fondue peu à peu au loin dans la sourdine de la circulation automobile. Le vieux a cessé soudain de hurler et Super-Rat, à califourchon sur la chaise en skaï de l'épouse, essayait de libérer sa gorge du toutou et des bijoux assassins.

— Va donc voir si le mari n'a pas avalé sa chique lui aussi, a-t-il ordonné en cassant un rang de rubis de gitane qui ont roulé sur le sol comme une grêle d'étincelles, il a brisé une chaîne en argent ornée de figues, de cœurs, de figures de la Vierge et de croissants en nacre, il a saisi l'animal par la queue et l'a lancé dans un coin et il a secoué l'épouse qui se tâtait les clavicules, préoccupée par ses trésors perdus.

— Revenons à la patronne, à la grand-mère du garçon, a dit le chef, le nez collé contre le magnétophone, augmentant le volume du son et réglant les aigus. Quand vous êtes allée travailler là-bas, la patronne était une créature croulante, n'est-ce pas? D'après mes calculs, elle n'avait pas loin de soixante, soixante-cinq ans, non?

— Mes diamants, a exigé l'épouse en se suspendant aux basques de Super-Rat. Où sont mes diamants, escroc?

Je me suis précipité dans le cabinet des supplices, écrasant des topazes de carnaval qui crissaient sous mes semelles, m'attendant à trouver un cadavre chenu faisant tremper ses cors dans une cuvette d'eau savonneuse et j'ai découvert la pédicure en train de ranger tranquillement ses pinces, et le vieux, la cheville entortillée de compresses, qui regardait sa montre en s'exclamant L'heure de mon remède contre la tension est passée de cinq minutes, madame Fernanda, qu'est-ce que je vais faire si j'ai les jambes qui flanchent?

— Nous savons que vous avez été l'amante de la patronne et qu'elle vous a renvoyée par jalousie, pas la peine de nier, a dit le chef en baissant les paupières et actionnant la manivelle d'un taille-crayon. Nous voudrions simplement que vous le déclariez par écrit, nous avons ici un papier déjà tout tapé à la machine pour vous épargner toute fatigue, vous n'avez plus qu'à signer en bas, c'est tout.

La fenêtre sans rideaux de la pédicure donnait non pas sur l'arrière et sur les feuilles de tricyrtis pourries par la pluie, mais sur la rue Gomes Freire et sur le bâtiment de la police judiciaire de l'autre côté de la rue où ma femme avait travaillé comme premier commis dans les services administratifs et où elle avait fait la connaissance à la cantine de l'ami du Gange en train de léviter devant le potage aux légumes verts pour de mystérieuses méditations. Si tu me laissais recommencer à zéro, ai-je pensé, si je pouvais effacer les défauts de notre histoire et la redessiner, je t'achèterais une bague de corail et l'affiche de ton signe astrologique, et je déjeunerais avec toi, je te le jure, du lundi au vendredi, partageant ma côtelette et mon journal sportif, perclus d'amour, me trompant dans le maniement compliqué des couverts. Je te garantis presque que je me réjouirais si tu lisais les articles sur le football avant moi à condition que tu me donnes les gros titres, je te garantis presque que je ne sortirais pas le soir dans les brasseries de la Penha da França manger des crustacés avec les copains, entouré de travestis et de chopes vides, et que je t'aiderais à débarrasser la table, à faire la vaisselle et à ranger les assiettes et les fourchettes dans l'armoire, je te garantis presque que je roulerais ma serviette de table dans son anneau et que j'apprendrais à faire du crochet pour m'imprégner de l'immense solitude des femmes mariées, repêchant les mailles avec une petite aiguille en forme de hameçon. La pédicure a indiqué le vieillard avec une lime Il s'est mis à brailler comme un chevreau à peine je lui ai touché son abcès, lui au moins il arrive encore à crier, et j'ai pensé, songeant à toi rageusement, Tu me coupais même les ongles des pieds et maintenant tu rognes les petites peaux de ce débile, le vieux a introduit les doigts dans la poche de son pantalon Combien vous dois-je, madame Fernanda, et elle, sa réponse toute prête, en se défaisant de sa blouse, Cinq cents escudos pour les braillements, pendant que l'épouse menaçait Super-Rat Si tu ne me rends pas mes colliers je téléphone à la gendarmerie pour déposer une plainte et je te ferai rendre gorge, c'est alors que je l'ai vu à quatre pattes ramasser des balayures sur une couverture de revue, aller les chercher sous la table et sous les chaises, glisser un pouce explorateur sur le parquet, et c'est alors que je l'ai vu attraper des poches aux genoux dans l'étoffe somptueuse de son pantalon, froisser son gilet, déranger l'ordonnancement savant de sa coiffure, et au-dessus de son dos ployé il y avait les balcons, les jardinières de ciment et les plis de la nuit qui tombaient sur les tricyrtis comme une robe abandonnée.

— Si vous refusez d'écrire votre nom ici, ça sera extrêmement ennuyeux, a dit le chef d'une voix dolente en tendant la main vers le papier pour le plier et l'enfermer dans le tiroir, car vous allez m'obliger à saisir votre matériel et à fermer votre établissement, et où est-ce que vous trouverez du travail ensuite? Tout le monde souhaite vivre en paix avec nous, personne n'a envie d'avoir des ennuis avec la police, tels qu'annulation de permis de travail, casier judiciaire chargé, emprunt bancaire refusé, bref un tas d'enquiquinements, et comme si cela ne suffisait pas, rentrer chez soi et trouver sa maison cambriolée car ce ne sont pas les malfrats en liberté qui manquent à Lisbonne. Et d'ailleurs, à propos de maison, il nous est revenu que vous avez hypothéqué votre appartement et que vous avez du mal à rembourser les traites, c'est vrai, ça?

— Vous voulez voir mes livres de comptabilité? m'a demandé la pédicure en ouvrant une petite armoire fermée à clé, avec, à l'intérieur, des ustensiles en étain, un irrigateur antique, des chaussures en caoutchouc dépareillées, des casseroles et une bouilloire rouillée. Je vous demanderai simplement de faire vite, il faut que j'attrape le bateau de neuf heures pour Almada.

— Entre personnes intelligentes le bon sens finit toujours par prendre le dessus, c'est inévitable, a dit le chef d'un ton sentencieux en ramassant les papiers que la pédicure signait en double exemplaire avec une lenteur pénible. Et maintenant, encore ce petit document, madame, dans lequel vous témoignez sur l'honneur avoir assisté presque quotidiennement à des actes contre nature pratiqués par le fils du fermier et le fils des patrons : une simple formalité, bien entendu, puisque en définitive nous n'utiliserons aucun de ces documents. Votre nom complet après cette petite marque au crayon, merci beaucoup, et soyez tranquille, à partir du mois prochain les intérêts de votre hypothèque vont diminuer : nous adorons nous montrer serviables avec ceux qui se comportent de façon sympathique avec nous, c'est bien naturel. Un agent vous attend avec une voiture, nous ne voudrions pas que vous dépensiez des sommes folles en taxi, très heureux d'avoir fait votre connaissance, Super-Rat que voici va vous accompagner à la porte.

Il a attendu que tous soient sortis pour rassembler les papiers, les agrafer, dire au mulâtre envoie-moi tout ça là-haut, et quand il s'est installé de nouveau à son bureau (il devait être deux ou trois heures du matin), des poches violacées étaient en train de lui pousser sous les paupières et son visage vide contemplait le mur en face avec l'indifférence figée et distraite des morts. Il a demandé par téléphone qu'un planton lui apporte du café, il s'est essuyé les joues sur son mouchoir et il a appuyé les coudes sur la surface métallique de la table, terne et rayée par l'usage comme la nuit de juillet au-dehors :

— Ils ne nous remercieront même pas pour le transport, ce n'était pas une dure à cuire, elle a cédé tout de suite, a-t-il murmuré entre ses dents de lapin que dissimulait une moustache grisâtre. La seule chose que je ne comprends pas dans tout ça c'est pourquoi vous avez mis tant de temps à arriver.

Mais je ne l'ai presque pas entendu, Manuela : j'imaginais le fakir pour qui tu m'as troqué en train d'entrer dans la chambre avec une marque sur le front et nous, c'est-à-dire toi et moi sur le point de partir, lui faisant des signes d'adieu avec les chandeliers en argent et voyageant en autobus, enlacés, vers le trois-pièces à Brandoa où un toutou chinois t'attendait dans une boîte en carton percée de petits trous et nouée d'une faveur verte, impatient de te lécher le nez dans un transport de tendresse orientale que la voix du mulâtre appuyé au chambranle de la porte a fait soudain voler en éclats, comme dans le cabinet de la pédicure, Quand ce cirque va-t-il prendre fin et quand va-t-on amener la gonzesse au commissariat?

— En octobre cela fera quatre ans que j'ai adhéré au Mouvement, a dit l'Homme. Et cela s'est fait par hasard, dis-toi bien, comme presque tout ce qui m'est arrivé dans la vie.

Et le Juge d'instruction s'est souvenu du début de leur adolescence, il y avait des siècles, quand ni l'un ni l'autre n'avait de poil au menton et qu'ils rôdaient pendant les vacances autour de la Quinta das Pedralvas, entre Venda Nova et Benfica, une colline broussailleuse avec des masures en planches enfouies dans l'herbe et les arbustes, surmontée d'une maison en ruine avec une véranda à colonnes et un vieux qui fumait la pipe dans une chaise à bascule sous le porche, surveillant sa pente pierreuse et herbue, juste au-dessus de la route militaire, parsemée de masures de putes pour camionneurs, des prostituées découragées qui séchaient leur linge sur les ronces ou qui descendaient sur le talus au bord de la route pour attendre, immobiles comme des bornes kilométriques, qu'un moteur s'arrête, suant, dix ou quinze pas plus loin, et qu'un chauffeur s'étire au-dessus de la banquette pour leur ouvrir la portière avec un sourire, Mon camarade et moi on aimerait savoir combien c'est?

Le vieux, entouré de chats persans sans queue, avait cessé de s'occuper de la propriété depuis la mort de sa femme, une dame pieuse et malade, complètement sous la coupe du curé, qui écourtait les après-midi en les passant au piano dans le salon où des coquelicots crépus sortaient

maintenant des entrailles des sons, et il dînait de loin en
loin chez les grands-parents de l'Homme, col de celluloïd
fermé par un bouton en or, pantalon de fantaisie et
chaussures vernies pointues comme des porte-mines, suivi
d'un chien d'arrêt aux yeux chassieux qui s'asseyait près
du portail et contemplait les édifices en face avec des
pupilles d'une amertume de cancer. Ces jours-là, a pensé
l'Homme, le vieux posait sa pipe comme un couvert de
plus à côté des couteaux et des fourchettes, et une fois il
a scandalisé toute ma famille en répondant à une cousine
qui avait demandé entre le melon et la morue ce qu'il
cultivait dans une propriété aussi vaste, qui s'étendait
presque jusqu'à Paiã et aux immeubles clandestins qui
s'élevaient dans une poussière épaisse, sans eau, sans
égout, sans électricité, au-delà de la ligne de chemin de fer :

— Des chardons et des putes, ma petite, ça rapporte
plus gros que les choux.

Et donc, au début de leur adolescence, avant que la
Quinta das Pedralvas ne se transforme en un quartier
habité et que la villa à colonnes, déjà presque entièrement
engloutie par les plantes grimpantes, ne disparaisse dans
un tourbillon concentrique de petites places et de rues,
quand venait le temps des processions de la Vierge du Bon
Secours et des troupeaux qui traversaient Benfica dans un
tintement bêlant, l'Homme et le Juge d'instruction
s'échappaient vers la colline broussailleuse qui entourait
les masures des femmes, ils s'agenouillaient par terre
comme les grillons de l'été et ils bavardaient avec les
prostituées qui donnaient à manger à leurs enfants, assises
sur des pierres ou des petits bancs d'osier tressés, avec une
ou deux poules qui picoraient autour d'elles, et qui
urinaient entre deux pins en soulevant leurs jupes, avant
de se maquiller les lèvres et les paupières, de passer une
brosse rapide dans leurs cheveux et d'ensorceler les
camionneurs avec leurs fesses énormes. Le mardi, le vieux,
sa calvitie toute transpirante, venait toucher les loyers,
accompagné de son chien cancéreux, des dizaines d'insectes vrombissaient au-dessus des déchets et des tas
d'ordures, les femmes apportaient un fauteuil en velours
dans lequel l'éleveur de chardons s'installait comme un

monarque au milieu de son armée de créatures misérables, il remontait un gramophone à pavillon et leur parlait de Mozart et de Bach dont les symphonies poussaient des gémissements pitoyables de nouveau-né à chaque sursaut de l'aiguille. L'Homme, qui finissait une cigarette de l'autre côté du bureau du Juge d'instruction, a eu une grimace enfantine qui lui a déformé le visage et tiré les cartilages des oreilles en arrière :

— Quatre ans à jouer du flingot à droite et à gauche sans savoir pourquoi, a-t-il dit en se palpant une côte à travers les boutons de sa chemise. Et finalement je suis entré dans la danse par pure distraction, exactement comme je suis entré avec toi dans le lit de la Borgne.

Cela s'était passé, en fait, peu de temps avant la rentrée des classes en octobre, ils devaient avoir tous deux treize ou quatorze ans l'automne où était mort le parrain de l'Homme que les servantes avaient trouvé à moitié nu sur la couturière qui hurlait de terreur sur le sofa d'une des chambres du fond, sans oser baisser sa jupe, bouger un doigt, s'enfuir. Le Juge se souvenait de la chaleur implacable de cet été-là qui avait rendu folles les plantes des massifs malgré le tuyau d'arrosage de son père, il se souvenait du ciel blanc, lisse et plat comme une plaque de fourneau, des feuilles déboussolées qui tombaient des arbres, du patron qui se liquéfiait dans ses costumes de cheviotte sombre, de la brillantine qui lui dégoulinait des sourcils. Il se souvenait du vieux qui résistait à une chaleur de quarante degrés, une cruche de limonade sur les genoux, harcelé par les taons et les abeilles sur la véranda de la maison à Pedralvas, et il se souvenait de tous les deux, de nous deux, d'eux rôdant tous deux dans le silence étouffant, irrespirable, compact, de septembre, des masures des femmes, pas celles de la partie basse et moins boisée de la propriété d'où l'on apercevait la route et les immeubles de Damaia, surgis des crêtes de terre comme des dents de lait, mais celles qui jouxtaient presque les angles de la villa à colonnes qui, finalement, vue de près, était en plâtre écaillé par la pluie impitoyable, les masures des prostituées sans enfants, plus vieilles, plus seules et plus grosses, à la tignasse hirsute et au tronc épais comme

63

une barrique, qui ne descendaient plus au bord de la route et qui cuisinaient leurs poules l'une après l'autre, sans les plumer, sur un petit brasier installé sur une vieille dalle de cimetière où on distinguait à peine une croix et un nom, la mulâtresse de São Tomé qui s'entourait de fil de fer barbelé pour échapper aux requins de son enfance et la femme dont la paupière gauche était enfoncée dans l'orbite et cousue à gros points avec du fil pour sac de jute, qui se déplaçait comme un gorille, les poignets à ras de terre, pour aller cultiver un mètre de maïs et trente centimètres de céleri, musclée, brune, énorme, avec des chevilles aussi épaisses que ses cuisses, qui habitait une hutte sans fenêtre ni volet, avec seulement le trou béant de la porte qui donnait sur une vague pénombre présidée par une sainte découpée dans du carton avec des ciseaux et un lit orné de boules bien récurées, noyé dans l'herbe, les lézards, les crapauds et les vrilles d'une plante grimpante sauvage,

et nous deux, ou plutôt eux deux, ainsi qu'il est dit dans les procès-verbaux et tel que cela est relaté ici, l'observant, fascinés, d'abord des roseaux bourbeux à vingt pas de la cahute, puis dans le chaume à douze ou quinze pas, et ensuite derrière une cage à poules en osier qui contenait deux perdrix malades affalées sur leurs propres plumes à l'instar des chanoines qui dodelinent de la tête pendant les homélies,

eux deux lorgnant et zieutant le cercle de l'aire à battre, aujourd'hui désert, où pourrissait la cabane, jusqu'au moment où la Borgne est arrivée sans bruit derrière eux et les a saisis par le cou avec ses ongles féroces, leur a écrasé le menton sur un talus, nous a traînés avec elle sans un mot vers la porte béante, le lit à boules s'est approché, la sainte bénissait les ombres, le Juge d'instruction a heurté des sacs mous, un cheval en carton, un bidet, cela sentait le moisi, cela sentait la fiente de cigogne, cela sentait la lotion à barbe du propriétaire des putains, la femme les a lancés comme des ballots sur le ventre de paille du matelas, elle leur a ordonné Déshabillez-vous, elle s'est libérée d'un tricot sans couleur et sans manches en tirant dessus, elle a baissé sa jupe avec ses genoux,

et nous, étendus côte à côte sur une couverture rayée,

cachant nos parties honteuses avec nos bras, nous l'avons vue allumer une lampe porte-bonheur sous une image pieuse, sauter d'un bond sur le sommier de fer en balançant les montagnes de ses seins, s'écrouler entre nous en riant avec sa paupière cousue de momie, nous attraper par le cou, nous ployer contre son ventre enflé, nous enterrer dans une cascade de plis de chair en nous labourant le dos avec ses doigts, la chaleur augmentait, la sainte bénisseuse grandissait et occupait entièrement l'unique pièce de la cabane, l'Homme s'est senti happé par une fente de grotte qui se dilatait et se rétractait, le fils du fermier se débattait avec un téton avec des mouvements spasmodiques de bébé sous les taches fuligineuses des murs, et le vieux s'est penché vers eux, sa pipe entre les dents et un verre de limonade à la main, grommelant avec un sourire Les chardons et les tapineuses, ma petite, les chardons et les tapineuses, voilà ce qu'il aime votre cousin.

— Avec le Mouvement, ça a été plus ou moins pareil, a dit l'Homme au Juge d'instruction et au dactylographe qui rongeait les petites peaux autour d'un ongle. J'ai fait la connaissance de l'Artiste par hasard et je n'avais pas eu le temps de faire ouf que je me suis retrouvé avec un fusil de l'armée entre les mains.

Ce génie travaillait avec lui, il y a des années, dans la même compagnie d'assurances, encore que pendant tout ce temps-là, parole d'honneur, il ne leur était jamais arrivé de se croiser dans l'ascenseur, à la trésorerie, dans l'escalier ou dans le petit bistrot de Campo Pequeno plein de banderilles multicolores et d'affiches de corridas où la majorité des employés déjeunait sur le pouce au comptoir d'un café au lait et d'un sandwich, et il l'a rencontré pour la première fois en descendant à l'étage de la branche automobile pour corriger une erreur qui s'était glissée dans la police de sa propre voiture, un type en complet-veston s'est levé de son coin pour venir s'occuper de lui, un homme sérieux, méticuleux, aimable, soucieux, avec une moustache, qui a promené sans hâte son petit doigt le long des fichiers, Vous avez dit Antunes, c'est bien ça? Amadeu, Amadeu, Amâncio, Ambrósio, Antunes, Antunes,

Antunes, Antunes, eurêka, nous allons refaire la fiche et voir s'il n'y a pas un malentendu quelque part.

Il s'est rassis à sa table pour appuyer sur les boutons de sa calculette et l'Homme, éperdu d'admiration devant un calendrier orné d'une fille en bikini soulevant sa chevelure à pleines mains, a compris qu'il n'aurait jamais pu remarquer cet homme qui était si commun qu'il n'avait pas d'existence, qui ne devait même pas avoir d'ombre quand il marchait dans la rue, dont les paroles s'évaporaient à peine il terminait une phrase, dont les gestes mouraient avant même d'avoir été ébauchés, un être désincarné avec qui il a fini par partager un petit pâté graisseux et boire une bière de fond de tonneau après le travail, et au bout d'une semaine de petits pâtés et de bières, accoudés au comptoir face aux étiquettes des bouteilles de liqueur sur les étagères et aux leviers de la machine à café d'où gouttait une écume brune, couleur de boue, l'employé invisible a expliqué en grattant une tache d'œuf séchée sur son genou que l'été prochain au plus tard, après une visite à sa tante à Penafiel, il enverrait les assurances au diable pour préparer une exposition de tapisseries, de céramiques, de dessins, de collages, de statues de marbre et de peintures à l'huile qu'aucune galerie d'art sensée n'oserait refuser (en réalité il aurait besoin de deux ou trois galeries simultanément pour montrer à la critique et au public une petite partie, une partie presque infime, de dix années de recherche), et au bout de quelques semaines encore de petits pâtés et de bières, accompagnés désormais d'assiettes de bigorneaux et d'abats au vinaigre, il a emmené l'Homme dans un minuscule appartement à un deuxième étage de la Calçada dos Mestres qui puait effroyablement la térébenthine, l'aniline et la peinture à l'huile, avec des masses de toiles appuyées contre les murs, des bustes étranglés dans des serpillières, un brouillard de poussière de craie suspendu entre le plafond et le sol qui cachait des poteries, des petits chevaux au galop en argile, des gobelets incomplets, des flacons sales, des chiffons, des esquisses fixées par des punaises sur une plaque de liège, un chevalet qui ressemblait au trépied des appareils photographiques d'antan, une table couverte de petits bocaux pour l'aquarelle et de pelotes de raphia, un métier à tisser démantibulé et une dame en noir qui fumait sur un banc de cuisine coincé entre le seau à ordures et un fourneau préhistorique dans un réduit encombré de vaisselle sale, avec un balai dans l'embrasure de la fenêtre et un atlas de taches d'humidité et de suie qui s'étalait comme un archipel le long de la cheminée du chauffe-eau.

— Mon associée, a dit le génie en désignant du menton la dame à la cigarette qui a continué à fumer en attendant qu'une cafetière contenant un thé médicinal bouille sur le feu, car une odeur de menthe, de tilleul ou de citronnelle sortait avec la vapeur par le bec en aluminium. L'Homme a pensé avec surprise, Comment peut-on s'occuper d'assurances toute la journée quand on habite dans un taudis pareil, et le Juge d'instruction, avec une petite voix jalouse, Je parie que vous êtes devenus tout de suite intimes, je n'ai jamais connu quelqu'un d'aussi crétin que toi.

— Il m'a reçu aimablement, il m'a offert du thé, il a voulu avoir mon opinion sur ses gouaches, s'est excusé l'Homme en allumant et éteignant son briquet en plastique. Je te garantis que c'était les dessins les plus laids que j'aie vus de ma vie.

Mais il ne les a vus que plus tard, quand il a posé sa tasse (les trois tasses et les trois soucoupes étaient toutes différentes) dans l'évier en désordre que la dame, qui s'éventait avec un éventail de matrone, fixait de temps en temps avec un soupir d'épuisement. L'Artiste s'est dirigé vers l'atelier rempli de tubes de peinture, d'aniline et de pots, il a regardé autour de lui, soupesant la lumière déjà incertaine reflétée par les immeubles voisins, et il a conclu La lumière n'est pas bien fameuse mais faute de mieux on s'en contentera, et j'ai pensé, a dit l'Homme, qu'elle était encore bien trop vive car il s'est mis à installer sur le chevalet et à poser sur un tour de potier sans pédale des huiles représentant des petits lapins, des garçonnets filiformes étreignant des ours en peluche, un clown misérable qui pleurait, des crucifix de pacotille, des crocodiles, des martyrs, des éléphants, il rapprochait ses sourcils dans une grimace sévère et me disait impérieusement Attention et il commentait ses œuvres, Cette girafe, je l'ai recopiée d'une carte postale, ce nu, tu ne me croiras pas, mais je l'ai peint en moins de quarante-cinq minutes, ici j'ai utilisé une technique de concentration des couleurs tout à fait nouvelle, je la divulguerai peut-être un jour dans une publication, et moi bouche bée, stupéfait devant ces délires créateurs qui se succédaient à une vitesse vertigineuse car le soir tombait et assombrissait tout, la nuit envahissait rapidement le plancher et grimpait impétueusement à l'assaut des murs, cachant les spatules et les esquisses au crayon, cachant les serpillières autour des bustes, cachant les bouteilles et les pots remplis de pinceaux, cachant sûrement mon tremblement de panique car l'Artiste m'a dit, Alors, le bourgeois, que penses-tu de tout cela? une seconde avant que la dame n'allume le tube de néon dans la cuisine, avec l'intention de s'occuper des casseroles de plusieurs mois d'affilée qui puaient la morgue au milieu des thés miraculeux.

— J'ai habité seize ans dans une chambre que je louais à la Calçada dos Mestres, a murmuré le dactylographe comme pour lui-même en changeant le ruban de la machine. Nous étions deux dans cet appartement, un Noir qui travaillait aux Finances et qui ronflait comme les savanes dans les films, et moi, j'ai déménagé quand la propriétaire est morte et que pour que sa pauvre famille puisse économiser quelque argent sur l'enterrement le Noir m'a proposé de manger la moitié du cadavre.

— Et où est-ce que le Mouvement intervient dans tout cela? a dit le Juge d'instruction d'un ton impatient en chassant avec le dos de la main le moucheron de la nostalgie de son interlocuteur. Jusqu'ici j'ai entendu seulement des histoires de cannibales et de tableaux.

— Il intervient, a dit l'Homme, car en tirant un carton de gravures fermé par un ruban et hurlant, outragé, en direction de la cuisine, Éteins-moi cette saloperie, Clotilde, tu n'as aucun respect pour l'art, le génie a fait tomber un rouleau de papier, des acryliques et des sous-verre qui se sont fracassés par terre comme les hommes qui se suicident en se jetant du haut d'un viaduc avec leur montre de gousset et j'ai aperçu, adossé à la plinthe, un pistolet-mitrailleur sur une caisse de grenades, pendant que le créateur balayait les tessons et disait sur un ton d'excuse, cherchant ses phrases, Il faut bien se défendre contre les cambrioleurs, pas vrai, les paysages à eux tout seuls représentent une petite fortune. Le halo de néon de la cuisine s'est évanoui et le génie s'est mis à brailler dans les ténèbres Allume cette foutue lampe, triple idiote, à cause de toi je me suis coupé sur un tesson. L'Homme qui patinait sur les débris a entendu la dame répondre de l'évier Je ne trouve pas l'interrupteur, Arnaldo, où as-tu caché les allumettes du gaz, et il a pensé avec effroi Si par hasard je heurte la dynamite, tout le pâté de maisons sautera.

— Je ne comprends pas comment tu n'as pas sauté avec toute la ville, s'est étonné le Juge d'instruction en fourrageant avec le capuchon de son stylo dans le conduit de son oreille. Tu es le mec le plus maladroit que je connaisse.

— Si j'avais su ce que je sais aujourd'hui, je me serais fait une raison et j'aurais avalé une ou deux phalanges, a dit le dactylographe d'un ton de regret en se souvenant de la propriétaire dans son lit à quenouille, un crucifix en cuivre rouillant sur sa poitrine. Cela m'aurait évité d'habiter aujourd'hui au-dessus des pompiers de la Graça et de me réveiller la nuit avec les hurlements des voitures à incendie.

La dame devait avoir retrouvé les allumettes car la lumière est revenue en clignotant quelques secondes après que l'Homme, qui commençait à distinguer les rideaux aux fenêtres et le profil d'un toit, a cassé l'équerre sous-tendue de lattes d'une eau-forte et, tout de suite après, l'applique du vestibule a répandu dans l'atelier une lueur rougeâtre à l'intérieur de laquelle l'Artiste se débattait avec des mouvements courbes de poisson pour éviter les récifs de ses statues atroces.

— Tu n'as pas marché sur les grenades, Arnaldo? a dit la dame en s'approchant d'un petit pas craintif, une bougie en stéarine à la main, et c'est grâce à cette phrase, a dit l'Homme au Juge, que j'ai senti qu'il était semblable à moi, vois-tu, pataud, godiche, gaffeur, étourdi, c'est grâce à la question de la dame que notre amitié a commencé.

— La Calçada dos Mestres, a répété le dactylographe

d'un ton nostalgique, les yeux au plafond, délaissant son piano de lettres et d'accents. Je descendais toujours à pied, saluant les voisins, jusqu'à la place d'Espagne, et jamais aucune voiture de pompier ne m'a rendu dingue.

— Pour moi, c'est la partie la plus laide de Lisbonne, a dit le Juge d'instruction avec une moue. C'est d'ailleurs là que la Judiciaire t'a attrapé, tu devais revenir des excrétions de ton chéri : l'amour de la peinture t'a perdu, mon ange.

Mais non, a pensé l'Homme, il s'est trompé, il en a ras le bol des instructions du Mouvement, il n'en tient pas compte : pas question de nous rendre mutuellement visite, pas question de sortir ensemble, pas question de se téléphoner, pas question de s'écrire, pas question de bavarder sauf quand le Curé nous convoquait par une estafette sur une place à Barreiro, dans un cinéma à Carnaxide ou dans un bistrot à Amadora pour nous dire C'est pour vendredi, soyez à sept heures du matin sans faute dans cet hôtel à Colares, un chalet abandonné, avec une table de billard au rez-de-chaussée, des chaises en osier, des fenestrons avec des vitres de couleur, des fragments de mobilier ici et là, des crottes de rat et le vent qui jouait de la clarinette par les trous des murs. Les pas explosaient sur le plancher, les moineaux endormis sur les miroirs au-dessus des consoles sursautaient de peur, les hiboux agitaient leurs plumes dans le grenier, et eux chuchotaient dans une pièce déserte en rayant de flèches le croquis d'un banc. Quand un agent en civil de la Judiciaire lui a contusionné le poumon avec son pistolet, Pas un geste, et qu'il a distingué trois ou quatre silhouettes encore qui s'avançaient vers lui et une voiture qui attendait sur le trottoir, cela faisait plusieurs mois qu'il n'avait pas vu l'Artiste, même pas pendant les pauses déjeuner à la compagnie d'assurances car tous deux évitaient le bistrot des petits pâtés, il n'y avait plus d'erreur dans la police de sa voiture et l'Artiste prenait désormais l'escalier plutôt que l'ascenseur. Au début, oui, il allait assez souvent à Campolide mesurer les progrès des collages et des assiettes empilées jusqu'au plafond dans l'évier insensé, il allait subir les harangues interminables à propos d'expositions et de galeries, boire les thés de la dame en noir qui supportait les toiles, les grossièretés et les grenades et qui ne décollait de son banc que pour plonger des sachets de plantes digestives dans des théières d'eau bouillante.

— Tu as dit Clotilde? a demandé le Juge d'instruction qui musardait dans la prose touffue de la Judiciaire. Tu es vraiment sûr qu'elle s'appelait Clotilde, tu es sûr que tu ne t'es pas trompé de nom? Il n'y a personne ici qui s'appelle comme ça, je vais envoyer deux chefs de brigade enquêter là-dessus. A propos, de quoi avait-elle l'air?

— Grassouillette, petite, ni jolie, ni laide, toujours en deuil, sans âge, a dit l'Homme en la revoyant aligner sur la planche à repasser les trois tasses dépareillées soustraites adroitement à l'entassement de casseroles et y verser un bouillon fumant d'apothicaire.

— Taille, poids, nom, adresse? a demandé le Juge d'instruction en lissant la page d'un cahier d'écolier. Comment cette nana a-t-elle pu nous échapper, bon sang, demain le directeur de ce boxon va me le payer.

— Ne t'en fais pas, elle a aussi échappé à l'Artiste, l'a rassuré l'Homme en se mouchant. Un jour, après le turbin, je suis rentré avec lui à la Calçada dos Mestres, j'ai gravi l'escalier avec le révolutionnaire qui vitupérait le gouvernement qui refusait de protéger la culture et la perfidie des galeries qui n'exposaient que les aberrations de crétins mongoloïdes et qui dédaignaient ses œuvres par ignorance méchante, braillant à chaque palier C'est une conspiration, Antunes, je te jure que c'est une conspiration, même Clotilde ne comprend rien, encore hier je lui ai montré une vache que je venais juste de dessiner et cette idiote m'a dit du couloir Quelle jolie jument, Arnaldo, pour le dîner tu veux des croquettes ou des saucisses avec des œufs? je n'ai jamais vu une stupidité pareille, putain de merde, et il s'est tu pour choisir une clé sur un anneau, il a grommelé à voix basse Ah ces bourgeois de merde, il a fait tourner la serrure et est resté planté dans le vestibule, sans se retourner, sans s'évanouir, sans qu'un muscle tressaille, je n'aurais jamais cru qu'il puisse être aussi immobile, à l'exception de ses mains qui s'ouvraient et se fermaient avec des spasmes de pantin mécanique. J'ai pensé Il se sent mal, il a une hémorragie cérébrale, une faiblesse cardiaque, alors l'Artiste a dit en haletant, avec un gargouillis moribond Antunes, et j'ai regardé par-dessus son épaule et j'ai vu ce que je n'avais encore jamais vu dans cet appartement, une propreté immaculée, pas une trace de poussière, ne serait-ce que sur les plinthes, toutes les lumières allumées, l'évier vide, luisant comme un objet ciré, et pas un meuble, pas un pinceau, pas un chevalet, pas une spatule, pas un buste, pas un métier à tisser, pas un sous-verre, rien, absolument rien, ce qui s'appelle rien, à l'exception des ampoules dépourvues d'abat-jour qui pendaient au bout de leur fil tressé et de la Calçada dos Mestres qui pénétrait à l'intérieur de l'appartement à cause du manque de rideaux, et de l'absence de la dame en noir, partie à la recherche d'un autre génie irascible et d'autres sachets de tisane, dans un quartier différent de la ville.

— Sans le moindre préavis, le moindre message, le moindre avertissement, rien de rien? s'est étonné le Juge d'instruction, en griffonnant de plus en plus vite sur son cahier d'écolier. Elle était peut-être le sous-marin d'une organisation rivale, vous n'avez pas le monopole des bombes. Et ton copain, qu'est-ce qu'il a fait?

— Il ne tenait pas sur ses guibolles, le pauvre, c'est moi qui suis allé au bistrot en bas lui chercher un décilitre de gnôle pour lui remettre les esprits en place, j'avais peur qu'il ne crève là-bas même, a dit l'Homme, et quand je suis remonté là-haut avec quelques centimètres d'alcool et des gobelets en plastique, je l'ai trouvé assis par terre devant sa porte, il avait l'air d'enlacer son ombre avec ses jambes et il plissait la bouche dans un sourire plein d'espoir :

— Demain tu m'aideras à acheter un chevalet neuf? a-t-il dit à l'Homme en tendant lentement la main vers l'eau-de-vie. Pendant que je t'attendais, j'ai eu une idée du tonnerre pour une série de gouaches, je ne t'en dis pas plus.

Ne vaudrait-il pas mieux humaniser les interrogatoires, le changer de cellule, le nourrir convenablement, cesser de le réveiller au beau milieu de la nuit, le laisser en paix pendant quelques jours ? a suggéré le Juge d'instruction d'un ton embarrassé en éprouvant la solidité d'un bouton sur le point de se détacher de sa chemise. A force d'être harcelé ce type est de plus en plus maigre, de plus en plus incohérent, il mélange son enfance avec le présent, sa vie avec celle des autres, et je m'attends constamment à ce qu'il commence à délirer. Si le gars devient fou, à quoi nous servira-t-il, vous pouvez me le dire ?

— Tu te souviens du jour où ta grand-mère a été trouvée morte, pendue au pommier, a dit l'Homme d'un ton un peu plus animé, au-dessus d'un escabeau renversé dans le verger, nous nous sommes presque cognés à ses souliers qui pendaient d'une branche comme des fruits mûrs ? Tu te souviens de ses bas tricotés, tu te souviens que nous sommes restés je ne sais combien de temps à la regarder, avec la chienne de la ferme qui nous léchait les jambes, avant d'appeler tes parents ? Nous avions peur que le propriétaire du ouistiti ne surgisse à la veillée funèbre pour se plaindre de ce que nous lancions des boîtes de conserve et des emballages de raticide sur son singe, nous avions peur que la morte ne s'installe dans la villa de la musique peuplée de défunts qui nous envoyaient de longs adieux derrière les croisées vernissées. Quand je rêvais d'eux, ma vessie se relâchait pendant mon sommeil et je me réveillais marinant dans mes draps trempés d'ammoniaque, la cuisinière menaçait de me pincer le zizi avec une pince à linge pour m'empêcher de faire moisir l'intérieur des matelas.

Le fermier, qui revenait de la porcherie, a posé par terre le seau des eaux grasses, il a enfoncé sa pelle dans la terre et s'est roulé une cigarette en silence, observant les orbites bleues et la langue violette du cadavre, déjà imprégné de l'odeur des citronniers qui s'assombrissaient doucement dans la nuit, dans un murmure de voix et de hiboux, pendant que la femme sortait de la maison en courant et en hurlant, les mains sur la tête. Quelqu'un a coupé la corde avec un couteau en se haussant sur la pointe des pieds, quelqu'un a apporté une couverture pour recouvrir le corps, et elle a été conduite ainsi, dans une procession de sanglots, jusqu'au divan d'une petite pièce écœurante de cierges où des silhouettes sombres adossées aux murs se mouchaient de chagrin dans des mouchoirs brodés. Le fermier est resté une éternité avec nous, soupirant et buvant du vin, repoussant avec ses bottes les caresses de la chienne, et toi et moi, assis sur une racine proéminente, nous regardions à travers les choux un ballet de châles et de tabliers de servantes près de la porte, la pathétique et inutile agitation de la tristesse, la cuisinière qui apportait à ton père une bouteille de vin d'arbouse, le liquide qui coulait le long de son menton, le long des tendons de son cou, le long de sa gorge, le long du plastron de sa chemise et qui disparaissait et s'évaporait parmi les poils sur ses côtes, deux messieurs en noir qui se dirigeaient vers la porte en transportant le cercueil, et ton père, indifférent à la chienne grognant maintenant après lui, qui marchait au hasard dans le verger, le seau des eaux grasses à la main, piétinant les plants de tomates, trébuchant sur les fils de fer qui séparaient les navets, s'étalant dans la rigole d'irrigation en ciment, et quand nous nous sommes approchés de lui, nous l'avons trouvé à plat ventre dans le persil, la lèvre et le front en sang, en train de chanter, les dents dénudées par une allégresse sans bornes.

— Ah, elles sont terribles, les fréquentations de l'enfance, a dit le Monsieur en fronçant le sourcil, ouvrant des

bras résignés comme un milan sur le point de s'envoler. Aujourd'hui encore, après tant d'années, quand je vais à Boliqueime j'entre dans la pâtisserie et je passe tout l'après-midi avec le propriétaire à parler de notre maître d'école.

Après le dîner, les grands-parents de l'Homme lui ont ordonné de se changer et de se coiffer, ils lui ont prêté une cravate et l'ont escorté jusqu'à la bicoque du fermier où seule la clarté des étamines des rangées de fleurs scintillait dans les ténèbres. On entendait dans le pigeonnier une rumeur de battements d'ailes sans motif et on devinait dans les poulaillers les mouvements d'anémones de mer des volatiles qui tentaient de se soustraire à l'angoisse de l'insomnie. Les arbres sentaient les menstrues de chattes et le ciel invisible exhalait une odeur de mousse de platane. Ils ont contourné la serre et ses plantes monstrueuses qui suaient lentement, ils se sont baissés sous un arc dans le mur, le nez humide de la chienne a surgi et les a flairés, ils ont aperçu la maisonnette avec ses fenêtres illuminées collée contre la cage des bergers allemands et une grappe de parents consternés qui fumaient à la porte.

— Vous vous rendez compte de la bêtise? s'est exclamé le Monsieur avec indignation en entrelaçant ses doigts sous sa nuque. Je vais dans l'Algarve une semaine par an pour voir ma famille et je finis par passer cette semaine avec un type chauve à évoquer des nostalgies de rivières et de montagnes.

— Nous ne parlons presque jamais de ces fadaises, a protesté le Magistrat d'une petite voix peinée, franchement, comme si des prouesses de gosses pouvaient m'intéresser. Le problème c'est que si nous le pressons trop le malheureux va craquer, et sans témoin comment ferons-nous, vous pouvez me le dire?

— Et la veillée funèbre? a demandé l'Homme au Juge d'instruction en avançant le cou, perdu dans la jubilation du souvenir. Tu t'en souviens de la veillée, Zé?

Les parents qui fumaient se sont écartés cérémonieusement, se bousculant dans les ténèbres, sûrement vêtus comme l'occasion l'exigeait, des boules de naphtaline plein les poches, le costume des réjouissances et des malheurs, et nous sommes descendus dans une petite pièce où ronflait un vieux réfrigérateur surmonté d'un morse en coquillages et d'un petit panier garni de gardénias en celluloïd, sans parler des bancs, du fourneau à pétrole sur une dalle de schiste, de l'évier moussu, d'une sirène en fil de fer entre des boîtes de carton sur l'étagère la plus haute, d'autres parents endimanchés en train de manger des petits gâteaux, de siroter des petits verres, de s'essuyer la joue sur leur manche, bouffis par l'alcool, nous saluant avec des révérences infinies depuis des cavernes exiguës sur la droite et sur la gauche dans lesquelles on devinait des paillasses, du linge sale, des pots de chambre, un corridor étroit avec des enfants jouant par terre, un paralytique avec un chapelet autour du cou, cramponné à ses béquilles, et plus loin un coude où se trouvait un WC fêlé, une chambre avec un lit métallique au centre, croulant sous les camélias, deux mains attachées sur le nombril par un chapelet en verre, une multitude de bougies se consumant et gouttant leur pus sur une commode bancale, et d'innombrables visages de femme, un fichu croisé sur la gorge, qui ondulaient dans une pâleur suffocante.

— Pourquoi ce qui s'est passé dans notre enfance reste-t-il si vivant en nous? a demandé le Monsieur en faisant tourner son alliance autour du doigt, indifférent aux arguments du Juge d'instruction. Je connais par cœur les petits cailloux de la cour de récréation de mon école, par contre ce qui s'est passé ensuite s'est effacé de ma mémoire.

— Je n'ai jamais vu mon père aussi saoul que cette nuit-là, a dit le Magistrat, raide sur sa chaise, regardant le passé avec une vague grimace. Il était à genoux, sifflant et rotant au-dessus du cadavre, et moi je ne pouvais m'empêcher de penser Si le propriétaire du singe débarque je suis cuit.

La grand-mère de l'Homme, sans maquillage et sans bijoux, a embrassé la femme du fermier effondrée de douleur sur un canapé et hurlant, assistée par des commères qui alimentaient son chagrin avec force spiritueux et galettes, elle a salué au hasard cinq ou six créatures et s'est retirée avec son missel ouvert à un bout de la salle où on lui a offert un fauteuil aux déchirures colmatées avec du papier journal, pendant que le grand-père, très digne, un foulard de soie sur les épaules et un crêpe à la boutonnière, ramait dans l'épaisseur de la fumée et de l'odeur des camélias, il s'est dirigé vers le jardinier appuyé contre les cuisses de la défunte comme à un appui de fenêtre, une bouteille sous l'aisselle, noyant les pleurs de l'assistance sous les glapissements joyeux d'une cantilène interminable.

— Ce qui m'a le plus frappé dans cette confusion, c'est la rumeur de la plante grimpante au-dehors, a dit l'Homme au Juge d'instruction en regardant autour de lui, à la recherche de cierges, de fleurs et de visages endeuillés dans le bureau de la police, craignant que la chienne ne lui lèche les doigts avec une effusion joyeuse. La rumeur de la plante grimpante qui s'élevait de la fenêtre dans les interstices de silence, la rumeur continue des plantes et des arbres dans la propriété, la rumeur de la boue dans le puits, la rumeur fatiguée des insectes minuscules sous la terre qui faisaient vibrer leurs antennes, qui s'agitaient, qui nous appelaient.

— Il n'est pas question d'humaniser les interrogatoires, ni de le transférer de cellule, ni d'améliorer ses menus, a dit le Monsieur du même ton suave que celui avec lequel il parlait de ses voyages dans le Sud, de la pâtisserie à Boliqueime et du condisciple avec qui il avait partagé, des siècles plus tôt, les traquenards de la grammaire. Nous avons très peu de temps devant nous, monsieur le juge, si cela ne tenait qu'à moi je travaillerais l'oiseau vingt-quatre heures sur vingt-quatre, je combinerais tout avec lui en un tournemain et je le relâcherais vite, avant que ses copains ne s'aperçoivent de quoi que ce soit. Chaque minute compte, vous comprenez, c'est une question de rapidité, mes services ont l'impression que sa maison est surveillée, il ne se passe pas une semaine sans que mes supérieurs me harcèlent de coups de téléphone impatients, Quand ce type va-t-il sortir, bon sang de bonsoir, quand est-ce que cette histoire sera tirée au clair ?

— La plante grimpante, a répété le Juge d'instruction comme un écho, comme un coquillage marin habitué à la pulsation des vagues. Je me réveillais parfois hagard, poursuivi par des grappes de pétales couleur lilas qui traversaient le mastic des vitres avec un sifflement, et je restais étendu, les yeux clos, jusqu'au matin, à essayer de déchiffrer ce qu'elles disaient. Et à Miratejo je me lève de mon lit et je m'assieds à mon bureau, sans allumer la lampe, et je fixe les stores dans l'espoir de voir apparaître les grappes avec l'aurore, se balançant entre le fil de fer à sécher le linge et envoyant nonchalamment des adieux de pieuvre.

— Ils me tannent, et moi je vous tanne, c'est tout simple, a expliqué le Monsieur en essayant d'enfiler son alliance sur le médius. Et débrouillez-vous pour que votre ami ne perde pas la boule, c'est votre responsabilité.

— Vous voulez boire un coup, patron? a dit le fermier au grand-père de l'Homme en lui tendant sa bouteille.

La petite sœur du Magistrat a tenté de retirer le vin de la main de son père qui l'a immédiatement menacée de son poing fermé en bavant, une jeune fille occupée à rallumer les cierges éteints a dit, Excusez-le, monsieur le professeur, c'est la tristesse, Et que veux-tu que je fasse maintenant que j'habite seul dans une maison vide, a demandé l'Homme au Juge d'instruction en train d'imaginer des toux et des pas inexistants dans les pièces désertes, d'inventer des cousins et des servantes, de me réconforter avec des sourires d'albums de photos, de regarder le balancier des horloges au mur me répondre non, sauf me claquemurer dans ma chambre avec le téléphone qui ne sonne jamais et une barrique de gin, et boire à petites gorgées cadencées jusqu'à ne plus distinguer la poussière sur les meubles, les piles de revues par terre, la montagne de vestes derrière la porte, jusqu'à ne plus distinguer que le sifflotement du jardinier scandalisant mes grands-parents, scandalisant la veillée funèbre, et une bouteille tendue dans l'air pour offrir du vin d'arbouse au désespoir des vivants.

— Le changer de cellule et le laisser dormir avancerait déjà les choses, a suggéré le Magistrat, la paume contre l'oreille, attentif au susurrement de la plante grimpante. Si le mec perd la raison ce ne sera pas de notre faute, il n'a probablement jamais été tout à fait sain d'esprit.

— S'il était sain d'esprit, il ne se serait pas fourré dans

ce merdier, a dit le Monsieur en élevant la voix, mais ce qui est fait est fait et tout le reste n'est que du baratin destiné à égarer les imbéciles. Donnez-moi ce dont nous avons besoin, monsieur le juge, donnez-moi des résultats concrets, et si la Suisse ou le Brésil ne vous disent rien, pas de problème, on vous nommera à la place conseiller à la Cour suprême.

— As-tu déjà pensé, a dit l'Homme, à la longueur des dimanches dans cette énorme baraque, à l'avenir raréfié, échoué sur les consoles et les cabinets chinois tel un cargo sur des récifs le long d'une plage, aux lundis plus éloignés que notre première frayeur de gamin? Je jouais au trictrac contre moi-même et je perdais, j'essayais de faire une patience et je m'énervais aussitôt, les livres m'assommaient, j'achetais le journal et je ne le lisais pas, j'errais dans le jardin après la pluie parmi les narcisses, insultant l'hiver, j'ai ouvert tout grand la cage des perruches et aucune ne s'est enfuie, je m'enfermais dans la salle de bains à six heures du soir pour avaler des somnifères, assis sur le bidet devant la glace, observant mes canines de Dracula, avec deux doigts de gin pour faire descendre les comprimés et peu à peu mon image devenait floue. Cela a été une chance pour moi que l'Organisation ait envoyé la propriétaire du foyer de vieux dans mon groupe.

— Je parie que vous n'avez jamais goûté un vin d'arbouse comme celui-ci, patron, a dit le père du Magistrat en effeuillant les chrysanthèmes de la morte. Ne vous gênez pas, j'ai encore neuf flacons cachés dans le poulailler.

Il a essayé de se relever, il est retombé à genoux et s'est perdu dans un discours grommelé sans queue ni tête, pestant contre les pleurs et les cierges, tout comme je me sentais insulté, a dit l'Homme au Juge d'instruction, par ma solitude au milieu de trumeaux recouverts de draps dans des salons sans lumière parce que les ampoules grillaient l'une après l'autre, les porcelaines se ridaient dans les vitrines, les chasses d'eau détraquées ne précipitaient pas mon âme vers le Tage, les bouteilles de gaz s'accumulaient dans l'office, le chauffe-eau explosait, un tuyau cassé répandait des taches de vitiligo sur le balcon couvert, et je contemplais par la fenêtre la route de Benfica en contrebas, les lampes au-dessus des entrées dans les villas en face et les martyrs en mosaïque sur les façades. La femme de la maison de repos avait dix ans de plus que moi, elle portait des pendeloques aux oreilles, elle se teignait les cheveux en violet, elle avait été aide-masseuse à Amora, elle s'était enthousiasmée pour l'internationalisme prolétarien par vengeance, après avoir été trompée pendant des mois par le chant de sirène d'un maître d'œuvre mulâtre, elle m'obligeait à changer de temps en temps de chemise, à manger du poisson, à redresser ma cravate, elle me faisait promettre d'abandonner le gin, pendant tout ce temps-là elle a été la seule personne à s'approcher de moi avec tendresse.

— Qui est cette Fräulein, où as-tu déniché un ange pareil? s'est empressé de demander le Juge d'instruction en faisant signe au dactylographe. Une aide-masseuse, Antunes, il ne te manquait vraiment plus que ça.

— En outre il est inutile de songer à le changer de cellule, a graillonné le Monsieur en consultant son agenda. Car samedi au plus tard je veux que l'oiseau soit dehors, n'oubliez pas que le temps joue contre nous.

— Elle habite dans sa propre clinique, a dit l'Homme, tout près du stade du Sporting. Les jours de match de foot, les trottoirs se remplissent d'automobiles, de marchands de beignets et de drapeaux de club, de stands qui vendent des sandwichs à la viande, des graines de lupin et de la bière tiède, de points de vente de billets improvisés, de supporters avec des écharpes colorées, un transistor collé à l'oreille comme un pansement, et pendant les matchs, dans sa chambre pourtant garnie de rideaux épais, nous entendions les applaudissements, les sifflements, les désappointements collectifs, les encouragements, la clameur profonde quand un but était marqué.

Un parent a saisi le fermier par la taille et malgré ses protestations l'a entraîné vers la ferme où, dans l'épaisseur de la nuit, on ne distinguait que les pupilles soucieuses du singe au-delà des laitues. Les pupilles du singe et les fenêtres sur la colline de Brandoa, aussi inaccessibles que les étoiles que dissimulait et découvrait un ciel parcouru de nuages.

— Un vin d'arbouse comme ça, bêlait le fermier en équilibre instable et tiré par plusieurs mains compatissantes vers une marche de pierre. Un vin d'abourse comme ça, ça ne se sent même pas sur la langue.

— Samedi, a ordonné le Monsieur en rangeant son agenda dans son pantalon, on relâche le poseur de bombes et on commence la danse. Vous serez leur contact et le nôtre, monsieur le juge, les plans et les informations passeront par vous.

— Donne-moi des renseignements concrets, a exigé le Magistrat, une clinique à Alvalade c'est plus que vague. Comme ça au pied levé, sans faire d'efforts, je songe à au moins une demi-douzaine de cliniques.

— C'est un rez-de-chaussée derrière le stade, a précisé l'Homme, je sais y aller mais je connais pas le numéro de l'immeuble, on tourne après la rôtisserie et on aperçoit une plaque à une cinquantaine de mètres, à côté d'un magasin de pneus. Quand elle est devenue veuve, sa marraine a eu l'idée d'ouvrir une maison de repos, quelques chambres à trois ou quatre lits et une dizaine de vieillards très maigres qui font pipi au lit, des femmes de service qui leur fourrent un urinal entre les jambes et des vapeurs de friture dans la cuisine qui oxydent les cuivres dans la cheminée.

— Sa filleule, a dit le Juge d'instruction au Monsieur, a hérité de l'affaire des moribonds et elle a amplifié leur agonie, vous pouvez lire les détails concernant la propriétaire des malades dans ce cahier. Cinquante-six ans, vous imaginez, et elle s'habille comme une adolescente de dix-huit ans, minijupe, décolleté plongeant, des tas de colliers et de bracelets, les cheveux dans le dos, et cet imbécile n'a d'yeux que pour elle.

Ils ont déposé le fermier à l'entrée de la treille et le père du Magistrat s'est défait de sa bouteille et, ceinture dégrafée et veston de travers, il s'est engouffré dans le tunnel de pampres en direction de la porcherie et des fenêtres de Brandoa avec la chienne qui dansait autour de lui, amusée. Il arriverait peut-être à distinguer les arbres du verger, il arriverait peut-être à toucher avec les yeux la corde de la pendue attachée par un nœud au grand pommier qui verdissait, branche après branche, de fruits minuscules. Les porcs grognaient à côté du mur, groin attentif, scrutant les ténèbres à travers leurs cils d'albinos. Ils étaient dix ou onze, un mâle, une jeune femelle, une autre avec un ventre dilaté et des tétines enflées et dures, prête à mettre bas, et l'Homme et le Juge d'instruction n'osaient pas faire tourner les gonds de la grille par peur de leurs soupirs presque humains, du volume de leur corps et de leurs gencives acérées, du groin qui léchait le sol de ciment à la recherche d'épluchures oubliées.

— A propos, a dit subitement l'Homme, mordu par une curiosité enfantine. Après que mes grands-parents m'ont expédié à la maison, est-ce que le propriétaire du singe est venu à la veillée funèbre?

Le fermier a saisi un balai en fil de fer dans la remise à outils, renversant des râteaux et des sécateurs dans un vacarme de métal, il s'est adossé à la porcherie, louchant et se cramponnant à la grille d'une cloison car il avait les jambes qui flageolaient, le cœur qui bondissait irrégulièrement, les poumons qui n'absorbaient plus l'air, le corps qui glissait le long de ses os en un lent dépouillement de sa peau, comme un serpent. Les fenêtres des édifices de Brandoa cernés de bâches de gitans et de constructions de pauvres plongeaient dans la tache de nuages prêts à crever en torrents d'eau qui s'étendait avec des éclairs de photographe jusqu'à la Pontinha. Les plantes tremblantes du potager s'humidifiaient dans un espoir de pluie, les ormes ployaient sous une bise ocre, la terre sentait le poil mouillé et le soufre.

— Dehors, couillons, dehors, a bêlé le fermier en défaisant le verrou, en donnant des coups de pied dans la porte à claire-voie et chassant avec son balai métallique les animaux qui se sont égaillés sous la treille. Je veux voir tout le monde en bas, en train de chanter et de boire du vin d'arbouse à l'enterrement de ma mère.

— Pour être franc, monsieur, je ne sais même plus qui interroge et qui répond, c'est la confusion totale, a dit le dactylographe avec embarras en tendant une liasse de photocopies de documents tapés à la machine. Ils se racontent mutuellement leur vie, ils parlent en même temps, ils s'énervent, se fâchent, se réconcilient, le Juge soulève le téléphone et fait venir des sandwichs et du café, ils passent la nuit à manger et à se souvenir des châtaigniers de la Beira, une fois l'Homme s'est tellement mis en fureur qu'il a assené un grand coup sur la table en criant, Tout cela est consigné ici, Tu seras toujours un nullard, un provincial, un péquenaud, tu n'arriveras jamais à rien, tu es un imbécile.

— Exactement comme les amoureux, comme les fiancés qui boudent, a dit le Monsieur avec un sourire en apposant des tampons sur les pages dactylographiées. Ils n'ont aucune pudeur, ils n'ont même pas le bon sens de ne pas s'embrasser devant des étrangers. Ils se croient seuls au monde, vous comprenez?

— Et peut-être bien que tu aimes habiter à Miratejo, a ajouté l'Homme avec un petit ricanement pervers, tu aimes faire la queue sur le pont pendant des heures et respirer les gaz d'échappement, tu aimes ces immeubles horribles bourrés d'Indiens et de nègres sinistres, tu aimes les ascenseurs en panne, les ordures qui traînent partout, les jets d'eau sur des gazons morts, le vent qui pousse les usines de Barreiro à l'intérieur de ton appartement.

— Ce n'est pas exactement cela, a rétorqué le dactylographe, enfoui dans son pépiement humble. Quand ils se mettent à se quereller, quand ils commencent à hausser le ton et à s'insulter, chacun se plaignant des petites trahisons de l'autre, le Juge m'avertit toujours N'écrivez rien, Martins, ce sont là des questions personnelles, cela n'a pas à figurer au procès-verbal, le déclarant et moi avons de vieux comptes à régler.

— Je parie que tu t'es marié aux Jerónimos, un dimanche, en veston croisé et nœud papillon, a dit l'Homme d'un ton railleur et méchant, je parie qu'on t'a offert un mobilier de chambre à coucher en imitation bambou et une grosse chienne avec un collier rouge qu'il faut promener le soir pour qu'elle puisse pisser contre les pneus des voitures des voisins en lançant de tristes gémissements vers le ciel mauve.

— Hé là, hé là, attendez un peu, quel mal y a-t-il à se marier aux Jerónimos, a demandé le Monsieur avec étonnement. Mon frère, par exemple, s'est marié aux Jerónimos et nous avons pris ensuite des masses de photos sur la tour de Belém, d'ailleurs l'une d'elles, avec la mer en toile de fond, est restée je ne sais combien de temps dans une vitrine de l'avenue Almirante Reis, je ne vois pas ce que cela a de ridicule.

— Je t'ai envoyé une invitation et tu n'as même pas répondu, je t'ai haï pendant presque un an, a dit le Juge d'instruction en tournant la petite cuiller dans sa tasse. Quant à la chienne, elle a disparu il y a six mois, un des enfants a laissé la porte ouverte et nous ne l'avons plus jamais revue. Ma femme a même mis des annonces dans le journal, c'était un animal affectueux, parfaitement propre, il s'est sûrement fait écraser, comme vous avez écrasé le banquier.

— C'est le fait d'un seul membre du groupe, s'est justifié l'Homme, je t'assure que je n'ai rien à voir avec cette histoire.

— Vous voyez, vous voyez? s'est exclamé triomphalement le dactylographe en surveillant de loin les paragraphes. Ils mélangent tout, ils confondent tout, peut-être que vous, vous y verrez plus clair dans ce salmigondis.

Et le Monsieur a imaginé la chienne au collier rouge ou le banquier ventripotent, sa serviette à la main, traversant tranquillement la rue bordée de platanes à Estoril en direction du portail de sa maison, et la jeep conduite par le Curé démarrant subitement au coin de la rue, grandissant, tous phares allumés, sur le macadam que le reflet des feuilles faisait ressembler à une nappe d'eau, il a imaginé le bruit des freins et l'ébullition du moteur, il a imaginé le banquier se recroquevillant, paumes ouvertes, reculant d'un pas, il a imaginé les genoux qui ployaient, le front déformé par l'effroi, et aussitôt après le corps renversé par le museau de la calandre, la serviette volant dans l'air, un tourbillon de vêtements, la jeep faisant une embardée pour frapper une deuxième fois le corps déjà à terre, les roues triturant des os, triturant des étoffes, triturant un bras désarticulé et mou, une camionnette de livraison s'approchant en sens inverse, le Curé grimpant sur l'accotement pour l'éviter, accrochant une mobylette, emboutissant un pilier, s'enfuyant en direction du casino, le chauffeur de la camionnette a mis pied à terre pour se pencher sur le banquier, une adolescente à la fenêtre de la maison criait Qu'est-il arrivé à mon père, qu'est-il arrivé à mon père? et dix minutes plus tard la police, un entassement de curieux, des gendarmes avec des mètres rubans qui calculaient les distances, des brancardiers qui déversaient le défunt dans une ambulance avec des ampoules qui clignotaient sur le toit, le propriétaire de la mobylette qui tentait vainement de remettre debout son tas de ferraille inutile.

— Et ma chienne? a demandé le Juge d'instruction, furieux, secouant l'Homme par les revers de sa veste, tirant sur sa chemise, le frappant sur la bouche, lequel de vous est venu à Miratejo l'exterminer avec la jeep?

— Je les ai séparés de force, a dit le dactylographe, effrayé, je les ai poussés à coups de coude, j'ai fini par m'interposer entre eux. Si les interrogatoires durent beaucoup plus longtemps, ils finiront par se tuer.

— C'est une vieille habitude, a expliqué le Monsieur en finissant de tamponner les photocopies. Dès qu'ils en ont l'occasion ils se trucident à coups de couteau comme tous les couples, mais cela ne les empêche pas de rester vivants et en bonne santé, surtout ne vous faites pas de bile.

— Excuse-moi, j'ai perdu la tête, je ne l'ai pas fait exprès, je ne voulais pas te blesser, mon vieux, a dit le Juge d'instruction d'une voix peinée en se penchant sur l'Homme assis par terre à côté de sa chaise renversée et tirant son mouchoir pour étancher le sang qui coulait de sa langue. Il y a des moments où on ne sait plus ce qu'on fait, que veux-tu, les gifles vous échappent, on n'y peut rien.

— Ne vous le disais-je pas, s'est exclamé le Monsieur, les bisbilles d'amoureux ne durent jamais plus d'une minute.

Peut-être, mais à cause de la disparition de la chienne l'épouse du Magistrat n'a pas adressé la parole à son mari pendant des mois, elle se déplaçait enveloppée dans le suaire d'une robe de chambre décolorée, opposant aux chamailleries des enfants l'indifférence éthérée des spectres, et moi, a pensé le Juge, je n'avais qu'à m'occuper du dîner, mettre la table, donner la becquée au petit dernier, déshabiller les autres, les obliger à se brosser les dents, les coucher entre leurs poupées et leurs livres de contes, supporter leur morve et leurs frayeurs, pendant qu'elle restait affalée sur les coussins, soupirant devant le halo du téléviseur, consumée par le regret de sa bestiole obèse. Le Magistrat a fini par ranger la caisse tapissée de paille et les écuelles pour l'eau et le riz dans la resserre à côté de la cuisine, et malgré cela, un soir, tard, il l'a trouvée en chemise de nuit et en pantoufles dans la cuisine, s'apprêtant à promener autour de l'immeuble sa nostalgie d'aboiements.

— Et tu n'as pas consulté un psychiatre, tu l'as laissée rester dolente comme ça pendant des siècles? a demandé l'Homme en examinant avec intérêt la tache sur son mouchoir.

— Quand j'ai fait sa connaissance, elle souffrait déjà des nerfs, a dit le Juge d'instruction que la blessure du prévenu préoccupait. Par exemple, nous étions en train de nous faire des mamours dans le salon de ses parents et elle s'arrêtait au beau milieu d'une phrase, l'œil rond comme les albatros empaillés perchés sur des marches de nuage. Je la secouais, Qu'y a-t-il, qu'as-tu? et ses épaules cliquetaient entre mes doigts, sa mère accourait du fond de l'appartement, Ne bougez pas, ne bougez pas, ne la secouez pas, une pilule et ça lui passera. Ils lui enfournaient le cachet dans la gorge avec un petit verre d'eau pour le faire descendre, et quelques secondes plus tard la petite reprenait sa phrase là où elle l'avait interrompue, sans remarquer mon inquiétude ni l'empressement désordonné de sa mère, nous regardant à peine, impondérable, avec la lassitude propre à quelqu'un qui revient des antipodes.

— C'est l'épilepsie, expliquait son beau-père en levant sa calvitie tranquille du journal, comme un soleil. Vous ne pouvez imaginer les fortunes que nous avons dépensées en radiographies et en médecins. Et en dehors de ses crises, vous savez, c'est la personne la plus normale du monde.

— Tu te souviens du jour où nous avons découvert qui habitait dans la villa au violon? a dit le Magistrat avec une petite lueur sur les joues. Tu te souviens de l'état dans lequel ça t'a mis?

La villa, avec son toit d'ardoises noires, dégringolait comme une construction de dominos depuis les deux ou trois derniers hivers : le revêtement des angles se détachait par grandes plaques molles, une des vérandas en ruine inclinait ses planches vers les broussailles de la clôture, les rideaux se déchiraient à travers les losanges des fenêtres, les feux de navigation des fantômes défunts qui dérivaient de fenêtre en fenêtre devenaient de plus en plus dispersés et faibles et la musique titubait en hésitant sur les dénivellations des notes au bord d'une agonie douloureuse. Le gazon dévorait la clôture, maintenant complètement démolie, qui séparait la villa du bâtiment de l'école, les chats s'y recherchaient dans la frénésie du rut. Des oiseaux avec des pupilles démentes sortaient des fenêtres du vestibule dans un volettement de pages de dictionnaire et une silhouette claire se montrait de temps en temps à un appui de fenêtre pour contempler le fouillis de giroflées avec l'étonnement des statues de porcelaine.

— J'ai aperçu quelqu'un à côté, tu sais qui c'est?

murmurait l'Homme à son grand-père qui changeait aussitôt de sujet d'un air gêné, se dépêchant de dire qu'il fallait recrépir les remises, agrandir le garage, se débarrasser des cochons qui n'entraînaient que des dépenses et des préjudices, changer le mobilier de la salle à manger, Tu ne trouves pas? et la grand-mère acquiesçait de la tête, elle aussi mal à l'aise, Si tu veux faire faire des travaux, Fernando, pour l'amour du ciel, commence par cette terrasse là-haut qui fait pitié, tous les deux embarrassés, a dit le Juge d'instruction au Monsieur, tous les deux préoccupés, tous les deux lui interdisant sans raison de s'approcher de la villa, de pousser le portail démantibulé, de s'aventurer parmi les mystères et les bégonias, de tirer la sonnette émoussée sous l'auvent, d'attendre que le spectre descende l'escalier et surgisse devant lui, son violon à la main, le regardant sans un mot, avec une indifférence trouble.

— Et pourtant nous avons fait exactement le contraire, a dit le Magistrat, et pourtant nous nous sommes embusqués tous les jours dans les massifs pour surveiller la cave et les fenêtres, et la semaine suivante nous sommes entrés, ayant découvert que vers la fin de l'après-midi la cuisinière contournait l'école en transportant une marmite de nourriture, elle ouvrait la grille à l'arrière, la musique cessait, la lumière augmentait au rez-de-chaussée, et nous avons vu la femme qu'un tulle de poussière rendait floue verser le contenu de la marmite dans une assiette, obliger la silhouette à s'asseoir, lui retirer son violon et le poser sur une espèce de buffet bancal d'où tombaient des pages de musique volantes, présider le repas debout, appuyée à la table, avec une autorité dédaigneuse.

— Un reclus dans un cachot en ruine, a dit le Monsieur d'un ton amusé en découvrant ses incisives dans un petit rire acide. Et vous voudriez installer le poseur de bombes dans un hôtel cinq étoiles avec une bouteille de champagne, c'est d'une sottise achevée, monsieur le juge. Et lui, mais dites-moi donc la vérité, n'a pas eu le courage de demander à son grand-père pourquoi la cuisinière allait tous les soirs à la villa avec une marmite.

— Elle m'a dit de m'occuper de mes oignons, de

disparaître de sa vue car elle avait à faire, a dit l'Homme avec indignation en tourmentant une poule malade avec un bout de roseau. Elle était toute rouge, tu ne peux pas imaginer, à un certain moment j'ai même cru qu'elle allait me battre.

Mais elle ne l'a pas battu, a poursuivi le Magistrat en pensant au paquet de plumes grises qu'était la poule, une poule mouchetée au cou pelé qui ne bougeait presque pas malgré les titillations du roseau, elle faisait trois ou quatre pas au maximum et retombait mollement, le bec à terre, nous regardant avec des prunelles myopes à force d'indifférence et de fatigue. Elle ne l'a pas battu, elle ne le battait jamais pour ne pas abîmer le vernis de ses ongles longs que la manucure, une brune mince dans des robes moulantes, venait remettre à neuf le jeudi, à l'heure de la sieste, toutes deux s'enfermant à clé pour de longs papotages chuchotés et des petits rires : elle a raconté l'incident à son mari et le grand-père a fait venir l'Homme dans son cabinet de travail à cheval sur la route de Benfica qui empestait le cigare, avec un bureau encombré, une bibliothèque remplie de livres et une commode sur laquelle étaient posées les photographies des morts dans des cadres en argent, parents âgés en redingote et favoris, dames en jupe à godets, un ou deux bébés flous, terrorisés par l'appareil photo, la mère et le père de l'Homme, qu'ils n'avaient pas connus, morts dans un accident de voiture en Espagne quand leur fils avait à peine quelques mois, un jeune couple se tenant par le bras, appuyé au bastingage d'un paquebot, lui le cheveu gominé, elle avec une coiffure en hauteur et un corsage échancré, élégants et gais, une vieille femme qui ressemblait à la poule, dans un fauteuil d'invalide, le front enveloppé de bandages.

— Mon grand-père dit que je suis fou, que je n'ai pas toute ma raison, que personne n'habite dans la villa, que la cuisinière ne sort de la maison que deux dimanches par mois, que si je continue à lui chiper des cigarettes il me retirera du lycée et me mettra en apprentissage chez le cordonnier sous l'église pour que je chausse les prêtres de souliers en basane, a dit l'Homme en pleurnichant, allumant une allumette humide au mégot du Juge. Le premier jour férié où le chauffeur les emmènera à la plage, nous irons là-bas.

— Une idée bizarre, vous ne trouvez pas? a dit le dactylographe au Monsieur en frissonnant à l'idée de ce projet. Moi, à leur place, je me serais enfui à toutes jambes d'une maison abandonnée, habitée par un fantôme par-dessus le marché, un fantôme qui mange du pot-au-feu et qui joue du violon dans les salons.

Et en juin, pendant un été pluvieux où les nuages venus de l'est étaient balayés par les humeurs de la mer et où le dôme du ciel, couleur d'intérieur de pelure d'oignon, distillait des larmes roses, pendant un été de grippes mélancoliques passé en convalescence, sans la douceur d'autres fièvres, au milieu de chocolats et de vieilles revues, dans des chambres remplies de pénombre, aux rideaux tirés, où la nuit se prolonge tout au long du jour sur la peau frissonnante d'inquiétude des miroirs, l'Homme et le Juge d'instruction se sont munis d'une cisaille et d'une pioche dans la remise à outils du fermier, ils ont sauté par-dessus le mur à côté de la serre avec ses cactus barbus et ses bananiers nains, ils ont marché en diagonale sur le petit sentier de la poste, ils sont passés devant un campement de gitans et un alambic de miséreux qui rouillait sur une aire à battre et ils ont atteint le jardin de la villa en passant par un trou dans la haie remplacée par des touffes de marguerites et d'oseille sauvage, piétinées par les semelles sans miséricorde des mendiants.

— Violation de la propriété d'autrui, mon ami, marquez-moi ces pages avec un signe dans la marge, a dit le Monsieur d'un ton joyeux en se tapotant la cuisse avec satisfaction. Finalement, rien de plus facile, nous allons les pincer pour ce motif.

Ils ont avancé dans le jardin à l'abandon, écoutant le violon reprendre une cadence avec une monotonie d'insomnie, ils sont passés en se courbant devant des bancs de bois couverts de liserons, une table en pierre sous une tonnelle branlante destinée à d'improbables pique-niques, des allées de gravier envahies par les mauvaises herbes et près d'une fenêtre à guillotine, une courette avec un bac à lessive et un évier qui transpiraient dans un appentis, des portes qui pendaient de leurs gonds et un arbre sans nom, pointu, sombre, énorme, qui faisait fuir les chauves-souris et qui occultait le soleil. Une nappe oubliée se balançait doucement sur une corde comme les banderoles de la peste.

— Et tout cela vétuste, et tout cela misérable, et tout cela couvert de traces fuligineuses d'incendie, avec des nids de guêpes dans les angles des héberges, a dit le Juge d'instruction avant de commander une tisane digestive par téléphone. Nous sommes entrés par un trou dans le mur en brique de l'office, menaçant l'obscurité avec la cisaille et la pioche, et si j'avais su alors ce que je sais aujourd'hui, tu peux être sûr que je n'aurais jamais mis les pieds dans cet endroit.

Des corridors et des corridors empestant les lichens et les rats, des petites salles avec des consoles branlantes où les papiers peints se décollaient des plâtres en longs rubans, une sculpture en bois de la Vierge qui éclairait une niche, une pièce plus vaste qui avait certainement été une cuisine à en juger d'après un trou ébréché par terre pour l'écoulement des eaux, à présent refuge de cafards et de débris, un fourneau, des étagères vides garnies d'une petite frise en toile cirée et une assiette avec un reste de sauce abandonnée à la gloutonnerie des mouches, la pièce, a dit le Magistrat, où nous avons vu la cuisinière donner des ordres, l'archet du violon à la main.

— La bêtise, ça a été de ne pas déguerpir de là aussitôt, mon vieux, a dit le Juge d'instruction en tendant une tasse à l'Homme, ça a été de pas nous tailler le plus vite possible par le trou dans l'office. Tu trouves que ce qui est arrivé par la suite a valu la peine?

D'autres salles encore, d'autres chambres désertes et immondes, certaines avec du bois dans la cheminée et des piles de journaux par terre, un garage avec une table de ping-pong toute déjetée, des échelles qui menaient à des greniers pleins de lits et de matelas éventrés, le son de l'instrument de plus en plus proche qui se confondait avec la pluie sur le toit, Allons-nous-en, a chuchoté le Magistrat en repoussant les fantômes avec sa cisaille, allons-nous-en car j'ai peur des squelettes et des têtes de mort, mais l'Homme brandissait sa pioche et il a atteint une espèce de vestibule au pied d'un escalier ossifié par le salpêtre du temps qui se perdait dans un enchevêtrement d'ombres au premier étage, le violon s'est tu, la pluie chantait dans les plantes grimpantes et sur les vitres, une horloge a égrené des heures nébuleuses, Un loup-garou va surgir et nous manger, a gémi le Magistrat en se cognant contre un piano droit avec des chandeliers de cuivre qui a émis une protestation de futaille, les rideaux d'un balcon qui s'ouvraient sur des touffes d'aspidistra se gonflaient et se creusaient au gré du vent, un jeune chat s'est frotté contre la plinthe et s'est caché sous un coffre en camphrier, Nous dérangeons les morts, a dit le Juge tout bas en sanglotant presque de panique, je parie que l'un d'eux va s'approcher par-derrière et nous planter un couteau dans le dos, ils ont cru entendre un bruit d'espadrilles, un frottement d'étoffes de laine, un envol d'ailes rouillées, le craquement d'une planche, C'est un serpent corail, a dit le Magistrat en palpant le vide avec son bras, qu'allons-nous faire? alors le plafonnier s'est allumé, révélant un meuble de sacristie, une dizaine de geckos éparpillés sur les murs, une canne et une branche de platane qui se décomposaient dans une potiche chinoise, le Juge a lâché sa cisaille et s'est retenu au piano, terrorisé, et l'Homme n'a eu qu'à suivre l'azimut de sa frayeur pour découvrir un individu avec un monocle, dans un costume de flanelle de chanteur de tangos, qui se tenait immobile sur une marche et qui les regardait, un violon au poing.

— Il avait été opéré de la tête, semble-t-il, ou quelque chose d'approchant, a dit le Magistrat au Monsieur, en dessinant avec l'ongle du médius une cicatrice qui allait d'une tempe à l'autre sur sa calvitie. Il avait la peau couturée, il était très maigre, courbé, transparent, déjà vieux, on se rendait compte qu'il avait énormément changé mais l'Homme lui a découvert des ressemblances avec la photo de son père, si bien qu'il a ouvert de force la porte qui donnait sur la rue et qu'il a soutenu les cartilages de son bras, comme on fait aux aveugles, Vous allez sortir d'ici, nous rentrons à la maison, vous allez attraper Dieu sait quelle maladie dans cette moisissure. Vous pouvez imaginer le chambard qui s'est ensuivi.

— C'était vraiment son père? a demandé le sténographe, incrédule, en éloignant le crayon du bloc-notes. Son père, enfermé là à cent mètres, des années d'affilée, jouant de la musique dans une villa abandonnée?

Une galopade de servantes a suivi, la cuisinière, une poêle en l'air, criait à tue-tête, Mais qui est-ce, mais qui est-ce, un mendiant que vous avez rencontré dans la rue? des paravents grinçaient sur leurs gonds, des pas craintifs avançaient sur la moquette, la grand-mère surgissait enfin et l'agrippait par l'épaule, l'œil jaune de fureur, presque aussi livide que la silhouette, Enlevez-moi d'ici cette cisaille énorme, quelle horreur, combien de fois dois-je te répéter que je ne veux pas que tu fréquentes des étrangers, où est-ce que cet enfant a découvert la créature? La cuisinière s'est emparée de cet être qui souriait sans mot dire, indifférent, regardant d'un œil apathique le réfrigérateur, les ustensiles en métal, les objets en faïence, Venez donc faire un tour avec moi, personne ne vous prendra votre violon, monsieur le lieutenant, a-t-elle dit en s'essuyant les doigts sur son tablier, et ce soir, pour le dîner, je vous servirai une crème caramel, le fantôme a bredouillé une phrase incompréhensible et il l'a suivie en traînant les pieds, berçant son instrument sur sa poitrine, vers ses salons mystérieux et ses tentures moisies, Va immédiatement dans ta chambre, a crié la grand-mère à l'Homme, hors d'elle, et pour te punir, pas de télévision pendant trois jours, une larme coulait sur sa joue fardée de rouge et ses jambes maigres tremblaient, attends un peu que ton grand-père revienne ce soir, tu vas voir ce qu'il t'en cuira, et c'est alors, a expliqué le très digne Magistrat, que j'ai compris que c'était en fait son père qu'ils cachaient aux voisins par honte, un malade, un anormal, un infirme après l'accident où il avait perdu sa femme, un imbécile, vous comprenez, qu'ils ne voulaient pas montrer, ils ne voulaient pas que qui que ce soit soupçonne qu'il était toujours vivant, que qui que ce soit sache qu'il respirait encore, et cette nuit-là le grand-père a administré à l'Homme une rossée mémorable avec la boucle de sa ceinture, jurant qu'il allait le tuer, renversant par terre des chandeliers et des papiers. Quand j'ai quitté Benfica, a dit le Magistrat au sténographe qui se grattait l'oreille avec son crayon, le violon jouait de temps en temps derrière un store baissé, peut-être le fou est-il toujours là-bas, silencieux et maigre, au milieu de ses ombres, de ses échos et de son mobilier moribond, répétant à l'infini une cadence sans queue ni tête.

— Maintenant que son fils est en taule, a demandé le Monsieur avec curiosité, qui s'occupe de lui, qui lui donne son bain, qui endure ses folies, qui lui apporte la marmite du dîner?

— Un d'expédié, s'est exclamé le Curé, échevelé, en cherchant un banc où s'asseoir. Je suis venu du quai de Sodré jusqu'ici en autobus et bon sang, à cette heure, ce n'est pas une mince affaire, il n'y a rien à boire dans la resserre?

Le juge d'instruction s'est carré sur sa chaise, il a fermé les yeux, et un imbécile privé de raison et de mémoire, dans un gilet déchiré, a soudain surgi devant lui en serrant sous l'aisselle un violon sans cordes:

— Quand je vais voir mes vieux le dimanche, a dit le Magistrat en bafouillant de honte, je demande à ma mère de me cuire un demi-poulet, une saucisse ou une marmite de pommes de terre, j'invente une excuse quelconque et je me faufile dans la cuisine de la villa par le trou de l'office. Ces jours-là au moins, n'est-ce pas, je suis sûr qu'il mange quelque chose.

MANUELA :

Comme je te savais heureuse à Santa Iria da Azoia, parmi les cotonnades indonésiennes et les ivoires en plastique, en train de brûler de l'encens dans mes chandeliers en argent et de partager un lit à clous avec le fakir à barbiche,

comme le mulâtre m'a raconté qu'il t'a vue, avec des sandales et une marque ronde sur le front, pousser un chariot au supermarché à la recherche d'herbes orientales au rayon du papier hygiénique et des galettes à la vanille,

comme je suis passé plusieurs fois, pendant les moussons d'avril à Lisbonne, devant ta HLM au bord de la route et que je t'y ai imaginée en slip de dentelle noire, penchée comme un lotus vers un bûcher funéraire de coussins et de jacinthes sur lequel le Gandhi de la Judiciaire flottait nu, un verre de whisky à la main,

comme j'étais écœuré par l'odeur de vomi des bars de la rue Conde Redondo et des pensions de l'Intendente où je ne me déchausse jamais et où je marche en chaussettes sur les taches de foutre du Cap-Verdien qui m'a précédé,

je suis allé copier l'adresse de la pédicure dans les archives de mon chef et le samedi suivant j'ai mangé pour le déjeuner les calmars à l'encre des jours chômés et j'ai pris le bus pour Almada sur la place d'Espagne puisque au bout de deux cents mètres mon automobile ressemble à une machine à coudre détraquée qui patine sur l'étoffe, une vapeur nauséabonde accompagnée d'étincelles et du rimmel du caoutchouc fondu s'échappe par toutes les fentes dans la tôle, et je finis par m'extraire de la voiture pour éventer avec ma veste cette espèce de brasier qui se consume sur l'accotement, ses sièges réduits à des squelettes de ressorts.

Almada, Manuela,

se cache entièrement derrière les renfoncements des piliers en ciment de la statue du Christ-Roi, elle est une sorte d'énorme Santa Iria da Azoia balayée par les souffles du Tage avec des mouettes à la dérive que les enseignes des restaurants et les couleurs des feux de circulation hallucinent, leur interdisant le sillage de laitues, de soupe aux pois chiches et d'huile des cargos, les forçant à envahir les brasseries de leurs piaillements affamés et désespérés, et elles essayent de se poser sur la mousse des chopes de bière comme elles font sur la glu des berges, pour y chercher les petits crabes qui trottinent entre les galets. Les édifices et les arbres se heurtent à des pompes à essence, à des succursales de banque et à des villas au toit décoré de gargouilles où un bras du fleuve épanche sa fétidité de poisson dans des lavabos fissurés.

A Almada, même le centre est une banlieue, m'a expliqué Super-Rat qui avait fréquenté l'endroit pendant plusieurs mois, plus élégant que jamais, du temps où il faisait du gringue à une veuve. Au bout de quinze jours il connaissait le timbre de toutes les chasses d'eau de l'immeuble et il passait son temps réveillé, les mains sous la nuque, à écouter les disputes du sixième à gauche et l'aspirateur du premier à droite, pendant que la veuve, ruisselante de parfum, assise sur le lit dans une chemise à volants, lui disait, furieuse, Alors c'est pour aujourd'hui ou pour demain? ramassant les cartes d'une patience sur la table de nuit. Elle l'a évidemment très vite troqué contre un sergent parachutiste qui ne quittait jamais sa tenue de combat, qui arborait un tatouage sur l'épaule gauche, qui préférait les soutiens-gorge aux chasses d'eau et qui faisait taire ses cris de plaisir avec une gifle martiale. Comme les ecchymoses seyaient à la veuve, ils se sont mariés en février, semble-t-il.

Par conséquent, Manuela,

fatigué de tourner en rond tout seul dans cet appartement à Cacém meublé par l'entrepreneur, dans cette petite forêt domestique de posters, de bols à riz chinois sur les étagères à livres et de figurines du Maroc, dégoûté de cette baraque qui conservait ton odeur jusque dans la gaze bouffante des rideaux et dans les poupées espagnoles avec un peigne planté dans les cheveux qui souriaient adossées au traversin, las de contempler la petite place avec ses mûriers malades sur laquelle se dressent les carcasses inachevées d'immeubles réduits à une ossature en parpaings et où nous ne promenions pas, bras dessus, bras dessous, dans les crépuscules d'été, le petit chien que je ne t'ai jamais donné, j'ai demandé l'adresse de la pédicure à un homme qui faisait craquer ses phalanges sur la marche d'une cordonnerie et dont le visage était à moitié éclairé par le néon de la devanture. Le bonhomme m'a regardé, a regardé en fronçant le sourcil, plongé dans une méditation difficile, un magasin de prêt-à-porter de l'autre côté de l'avenue où deux employées en blouse essayaient vainement de faire tenir d'aplomb un mannequin qui tombait tout d'une pièce soit d'un côté soit de l'autre comme un brancard de procession, et il a conclu Le nom ne m'est pas inconnu, l'ami, mais je ne vois pas où se trouve la rue, demandez donc au kiosque à journaux au coin de la rue.

Mais je n'ai pas découvert de kiosque, Manuela,

seulement beaucoup de gens, des fourgonnettes, une plaque de pension louche, Résidence Californie, Chambres, une gitane qui demandait l'aumône, un enfant infirme dans les bras, entortillé dans un châle, les langoustes du Tage escaladaient les caniveaux à gué avec une démarche de retraités s'appuyant sur leur canne, un garage avec un mécanicien minuscule qui réparait une jante, La place X, s'il vous plaît, et lui, penché sur sa roue, ne m'entendait pas,

tout comme nous ne nous entendions pas, Manuela,

pendant nos soirées silencieuses, retranchés derrière un ouvrage au crochet ou le journal, en attendant que les faïences de l'Alentejo au mur nous dégringolent sur la tête. La place X, ai-je répété plus fort, le mécanicien a

97

abandonné la chambre à air qu'il était en train de plonger dans un seau pour détecter un trou, il s'est redressé, il a frotté ses paumes sur son pantalon, une cicatrice de brûlure ridait sa tempe et un bout de sa paupière, il a pointé un cric dans une direction indéfinie, Continuez jusqu'au marché, tournez à droite, contournez un rond-point, c'est là, un collègue chaussé de bottes en caoutchouc lavait au tuyau d'arrosage une Ford sur une aire en ciment sous une lampe sale, le mécanicien s'est accroupi de nouveau au-dessus de la roue, palpant la peau rose du caoutchouc, il sentait le dépit, la soumission, le cuir, il devait habiter loin de la ville, ai-je pensé, il allait au travail, mort de sommeil, dans un autocar déglingué et cahotant, mais dans la direction qu'il m'avait indiquée l'avenue se terminait sur un mur, sur la rase campagne parmi les grillons et les fermes au loin, on entendait des agneaux se lamenter et les oliviers respirer, je suis entré dans une petite taverne où un corbeau à la queue rognée traînait ses plumes sur le plancher et où quatre compères en casquette autour de l'unique table jouaient solennellement au mariage, il y avait des fanions de clubs de football sur les étagères à bouteilles, la photo d'un petit ange de procession entourée d'un liséré noir et un comptoir où une grosse bonne femme en tablier se dévissait le cou à regarder des dessins animés à la télévision.

La grosse bonne femme, Manuela,

m'a servi à contrecœur un petit marc distrait, l'œil rivé aux petites figures qui se poursuivaient sur l'écran, un des partenaires de jeu parlait en sifflant comme une flûte en terre cuite par un petit tube qui lui sortait du cou, le corbeau se dandinait comme un marin sur les lattes du sol, le deuxième marc a glissé sur mes amygdales avec une phosphorescence tiède, mes jambes ont commencé à flotter lentement avec une légèreté de canoë, mon sang, devenu léger, battait au rythme des grillons, l'homme au tube dans le cou est sorti en déboutonnant sa braguette pour aller pisser dans les ténèbres, les joueurs, cartes cachées sur la poitrine, ont frappé les verres sur la table pour exiger davantage de vin, il n'y avait plus de mouettes se posant, pattes tendues, sur la mousse des bières, il n'y avait plus que l'étagère à bouteilles derrière moi et la pédicure faisant frire des croquettes solitaires dans la cuisine, l'homme au tube est revenu, ayant oublié son atout, extrayant des cartes de sa poche, une jeune fille bien mise a surgi sur le rectangle du téléviseur, son sourire s'est étendu jusqu'à ses boucles d'oreilles pour annoncer aimablement un débat politique, et j'ai pensé que si tu vivais avec moi,

Manuela,

tu rangerais ton crochet dans la petite corbeille après avoir enfoncé l'aiguille dans la pelote, tu me dirais Bonne nuit du bout des lèvres, comme on salue un inconnu rencontré par hasard sur la même banquette dans le train, tu t'enfermerais dans la cuisine pour te brosser les dents, tu serrerais tes cheveux avec un ruban ou tu les fourrerais sous ton bonnet de bain pour enlever ton rimmel et la poudre de tes joues, tu enfilerais une de ces chemises de nuit en flanelle à petites rayures blanches et vertes que je déteste et j'entendrais le grincement de grenier du matelas au moment où tu te couches, je verrais la clarté de l'ampoule au-dessus du lit s'allonger le long du couloir vers les franges du tapis dans le salon et s'éteindre invariablement, comme pour me voler mon espoir, dès que je lâchais le journal et que je m'avançais à ta rencontre après un rapide déversement de liquide dans la cuvette des WC et après avoir enlevé à la hâte mes vêtements que j'abandonnais pêle-mêle sur des chaises, tant j'étais pressé d'enlacer,

Manuela,

ton corps immobile qui retenait sa respiration, qui faisait semblant de dormir, se terrant sous les couvertures avec une ténacité de pierre, m'empêchant d'introduire ma jambe entre tes jambes, ma paume dans le creux entre tes seins, mon nez de fureter dans la tendre grotte sur ta nuque, écartant définitivement l'insistance de mes baisers d'un coude fâché, sans prononcer un mot, et je retombais lentement, pourrissant de mon désir de toi, dans un coma agité et solitaire sous ma moitié d'édredon, regardant les chiffres électriques du réveil trotter de minute en minute en direction du matin. Quand la grosse bonne femme des dessins animés,

Manuela,

la mâchoire enflée par une dent infectée, a débranché le téléviseur au moment où une soprano ébranlait les murs de sa fougue lyrique, une dizaine de petits verres vides s'alignaient sur le comptoir devenu infiniment long, les amis des cartes avaient disparu dans la nuit, abandonnant la table sur laquelle un chat se lovait, la queue déroulée dans son sommeil, la femme m'a dit Ma licence s'arrête à onze heures du soir, et elle a dû m'aider avec l'argent de mon portefeuille qui s'échappait de mes doigts, elle a dû me pousser vers la porte, suivie du corbeau qui coassait de jalousie sur ses talons, elle a dû fermer les volets dans mon dos pour que je ne revienne pas à l'odeur du marc, poisseux et courbé, pleurant les humbles larmes de colère des ivrognes, si bien que je me suis retrouvé en train de marcher en titubant sur les trottoirs d'Almada, pressentant les vents du fleuve à chaque coin de rue, les gémissements des bateaux et des chalutiers qui levaient l'ancre, une lanterne à pétrole à la poupe, accompagnés d'une couronne de méduses sulfureuses.

Je me suis retrouvé de nouveau dans les rues d'Almada,

Manuela,

en train de demander l'adresse de la place où habitait la pédicure à des ouvriers perplexes, à des couples qui faisaient semblant de ne pas me voir, à des bandes d'adolescents qui me quémandaient des cigarettes, qui appuyaient en riant une main sur mon épaule en m'indiquant des directions contradictoires, C'est à deux cents mètres à tout casser, mec, et moi qui acquiesçais, le cœur au bord des lèvres, transformé en girafe de carrousel qui montait et descendait, frissonnant sur le trottoir inopinément ondulé qui défilait dans un vacarme de musique et de lampes, pendant que je désirais,

Manuela,

que tu reviennes à la maison parce que le réfrigérateur est vide, la poussière s'épaissit sur les meubles, je brûle mes pantalons avec le fer à repasser, j'ai laissé le lave-linge se détraquer et les fleurs s'étioler sur le balcon, j'oublie de téléphoner au gaz pour qu'on vienne me changer la bonbonne, la veilleuse du chauffe-eau ne s'allume plus, les ordures s'accumulent dans le seau en plastique,

pendant que je désirais que tu reviennes à la maison pour qu'il y ait de nouveau une savonnette dans la douche, pour que tu m'envoies faire ressemeler mes chaussures, pour que tu recouses mes boutons qui se détachent, pour que tu ravaudes mes chaussettes qui se trouent, pour sentir l'agneau rôti du dîner quand j'arrive, pour que tu mettes la table, que tu me serves, que tu enlèves les arêtes de mon poisson avec des petits gestes minutieux et adroits de chirurgien, et que tu retrouves plus tard, si tu y tiens, ton inspecteur à barbiche, les jours où je suis de garde, car je te promets de faire semblant de ne pas comprendre, de ne pas me rendre compte, de ne pas remarquer ta jupe froissée, le col défait de ton corsage, tes agrafes pas agrafées, car je te promets d'ouvrir le journal sans un mot sur mon coin de canapé, de mettre sur le nez mes lunettes pour y voir de près et de m'abstraire dans les gros titres des pages en sentant ton énervement infini devant mes tics, ma toux, ma façon de croiser les jambes, ma présence.

J'ignore aujourd'hui encore, Manuela,

à quel moment de la nuit j'ai trouvé la place où habite la pédicure car mon sang modifie les montres qui s'immobilisent à mon poignet à des heures impossibles, mais la vérité c'est que je me suis retrouvé dans une courette entourée de constructions anciennes au bord d'une cannaie, dans les effluves d'un ruisseau en décomposition, enlacé à un employé du ministère de l'Agriculture qui voulait à toute force m'apprendre l'hymne hongrois, et nous nous sommes réveillés comme des crapauds sous un ciel de tempête et un unique réverbère rond comme la lune qui tombait comme une goutte de sa tige molle.

Tu te souviens, Manuela,

de l'immeuble à Amadora où nous nous sommes installés en sortant de la mairie, à côté de la patinoire et d'un jardin plein de balançoires pour enfants, à un rez-de-chaussée donnant sur une cour, avec des petits rideaux froncés, habité par des veuves qui allaient clopin-clopant à la messe de sept heures le dimanche en mâchonnant des caramels et des bonbons aux œufs avec une gloutonnerie de rouges-gorges manchots ? Tu te souviens de notre photo de couple, entourée de petits nœuds et de roses en tulle, et des chatouilles que tu me prodiguais sous la courtepointe en les entrecoupant de diminutifs tendres ? La seule différence, c'est qu'à Almada on entendait le halètement du Tage derrière les palissades, comme un animal à l'abattoir, et on sentait que des crevettes et des araignées de mer peinaient dans la boue, comme l'employé du ministère et moi, enthousiastes, nonchalants, fraternels, braillant des hymnes dans la pâleur du réverbère, l'employé dirigeait une fanfare inexistante, dressé sur la pointe des pieds, et moi, myope, j'essayais vainement de distinguer le chiffre dix-sept sur un cercle de façades que le marc faisait tourner, j'ai fini par l'accrocher du regard, je m'y suis suspendu en dansant comme une branche dans le tourbillon d'une cascade, je me suis approché pas à pas de la porte avec de pathétiques efforts de naufragé et je me suis enfin redressé sur la petite marche de pierre sans paillasson, me cramponnant aux ombres, frappant avec les articulations de mes doigts sur le volet de bois.

— Mn ? a demandé l'employé du ministère en hongrois, il continuait à écouter l'hymne, à corriger avec des grimaces réprobatrices un couac des trombones de l'orchestre.

Quant à la pédicure, Manuela,

elle a surgi pour regarder avec un seul œil, le cheveu en bataille, clignant à l'aurore des paupières de chouette, les paquebots commençaient à s'élever sur le fleuve au-dessus des palissades, soufflant les rouleaux charbonneux des grands voyages, les hélices tournaient avec un bruit d'ailes de moulin à vent, ces moulins qui chantent leur chant de coquillage sur des collines couvertes de moissons. Pour réveiller la femme je lui ai fourré ma carte de policier sous le nez, les gonds ont tourné, j'ai appelé le Hongrois qui applaudissait Très bien, très bien, l'élan martial des clarinettes, les dauphins du Tage bondissaient dans les arbres, des liserons enserraient lentement les cheminées de leurs spirales, un pétrolier a rasé obliquement les toits dans un sillage de poix, et je me suis retrouvé en train de présenter l'employé du ministère à une créature effrayée, nu-pieds, qui m'a regardé m'installer sur une chaise paillée avec l'obstination indignée des ivrognes, tandis que le maestro, dressé sur la pointe des pieds, conseillait le silence et reprenait son hymne face à une tenture parsemée de dessins de cerfs.

C'était un appartement plus petit et plus sombre que le nôtre, Manuela,

avec des épaves de meubles, des coqs en faïence et des clowns en fil de fer, un jardinet comprimé par les immeubles voisins avec des fraisiers, un néflier et les mollusques du fleuve incrustés dans les défauts de la brique. Un appartement submergé comme un navire qui a fait naufrage, éclairé par un faisceau sulfureux sans origine qui traversait des couches d'eau de transparences diverses pour révéler dans la salle de bains le cadavre de l'amiral dont les os et les brandebourgs étaient hérissés de patelles et de moules et qui flottait à côté de sa dernière mèche au-dessus de cartes de navigation décolorées et de compas rouillés.

Un appartement, Manuela,

où si tu voulais, nous pourrions vieillir heureux, passant l'été à sarcler dans la terre les vilaines méduses qui apparaissaient après les marées dans les recoins du mur, à élaguer les débris de frégates et les carcasses de mouettes qui se désagrégeaient sur la corde à linge parmi les caleçons, à chasser les poissons qui dévoraient la coriandre avec une célérité de lièvre. Nous dormirions chacun dans notre scaphandre, ronflant et lâchant des petites bulles, agitant les draps avec nos nageoires en caoutchouc, nous élevant et plongeant dans le lit en fonction de la lourdeur de nos rêves, menacés par des perches de mer et des colins. Et chaque fois que nous nous laverions les mains, mon amour, nous trébucherions sur le crâne de l'amiral défunt, dont les épaulettes se décollaient lentement pour former des algues argentées.

Et pourtant, Manuela,

je me souviens à peine de cette aurore sous-marine à Almada dans laquelle l'employé du ministère a disparu sans me dire au revoir en flottant horizontalement vers les

103

arbres de la place, entraîné par une vague de saxophones qui gauchissaient les tiroirs et secouaient de terreur les fleurs artificielles dans les vases. Je me souviens que la pédicure m'a demandé d'une voix acide de fureur, Qu'est-ce que vous voulez encore, monsieur, dites-moi ce que vous voulez, cela ne vous a donc pas suffi de me passer la cervelle à la moulinette pendant des heures et des heures au commissariat? je me souviens des rideaux éclairés par les nuages du matin qui précèdent le soleil et d'avoir aperçu peu à peu les champignons sur le plâtre et la vétusté des meubles, je me souviens de son infime colère qui s'éloignait progressivement de moi dans une pièce où mon sang battait impétueusement dans mon estomac, je me souviens des dessins sur une potiche chinoise du col de laquelle sortaient des plumes de cocotte, je me souviens d'une paix d'oubli, resplendissante et blanche, comme la paix qui succède à un orgasme ou à une grippe, de la femme qui s'avançait vers moi d'un air soucieux, un verre de sels de fruit effervescents à la main, Vous êtes bien pâle, vous avez le corps glacé, vous ne vous sentez pas bien, que se passe-t-il?

et je me souviens, Manuela,

que le jour sentait le dimanche, il y avait des cloches d'église, des trains qui sifflaient dans la gare de Cacém, des vendeurs de tartes au fromage qui tendaient leurs petits paquets de gâteaux aux automobiles qui passaient sur la route de Sintra, et que tu entrais dans la chambre dans la clarté aveuglante de neuf heures avec le plateau du petit déjeuner sur lequel scintillait le service plaqué argent.

— La semaine avant que tu ne m'arrêtes, j'ai vendu plus de la moitié du mobilier de la maison, a dit l'Homme au Juge d'instruction sur le lobe de l'oreille duquel un flocon de mousse à raser s'obstinait, et si vous ne m'aviez pas mis en cage, il ne serait resté que le lit et le fourneau de cuisine. Je voulais réunir un peu d'argent et prendre la poudre d'escampette le plus vite possible.

— Il se sentait acculé, a expliqué le Juge, l'Organisation multipliait les attaques contre des banques, les mitraillades contre celui-ci ou celui-là, les charges de dynamite dans les entrées des ministères, les réunions politiques, les mots d'ordre et de ralliement, les tracts, les menaces, et lui se sentait perdu au milieu de tous ces élans révolutionnaires, il ne comprenait pas, une mitraillette inutile se balançait à son épaule.

— La propriétaire du foyer de vieux avait un frère qui tenait un restaurant à Vigo, a dit l'Homme en se grattant le coude contre l'appui de sa chaise, et nous avons pensé que le frérot nous aiderait si nous nous présentions chez lui munis de quelques espèces sonnantes et trébuchantes propres à consolider son affaire. Je me laisserais pousser la barbe, je me dénicherais des lunettes, nous changerions de nom et peut-être qu'avec le temps les bombes s'arrêteraient.

— Ou que des types encapuchonnés sortiraient en courant d'une voiture avec une plaque française, a suggéré le Monsieur avec une savante nonchalance, ils feraient

105

irruption dans le restaurant, culbutant les tables, renversant les soupières, effrayant les clients, ils feraient exploser la cuisine à la grenade, le comptoir, les commensaux, les serveurs, en un clin d'œil, et votre petit ami et la femme rouleraient sur le tapis en une bouillie sanguinolente mêlée d'éclats de verre et de fragments d'ornements en bois. Cette bande est capable de tout, vous le savez.

— Tu as un peu de savon sur l'oreille, a dit l'Homme en indiquant la mousse effervescente et glaciale à l'angle de la mâchoire du Juge. On dirait une maladie de peau, si les dactylos de la police te voient, elles s'enfuiront en poussant des petits cris, par peur de la contagion.

Mais le Magistrat, sourd, imaginait Vigo, cette ville-tombeau, par un après-midi pluvieux, des rangées de réverbères allumés, un premier étage de banlieue, trois individus en gabardine, montant l'escalier les mains dans les poches, sonnant, attendant, l'Homme, en tricot de corps, disant au loin Ne me dis pas que tu as trouvé l'épicerie fermée, ouvrant la porte avec un sourire, un tire-bouchon et une bouteille de rosé entre les doigts, reculant aussitôt de deux ou trois mètres, la bouche grande ouverte de panique, il a imaginé un petit salon avec un ensemble de canapés mauves et une petite table basse, un des individus a saisi violemment l'Homme au collet, un coup de poing, un coup de genou, plusieurs coups de poing, l'Homme à quatre pattes par terre, la lèvre fendue, jurant avec un sanglot en se tâtant les gencives, Je n'ai dénoncé personne, un soulier s'est approché de son visage et lui a démoli une arcade sourcilière, lui a aveuglé l'œil gauche, lui a fracturé l'os malaire, une botte s'est enfoncée entre ses cuisses, un fil de fer sorti prestement d'une poche lui triturait les cartilages du cou, le visage de l'Homme a perdu toute expression, ses muscles se sont relâchés, ses jambes ont cessé de lutter, les individus ont poussé le corps vers le balcon vitré, ils ont posé le tire-bouchon et la bouteille sur la petite table basse et ils se sont assis tranquillement sur les canapés mauves pour attendre la femme.

— Et d'ailleurs, a ajouté le Monsieur d'un ton didactique en dessinant un arbre par gestes, elle a des ramifications partout, vous n'imaginez pas, monsieur le juge, au Pays basque, en Catalogne, en Allemagne, en Irlande, ils s'entraident, ils se connaissent, ils se réunissent, ils se protègent, ils échangent des bazookas et des faveurs.

Des individus roux, a pensé le Magistrat, grands, sales, hirsutes, débarquant à l'aéroport avec des sacs à dos de touriste, se cachant à Campo de Ourique, mangeant des conserves et graissant des culasses, accompagnés de filles avec des nattes et des jupes fripées en cotonnade qui se promenaient en ville, plan au poing, en sandales de gladiateur romain.

— Nous avions écrit une lettre à Vigo, a dit l'Homme, nous attendions la réponse et j'allais mettre une annonce dans le journal pour me débarrasser du piano, du lave-vaisselle, des buffets, des pendules murales, des tableaux. Je n'aurais jamais pensé qu'il y eût tant de gens qui donnent dans le commerce des vieilleries, depuis de dignes sexagénaires, veston et épingle de cravate ornée d'une perle, et des établissements de vente aux enchères, jusqu'à des ferrailleurs coiffés d'une casquette qui se dandinent de commode en commode en se grattant les couilles par-dessus l'étoffe du pantalon avec leurs ongles longs.

— Par exemple, voyez-vous, a dit le Monsieur en traçant des flèches explicatives sur un bloc-notes, si votre copain s'enfuyait, c'est une supposition, en Italie ou en France, les gars d'ici enverraient un message par téléphone aux gars de là-bas et ce serait eux qui se chargeraient de la besogne, au nom de l'internationalisme prolétarien, bien entendu. Ce groupe-ci a déjà buté une bonne demi-douzaine de révolutionnaires étrangers qui avaient décidé de collaborer avec la police et qu'on a trouvés morts, quelques semaines plus tard, dans les villages pour touristes de l'Algarve.

— C'était l'Artiste et l'Étudiant qui se chargeaient de ce genre de besogne, a protesté l'Homme en palpant avec le gras du petit doigt un bouton sur son front, moi je les ai juste accompagnés une seule fois à Lagos où ils se sont occupés d'un Hollandais qui avait craché des secrets à quelqu'un auquel il n'aurait jamais dû le faire et qui se croyait à l'abri, en août, avec sa femme et un enfant en bas

107

âge, dans la cohue des baigneurs sur la plage. Nous avons monté une tente dans un camping d'où on voyait la mer, la nuit, et les fanaux des bateaux de pêche ancrés dans le néant, nous avons retourné toute la ville et en moins de cinq jours nous avons retrouvé sa trace, il logeait avec sa famille dans une petite pension du centre entourée d'enseignes de discothèques et de bars.

L'Homme aimait Lagos, il aimait l'odeur de chaux, de palmier et d'eau de Lagos, ses ruelles bordées de vieilles maisons polies par le vent du Maroc, il aimait les vagues qui se reflétaient même sur les murs les plus rugueux et la scie des insectes des ténèbres, et il obéissait à contrecœur aux ordres de l'Artiste qui voulait qu'il surveille le Hollandais toute la journée, prenant des notes, vérifiant ses habitudes, confirmant ses horaires, pendant que l'Étudiant appelait les camarades belges d'une cabine téléphonique pour demander des conseils en braillant dans un français rudimentaire, et que l'épouse du Hollandais, une créole énigmatique, se rôtissait au soleil, à plat ventre sur une natte africaine.

— Après le dîner, a dit l'Homme en se penchant pour chercher des allumettes, nous nous réunissions dans la tente sous une lampe à pétrole, le visage tuméfié par les piqûres de moustique, nous nous chuchotions des plans, des idées, des stratégies, des suggestions, et nous nous endormions épuisés sur les cuisses les uns des autres, pendant que de grands papillons verts ou zébrés d'argent se consumaient en grésillant, avec des petites flammes de chitine, dans le tube en verre de la lampe, et que les fanaux des bateaux glissaient à notre rencontre, suspendus aux branches résineuses des pins.

— Et ils vous ont envoyé alors, en provenance d'où, je l'ignore, cinq kilos de nitroglycérine à mettre dans la voiture que ces pauvres diables avaient louée à Lisbonne, a dit le Juge d'instruction en indiquant un dossier avec le geste par lequel les toréadors montrent leur épée au public, et l'un de vous a placé l'explosif sous l'essieu avant, et l'un de vous a appuyé sur le levier quand les Hollandais en maillot de bain ont rangé leur parasol, leurs serviettes et le panier du pique-nique dans le coffre de la voiture et qu'ils se sont installés sur les banquettes, au milieu d'un parking bondé, pour rentrer dans leur pension, et d'après les témoignages on n'a jamais vu pareil tohu-bohu à Lagos, plus de trente personnes blessées qui hurlaient, des cadavres démembrés, de la ferraille partout, un énorme cratère qui fumait, un douanier sans sa casquette et dans une chemise déchirée qui était bousculé par les gens qui s'enfuyaient et qui pointait son arme d'un air égaré sur un enchevêtrement de tôle et un pneu déchiqueté qui tournait encore et qui était agité de petits soubresauts timides à chaque explosion.

— Une fois de retour à Lisbonne nous avons appris que nous nous étions trompés de personne, quelques jours plus tard le Curé nous a dit avec toutes sortes de circonlucutions et avec les excuses officielles du Mouvement que le traître authentique se trouvait en fait à Peniche, seul, vêtu d'un ciré, a dit l'Homme d'un ton plaintif en secouant la tête d'un air incrédule, et on nous a décrit un type accroupi très au-dessus du siphon des vagues, qui s'amusait à garnir d'appâts un hameçon en forme d'ancre.

— De toute façon, a rappelé le Monsieur en écartant les bras comme pour conclure sur une évidence incontournable, les partenaires de votre petit ami ont corrigé leur ânerie et la Judiciaire a retrouvé le pêcheur à la ligne, la gorge tranchée, coincé entre deux pans de roches, une jambe flottant dans l'eau, écoutant le murmure du ciel avec ses orbites creuses. Et il n'était pas hollandais, il était basque, et il n'avait craché de secret à personne car il travaillait depuis toujours à Interpol.

— Alors comme ça tu es allé seulement à Lagos, mon salaud, a dit le Magistrat d'un air fâché, ses pupilles dansant vertigineusement, et il a assené un coup de poing sur le bureau avec sa petite patte de moineau. Alors comme ça, seulement Lagos, seulement l'Algarve, seulement les palmiers, et la chaux, et le vent du Maroc, et ta sœur? Et le Basque de Peniche, bon sang, le Basque de Peniche, le pêcheur à la ligne, l'homme à la trachée tranchée, c'est toi ou bien c'est moi?

— Les pompiers ont eu un mal fou à le charrier jusqu'à l'ambulance, ils avaient peur de glisser sur la mousse, de dégringoler dans le ravin, de se casser la figure dans les entrailles de la mer en bas, dans une chute de dix ou quinze mètres, ils avaient peur de l'écume qui jaillissait en éventail sur le calcaire, de leur propre voix zigzaguant d'une paroi à l'autre, des vers qui picoraient la poitrine du défunt, des lampes de l'ambulance qui clignotaient en envoyant des reflets bleutés. Les compagnons d'enfance, a dit le Monsieur d'un ton docte et sentencieux, deviennent avec le temps les personnes les plus difficiles à comprendre que je connaisse.

Et le juge d'instruction a imaginé les pompiers casqués, semblables à des faucheux manchots sur les rochers, une lampe projetant un ovale sans repos sur l'écume, le sifflement de la marée sur les galets, il a imaginé un corps bouffi, hérissé de coquillages, attaché par une corde sous les aisselles, qui montait en tournoyant, il a imaginé la civière, la couverture, les bandes de toile autour des chevilles et de la poitrine, quatre ou cinq badauds gelés, disparaissant sous des capuchons ou des cache-nez, l'ambulance qui s'éloignait sur un sentier parmi les cistes et les cailloux, emportant les restes décomposés, tandis que le responsable de la santé, le brigadier de gendarmerie et l'instituteur à la retraite qui avait découvert le cadavre pendant qu'il récoltait des patelles dans les parages revenaient à pied dans la broussaille vers la Citroën de la police.

— Au cours d'une de leurs réunions ils m'ont dit d'aller à Peniche, a dit l'Homme avec lenteur, comme s'il comptait les mots, et il a éloigné sa chaise des coups de poing. Le Curé m'a gratifié pendant une heure d'arguments libertaires, l'Étudiant m'a accusé de déviationnisme bourgeois, l'Artiste a marmonné dans la cuisine je ne sais quoi à propos de concessions et de trahison, et je leur ai dit que je ne pouvais pas, que c'était au-dessus de mes forces, que Lagos et toute cette boucherie me suffisaient, que s'ils voulaient ils me confient n'importe quelle autre mission, à condition qu'elle ne comporte ni bombe ni arme à feu, que je prenais des cachets pour dormir, que j'avais les nerfs en pelote, que la possibilité d'une nouvelle erreur me donnait la chair de poule, que j'étais une loque. Et le

Curé Qu'est-ce que c'est encore que cette histoire de loque, bon sang, cette obsession de la souffrance individuelle est une notion capitaliste qui a pour but de tuer dans l'œuf le désir légitime de changement chez les ouvriers, les paysans et les masses opprimées, arrête-moi ces conneries de femmelette, attrape une caisse de grenades et magne-toi le train.

— Mais il ne s'est pas magné le train, en fait, a dit le Monsieur en parcourant les lignes du cahier avec son crayon, l'Artiste, furieux, a essayé de le battre, l'Étudiant a juré qu'il le dénoncerait dans une lettre anonyme, lors de sa session ordinaire le Comité de coordination l'a admonesté avec sévérité, l'Employé de banque l'a pris à part pour lui passer un savon à voix basse dans un sous-sol à l'Alfama, Nous comptons sur toi, tu continues à jouir de la confiance des camarades mais tu dois faire preuve de discipline, Antunes, tu dois mettre un frein à ta langue, et pendant que le révolutionnaire parlait l'Homme, penché à la fenêtre, regardait les toits qui descendaient vers le fleuve, les éventails qui s'agitaient dans les pigeonniers, les minuscules embarcations échouées sur le miroir cancéreux des algues dans la vase de la berge, et il pensait Je l'écoute sans l'écouter, je connais par cœur ce discours mille fois répété, je l'oublie aussitôt, je contemple les bruits anonymes, les bruits multiples de la ville, car les bruits se contemplent, et je regarde la route d'eau des voyages, peuplée d'embarcations, et ce que j'aimerais faire, et que personne ne devine, ce serait de la prendre et de remonter vers mon enfance jusqu'à m'étendre dans les massifs de Benfica, une cigarette entre les doigts, à côté du fils du fermier, et regarder les ailes du moulin tourner lentement au-dessus des acacias.

— Je n'ai pas fait le voyage avec eux, a chuchoté l'Homme d'un air honteux en enroulant un coin de sa veste autour d'un doigt, j'ai dit au bureau que je prenais une semaine de vacances, j'ai déclaré à l'Employé de banque qu'il avait raison, que je m'excusais, sois tranquille, je vais m'amender, que j'étais disposé à procéder à mon autocritique, que je prenais quelques jours de congé, avec sa bénédiction, pour me reposer la cervelle et lire Marx, et le lendemain matin, lunettes noires sur le nez, caché dans la gabardine et sous le chapeau de mon grand-père, j'ai débarqué de l'autocar à Peniche sur un terre-plein plongé dans un brouillard oppressant et balayé par les vents sans pitié de la mer, j'ai loué une chambre dans une petite villa qu'une Autrichienne excentrique avec une pipe entre les dents avait transformée en hôtel, avec une seule salle de bains par étage et des portraits d'empereurs moustachus dans des calèches sur les paliers garnis de tapis en fibres tressées et décorés de pots en marbre remplis de rhododendrons et de dahlias.

L'Autrichienne, a raconté l'Homme, faisait ses courses dans le bled à bicyclette, un petit panier d'osier accroché au guidon, soufflant des nuages de fumée dignes d'un commodore, et au dîner, à cause de la lumière désincarnée des appliques, je trébuchais sur une dizaine de boxers couchés çà et là sur un tapis arabe élimé qui dégageait un relent ammoniacal de pisse de chien. Derrière mes lunettes noires, affublé de ma gabardine et de mon chapeau, plus oblique qu'un espion, je sortais matin et après-midi et je rôdais en cercles concentriques de brebis, allant des premières maisons jusqu'à la plage et jusqu'aux escarpements de la mer, cherchant parmi les rares silhouettes décolorées par la pluie le déhanchement de l'Étudiant ou le profil de l'Artiste, surgis soudain d'un bistrot, un paquet de dynamite sous le bras, et je finissais pas rentrer à l'hôtel, ruisselant, repoussant les chiens avec mes galoches mouillées, pour me réchauffer devant la cheminée entourée d'une garniture de faïence dans laquelle se consumaient avec une flamme verte, sans émettre la moindre chaleur, deux petites branches de cerisier placées en croix.

— Nous savons aujourd'hui de source sûre qu'il n'a rencontré personne, du moins pas à ce moment-là, monsieur le juge, il ne nous ment pas, a dit le Monsieur, crayon en l'air, parcourant les paragraphes dans le cahier. Ce que nous n'avons pas compris à la Brigade, c'est ce qu'il aurait fait s'il les avait aperçus, personne ne m'ôtera de l'idée qu'il voulait soulager sa conscience, pouvoir dormir sans somnifère, effacer de sa mémoire les cris de Lagos, prévenir le Basque et lui dire de s'enfuir, et le pêcheur, stupéfait, assourdi par les piaillements des mouettes, ne comprenait pas et regardait son costume insensé et ses bésicles d'invalide dans le dur climat nacré de l'automne.

— Je te jure que je n'ai vu le mec qu'après que les gars l'ont tué, a dit l'Homme au Juge d'instruction qui avait arrêté d'assener ses petits coups de poing pitoyables et qui s'amusait à placer la tranche des dossiers parallèlement au rebord de la table. Pendant le déjeuner, l'Autrichienne a parlé d'un étranger égorgé par des vagabonds dans les rochers et cela m'a rendu si nerveux que je n'ai pas pu terminer ma soupe, j'ai marché sur un des boxers qui faisait la sieste et qui s'est retourné pour me mordre les chevilles, j'ai grimpé l'escalier quatre à quatre pour aller enfiler dans ma chambre mon déguisement de carnaval suspendu à l'unique cintre d'une penderie en métal coincée entre un lavabo en émail et une gravure anglaise représentant des chevaux, et j'ai couru vers les ravins à pic, sous un parapluie qui ressemblait à une chauve-souris déchirée mais je n'ai vu que les vapeurs de l'océan qui montaient à ma rencontre en longs rouleaux, les véhicules de la Judiciaire plantés au hasard parmi les cistes, une voiture de pompier autour de laquelle des individus en salopette s'affairaient et déroulaient une corde, des grands oiseaux furibonds qui disparaissaient et reparaissaient avec des protestations inquiètes, et la brume emprisonnée dans des gouttelettes sur les arbustes qui estompait la silhouette des agents, fusil à l'épaule, qui nous empêchaient d'avancer.

— Ça concorde, a dit le Monsieur en refermant le cahier et rangeant son crayon dans une espèce d'étui qu'il a enfoui dans les profondeurs de son veston. Tout au plus votre chéri a-t-il aperçu la victime de loin, sur le brancard, disparaissant dans le ventre de l'ambulance, tout au plus a-t-il vu un ou deux fonctionnaires de la Judiciaire fouiller parmi les saules pleureurs, à la recherche d'empreintes, d'objets perdus, d'indices. C'est vrai, à propos d'indices, qu'est devenue la pédicure sympathique de l'immeuble en face, ne me dites pas qu'elle a fermé boutique et qu'elle a émigré?

Le lendemain matin, c'était une journée sans vent et un soleil inattendu brillait, après une nuit passée à déverser ses tripes, par saccades, étourdi par les vomissements, dans une salle de bains archaïque en présence d'une infanterie de fourmis qui défilaient sur le carrelage, l'Homme a pris l'autocar pour Lisbonne là où il avait atterri, sur le terre-plein parsemé d'arbres lavés par les pluies récentes aux branches desquels tremblaient avec des irisations des gouttes de la taille d'une pomme, des pigeons se lissaient la queue sur la crête des toits. La mer était réduite à un chuchotement innocent qui semblait prendre naissance dans le conduit de l'oreille, comme les tintements distraits des rêves, l'Autrichienne, gantée de cuir, égalisait l'ourlet des arbustes avec un sécateur. A Benfica, où il est arrivé en taxi, ses lunettes rangées dans un sac, une camionnette garée dans la cour emportait son mobilier dans un entrepôt quelconque, le fermier, en équilibre précaire en haut d'un escabeau, clouait au mur les supports en fil de fer d'une treille future. Les pièces désertes, devenues gigantesques à cause de l'absence de meubles, amplifiaient sa toux avec des réverbérations de galeries de mine. Le téléphone a sangloté sur une chaise, il s'est tu, il a sonné de nouveau et il est redevenu définitivement muet. L'Homme a pensé que c'était l'Employé de banque, ou quelqu'un qui surveillait ses pas en son nom, ou la jalousie toujours en éveil de la propriétaire des vieux, elle était jalouse de tout et noyait ses phrases dans une douceur féroce, et il a fini sous le platane, dans le jardin, appuyé au grillage des perruches, leur lançant des gravillons pour troubler leur repos.

— Alors comme ça, à Vigo, hein, en train de travailler comme cuisinier dans la gargote de ton beau-frère, a dit le Juge d'instruction avec une crispation railleuse dans la voix, un de ces petits rires brefs qui préludent à la colère. A Vigo, en train de te la couler douce et de bouffer du gazpacho, ayant oublié les malheureux de Lagos et le pêcheur de Peniche, ayant abandonné derrière toi un sillage d'assassinats inutiles d'ici jusqu'en Galice, et ton père, lui, peut aller se faire foutre et crever de faim dans la villa abandonnée en jouant de la musique, n'est-ce pas? Tu te serais taillé en douce, mais qui se serait occupé de ton vieux, hein, mon salaud? Imagine qu'il ait ouvert la porte et invité toutes sortes de mendiants à entrer.

Des gitans entassés dans des tentes dans le potager, récurant des réchauds avec de grands secouements de tresses, un âne lépreux broutant les arbustes, des enfants pieds nus, fesses à l'air, s'amusant avec des jouets en roseaux, des estropiés prélassant leur bosse sur les canapés défoncés, des mendiants de parvis d'église, casquette à la main, revers de la veste constellé de petites médailles, sirotant de l'alcool de pharmacie dans des flacons de sirop pour la toux, la femme qui se trémousse tous les après-midi dans une mansarde de l'avenue Grão Vasco en exhibant ses seins aux petits écoliers en tablier et, a pensé le Magistrat alarmé en fermant avec force les paupières comme autrefois dans la Beira pour conjurer les cauchemars pénibles venus du fond de la mémoire dans un déferlement de neige et de hurlements de loups, le fou en guenilles qui traversait le couloir en luttant contre les tempêtes de l'hiver, qui se redressait en lançant des clameurs que les façades de granit répercutaient en mille éclats de mica :

— Je suis Dom João, empereur de tous les royaumes du monde.

— Non, sérieusement, dites-moi, où est passée la dame? a insisté le Monsieur, intrigué, en désignant des lèvres la fenêtre de la pédicure à gauche d'une veine dessinée par un tuyau de descente, une fenêtre éteinte et avec des stores baissés comme les yeux des morts. Elle s'est peut-être mariée, cela n'aurait rien d'étonnant, ou alors elle a changé de crémerie et elle travaille maintenant au pourcentage dans un salon de coiffure de la ville basse.

L'Homme s'est resservi du café, et bien qu'il ait oublié d'y mettre du sucre il a tourné interminablement la petite cuiller dans le gobelet en plastique qui lui brûlait les doigts et qui faisait office de tasse. Il faisait encore nuit, il devait être quatre heures du matin, cinq au grand maximum, le halo des réverbères de la rue venait agoniser dans le cabinet, le dactylographe changeait de feuille, la mâchoire sur le clavier de sa machine, les sirènes des ambulances étaient devenues plus rares, il avait le corps tout endolori

115

par la paillasse de la prison. Il avait envie d'un lit convenable, de draps propres, d'une taie amidonnée, de la certitude d'un silence paisible autour de lui, sans gonds qui grincent ni raclements de gorge tout contre son oreille qui le réveillent brusquement, en sursaut. Il avait envie de s'approcher d'une fenêtre avec une jardinière de géraniums inodores et d'un haut appui lui barrant l'accès au jardin, et de rester longuement face au ciel de juin à regarder les rosiers et les figuiers sauvages près de la porcherie.

— Ce n'était pas du tout cela, je t'assure, a dit l'Homme au Juge d'instruction en vérifiant la température du café du bout du petit doigt. J'aurais enfourné mon père dans l'auto, pieds et poings liés si nécessaire et la bouche remplie de mouchoirs, et nous l'aurions emmené à Vigo, sous une montagne de valises. Tu peux être sûr que je lui aurais déniché là-bas une grande baraque en ruine avec des nichées de chats errants, un bout de lande et une clôture démolie, pour que le vieux puisse s'amuser de temps en temps à jouer ses valses idiotes.

— Et quand tes grands-parents t'ont déclaré à table qu'ils envisageaient de te mettre interne dans un collège, tu as hurlé que s'ils faisaient cela tu te tuerais, tu as grimpé l'escalier quatre à quatre, tu t'es enfermé dans ta chambre et tu as enfoncé la pointe de ton porte-mine dans ton bras? a demandé le Juge d'instruction en rangeant des enveloppes, des photocopies et des documents dans une serviette ouverte sur la table, pendant que le dactylographe, les mains sur les genoux, attendait un signe du Magistrat pour se remettre à écrire. J'aidais mon père dans le massif de dahlias et nous entendions ta grand-mère tambouriner à ta porte, Qu'est-ce que c'est que cette comédie, ouvre immédiatement, petit imbécile, tu braillais comme un possédé, Vous pouvez être contents, vous êtes débarrassés de moi, je me suis planté mon porte-mine dans une veine, ton grand-père appelait le chauffeur parmi les piaillements et les sanglots des bonnes, Ernesto, enfoncez-moi cette saloperie de porte, des pas qui couraient, un fracas de bois, Sors de ce lit, pourquoi t'es-tu entortillé dans la couverture, quelle idiotie, et toi, avec un geignement de moribond, J'ai perdu presque tout mon sang, je vais m'évanouir, emmenez-moi vite à l'hôpital. Mon père et moi, en bottes au-dessus des tiges, nous avions oublié les dahlias et nous regardions avec ébahissement les fenêtres du premier étage derrière lesquelles glissaient des visages soucieux, la cuisinière commandant un bataillon de tabliers, la laque platinée de Madame d'où pendaient d'énormes boucles d'oreilles tintinnabulantes, les gestes autoritaires du patron, surgissant tantôt derrière une vitre, tantôt derrière une autre, téléphonant au propriétaire de la pharmacie cent mètres plus loin pour qu'il vienne prendre la tension du petit et le badigeonner de mercurochrome, et toi, le lendemain, tout faraud de ton suicide, tu donnais des détails, J'ai enfoncé mon porte-mine jusqu'au capuchon, c'est un hasard si je ne suis pas mort, tu as décollé le pansement pour me montrer la plaie et on voyait à peine au creux du bras une petite écorchure de rien du tout, de la taille d'un grain de beauté au grand maximum, avec une petite croûte qui durcissait déjà sur la peau et que tu t'es dépêché de recouvrir de nouveau avec plusieurs bandes de sparadrap, de peur qu'elle ne s'infecte.

— Une petite écorchure de rien du tout mon œil, a dit l'Homme avec dépit en déboutonnant le poignet de sa chemise. J'ai encore la cicatrice, tu veux voir?

— Après-demain au plus tard, notre Che Guevara sort de cabane, a décrété le Monsieur en pointant un porte-mine comminatoire sur le Juge d'instruction. Tenez, voici le plan de la suite des événements, nous serons en contact permanent avec vous, n'ayez crainte : vous êtes l'appât idéal pour pêcher cette racaille.

— Regardez, regardez, a dit l'Homme au dactylographe en exhibant une peau blanche et molle comme un ventre de grenouille. Regardez bien, ne faites pas attention à ce que dit ce nigaud, alors, on la voit ou pas cette cicatrice?

— Un appât, moi? s'est exclamé le Juge d'instruction, stupéfait. Qu'est-ce que c'est que cette histoire d'appât?

— Peut-être, cette petite chose-là, au milieu des poils, a dit le dactylographe, qui avait délaissé sa machine pour se pencher vers le bras. Mais la lumière dans ce bureau n'aide guère, en plus mes yeux sont fatigués d'avoir tapé à la machine toute la nuit.

— Ne vous faites aucun souci, vous serez en permanence sous notre protection, a affirmé le Monsieur avec un sourire aimable en se lissant lentement les cheveux. Évidemment, le mot appât est exagéré, notre seule manœuvre consistera à faire en sorte que votre ami convainque la bande de monter une embuscade contre vous. Des agents à nous ont infiltré leur repaire et depuis une bonne semaine les poseurs de bombes reçoivent des photocopies prouvant que le gouvernement vous a chargé de démanteler le Mouvement avec l'aide d'un ou deux repentis qui ont craché le morceau en prison, en échange d'un beau petit poste dans une ambassade distante. L'un d'eux a été trouvé mort hier par hasard, avec une balle dans l'oreille, près de la route d'Arrabida.

— Je vous ai bien entendu? Vous avez dit petite chose? Approchez-vous donc un peu de cet abat-jour, ne soyez pas gêné, je vous en prie, touchez cette tache, si, si, a insisté l'Homme en attirant le dactylographe à lui, en lui attrapant l'index, en l'obligeant à toute force à tâter la texture de sa peau. Ne sentez-vous pas un renflement, un durillon, une différence? Et vous appelez cette coupure énorme une petite chose, merde alors.

— Quoi? a bredouillé péniblement le Juge d'instruction, incrédule, en cherchant un verre d'eau sur la petite table des téléphones. Vous insinuez que l'Organisation est à mes trousses, qu'elle me surveille? J'ai une femme, bon sang, et des enfants, et j'ai encore sept traites à rembourser pour mon appartement, je ne suis pas un petit gamin en culottes courtes avec qui on peut plaisanter.

— Un durillon, c'est tout à fait ça, a acquiescé le dactylographe en essayant de se débarrasser de l'insistance de l'Homme pour retourner tranquillement sur son banc, je n'ai jamais été un grand expert en coups de couteau.

— Que d'idées sans fondement, quelle imagination, quelle exagération, monsieur le juge, nous avons tout prévu, tout programmé, pris toutes nos précautions, calmez-vous, a poursuivi le Monsieur en soufflant la fumée de sa cigarette vers le plafond. Pour l'instant, soyez sans crainte, ils en sont encore à discuter, à délibérer, à attendre, mais votre ami va injecter peu à peu parmi les membres de la bande des informations concordant avec celles que nous leur fournissons, et les terroristes vont commencer à s'émouvoir, à s'inquiéter, à vous surveiller, à tramer votre perte. A partir de ce moment-là nous allons intervenir avec prudence de façon à glaner le plus grand nombre possible de preuves tout en tentant d'encercler le troupeau, comme font les chiens de berger, et avant que les gars ne se mettent à tirer, patatras, ils seront tombés dans le filet. Avec notre expérience de ce genre d'opération, excusez ce manque de modestie, ce sera un jeu d'enfant pour la Brigade.

— Il ne s'agit pas d'être un expert en coups de couteau, je vous demande simplement de faire preuve d'un peu d'impartialité, bon sang, a dit l'homme en retroussant davantage sa manche et en approchant son bras nu de la lampe. Je veux bien être pendu si ce n'est pas là un trou énorme, un trou gigantesque.

— Avant que les gars ne se mettent à tirer, avez-vous dit? a répété le Juge en se recroquevillant d'effroi sur sa chaise. Jusqu'à présent, que je sache, vos policiers sont systématiquement arrivés en retard, ils débarquent de voiture quand les victimes sont défuntes, ils vident leur chargeur sur des ombres avec une efficacité sans pareille. Il faut le voir pour y croire. Grâce à vos méthodes, rien que parmi les repentis, il y a déjà cinq personnes qui sont passées de vie à trépas, sans parler de cet infirmier de Mafra dont je n'ai pas encore compris ce qu'il faisait. Et maintenant vous lancez à mes trousses des fous armés de mitraillettes et vous me prévenez à la dernière minute, vraiment, c'est charmant. Demain matin à la première heure j'écrirai au Secrétaire d'État pour me plaindre, je refuse qu'on joue aux cow-boys avec ma famille.

— Si vous m'affirmez que sa tension est normale, monsieur Marques, a déclaré la grand-mère, le petit n'échappera pas à une bonne paire de claques, au minimum.

— J'essaie d'être impartial, voyons, pourquoi irais-je vous mentir? s'est lamenté le dactylographe, le nez plongé dans le coude de l'Homme. Mais pour être franc, pardonnez-moi, je ne vois guère de cicatrice.

— Écrivez tant que vous voudrez, monsieur le juge, a dit aimablement le Monsieur en se penchant pour écraser sa cigarette dans une coquille en cuivre. L'auteur de l'idée est le Secrétaire d'État lui-même, vous imaginez bien que nous n'avançons pas d'un pas sans avoir l'aval du gouvernement, pour les questions délicates il faut avoir l'avis de la hiérarchie, n'est-ce pas? Quant à l'infirmier de Mafra, il n'était pas important et il ne nous servait plus à rien, il avait dit ce qu'il avait à dire, cela nous suffisait, pourquoi l'aurions-nous protégé? Il serait bon que vous compreniez que nous arrivons en retard quand nous voulons arriver en retard, d'autre part, voyez-vous, il y a certains individus qui sont parfaitement superflus, ce n'est pas votre cas, et qui pour une raison ou pour une autre ont cessé de nous intéresser, nous avons tout intérêt à ce que les poseurs de bombes se croient efficaces avant que leur groupuscule n'éclate et ne s'effrite en minuscules factions sur lesquelles nous n'aurons aucune prise et qui sont susceptibles d'occuper le devant de la scène à tout moment, en empoisonnant l'eau dans les tuyaux ou en bourrant de tonnes de dynamite la crèche de la Judiciaire : vous n'avez pas idée de l'étendue de l'inconscience humaine, monsieur le juge. Mais rassurez-vous, personne ne touchera à un cheveu de votre tête et dans trois mois, un beau matin, vous serez nommé à un poste de haut rang à Bruxelles.

— Si j'avais une tension comme ce jeune homme, je pourrais arrêter mon régime, a soupiré le pharmacien en roulant la manche en toile de son appareil. Comme vous n'avez pas perdu de sang, je vais vous appliquer un petit pansement et on n'en parle plus. Il n'y a pas de gamin qui n'adore se parer de sparadrap.

— De deux choses l'une, a dit l'Homme d'un ton grinçant en secouant le dactylographe par sa veste, ou bien vous êtes un coquin, ou bien vous êtes aveugle, ou les deux à la fois, et si vous continuez à prétendre que vous ne voyez rien je vais vous donner un bon coup de pied dans les parties et vous anéantir.

— Laisse le petit en paix, Mathilde, tu lui fais mal avec tes ongles, va jouer la comédie ailleurs, lui a ordonné le grand-père d'un ton glacial. Je supporte déjà assez d'âneries et de dévergondages comme ça de ta part, si ça continue c'est toi qui vas attraper quelques petits coups de fouet.

— Ainsi donc l'idée vient du Secrétaire d'État, hein? a

dit le Juge d'instruction, amer, ruminant sa haine et son dépit. D'abord ce sont des caresses dans le dos et tout de suite après un croc-en-jambe du tonnerre de Dieu. Et vous voudriez par-dessus le marché que j'avale ce bobard du poste à Bruxelles?

— Zé, a crié la femme du fermier depuis le pigeonnier, apporte-moi le maïs des pigeons, Zé.

— Les cicatrices disparaissent parfois quand on grandit, a dit le dactylographe d'un ton conciliant en rectifiant le nœud de sa cravate. Moi, quand j'étais petit, je me suis fait une balafre sur le front qui a disparu avec les années, il vous est peut-être arrivé la même chose, ne vous excitez pas, regardez, vous êtes en train de me découdre ma doublure.

— Je donnerais tout ce que je possède pour avoir une tension d'enfant, a dit le pharmacien d'un air rêveur en faisant un bandage. Cela fait vingt-trois ans que je suis privé d'alcool, que je déjeune et dîne sans sel, c'est un martyre.

— Zé, a braillé la femme du fermier qui devait nettoyer les plumes éparses et les fientes des oiseaux à grand renfort de savon, à genoux sur le sol de bois. Ne t'ai-je pas demandé de m'apporter le maïs, espèce d'empoté?

— Pour l'amour du ciel, monsieur le juge, a dit le Monsieur d'un ton offensé, j'ai mis cartes sur table, je vous ai montré mes atouts, mes as, mes manilles, que voulez-vous de plus? Si je vous assure que vous serez protégé, vous serez protégé, une vigilance de vingt-quatre heures sur vingt-quatre, nous connaissons les intentions de l'ennemi, c'est sans aucun risque. Et si vous avez des doutes au sujet de Bruxelles, le Secrétaire d'État s'occupera immédiatement de la paperasserie et hop.

— Il se peut que chez vous la balafre ait disparu avec le temps, a dit l'Homme sans lâcher le dactylographe, mais ma blessure à moi est là, il faut être malintentionné pour ne pas la voir. Tenez, regardez comme sous cet angle les contours sont parfaitement dessinés, ça fait même une espèce de crochet.

Le pigeonnier, a pensé le Juge d'instruction pendant que M. Marques terminait son pansement et que le Monsieur multipliait les explications et les arguments. Dans votre appartement de Miratejo nous procéderons ainsi, pendant le trajet jusqu'à la Judiciaire quatre voitures suivront la vôtre, sans parler des postes d'intervention fixes tout au long du parcours, dans le restaurant où vous déjeunez la moitié des serveurs et des clients sont des gens à nous. Le pigeonnier, a-t-il pensé en revoyant le cube de planches peintes en vert derrière le faîte en forme de chapeau du poulailler. On grimpait dedans par une échelle à laquelle il manquait des barreaux, et à l'intérieur, dans la lumière qui se coulait par les petites ouvertures garnies de treillage, entre les perchoirs, il y avait des petites boîtes remplies de copeaux pour la couvaison et les pupilles bleues ou rouges, sans expression, des oiseaux. Ça sentait le tiède et le moisi, comme les matelas de l'enfance, et le Magistrat, étouffant sous les ailes, secoué d'un spasme qui l'obligeait à tousser, contemplait les citronniers et les néfliers de la propriété et voyait les feuilles rapetisser dans le vent avec les nuages du soir, quand la terre se hausse en tremblant à la rencontre de la ramure, dans des soupirs d'herbes que la moindre étoile enflamme. Le pigeonnier où personne n'allait jamais les chercher et où l'Homme et lui se masturbaient en cachette après le bain des servantes, dans une fièvre de roucoulements, accroupis au-dessus d'un tapis de déjections, évoquant des épaules dévêtues, ruisselantes d'eau.

— Le pigeonnier, a dit le Magistrat d'une voix qui ressemblait à l'écho d'une autre voix, cela fait combien de temps que je n'y ai pas mis les pieds?

— Pardon? a dit le Monsieur en se penchant comme une tige affable.

— Si je ne fumais pas tant, peut-être que je retrouverais ma santé, a dit M. Marques avec un toussotement découragé. Je ne ferme pas l'œil de la nuit, j'ai la migraine, mon cœur a des ratés, ma femme est tellement effrayée qu'elle n'arrête pas de m'enfourner le thermomètre dans la bouche, mais le médecin me dit en riant et en pensant à autre chose que ce n'est rien, il m'administre des petites tapes dans le dos et me prescrit des calmants.

— Le pigeonnier, a dit le Juge d'instruction, nous y avons passé tous les deux plus de la moitié de notre vie quand nous étions gamins. Nous devrions nous y cacher maintenant, en culottes courtes, parmi les pigeons, avec une photo d'actrice nue pour nous aider à bander.

— Tu ne peux t'imaginer ce qui m'est arrivé hier, c'est un miracle que je ne sois pas mort, a dit l'Homme en sortant les allumettes de cuisine de sa poche. Mes vieux voulaient me mettre interne dans un collège, je me suis enfoncé mon porte-mine dans les veines pour me suicider. J'ai perdu au moins une dizaine de litres de sang.

Les pigeons entraient et sortaient, ils se lissaient les plumes sur le perchoir, ils marchaient sur le plancher, la queue écartée comme des pans de redingote, attendant que le Magistrat ouvre le sac en plastique dans lequel il mettait les croûtons qu'il volait aux cochons pour conquérir l'affection des oiseaux. Dehors, les roses dépliaient leurs pétales dans un murmure de clochettes en papier, la villa de la musique disparaissait sous les plantes grimpantes qui empêchaient les fluctuations du violon, le propriétaire du singe changeait l'eau de l'écuelle en clopinant sur sa jambe estropiée. Le fermier sarclait, ressuscitait les légumes, mettait une bouteille à rafraîchir dans la rigole d'irrigation. Le Juge d'instruction, qui à l'époque devait avoir douze ou treize ans et qui était maigre et noiraud, avec les cheveux coupés ras, s'est mouché dans son tricot, il a lancé un coup d'œil rapide sur le pansement et il a appelé l'Homme pour qu'il vienne observer un nid de cigognes perché comme un chignon tout en haut de la cheminée de la grange :

— Nous y grimperons demain matin, a-t-il proposé en chassant une tourterelle qui lui picorait la cheville, pour voir s'il n'y a pas un cigogneau qui est déjà né. Avec l'escabeau de mon père, ça sera facile.

Mais l'escabeau n'arrivait qu'à la moitié du mur couvert de vigne vierge, de toiles d'araignée et de lézards, si bien qu'ils ont essayé d'atteindre le toit de la grange de l'intérieur, une énorme bâtisse imprégnée d'une odeur de foin humide, avec des bidons de peinture et des vieux coffres cloutés dans un coin et, au-dessus, une galerie avec une rambarde poussiéreuse à laquelle on accédait par des marches de fer tordues qui vibraient comme des coquillages sous le poids des poutres. Le plancher tout gauchi de la galerie, fixé par des boulons à moitié dévissés, dansait et menaçait de s'écrouler.

— Nous y arriverons par là, a dit l'Homme qui avait oublié ses pansements, en indiquant un trou dans le bois qui ressemblait à un halo ancien d'image pieuse, piqueté de taches. Nous mettrons l'escabeau sur cette planche et nous serons vite sur le toit.

Il marchait le long d'une rangée de pivoines arrosées récemment près du mur de la grange, une cigogne s'est élevée de la cheminée avec une fierté de paquebot, elle a rasé les acacias, cou tendu tel un dard, et elle s'est dirigée vers le soleil et vers les landes d'ajoncs de Pedralvas. Dans la propriété, la chienne du fermier aboyait après un chat ou un lièvre dont les pupilles timides, tout en oreilles, regardaient dans l'herbe.

— Attrape donc ce montant, a dit l'Homme en traînant l'escabeau qui écrasait les fleurs. Ça pèse drôlement lourd cette saloperie, zut alors,

et le Juge d'instruction s'est souvenu du gargouillis de l'eau dans les citernes, du petit garçon en terre cuite qui pissait dans le bassin où les poissons nageaient tout au fond, dans une nuit perpétuelle, sous une crème d'algues, il s'est souvenu du sifflement du moulin et de la cireuse qu'une servante poussait dans le bureau, pendant que les autres bonnes, dans des blouses à rayures, battaient les tapis sur les balcons avec des tapettes d'osier. A Miratejo, a-t-il pensé, il n'y a que des Indiennes frustes, avec des bandeaux graisseux, qui secouent des nattes dans la rue, et sa femme qui agonise sur le canapé au milieu des livres de droit et des bibelots chromés, en deuil perpétuel pour la chienne obèse.

— Tous les jours, a-t-il dit tout haut avec un désappointement douloureux, je mets au moins quarante-cinq minutes pour arriver à cette dégueulasserie.

Le pont, les lumières des bateaux, la route de Setúbal où je klaxonne d'impatience derrière les feux des voitures, excité par les gaz d'échappement, la déviation sur la gauche à la hauteur de la station-service Galp, la flèche presque invisible qui indique le quartier et, tout de suite après, les immeubles de Noirs où j'habite, les poubelles bosselées destinées aux restes du dîner, les vestibules bon marché, criards, horribles, prétentieux, l'ascenseur genre boîte de thon, les portes creuses, les poignées de porte hideuses, mes enfants qui se chamaillent à grands cris, et toi, indifférente, épuisée, assise devant le feuilleton télévisé, le flacon de comprimés pour tes nerfs sur le canapé, soulevant vers moi, sans bouger, sans parler, une paupière larmoyante et moribonde.

— Finalement, pourquoi pas un appât, a dit le Juge en pensant à son fils qui brisait la table en verre fumé avec un train électrique, à celui qui rayait ses disques en poussant le bras de l'aiguille d'un coup de coude qui déclenchait un glapissement suraigu, à l'appartement détruit par ces lutins pervers qui tachaient de gouache la moquette et les draps, qui y laissaient des traits dessinés avec des crayons de couleur, qui promenaient leurs tartines beurrées sur le papier peint des murs, qui exigeaient à trois heures du matin de coucher dans mon lit en me bourrant sans pitié de coups de pied, qui déchiraient les photos, qui bouchaient les brûleurs de la gazinière avec de la pâte à modeler, qui me rendaient fou en changeant l'ordre des objets, qui, un dimanche de carnaval, ont lancé par la fenêtre tous les dossiers qu'ils ont trouvés, entonnant à l'unisson Bien fait bien fait bien fait, qui obstruaient la cuvette des WC de pelures et de noyaux, qui enduisaient le couvre-lit du cirage de leurs chaussures, qui faisaient de l'escrime avec leurs couverts à poisson devant l'indifférence de la créature en robe de chambre qui serrait nostalgiquement sur son cœur la caisse vide de la chienne. Pourquoi pas un appât, finalement?

— Attends, laisse-moi souffler un brin, a dit l'Homme en lâchant l'escabeau et secouant ses poignets. Ce bois est d'un rugueux pas possible, j'ai déjà une ampoule au doigt.

Ils ont atteint la galerie, en équilibre sur les marches de fer, après un long effort de manœuvres et de pivoines piétinées. Les voix et les sons se répercutaient sur les murs moussus de la grange, la lumière, plus haut, révélait des chapelets d'oignons, des bouquets de végétaux, le naufrage d'une commode Empire et un secrétaire sans lignage couvert de paquets de semences, des empilements de couffins en osier, une portée de siamois qui piaulaient, et le Juge d'instruction a eu peur que des chauves-souris aux épaules repliées ne dorment suspendues au poutrage du toit, il a eu peur de leurs ongles longs et de la cruauté acérée de leurs dents, il a aperçu son père qui coupait les branches mortes du néflier, sur la pointe des pieds, les pans de sa chemise hors du pantalon. La cireuse s'est tue et ils ont transporté l'escabeau sous le trou entre les poutres par lequel le ciel de mars semblait fourmiller de joie.

— Si vous me permettez une opinion personnelle, monsieur le juge, je considère que votre acquiescement est un acte profondément patriotique, a déclaré le Monsieur avec soulagement en offrant un cigare au Magistrat. Et vous pouvez compter sur la reconnaissance du gouvernement pour la façon dont dès le début vous avez exprimé le désir de collaborer. Le Secrétaire d'État ne manquera pas d'en tenir compte, sur une proposition que nous ferons dans ce sens, dans le rapport qui sera présenté au Conseil supérieur de la défense.

— Franchement, je ne sais pas de qui ce petit a hérité son satané caractère, a dit la grand-mère à M. Marques en vérifiant ses boucles d'oreilles d'un pouce prudent. Pas de ma famille, en tout cas.

Ils ont posé l'escabeau sur les planches de la galerie et ils ont grimpé l'un derrière l'autre sur le toit, déplaçant les tuiles qui empêchaient le passage et cassant un tasseau couvert de lichen duveteux. De là-haut le jardin, les arbres, les massifs, les tonnelles, les bassins aplatis sous le soleil surgissaient, miniatures situées à une distance vertigineuse que seul le cri d'un corps tombant dans le désordre de l'angoisse aurait pu combler. Les ailes du moulin tournaient au niveau de leurs yeux, le gouvernail, insignifiant, perdait sa fonction d'azimut du vent, les charnières jamais huilées lançaient des protestations de rhumatisant. Pigeons et tourterelles formaient des bancs de poissons qui nageaient plus bas que nos pieds vers Amadora et ses tours en ciment d'un mauvais goût féroce. Aucune des cigognes, pas plus le mâle que la femelle, ne se trouvait dans le nid ébouriffé de branches, de foin, de terre, de papiers, d'ossements de figuier, de débris pétrifiés, de fragments de chaux, dans ce cocon décrépit sécrété par des becs patients. L'Homme s'est cramponné à la cheminée, et le menton en l'air, à l'aveuglette, comme quelqu'un qui cherche un objet perdu dans un porte-bagages, il a tendu le bras vers les coquilles des oiseaux en tâtonnant. Ma mère bavardait avec les poules tout en ramassant leurs œufs dans un seau, mes sœurs sous la treille habillaient une poupée avec un visage en plastique et un corps en chiffon.

— Je suis très reconnaissant au Secrétaire d'État de son estime, a dit le Juge d'instruction sans aucune ironie en revoyant les immeubles de Miratejo entassés les uns sur les autres, les Indiens dans d'étranges tuniques qui voyageaient avec lui dans l'ascenseur, la glace de la penderie qui lui renvoyait l'image d'un homme de quarante ans, découragé et chauve, les voix brésiliennes du téléviseur dans le salon, l'attente de la perspective, une fois les enfants couchés, de l'ennui irrémédiable de la nuit, ponctué par les soupirs de sa femme. Dans les conditions actuelles, vous savez, servir d'appât est un devoir, je vous donne entièrement raison.

— Tais-toi, Mathilde, a lancé le grand-père, furieux, tout le monde sait que dans ta famille il n'y a que des imbéciles.

— Zé, a crié triomphalement l'Homme à califourchon sur les tuiles, tourné vers moi, mains réunies, abritant un petit animal cartilagineux et pelé dont la gorge rose piaillait d'anxiété et qui s'efforçait d'échapper à ses doigts tremblants en agitant une ébauche d'ailes. En voilà un qui est déjà né, il y en a peut-être bien encore un ou deux dans le nid.

Mais je n'ai même pas regardé la bestiole cinq secondes, j'étais trop préoccupé par les vertiges qui m'assaillent encore aujourd'hui quand je me penche d'un balcon et par la peur qu'une des cigognes ne surgisse soudain derrière nous, furieuse, un pistolet-mitrailleur sous l'aisselle, et que lui ou moi ne dégringolions de la grange sans un bruit, le plastron de notre chemise froissée souillé du sang des balles.

J'étais en train d'arracher les ailes des mouches entre les rideaux et les vitres après le déjeuner, quand j'ai remarqué le jeune homme dans le jardin. Je ne sais pas quel âge il a. Je ne sais pas quel âge j'ai. Je ne sais pas non plus quel est l'âge de la femme qui m'apporte ma nourriture et qui me donne des ordres. Elle a peut-être deux cents ans. Ou trois cents. Ou mille. Je ne lui pose pas de questions. Je ne lui adresse pas la parole. Je descends l'escalier quand elle m'appelle, je mâche ce qu'elle me donne, j'éloigne l'assiette, je prends mon violon, je me lève. Il manque deux cordes à mon violon. Celles qui restent sont aussi blanches que mes cheveux. Ceux du jeune homme sont châtains. Les voix qui conversent avec moi sont beaucoup plus sombres. Parfois elles m'ordonnent de dormir, Dors, et j'enfile mon pyjama par-dessus mes vêtements, j'enlève mes chaussettes, je m'étends, les voix se taisent, je contemple le bruit des souris à l'intérieur des murs en train de dévorer les briques avec un halètement pressé. Je ne peux pas les tuer parce que les voix me l'interdisent. Je ne peux pas tuer la femme qui m'apporte ma nourriture. Non plus que les mots. Je ne peux presque rien tuer. Je ne peux pas arracher les ailes des mouches et les regarder se promener sur la table de pierre en palpant les miettes avec leur trompe. Il n'est pas nécessaire d'avoir de la force pour arracher des ailes. L'après-midi où j'ai cassé les cordes du violon j'ai dû tirer beaucoup plus fort.

Ici c'est ma maison. Le jeune homme en a une autre. Elle

est grande. Et il a des cochons. Les voix détestent les cochons. Elles m'ont promis qu'un jour elles me laisseraient m'approcher d'eux avec un couteau et leur arracher une patte ou deux. C'est une question de temps. Je m'assieds sur la chaise à bascule dans ma chambre et j'attends. Alors les ombres arrivent, les meubles se mettent à craquer, une haleine me souffle à l'oreille Couche-toi, et tout de suite après c'est le matin et je me réveille avec l'orme qui entre par le balcon comme lorsque nous sommes allés en Galice en voiture, tu as dit en te serrant contre moi, Regarde cet arbre de Judée tout frissonnant dans le brouillard, il se penche contre l'appui de la fenêtre pour nous toucher les pieds. Les serveurs de l'hôtel nous apportaient le petit déjeuner au lit, le sucrier, la cafetière et le beurrier étincelaient, tu enlevais la crème du lait avec la cuiller pendant que je redressais l'oreiller pour entendre les vagues de la plage en bas sous la pluie, les oiseaux, le long ronflement de moteur de l'eau. Les voix m'assurent qu'elles traînent la mer jusqu'ici, que les vagues engloutiront les réverbères de la rue jusqu'à l'auvent de la cuisine et que je n'aurai plus besoin de manger, de jouer du violon ni de m'occuper de rien.

Un prêtre est rentré dans le petit salon en demandant où était le jeune homme. Il n'a pas frappé. Il doit avoir une clé comme la femme à la marmite. Il voulait savoir si je l'avais vu la semaine dernière ou ces derniers jours, il avait besoin d'une réponse à cause d'une affaire importante. Il est parti au bout d'un moment, après m'avoir regardé en fronçant le sourcil. Les voix m'ont averti que je ne pouvais pas le tuer et que la plage avait commencé à avancer dans la jardin. Elle devait se cacher sous l'herbe mais j'ai aperçu alors le jeune homme qui se promenait seul au milieu des bégonias, les mains dans les poches. Les voix m'assurent que je le connais. Ce n'est pas vrai. Ou alors c'est vrai mais je ne le sais pas. Peu importe. Si j'arrache les pattes des cochons, qui m'en empêchera ? Au milieu des fleurs le jeune homme fixait des yeux ma maison. Je pourrais courir derrière lui, le menacer avec le couteau. A quoi bon ? Ce champ d'oliviers me suffit, ton cri, l'automobile contre un arbre, des gens qui s'approchent en agitant les bras et en criant des phrases en espagnol. Les mouches ne crient pas. Toi non plus. Les voix non plus. Jamais. J'ouvre la bouche et il n'en sort aucun son. Mes dents frissonnent en silence comme l'herbe. De toute façon cela faisait un bon bout de temps que le prêtre cherchait celui que les voix disent être mon fils. Moi aussi. Pourtant je ne voyais dans le jardin que le vieux avec sa casquette et son sécateur qui arrosait les fleurs. Et maintenant le jeune homme était là. Maigre. Sans la mèche habituelle sur son front. Je n'en ai été ni content ni triste. Je ne sais pas encore ce que je ressens. Mais je sais qu'il y a ici quelqu'un que je peux tuer comme on tue une poule quand les voix m'y autoriseront.

2

— La bande commence à demander des comptes à la vie, à aiguiser ses ongles, à s'agiter, cette semaine elle a liquidé un autre repenti près de Sintra, a annoncé le Monsieur avec jubilation en montrant des photos du cadavre au Juge d'instruction, des clichés en noir et blanc d'un corps à demi couvert par un bout de couverture dans ce qui ressemblait à une perspective de pinède : racines, bruyères, policiers, le tremblement du magnésium avait rendu la victime floue. Je vous félicite, monsieur le juge, votre ami leur a fait parvenir la paperasserie, il collabore que c'en est un plaisir.

— Qu'est-ce que c'est que ça ? a demandé l'Étudiant en brandissant une page imprimée, peux-tu m'expliquer de quoi il s'agit ?

Ils étaient partis de Lisbonne à onze heures du soir dans une vieille Austin au chauffage détraqué, ils suffoquaient et devaient descendre les vitres sur la froidure des ténèbres, et à cause de l'absence de phare gauche ils avaient l'impression d'apercevoir la route côtière dans un strabisme confus, aggravé par l'odeur de tapis brûlé que dégageaient les bielles. Le fleuve s'ornait de friselis d'écume et les lampes de Cacilhas se balançaient à la surface de l'eau, sur le côté droit de la route des maisons avec des terrasses crénelées grandissaient comme les châteaux dans les rêves. Un rouleau de brume estompait les réverbères, les feux de circulation, le petit jardin public d'Oeiras dans lequel on devinait un restaurant ou une buvette. L'Artiste, qui conduisait le nez sur le volant, a tourné avant Estoril sur la route de Sintra et peu après les maisons ont disparu dans la noirceur des eucalyptus interrompue seulement par les panneaux de signalisation sur les bas-côtés et la clarté des pompes à essence.

— Ah oui? a répondu le Juge d'instruction d'une voix neutre en examinant le repenti couché à plat ventre dans les aiguilles de pin, son pull-over retroussé dans le dos, une borne kilométrique à quelques centimètres de sa bouche ouverte. Jusqu'ici tout marche comme sur des roulettes, le Secrétaire d'État doit être ravi, et je m'en félicite, nous verrons bien ce que cela donnera.

Ils ont dépassé Alcoitão, l'autodrome, des panneaux qui émergeaient avec difficulté des arbustes, et presque à Sintra déjà, peu de temps après avoir croisé un camion-citerne, l'Employé de banque a ordonné Ralentis, attention au poteau, tourne ici, et ils sont arrivés devant un portail avec une grille et un écriteau à côté de la serrure Attention Chien Méchant, un cadenas avec une chaîne, Fais trois appels de phare avec les feux de route, a dit l'Employé de banque avec une gravité douce en appuyant ses joues flasques sur le dossier du siège avant comme un saint-bernard somnolent, et par-delà la grille ils ont aperçu une veilleuse sous le porche et la Propriétaire de la maison de repos en blue-jean et bottes de caoutchouc rouge qui s'avançait vers les phares, qui faisait tourner les gonds rétifs, penchée en arrière comme les pêcheurs qui ramènent les barques vers la plage, et qui leur faisait signe d'entrer, et au bout de sept ou huit mètres d'un sentier bordé de bulbes nains ils sont tombés sur une chienne serra da estrela au poil sale qui leur a léché le bout des doigts et ils ont distingué les contours d'une villa derrière les persiennes de laquelle se déplaçaient des silhouettes dans les rais de lumière entre les lattes de bois.

— Si cela ne vous fait rien nous entrerons par l'autre porte, a-t-elle dit en avançant sans bruit sur un petit sentier et les guidant parmi les ombres bruissantes. Je n'ai pas une très grande confiance dans le mâle qui est aplati comme un crapaud sur le sol en brique de la cour.

Ils ont coutourné un pilier et ils se sont trouvés dans une

espèce d'appentis avec un baby-foot protégé par un plastique épais, une chaise déjetée et des parasols jaune et brun dans un angle du mur. La femme a poussé un battant qui donnait accès à la cuisine et un deuxième battant qui ouvrait sur un corridor étroit qui faisait un coude, décoré de je ne sais quelles gravures, cela m'est sorti de l'esprit, avec un meuble couvert d'une collection de timbales de baptême en argent, et ils sont arrivés dans une pièce avec une cheminée et des tisonniers bien astiqués, un canapé et des fauteuils, des sous-verre, le buste d'un monsieur avec des bésicles et des lèvres pincées, des livres d'art, des fenêtres protégées par des nattes déroulées, un type qui se tordait les mains sur une chaise au milieu de salon, l'Étudiant qui tournait autour de lui un verre de whisky et un pistolet à la main, avec une démarche tressautante d'oiseau de rivière, annonçant avec une exultation cruelle, Ils ont chargé un juge quelconque de nous empoisonner la vie et ce salaud, lisez-moi donc ces papelards, a décidé de collaborer avec lui.

— Je ne collabore pas avec des bourgeois, a rétorqué le repenti en se tournant vers l'Employé de banque pour le prendre à témoin de son innocence absolue. Il y a sûrement un malentendu, une méprise, une erreur, cette histoire de juge est très bizarre, je n'ai jamais parlé à un juge de ma vie.

— Pour une fois il avait raison, le pauvre, s'est attendri le Monsieur qui regardait avec curiosité un détail sur les photos du cadavre. Le gars en question ne vous a jamais vu, monsieur le juge.

— Toi, tu la boucles, a dit l'Étudiant en brandissant son arme, toi, tu ne l'ouvres que si je t'en donne la permission. Regardez les photocopies qu'Antunes a dégotées, pour moi y a pas à tortiller, il faut liquider cette andouille et le juge.

— Quelle est cette villa, où est-elle située? a demandé le Magistrat en feignant de s'intéresser à la question pour faire plaisir au Monsieur, l'œil fixé sur son pantalon mal repassé, avec deux plis parallèles au lieu d'un.

— A Linhó, a dit l'Homme, pas dans le bourg ou dans le village, je ne sais pas comment s'appelle ce genre d'agglomération, mais juste à la sortie de la route, une maison avec deux cheminées et une estrade d'une marche sur laquelle se trouvait la table des repas. A un bout, le salon se prolongeait par une baie vitrée où un moustachu inconnu lisait une revue et de l'autre par un arc derrière lequel on apercevait un morceau de chambre à coucher illuminée, des rideaux, un couvre-lit à ramages, une commode, et pourtant ce que je me rappelle le mieux c'est le vent qui jouait de la flûte avec les bûches dans la cheminée, étirant les flammes en languettes pointues, et une Cène circulaire en terre cuite où des apôtres de crèche de Noël, graves comme des guignols de foire, se tapaient une ventrée de sardines et de pain de mie digne de la fête de saint Antoine dans l'Alfama, à laquelle ne manquaient ni des pots de basilic, ni les ballons en papier plié en accordéon des marches de l'Avenida, ni le concertina de Judas Iscariote dont la bourse avec les trente monnaies pendait à sa ceinture et qui dansait une bourrée du Minho pour la plus grande joie des martyrs.

— Il prétend qu'il n'a jamais parlé à aucun juge, regardez-moi le culot de ce mec, a dit d'un ton badin l'Étudiant à ses comparses en détachant bien les syllabes et désignant du menton l'homme sur la chaise. Et le rapport, hein, qu'est-ce que tu en fais du rapport, espèce de crétin?

La Propriétaire du foyer de vieux est allée dans la cuisine faire chauffer de l'eau pour le café, le Curé s'est assis dans un fauteuil, jambes croisées, une vodka à la main, s'apprêtant à biberonner jusqu'à en devenir violet, l'Artiste, qui ne prêtait pas attention à la conversation, observait les gravures encadrées sur les murs avec un froncement de sourcils critique. L'Employé de banque a posé ses fesses sur le bras du canapé en face de la chaise de la victime qui s'échinait à trouver des arguments, tous plus vaseux les uns que les autres :

— On sait que tu t'es mis à table en prison, Alfredo, pas la peine de nier, nous avons tous des moments de faiblesse, a-t-il dit avec sa douceur amicale habituelle en caressant la cravate de l'autre avec des doigts tannés par le tabac. Cela peut arriver à n'importe qui, aujourd'hui ça t'est arrivé à toi, demain ça m'arrivera à moi, ce qu'il faut c'est penser à l'avenir, nous n'exclurons personne à cause de cela, Marx lui-même, par exemple, et il était Marx, de temps en temps, crac, perdait courage. Habituellement le Comité de coordination se montre assez compréhensif dans ces cas-là.

— La personne qui habite ici, quelle qu'elle soit, ne collectionne que des merdes, a déclaré l'Artiste en indiquant les sardines des apôtres. Ma parole, je n'ai jamais vu autant de mauvais goût réuni, il n'y a pas un seul objet valable.

A Sintra, a pensé l'Homme, il y a toujours une coupole d'eau au-dessus de chaque objet, même les plus secrets et les plus intimes, et le matin nous nous déplacions dans la maison à la recherche du grille-pain et de la casserole pour faire bouillir le lait, le front ceint d'une auréole de nuages. Quand il était petit, il passait avec sa grand-mère des étés pluvieux à Seteais sous des ciels bas qui cachaient la montagne et ses chalets déserts, et il se souvenait de perrons majestueux étranglés par la brume, de serveurs en livrée servant le thé avec des gâteaux à la crème dans des salons où sa grand-mère jouait aux cartes d'un air blasé avec des vieilles dames serrées dans des mantilles de soie et qui à chaque gorgée imprimaient des marques de rouge à lèvres sur leur tasse. Le repenti, encouragé par la compréhension de l'Employé de banque, s'est plaint des coups de pied des policiers, des menaces de chantage portant sur sa mère malade, internée dans une clinique à Coimbra où elle déversait des lambeaux d'estomac dans une cuvette en émail.

— L'histoire de la maman, a ricané l'Étudiant en demandant encore un glaçon à la Propriétaire de la maison de repos, ils cherchent tous à vous attendrir avec des boniments de ce genre, tout leur est bon dès que vous les mettez sur le gril. Ta mère a plié son parapluie depuis belle lurette, arrête tes pleurnicheries, on dirait un de ces gitans qui mendient aux feux rouges en vous tendant de faux certificats de tuberculose.

— Qu'est-ce que c'est que ces façons ? l'a réprimandé l'Employé de banque d'un air offensé, comme si on avait insulté sa famille, Alfredo est un des nôtres, pourquoi ne le laisses-tu pas tranquille? A propos, Antunes, où as-tu déniché les photocopies sur le juge?

— Quelqu'un veut du café? a demandé la Propriétaire du foyer de vieux qui arrivait de la cuisine vêtue d'un tablier et qui tenait un gobelet en fer-blanc que le Curé a refusé d'un geste débonnaire de manieur de burettes en marmonnant des prières inaudibles.

— Je les ai eues grâce à un ami sympathisant de l'Organisation qui travaille à la Judiciaire, a dit l'Homme qui dodelinait de la tête au-dessus du pare-feu devant la cheminée, un livre de reproductions de sculptures sur les genoux et que la question a réveillé. Il m'a parlé du juge par hasard, je lui ai tiré doucement les vers du nez sans en avoir l'air, le gars a promis de m'aider dans la mesure de ses moyens et voilà le résultat.

— Je me tue à faire du café et personne n'en veut? a dit la femme d'un ton indigné en offrant à la ronde le gobelet qu'elle tenait par l'anse en fer-blanc avec un gant de molleton à carreaux. Vous allez tenir la nuit entière à coups de gin?

— Bon, alors voilà, a poursuivi l'Employé de banque en s'adressant au repenti qui froissait les photocopies, tu vois ce qu'il en est, Alfredo, il faut regarder les choses en face, tu as mangé le morceau, cela ne fait aucun doute, le résultat est là : six camarades en prison, un chargement de munitions saisi à Faro, la Brigade spéciale sur le qui-vive et allez deviner ce qu'elle sait, un juge nommé par le ministre pour coordonner une cellule de crise chargée de nous donner la chasse, tu trouves cela plaisant? Si cela se trouve nos contacts sont surveillés, si cela se trouve ils ont demandé à des spécialistes français de les aider, si cela se trouve chacun de nous a un essaim de gars de la Secrète à ses trousses, as-tu songé à ce que cela va nous coûter sur le plan de la restructuration, Alfredo? As-tu songé à ce que nous allons devoir maquiller, changer, transformer, foutre en l'air? Six camarades risquent vingt ans de cabane parce que tu t'es dégonflé au commissariat et que tu as craché tout ce que tu savais à ce foutu juge, Alfredo. Qui m'assure

140

qu'en ce moment même il n'y a pas une multitude de flics armés de carabines tapis dans les arbustes?

— La peinture du Capital est une merde, a décrété l'Artiste en s'effondrant d'un air dégoûté sur le sofa à côté du Curé qui tétait sa vodka paupières baissées, sans regarder qui que ce soit, avec une immobilité tendue d'homme aux aguets. Que des cochonneries pareilles s'achètent ça me dépasse, j'ai toujours dit que les riches étaient des crétins finis.

— Je te jure que je ne comprends pas comment tu le supportes, a dit l'Étudiant avec étonnement à l'Employé de banque qui souriait d'un air béat de confesseur après l'absolution. Moi ça fait longtemps que je lui aurais tiré une balle dans la tête.

— Je vais balancer le café dans l'évier, les enfants, a dit la femme d'un air furieux en montant la marche qui menait à la cuisine, après ça venez donc me demander de vous faire de bonnes petites pommes de terre à s'en lécher les babines, vous pourrez toujours courir.

— Boucle-la, a dit l'Employé de banque à l'Étudiant en continuant à caresser tendrement la cravate de la victime. Sois gentil, va faire un tour dehors pour voir s'il pleut, d'accord?

— Mon ami m'a promis d'autres preuves, des documents, des cassettes, des bandes magnétiques, des négatifs, une liste de noms, a dit l'Homme en observant d'un air distrait les bottes de caoutchouc de la Propriétaire de la maison de repos qui attachait ses cheveux sur sa nuque avec un élastique. Je ne sais pourquoi, mais j'ai l'impression que notre camarade ici a raconté tous nos petits secrets au juge.

— Versez-moi un petit whisky bien faible car la vodka me tue, a demandé le Curé en levant son verre et en massant son estomac douloureux avec sa paume. Cet alcool de pharmacie avec une odeur d'herbes me bousille les boyaux.

— N'importe quel chimpanzé vous barbouillerait des tableaux plus réussis, a dit l'Artiste avec irritation. Mais qu'on ose appeler ça de la peinture, sincèrement, cela me met hors de moi.

— Alfredo, a dit l'Employé de banque au repenti qui tremblait de peur en silence, les bras autour de ses épaules recroquevillées, je te donne une dernière chance à cause de toutes ces années où nous avons travaillé ensemble. Qui est ce juge, quelle est cette cellule de crise qu'il coordonne contre nous ?

— Il ne pleut absolument pas, a dit l'Étudiant, de retour du jardin, en entrant avec le froid et le vent et claquant avec violence la porte vitrée, ce qui a ébranlé une collection de petits éléphants en cristal sur le buffet, et tirant à pleines mains les rideaux avec une grimace d'homme qui souffre de thrombose. On voit même une lune toute ronde et pleine d'ombres à travers la tapisserie des nuages.

— La lune ? a répété le Curé d'un air contrarié en goûtant le whisky du bout des lèvres comme si le liquide bouillonnait sur ses gencives. S'il y a clair de lune, nous allons être bougrement embêtés, les gars, nous allons avoir un mal fou à mener à bien notre petite affaire.

— Notre petite affaire ? s'est exclamé le repenti en sautant de sa chaise lestement et en regardant l'Homme d'un air hagard, de quelle petite affaire parlez-vous donc ? C'est un complot contre moi, bon Dieu, un coup monté, un traquenard de la plus belle espèce, vous falsifiez des documents et vous inventez un salopard de juge pour me gâcher la vie. Je vous jure sur la tête de ma mère que je vous dis la vérité.

— Vous pourrez toujours me faire des mamours, ma petite Hortense, fais-nous donc du pain grillé, ma petite Hortense, fais-nous donc des œufs brouillés, ma petite Hortense, fais-nous donc du thé, a marmonné la Propriétaire du foyer de vieux en s'asseyant à table d'un air dépité pour battre ses cartes, je vous enverrai au diable vite fait bien fait. Un litre de café dans l'évier, vous trouvez ça normal, vous, les grands seigneurs.

— Les chiens sont couchés dans la remise du baby-foot, ils ne lèvent même pas la tête, a continué l'Étudiant qui exhalait encore une odeur de vent. On voit les buis, les massifs et les arbres comme en plein jour, les feuilles sont nettes, les corolles closes, on aperçoit une cabane à outils, une autre maison, séparée de celle-ci par une clôture en fil de fer. Le seul ennui, c'est cette humidité qui suspend de la mousse à la brume et de minces rubans bleus à un dôme liquide.

Et l'Homme s'est souvenu des aurores d'insomnie quand il était enfant, de la clarté dans la chambre qui attristait les meubles et les gestes, des aiguilles phosphorescentes du réveille-matin, écartelées en signes absurdes, de la toux de la cuisinière dans l'office situé aux antipodes, de la façon dont les objets s'arrachaient aux ténèbres pour commencer à respirer lentement, débarrassés de l'aura de mystère de l'obscurité. Enseveli au fond du lit, il guettait par la fenêtre les ailes du moulin qui tournaient dans le jardin et le picorement des premières poules, tout comme en cet instant, dans cette villa inconnue à Linhó, il regardait l'Employé de banque s'agiter et se plaindre du manque de logique, de camaraderie, d'amitié d'Alfredo, franchement, Alfredo, ce que je te dis là n'est nullement exagéré, je n'aurais jamais cru que tu te comporterais en Judas vis-à-vis de nous.

— A mon avis, a murmuré le Curé qui avait les yeux rivés sur son whisky, quand notre camarade a adhéré au Mouvement, il était déjà à la solde de la police.

A six heures du matin le fermier sortait dans le jardin, casquette sur la tête et bretelles baissées, il pissait contre un noyer, il lavait la cage des bergers allemands, il se perdait parmi les ombres du potager et rendait visite aux carottes, et moi, enterré sous mes livres d'images, je suivais des yeux le rectangle de son tricot de corps qui finissait par disparaître entre le puits dans le verger et les roseaux du potager. Je devinais les pas ensommeillés des bonnes à la vibration du plancher, une chasse d'eau au loin qui cascadait dans le silence, des savates sur les marches de l'escalier, le fourneau à bois qui commençait à crépiter, et toi, dans les vêtements de classe que ma grand-mère offrait à ta mère à Noël pour le lycée, des pull-overs qui me serraient aux entournures, des culottes qui avaient besoin d'être ravaudées, des caleçons à boutons démodés, toi avec un seau d'eaux grasses dans chaque main, tu traversais la treille en direction de la porcherie, tu revenais de donner leur maïs aux pigeons, tu fabriquais le fuseau de chiffons qui servait d'épouvantail contre les oiseaux voraces de la roseraie, tu franchissais enfin le portail avec mon vieux cartable et tu te dirigeais vers l'arrêt de tram, sérieux, réfléchi, responsable, minuscule, trop adulte pour ton âge, des poils précoces pointant à ton menton et une vieille casquette de ton père enfoncée sur le crâne, tu sentais le pain à la margarine et le café d'orge, tu montais dans le tram et tu te fondais avec la foule des ouvriers pendant que je séchais ponctuellement les classes, sans culpabilité ni remords, que je tournicotais sous les lustres comme un fantôme blasé, et le repenti se frappait la poitrine avec les poings en criant à l'Employé de banque Où êtes-vous allés chercher des inventions pareilles, j'ai peut-être fait quelques petites gaffes mais c'est sans importance, je n'ai compromis personne, tu me connais depuis longtemps, Venâncio, tu sais comment je suis, nous avons réalisé ensemble de nombreuses opérations pour l'Organisation, nous étions une demi-douzaine au grand maximum à prendre les armes pour le prolétariat, cette histoire de juge est un conte à dormir debout, je n'ai parlé qu'à des agents et à des chefs de brigade qui m'ont tabassé gentiment pour me rafraîchir la mémoire.

L'Employé de banque s'est levé avec un soupir et il s'est mis à désembuer une vitre avec sa manche (on ne voyait pas d'arbres, seulement notre reflet et un redoublement des lumières, le Curé, jambes croisées sur le canapé, enveloppait un objet dans une serpillière ou dans une serviette, la Propriétaire de la maison de repos, fâchée, distraite, indifférente, battait ses cartes pour faire une nouvelle patience, D'ailleurs comment aurais-je pu être au courant de ces papiers, Venâncio, s'est défendu le repenti sur la chaise, puisque je n'ai pas assisté à une seule réunion élargie du Comité de coordination, et à peine les cours étaient-ils terminés, a pensé l'Homme, le Magistrat allait aider son père à pêcher la boue dans la citerne avec un crochet et à traiter les citronniers contre les parasites, l'Artiste contemplait la Dernière Cène d'un air haineux, tenaillé par l'envie de briser les sardines et les apôtres à coups de marteau, J'ignore comment ça s'est passé, a dit l'Employé de banque, le nez collé contre la vitre et étudiant

144

la pleine lune, mais le résultat est là, Alfredo, impossible de le nier, le Curé s'est éloigné de la cheminée avec le paquet enveloppé de feutre, il a déposé son whisky sur une table, il s'est penché, il a ébauché une bénédiction vague et rapide de fin de messe sans destinataire précis, le repenti a encore crié On te raconte des bobards, Venâncio, comprends-le, l'Homme a aperçu une étoile à l'orée du rideau, et le Curé, le ventre collé au dossier de satin de la chaise à côté de la vitrine, a appuyé la serviette contre la nuque du repenti et a tiré.

— Fantastique, monsieur le juge, a dit le Monsieur tout guilleret, si vous continuez à ce train-là, vous occuperez votre poste à Bruxelles bien plus tôt que vous ne le pensez.

— Au train où allaient les choses, je pensais que cela allait durer au moins jusqu'à demain matin, a dit la Responsable des vieux en couvrant un valet de cœur avec un dix de pique. Vous bavardez, vous bavardez et vous oubliez l'heure, il est trois heures vingt-cinq à ma montre et je tombe de sommeil.

— Trois heures quatorze, a corrigé l'Étudiant en tâtant avec sa chaussure le corps étendu sur le carrelage, une pâte sanguinolente poissant ses cheveux. Ton oignon avance et, si j'étais toi, je le ferais réparer au lieu d'enquiquiner le monde. Il n'y a pas si longtemps tu nous as vraiment cassé les pieds avec ton histoire de café.

— Portez-le vite dans la voiture, a ordonné l'Employé de banque en s'épongeant les tempes avec son mouchoir. Nous ne devons pas compromettre l'amie qui nous a prêté sa maison, nous allons le balancer sur une plage avant qu'il ne fasse jour pour de bon et qu'un pêcheur d'hiver ne nous repère.

— Trois heures dix-huit, a rectifié le Curé en mettant la serviette et le pistolet dans sa poche, j'ai vérifié ma montre à la radio de l'Austin pendant le trajet, c'est un cadeau que mes paroissiens m'ont rapporté de Suisse, elle a dû coûter très cher, elle ne se trompe jamais.

— Ton amie est adorable mais elle a un goût abominable en peinture, a déclaré l'Artiste en soulevant du sol les chevilles du cadavre pour le traîner vers la remise du baby-foot où les chiens ont flairé avec indifférence les membres ballants du repenti qui a été lancé dans le coffre de la voiture sur toutes sortes de vieilleries et une chambre à air vide.

La lune se promenait dans une mer de nuages au-dessus des pins, dans la villa en contrebas une lumière à un balcon faisait penser à la lanterne d'une galère échouée, ancrée comme par miracle dans une mèche de dahlia. Une chienne a mordillé leur gabardine, a pissé pour s'amuser contre le capot et a disparu sans bruit dans les ténèbres. L'Employé de banque éteignait les lumières dans la maison, fermait la porte, les rejoignait avec la femme, le vent apportait, atténués, les appels rythmés d'un océan improbable.

— Ils se sont débarrassés du corps à Galamares, dans les roseaux au bord de la ligne de tram, a précisé le Monsieur en sortant un nouveau paquet de photos de sa poche. Du travail bâclé, on voit bien que quelque chose a dû leur faire peur.

— L'idée, c'était de le lancer dans les rochers d'Aguda, a dit l'Homme, si nous l'avions coincé entre les rochers l'eau l'aurait vite dissous, seul l'un ou l'autre bout de tissu aurait pu aboutir sur le sable, cela n'aurait éveillé les soupçons de personne. Mais nous avions peur de ne pas avoir assez d'essence, le réservoir fuyait, la bagnole puait le pétrole et soudain l'Employé de banque a touché l'épaule de l'Artiste en se bouchant le nez avec la manche de son pull-over, il lui a dit Arrête-moi cet engin, je n'en peux plus, balancez-le dans les roseaux au prochain virage.

Et ils sont revenus à Lisbonne en parlant de montres, à vingt ou trente kilomètres à l'heure au maximum, leurs phares cahotaient sur les pentes de Sintra, des arbres gigantesques les frôlaient de leurs mèches mouillées dans lesquelles on devinait des chouettes rondes comme des fruits avec des pupilles qui clignaient dans l'ombre. Ils sont revenus tous les six, a raconté l'Homme, tassés sur les banquettes de l'Austin, préoccupés par une loupiote qui clignotait sur le tableau de bord, annonçant un mystérieux dysfonctionnement, l'Artiste appuyait sur les boutons, arrêtait le moteur dans les descentes, ouvrait et fermait le dispositif d'aération, se cramponnait au volant dans les montées, une deuxième loupiote s'est allumée, des villas tapies dans les feuillages ou derrière des grilles surmontées de fers de lance tourbillonnaient et disparaissaient dans la brume avec leurs petites fenêtres de guingois et leurs balcons fantomatiques. Ce carrosse ne va pas tarder à rendre l'âme, a dit le Curé à l'Artiste, regarde l'aiguille de la température, regarde cette petite flamme dans le radiateur, gare vite la Rolls sur le bas-côté, sinon j'ouvre la porte et je saute, je n'ai pas envie de griller vif.

Alors, a raconté l'Homme, l'Artiste s'est dirigé vers la place déserte du marché de São Pedro où un gardénia de tulle s'élevait au-dessus des toits, effrayant les minuscules oiseaux de l'aurore entre les poteaux nus et les étals à légumes, l'Étudiant transi de froid qui dansait dans ses mocassins a soulevé le capot pour refroidir les cylindres, l'eau bouillait dans le radiateur avec des sifflements et des giclements, l'Austin ramollissait et fondait, inutile au milieu des planches désertes, l'Employé de banque soufflait dans ses paumes en disant, sans s'adresser à quiconque en particulier, Il y a quelque chose qui ne tourne pas rond dans toute cette affaire, Alfredo n'avait pas assez de cervelle pour inventer cela, des camionnettes de livraison roulaient vers Tercena en lâchant des nuages charbonneux de locomotive par leurs pots d'échappement fatigués, l'Étudiant, une clé à molette au poing, se colletait avec une méduse de fils et, toussant et reniflant, nous avons fini par prendre l'autobus à Rio de Mouro et nous nous sommes séparés sur la place d'Espagne, ivres de sommeil, titubant de faim, chancelant de grippe, l'Employé de banque répétant tout en se mouchant, Je suis sûr qu'il y a anguille sous roche, je vais parler au Comité de coordination pour en avoir le cœur net, Alfredo n'aurait jamais manigancé cela tout seul. Le Monsieur a bombé le torse, fermé les yeux, souri, asséné un coup de poing satisfait sur la table :

— Comme vous le voyez, nous les avons amenés là où nous voulions, mon cher juge, l'opération est bien plus facile que nous ne le pensions au début. Ça a marché comme sur des roulettes avec le repenti, maintenant, et j'espère que vous ne m'en voudrez pas de présenter les choses ainsi, maintenant, à vous de jouer.

— Ainsi donc te voilà devenu juge, vive le luxe, toutes mes félicitations, a déclaré le grand-père de l'Homme en posant sans enthousiasme sa petite main sur l'épaule du fils du fermier. Dorénavant, quand la police me flanquera une contredanse parce que j'ai mal garé ma voiture, je demanderai à ton garçon de me tirer d'affaire, Silvina.

Le Magistrat et sa mère sont entrés dans la grande maison par la cour devant la cuisine où une chatte gravide somnolait sur un avant-toit, ils ont croisé une ou deux servantes en uniforme noir qui ne les ont même pas regardés, ils ont traversé la petite pièce carrelée dans laquelle la couturière déjeunait, entourée de paniers de linge et de robes sur des cintres, le plateau posé sur la machine à coudre, ils ont gravi un escalier raide garni d'un tapis et au bout d'un corridor plongé dans l'ombre où la respiration enflait comme dans un coquillage ils ont abouti à un bureau dont les fenêtres donnaient sur la route de Benfica, avec des livres dans des armoires vitrées, un ensemble de fauteuils, une table avec une lampe Art nouveau, et le patron debout, qui nettoyait son porte-cigarettes avec un petit flacon d'alcool. Madame, jambes croisées et bigoudis sur la tête, lisait le journal sur un coin du canapé en attendant que ses ongles sèchent.

— Les contraventions de l'auto, mais bien entendu, a dit la femme du fermier qui avait revêtu ses habits du dimanche et qui patinait sur ses varices, une mèche grisâtre lui dégoulinant sur le front. Il ne manquerait plus que tu ne fasses pas sauter les contraventions de Monsieur le Professeur, Zé. Tiens, écris-le donc sur un bout de papier pour mieux t'en souvenir.

Le quartier de HLM derrière la rue Emilia das Neves s'étendait vers Damaia, les gitans et les nègres dévoraient peu à peu la route militaire, la transformant en un labyrinthe de planches, de nattes et de tôles qui finirait par céder la place à des immeubles de trois étages avec des hirondelles de faïence sur les balcons. Déjà il n'y avait plus de troupeaux ni de processions le dimanche matin et on construisait une usine de produits pharmaceutiques sur la montée de Pedralvas.

— Je vais me présenter à un concours en province, Monsieur le Professeur, il n'y a pas de postes libres à Lisbonne, a dit le Juge d'instruction, humilié, haïssant le vieux et l'enveloppe d'argent qu'il lui glissait dans la poche, haïssant ces meubles lourds, ces vases de porcelaine, ces paysages à l'huile dans des cadres de bois sculpté sur les murs qui alternaient avec des tentures en damas. Mais soyez tranquille, je parlerai à un collègue du tribunal de police qui s'occupera de vos problèmes de contraventions.

— Asseyez-vous, asseyez-vous, une fois n'est pas coutume, a dit Madame en lâchant son journal pour retoucher son petit doigt avec un pinceau minuscule. Maintenant que tu as un fils important, Silvina, il faudra que tu ailles de temps en temps chez le coiffeur.

Quand le singe était mort, s'est souvenu le Juge d'instruction, le boiteux l'a enterré dans le jardin, la nuit, en bordure d'un petit massif de tournesols moribonds. Il a acheté chez l'entrepreneur des pompes funèbres un cercueil blanc et or pour enfant, il a suspendu une lampe à pétrole à une branche d'acacia, il a déposé dans la bière l'animal travesti de rayures colorées comme les bêtes de cirque, après avoir enlevé l'anneau de la chaîne qui lui enserrait la cheville, il a creusé un trou rectangulaire avec une croix à la tête, ornée de coquillages marins et de patelles, et l'Homme et moi, serrés l'un contre l'autre, le nez au ras du mur, nous voyions des essaims de phalènes et de moustiques affolés autour de la lampe, les choux, devenus soudain fantasmagoriques, qui brillaient dans l'obscurité, la maison qui dansait au gré des ombres, les fenêtres, les feuilles, les branches et un bac à lessive qui apparaissaient et disparaissaient comme s'ils haletaient dans le noir. Le boiteux, à genoux et portant une cravate noire, a couvert la tombe du sagouin avec un couvercle de soupière, l'a entourée de guirlandes et de cailloux colorés, a semblé sur le point de se relever, a hésité et s'est mis à pleurer tout haut, le visage dans les mains, jusqu'au moment où l'Homme, maintenant assis sur le mur, a commencé à rire, l'infirme a levé le menton, son visage luisant de larmes s'est tordu pour nous regarder avec fureur et une pierre a sifflé à mon oreille pendant que le veuf du singe trottait vers nous, cramponné à sa canne, Espèces de salauds, espèces de salauds, espèces de salauds.

— Tu veux une tasse de thé, mon garçon? a demandé Madame en tâtant la consistance du vernis avec son index. Sers-toi, ne sois pas timide, prends une tranche de gâteau, et tu viendras ensuite avec moi, je pense qu'il y a un ou deux costumes par là que mon fils ne met plus. Avec une veste comme celle que tu portes tu peux être sûr qu'aucun accusé ne te prendra au sérieux.

Nous ne pouvions évidemment pas rater un spectacle pareil et nous sommes allés épier vingt mètres plus loin, a dit le Juge d'instruction au Monsieur. Le mur de la ferme longeait le jardin du manchot, un de nos figuiers retombait sur ses légumes, ses oignons, ses pommes de terre, son persil, ses carottes, et en nous hissant sur l'arbre, la maison, petite et à un seul étage, se trouvait exactement en face de nous, la porte était grande ouverte sur la resserre ou sur un vestibule que les flammes de la lampe faisaient virevolter. Le boiteux, qui s'était mis sur son trente et un comme pour un vrai enterrement, continuait à nous insulter, furibond, essuyant la morve de ses larmes sur sa manche, nous lançant d'autres pierres, des cailloux, des morceaux de brique, les galets vert et bleu de la sépulture, le couvercle de la soupière, les guirlandes et le crucifix aux ornements marins, sa propre pelle de fossoyeur, sa canne et enfin le cercueil qu'il avait déterré de la terre fraîche avec ses mains et qui s'est écrabouillé contre le mur dans un fracas de bois, révélant le satin couleur de perle, rembourré et orné de volants, dont il était tapissé, et le corps raidi de l'animal dans son uniforme à rayures que le manchot a lancé par-dessus le mur et que la chienne est venue au galop attraper avec ses dents en grondant, pour s'enfuir avec lui, comme elle faisait habituellement avec les rats du puits, vers les arbustes où on ne distinguait plus que ses yeux fendus de carnivore acculé.

— Le coiffeur, madame, c'est pour les gens riches, a dit la femme du fermier avec un rire respectueux en rajustant son chignon. Le jour où je mettrai les pieds chez un coiffeur mon mari me tuera à coups de bâton, et alors qui est-ce qui prendrait soin de la volaille, vous pouvez me le dire?

— Cette veste est vraiment usée jusqu'à la corde, a dit Madame en tâtant la doublure du Juge d'instruction. Regarde aussi parmi mes costumes dans la penderie, Mathilde, il y a là, si je ne me trompe, des costumes en cheviotte qui ne sont pas si démodés que cela. Quand ton fils ira demander à la police de faire sauter nos contraventions, Silvina, il faut qu'il soit plus élégant qu'un prince.

Cette nuit, a raconté le Magistrat, a dû être une des dernières où nous avons vu le manchot, retranché dans sa maison, nous insulter en reniflant, casser de la vaisselle et envoyer des coups de pied dans les meubles, pendant que la lampe à pétrole sculptait les ténèbres et faisait surgir, au gré du balancement causé par le vent, des objets imprévus abandonnés par la marée du jour, paniers, bassines, une pantoufle solitaire sur la marche devant la porte, pinces posées comme des oiseaux sur la corde à linge, pauvres restes domestiques qui acquéraient au milieu des oscillations des ombres l'importance inattendue d'un chargement de galion espagnol, récupéré par des crapauds en caoutchouc portant sur le dos des bouteilles métalliques qui lâchaient des petites bulles. Même le dimanche, qui était le moment de la semaine que le boiteux choisissait pour sarcler son potager, le jardin demeurait désert, les plants de tomates languissaient sur leur tuteur de roseau et les marguerites débordaient des massifs, les rideaux s'échappaient des fenêtres fermées par les contrevents de bois, les mauvaises herbes de l'abandon empiétaient sur les dernières laitues et s'insinuaient dans les lézardes du crépi, menaçant les chambres et leurs encoignures remplies de tasses dépareillées et de verres à liqueur à facettes, les photographies de sergents, de dames laides et de bébés sur des coussins, et le lit sur lequel l'infirme s'étendait, les yeux au plafond, une théière de verveine à son chevet, attendant que les arbustes qui poussaient dans le plancher lui bâillonnent la bouche et commencent à lui déchirer la peau avec les petits couteaux de leurs épines.

— Nous avons appris par la suite que ce n'était pas du tout vrai, qu'il avait de la famille dans le Nord et qu'il était allé habiter chez des cousins à Barcelos, a dit le Juge d'un ton déçu en tapotant la cuiller à café sur le rebord de la table. Et quelques mois plus tard, un gros malin passionné d'immobilier lui a acheté sa tanière, a tout rasé et a fait construire, collé littéralement aux tessons du mur, un édifice de cinq étages qui s'est instantanément rempli de créatures discutant à tue-tête le prix du congre d'un balcon à l'autre.

— Non, attendez, à propos du manchot dans son lit, la même chose plus ou moins est arrivée à mon père, a dit le Monsieur en un petit écho affaibli tout en ouvrant son mouchoir comme un magnolia sous son nez qui le tourmentait. Un beau jour une maladie a emporté ses chèvres et le vieux a renoncé à vivre, il s'est laissé choir dans un fauteuil et ça a été la fin : on avait beau lui parler, il ne répondait pas, on l'implorait de manger et il disait Je ne veux pas, le médecin lui prescrivait des injections et il criait à l'infirmier qui brandissait sa seringue, Allez-vous-en, ma mère a même fait venir un sorcier à la maison, vous imaginez, un charlatan avec un chapeau constellé de petites étoiles qui s'appelait Nostradamus, de guerre lasse nous avons téléphoné aux pompiers pour qu'ils l'emmènent à l'hôpital en ambulance, on l'a mis sous perfusion, on lui a placé une sonde, on lui a planté un tube dans l'œsophage, il a duré une semaine en marmonnant des absurdités que personne ne comprenait et il s'est éteint. Si ce n'est pas là un suicide, je me demande bien ce que c'est.

— Juge, hein, qui l'aurait dit ? a dit l'Homme d'un ton

railleur en nettoyant sa semelle près de la cage des bergers allemands. Et pourquoi diable te balades-tu avec mes costumes sous le bras?

— Et vous vous êtes tu? a demandé le Monsieur, outragé, vous ne l'avez pas envoyé se faire voir, monsieur le juge?

— Tes grands-parents me les ont donnés, a dit le Magistrat d'un ton d'excuse, je ne voulais pas du tout les accepter, je te jure.

— Si tu te teignais en blond, je parie que les poules pondraient davantage d'œufs, Silvina, a dit Madame en repoussant le gâteau d'un air dégoûté. La cuisinière s'est déniché une aide qui n'est vraiment pas douée pour la pâtisserie.

— Pas question que tu prennes le marron, a dit l'Homme en indiquant un pantalon, il a coûté les yeux de la tête, il ne manquerait plus que tu en hérites, c'est le seul qui ne me gratte pas.

— Vous ne lui avez pas flanqué un coup de poing sur le tarin, a dit le Monsieur d'un ton indigné, vous ne lui avez pas assené une bonne torgnole. Si ça avait été moi, je vous garantis que je ne lui aurais pas mâché mes mots.

— Ça serait joli un épouvantail avec des cheveux blonds nettoyant le pigeonnier et plumant les poulets, a dit la femme du fermier en s'étranglant avec le thé, elle est devenue écarlate, s'est penchée en avant et a lâché avec soulagement un rot dans sa paume, comme on crache un pépin de citron. Madame aime bien se moquer des pauvres, n'est-ce pas?

— Ce sont tes nippes, fais-en ce que tu veux, a dit le Juge d'instruction en lui tendant le paquet, je te jure que je ne les ai demandées à personne.

Dans la cage vide, les spectres des chiens morts il y a plusieurs années s'agitaient derrière les grilles, transparents et féroces, dans un carré de gazon bordé de buis un hêtre lançait son feuillage vers le ciel. Le Magistrat a pensé que c'était le temps des cigognes, de leurs grandes ailes claires planant au-dessus de la ferme et qu'il n'y avait aucun nid sur la cheminée de la grange. Il s'est dit qu'elles avaient peut-être émigré dans la forêt en haut de l'avenue

Grão Vasco et qu'elles élevaient leurs petits sur les tuiles du collège abandonné, sans portail, où un tonnelier en tablier martelait des plaques bosselées, penché au-dessus d'un désordre d'ordures, tandis qu'un apprenti lui tenait le chalumeau, ou plus loin encore, à Amadora, où de grosses bâtisses éparses, habitées par des meutes de gitans, ouvraient leurs balcons et leurs fenêtres disjointes sur des rues qui les ignoraient.

— Le gilet marron? a demandé l'Homme, accroupi, en fourrageant parmi les étoffes, je ne trouve pas cette saloperie de gilet marron dans ce bordel de vêtements.

— Des cheveux blonds ne t'iraient peut-être pas mal du tout, a dit le patron en indiquant avec son fume-cigarette la tête de la femme du fermier. Et d'abord ça te ferait perdre au moins vingt ans.

— Heureusement que mon père était chef de gare dans l'Algarve, a dit le Monsieur d'un ton joyeux, heureusement que ni lui ni la vieille n'ont eu à travailler pour qui que ce soit. L'argent n'abondait pas mais peu importe, il y en avait quand même suffisamment pour que je décroche le grade de fourrier à l'armée. Quand je suis entré à la Brigade j'étais premier sergent des commandos avec six ans d'Afrique dans les reins, et je terminais le lycée, de justesse, dans un établissement à Lamego.

— Laisse-moi voir un peu, a dit Madame, ses ongles comme des griffes, en faisant glisser ses fesses sur le canapé pour se rapprocher de la mère du Magistrat. Pourquoi ne retires-tu pas les épingles de tes cheveux pour les laisser pendre, Silvina? J'adore les cheveux dans le dos, tu sais?

— J'ai passé mon enfance à entendre des trains et des cloches de passage à niveau, a dit le Monsieur en faisant tourner son alliance autour de son doigt, et quand je m'approchais de la porte je voyais mon père sur le quai, sifflet à la bouche et le drapeau en l'air, enveloppé d'une fumée de charbon. Nous habitions à dix kilomètres de la plage, peut-être moins, mais jusqu'à sept ou huit ans je n'ai pas su ce que c'était que la mer.

Une halte insignifiante, perdue sur un mamelon et entourée d'oliviers, un chemin de fer à voie unique qui disparaissait au milieu des orangers, la petite maison jaune qui tremblait au passage des convois, les chauffeurs installés dans la cuisine qui buvaient avec mon père, qui mâchaient du saucisson, qui léchaient du papier à cigarettes, et le bruit des grillons cachés dans les fissures de la citerne ou tapis dans un repli de terre, la lamentation des insectes et des cigales frappés d'insomnie, ma mère qui repassait dans la salle et l'odeur chaude des draps, je mettais deux heures pour aller à l'école à pied, un jour je suis tombé sur un aveugle assis sur le chemin sous un agave, un concertina sur le dos, qui essuyait la sueur de ses lunettes noires sur sa chemise et qui me fixait sans un mot avec ses orbites pourries et sèches tout en bouchant un trou dans sa botte avec du carton. Après quatre années d'école primaire j'ai travaillé comme garçon de boutique dans une droguerie à Olhão, de la droguerie je suis passé à une pharmacie, et de la pharmacie à une étude de notaire, à l'époque je vivais dans un petit appartement au coin d'une rue avec une Suissesse maniaque qui avait le quintuple de mon âge, et nous passions les fins de semaine à observer de la terrasse les manœuvres compliquées de la pêche, les chalutiers, les bouées, les bidons de gazole, les marins entortillés dans leurs filets, la paix des soleils couchants, nous nous nourrissions de liqueur de whisky et de poissons minuscules, j'avais oublié les trains et je ne me souvenais plus des grillons et comme les journaux invitaient les patriotes à s'enrôler pour la guerre je suis allé à la caserne de Tavira où l'on m'a donné un uniforme et un fusil et où l'on m'a enfourné dans un paquebot pour l'Angola, et au bout d'un an, à Carmona, j'ai reçu une lettre d'une voisine qui m'annonçait que la Suissesse était morte d'une maladie de poitrine et que son neveu avait débarqué à Lisbonne et qu'il avait emporté avec l'aide d'un costaud de l'ambassade l'argent de la banque et les meubles de l'appartement.

— Ne me touchez pas les cheveux, madame, ça me chatouille, a imploré la femme du fermier en soustrayant d'un air embarrassé sa nuque aux caresses de la patronne, rendez-moi mes épingles et laissez-moi m'en aller car les pigeons m'attendent. Non, je n'ai pas envie de porto, monsieur, ne vous donnez pas la peine de m'en verser, mon mari suffit comme ivrogne dans la famille.

— Tout compte fait tu peux garder le costume, ces vieilles guenilles ne m'intéressent pas, a dit l'Homme d'un ton condescendant en rendant le tas de vêtements au Juge d'instruction. Ce qui me fait râler dans tout ça, c'est qu'on dispose de ce qui m'appartient sans me demander mon avis.

— Un petit verre, Silvina, une goutte, une toute petite goutte, s'est obstiné le grand-père en approchant du canapé avec un verre qui débordait. Cela ne te fera pas de mal, au contraire, personne ne peut se saouler avec ça.

— Tu me jures que tu ne changeras pas d'avis d'ici la semaine prochaine? a demandé le Magistrat avec une grimace dubitative, tu me jures que tu ne m'obligeras pas à me mettre à poil si tu me rencontres dans la rue?

— Vous avez apporté de l'eau à son moulin, monsieur le juge, et évidemment le bonhomme en a profité, a dit le Monsieur, sidéré par la bêtise humaine, en secouant son double menton. Un gars à nous que nous avons infiltré dans l'Organisation il y a plusieurs mois, un moustachu qui a assisté à l'assassinat de Linhó, m'a raconté que votre ami ne cesse de tanner l'Employé de banque pour qu'on vous démolisse le portrait, il invente des histoires parfaitement fantaisistes pour les exciter davantage, il leur certifie que vous avez distribué leur photo même aux policiers qui font leur ronde, avec l'ordre de tirer à vue s'ils rencontrent quelqu'un du Mouvement, ce qui outrepasse nos instructions, et ce zèle intempestif m'intrigue.

Toutefois ce n'était pas seulement dans le potager du boiteux que s'élevait un immeuble plein de balcons vitrés, a pensé le Juge d'instruction: même la vieille poste, installée dans une villa avec des palmiers dans le jardin, même le patronage, même le terrain de football, même la route de Poço do Chão où sa mère allait chercher du lait de bon matin, un bidon d'aluminium à chaque main, dans une étable qui puait la bouse, où les veaux attachés à la mangeoire par des anneaux qui leur perçaient le nez ressemblaient à des rochers osseux, avaient cédé la place à des quartiers d'immeubles sans ordre ni mesure, séparés par des chemins que l'automne rendait boueux et habités par des secrétaires tristes qui sautaient de pierre en pierre de peur d'éclabousser leur jupe. Des agences de voyage, des instituts de beauté et des temples réformistes remplaçaient les cours dallées d'autrefois et les cages de canaris au soleil, à l'extérieur des fenêtres. De la grande maison on n'apercevait plus Pedralvas ni les collines de la Pontinha, on ne voyait plus que des façades et des arrières de bâtisses mornes, des locataires ternes, des lustres en plastique au plafond. La queue du moulin avait cessé de tourner en quête de vent, les figuiers sevrés de lumière exhibaient leurs racines cartilagineuses, les agapanthes bourdonnaient de fièvre parmi les mottes des massifs, les pigeons privés de leur horizon d'ormes ne parvenaient plus à s'orienter aux environs de Monsanto, mon père, accroupi dans la rigole d'irrigation, une bouteille entre les genoux, assistait avec perplexité à l'agonie des choux et des navets. Même les statues de faïence du jardin avaient vieilli de plusieurs siècles, la poitrine à l'air, la respiration gênée par le crépitement des rosiers. Il ne restait que les poules exaspérées qui faute de maïs picoraient leurs propres œufs et les chardonnerets qui mordaient les cerises jetées à terre par les arbres.

— Halte-là, a dit l'Homme en arrachant une branche de néflier et balayant les feuilles pourries du verger, qu'est-ce que c'est que cette histoire idiote selon laquelle je voudrais que tu sois mort? Je leur dis ce que tu me dis de leur dire et je leur donne les papiers que tu me refiles, c'est tout. Maintenant si ça t'énerve que je t'obéisse, alors là franchement je ne comprends plus.

Sur une suggestion du Monsieur, ils se parlaient le dimanche après le déjeuner, dans la ferme de Benfica envahie par les herbes sèches où le fermier, toujours ivre, titubant sur ses jambes maigres, cramponné à un outil qu'il ne parvenait pas à soulever, secouait de sa blouse les mille-pattes et les araignées de son délire animal. Le Juge d'instruction, arrivé plus tôt, redoutait les fenêtres, les vérandas et les balcons vitrés qui l'espionnaient au-dessus du mur couronné de tessons de bouteille et derrière lesquels se cachaient de féroces révolutionnaires, armés de fusils de haute précision qui cherchaient son aorte avec l'œilleton de leur arme. L'Homme arrivait de la serre où les plantes carnivores, privées d'une poigne qui les dompte, s'entre-dévoraient avec l'impitoyable voracité des poissons, il marchait sous les noyers suivi de la chienne percluse de rhumatismes, si pelée et si vieille que la moindre marche l'exténuait, qui ne s'intéressait plus ni aux oiseaux ni aux rats et qui flairait une tache de soleil sur les poireaux pour ragaillardir son corps épuisé.

— Tu ne peux donc pas rester tranquille pendant que je te parle ? a dit le Juge d'instruction avec indignation en parcourant d'un œil craintif les dizaines de vitres autour de lui et secouant les pétales de son épaule. Le moustachu qui est allé comme vous à Linhó est de la police, c'est lui qui nous a prévenus que tu insistais auprès de l'Employé de banque pour qu'il me balance un pruneau comme au repenti que vous avez descendu à Galamares, j'en sais beaucoup plus que tu n'imagines, mon petit coco. Et pour ta gouverne, sache qu'en ce moment même la propriétaire de la maison de Sintra doit être en train de se confesser dans le bureau de la Judiciaire.

— Les cigognes, a dit l'Homme, le nez en l'air, en secouant le coude du Magistrat avec une grande excitation. Il y a une cigogne sur la cheminée de la grange, Zé.

En effet, au-delà de la roseraie mal soignée et du toit chancelant des poulaillers, du pigeonnier qui reposait sur des pieux tordus par des coliques de vermoulure, au-delà de la cage des bergers allemands, des bancs tapissés de carreaux de faïence ébréchés et des statues estropiées, sans membres ni lèvres, avant l'épais volume asymétrique de la maison de maître, une cigogne raclait du bec le sommet de la cheminée, préparant l'endroit pour les aiguilles de pin et les brindilles du nid. Un deuxième oiseau volait lentement en cercle au-dessus de la porcherie, sans remuer les ailes, à la recherche de boue, de chaux, de bouse de vache, de foin, de pommes de pin, pour étoffer la houppe qui s'élevait à contre-jour, conformément à un savoir-faire de modiste. Les mandariniers emmaillotés d'herbes, couverts de parasites et de champignons, étaient constellés de petits fruits anémiques, dans la villa de la musique le violon zigzaguait d'échelle en échelle dans un exercice sans queue ni tête. Le Juge d'instruction a défait le nœud de sa cravate en tremblant d'un enthousiasme enfantin :

— L'escabeau est toujours à l'endroit habituel? a-t-il demandé à l'Homme en éprouvant la souplesse de ses cuisses qu'il a saisies à la hauteur des genoux. On grimpe là-haut pour les voir de près?

Si vous voulez vraiment savoir comment tout s'est réellement passé, demandez à votre dactylographe de noter que j'ai fait la connaissance de Venâncio à la Caisse générale des dépôts de São João do Estoril où je vais toucher mon salaire depuis que les médecins m'ont mise à la retraite à cause des becs de perroquet sur ma colonne vertébrale. Quand on se rend de Cascais à Lisbonne, on tourne au feu rouge à gauche, on traverse la ligne de chemin de fer et ensuite il faut continuer à grimper parmi les immeubles, presque jusqu'en haut, entre un centre commercial et le salon de thé *Au Gâteau Fondant* où je m'asseyais avec une amie veuve qui s'appelle Lurdes, plus vieille que moi de dix kilos, et qui est ma collègue de bureau au ministère de l'Agriculture et des Pêches sur le quai des Colonnes où nous nous amusions à additionner des eucalyptus et des congres, calculant sur nos doigts la richesse de l'État. Lurdes habite dans un deux-pièces presque en face de la banque et elle passe ses soirées, vêtue de saris mirobolants, à faire des crêpes, entourée de milliers de miniatures de la tour des Clérigos de son mari facteur qui avait la nostalgie de Porto, un gars à bicyclette dont le guidon s'est cassé un beau jour et qui était allé emboutir un arbre à Alcabideche, il avait la moelle épinière écrasée mais il a continué à pédaler par pure obstination sur son tas de ferraille démolie.

Donc, au début de chaque mois je venais de Linhó dans ma vieille Citroën, m'embrouillant dans les leviers et les pédales car je n'ai jamais rien compris aux automobiles et le bruit du moteur m'effraie, je brinquebalais sur les rails du passage à niveau, je gravissais la colline vers la maison de Lurdes, me trompant de vitesse, sentant dans mon dos la mer couleur de printemps dans un jardin et le grand bateau couché sur le flanc qui s'était échoué sur les rochers en hiver, au milieu d'un bouquet de villas, et que j'imaginais couvert de lierre et de cresson. De là nous allions toutes les deux à la Caisse, elle toute tintinnabulante de bracelets, parlant très haut et fumant de longues cigarettes égyptiennes, moi emprisonnée dans ma jupe moulante qui me permettait tout juste une petite démarche tressautante de grillon. Nous prenions place dans la queue devant le guichet des paiements protégé par une vitre d'aquarium où des poissons indolents en bras de chemise bavardaient les uns avec les autres, se penchaient vers des secrétaires en train de feuilleter des papiers, répondaient au téléphone, souriaient, criaient des sobriquets, remplissaient des formulaires et tendaient de temps en temps, pour se distraire, quatre ou cinq billets de banque à une paume tendue qui nous croisait en se dirigeant vers la sortie avec l'air d'onction de quelqu'un qui revient d'une eucharistie pascale. Un fois servies, nous déjeunions de gâteaux secs et d'une tasse de tilleul au *Gâteau Fondant*, avant la paire de baisers d'adieu sur le trottoir à côté de la voiture, à l'heure où la mer se teintait de lilas et où les mouettes se faufilaient dans les cabines du bateau échoué pour dormir juchées sur les planisphères, les compas et les instruments nautiques. Et je restais à Linhó jusqu'au mois suivant, tricotant pour mes neveux des pull-overs et des écharpes qu'ils ne mettraient jamais mais qu'ils acceptaient avec un sourire gêné en regardant les arbres énormes que le soleil peignait sur le balcon et qui la nuit venue couvraient la maison d'un voile de feuillage.

Venâncio, j'arrive à lui, monsieur, mais si vous me bousculez vous allez m'embrouiller toute mon histoire, j'ai rencontré Venâncio pour la première fois il y a un an et demi à peine, je me souviens que c'était en septembre parce que j'étais revenue depuis peu d'un mois de vacances avec Lurdes dans une pension à Sesimbra, passé à paresser sur la plage, elle et moi étendues sur des serviettes de bain, coiffées d'un chapeau de paille avec un ruban, luisantes de crème, au milieu des chalutiers des pêcheurs et des chiens qui flairaient les entrailles des poissons au milieu des stries de goudron et de pétrole de la marée basse, et parce que j'étais arrivée à Linhó avec une allergie faciale à cause de nos dîners de crustacés, consommés dans des brasseries au comptoir, marteau de bois au poing, et arrosés d'une chope de bière dont la mousse débordait sur nos doigts. Les pilules que le médecin du poste de secours m'avait prescrites ont modifié mes règles et m'ont aigri le caractère et la bouche, et je restais entre mes draps, comme dans un linceul, à écouter le murmure des ténèbres, sans pouvoir dormir. De retour à Linhó, mes vêtements rangés dans les armoires, quand je me suis vue dans le miroir au moment de prendre mon bain j'avais des rides inattendues sur le visage, ma poitrine tombait, mes cuisses m'étaient étrangères et j'ai compris alors que je vieillissais sous ma coiffure impeccable et sous le déguisement du maquillage.

— Ne t'en fais donc pas, pour une femme de cinquante ans tu es très bien, les hommes continuent à se retourner pour lorgner tes fesses, m'a dit Lurdes pour me consoler, pendant que nous faisions la queue à la banque, en brûlant la nuque du retraité devant nous avec la braise de sa cigarette. Un peu de musculation et un régime sans calories te remettront la carcasse en état, et si tu ne te remaries pas c'est parce que tu ne le voudras pas.

Mais pour en venir à ce qui vous intéresse, monsieur, car on ne m'a sûrement pas envoyé un policier chez moi pour que je lui parle de bourrelets sur le ventre, le fameux été des allergies c'est un employé différent qui s'est occupé de moi, petit et maigrichon, en complet-veston malgré la chaleur, et qui de près me faisait penser à un défunt sorti de son cercueil pour effrayer les vivants, pâle, fripé, solennel, avec des orbites rouges et humides, sans presque un seul poil sur la tête, maniant l'argent avec des petites pattes de moineau, sourd à ses collègues et au téléphone qui sanglotait à grands cris sur son socle, et qui en me remettant ma pension a plongé pendant plusieurs instants dans le décolleté de mon corsage à ramages des pupilles qui se sont vite rétractées pour tamponner avec application des rectangles de papier.

— Madame Berta? a-t-il demandé en avançant son nez vers ma verroterie de chez Lobito et vérifiant le nom sans daigner accorder un seul regard à Lurdes qui explosait dans un bustier phosphorescent et qui chassait la chaleur avec un éventail sévillan garni de franges, de sequins et de paillettes argentées, et qui s'amusait à dévorer des yeux le gérant, un brun hautain avec une moustache grisonnante qui fumait la pipe et prenait des poses de duc, installé à un bureau de ministre et expédiant des dossiers.

Du *Gâteau Fondant* on n'aperçoit pas la mer, on ne voit que des immeubles et encore des immeubles, des entrées de garage, des vestiges de murs de petites fermes dont il reste un cèdre et un mul calciné, mais la lumière de l'eau se reflète sur les façades en une ondulation continue, comme si les marées des équinoxes venaient mourir sur les gâteaux à la crème et sur les théières en métal et que des algues colorées voguaient dans la clarté des appliques, étalant leurs membranes sur les nappes à carreaux. Sur les tables tout autour, des dames dépourvues de taille, avec des bagues et des alliances enterrées dans les chairs, tenaient leur tasse en tendant le petit doigt et retiraient les miettes de leur rouge à lèvres avec un pli de leur serviette, comme si elles séchaient des larmes.

— Si ça se trouve cet imbécile de gérant aime ce genre de créature, je n'ai jamais vu plus ballot qu'un homme, a dit Lurdes avec tristesse, sa cigarette allumée, en cherchant son succédané de sucre pour le tilleul dans son sac en fil de soie. Une femme comme moi, intelligente et libre, ça leur fait affreusement peur.

Cela ne l'empêchait pas de m'obliger à attendre jusqu'au crépuscule, une galette d'*arrow-root* à la main, que le dernier essaim de retraités quitte la banque, qu'un employé ferme les portes avec une grimace de soulagement, que le gérant entre au *Gâteau Fondant*, solennel comme un doge et fumant comme un cargo, bouleversant avec sa moustache poivre et sel les dames aux mains baguées qui s'évanouissaient à son passage dans leur tarte aux cerises, et qu'il aille s'installer dans un coin pour faire les mots croisés du journal du soir devant une batterie de cafés.

— Nous allons lui envoyer un billet à ton nom pour l'inviter à notre table, a décidé Lurdes d'un air résolu en faisant claquer l'éventail de la ménopause avec un bruit de persiennes qu'on remonte. Écarte-toi un peu de la table, croise les jambes, remonte ta jupe et je ne te dis que ça.

Elle a griffonné au verso d'une carte de visite avec son crayon à paupières, elle l'a confiée au serveur en lui chuchotant d'interminables recommandations et elle s'est adossée à son siège pour ventiler ses opulentes épaules avec l'éventail à nouveau déployé, surveillant le messager qui contournait docilement, un plateau sur le bras, un laby-rinthe de chaises, de pichets de sangria, de coupes de mousse au chocolat et de mèches rousses, pour se fondre enfin dans une grappe de sexagénaires qui faisaient étinceler des bracelets autour d'une cruche de limonade où une cuiller en bois était plantée verticalement dans la glace.

— Le mec ne tardera pas à rappliquer, a affirmé Lurdes, presque debout sur sa chaise, le cou comme un télescope, cherchant de toutes parts les mots croisés du gérant. Aide-moi un peu, remonte ta jupe, si je n'étais pas en pantalon tu verrais.

Ce doit être à ce moment-là que les réverbères se sont allumés dans la rue, la gare était bourrée de monde, des chariots se bousculaient à la sortie du supermarché, les murs et les cèdres des fermes laissaient échapper les premières chauves-souris, et je me suis souvenue que j'avais passé mon enfance tout près de là, à proximité d'un terrain sablonneux où paissaient des chèvres, écoutant le glouglou de l'eau qui bouillonnait entre des touffes de roseaux et me réveillant dans une chambre illuminée d'écailles, comme l'intérieur d'un oignon. Dans celle de mes parents, malgré les rideaux, un oratoire flottait dans la poussière du soir avec ses saints tragiques et un rosaire en ivoire pendait de l'armature métallique du lit qui brûlait comme des cierges d'église au-dessus de la blancheur amidonnée des draps.

— Vous n'avez pas oublié de donner le billet? a

165

demandé Lurdes au serveur en cherchant la moustache du gérant d'un air soucieux.

Et moi, qui ne suis pas une fana de la pipe et à qui le tabac donne mal au cœur, j'ai pensé que j'allais rentrer tard chez moi, que le chat affamé se frottait depuis des heures au réfrigérateur dans la cuisine, après avoir tournicoté autour de son écuelle vide, attendant le sac en plastique qui contenait le poisson durci par la glace, si bien qu'après avoir garé ma voiture, phares allumés, dans la remise au sol fissuré par les racines d'un peuplier derrière la maison, et après avoir offert une queue de poisson à l'impatience de la bête qui s'enroulait en spirale autour de mes jambes, je m'assiérais au salon, pieds nus, et je mangerais du chocolat de régime pour faire fondre la cellulite autour de mes hanches qui me condamne, même en août, au martyre d'une gaine, quand une petite voix de poupée a articulé au-dessus de nous, Merci beaucoup pour votre aimable invitation, madame Berta. L'éventail de Lurdes s'est déployé dans un crépitement de paillettes avec une fureur bouffie de dindon, sa bouche s'est étirée rageusement et je me suis trouvée face à face avec l'insignifiant employé fripé de la banque, carte de visite dans une main et verre de groseille dans l'autre, qui approchait une chaise avec sa semelle, qui s'asseyait entre nous deux, qui lissait les manches lamentables de sa veste, qui tendait son briquet à la cigarette dédaigneuse de Lurdes, laquelle tambourinait sur la nappe, sans même le regarder, avec ses ongles au vernis phosphorescent, pendant que le galant à la pipe, son journal sous le bras, passait à côté de nous d'un air impérial, sans nous voir, et se dirigeait vers la sortie en soufflant des rouleaux de locomotive par le coin de sa bouche.

— Voudriez-vous une groseille, mesdames? a proposé le petit homme avec une jovialité soumise. (Un livre recouvert de papier d'emballage déformait une de ses poches, une panoplie de stylos en désordre hérissait la poche de sa veste.) Bien fraîche, avec du sucre, il n'y a rien de mieux contre la chaleur.

Son menton mal rasé, avec une crevasse blanchâtre sur la lèvre, dévalait en plis successifs jusqu'au col pas très propre de sa chemise qui ressemblait aux fripes des ventes de charité du curé à Noël, la bordure de ses paupières, roussie par une infection quelconque, dévorait la moitié de ses orbites, le cuir de ses souliers était strié de vergetures et de cicatrices, il portait au médius un anneau avec des initiales entrelacées et il avait une ossature frêle et spongieuse d'oiseau capable de voleter en heurtant le comptoir et les meubles du salon de thé, à la recherche d'un saule pour la nuit.

— A cette heure, une groseille ça fait du bien, a déclaré l'Employé de banque, toujours du même ton obséquieux, en agitant le liquide avec le bout de sa paille. J'ai lu dans une revue qu'en été nous perdons une quantité énorme de liquide.

Il tenait encore d'un air grave le billet entre l'index et le pouce, fuyant mon décolleté quand il parlait et fixant son regard sur un point imprécis de mon visage entre le nez et la bouche. Les quelques cheveux qui lui restaient se hérissaient sur ses tempes, les taches de rousseur sur ses joues s'enflammaient de timidité et d'audace. Ça ne m'aurait pas étonné qu'il vende des billets de loterie pendant ses heures libres après le travail, son fils en haillons trébuchant entre ses genoux.

— La carte n'était pas pour vous, espèce de nigaud, le serveur s'est trompé, je ne vais pas le payer, a dit Lurdes en fermant son éventail avec indignation, puis rangeant ses cigarettes dans son sac en fil de soie, renversant l'assiette de gâteaux et se précipitant vers la porte. Je serai chez moi en train de faire des crêpes, passe plus tard si tu veux.

Ça vous paraîtra peut-être bizarre, monsieur, mais je ne suis pas passée chez elle, et c'est d'autant plus bizarre que je raffole des crêpes à la compote de cerises et que j'ai renoncé à au moins trois docteurs pour maigrir qui m'ont aussitôt interdit les compotes après m'avoir pesée en soutien-gorge et slip, aidés par des auxiliaires portant une coiffe, sur des balances où les chiffres tournoyaient dans une petite fenêtre chromée. Au *Gâteau Fondant*, presque désert, on servait maintenant des dîners de pot-au-feu à des messieurs solitaires qui respiraient bruyamment, le nez dans leur soupe, ou qui se curaient les dents en fourrant leur manche dans la bouche jusqu'au coude. Les phares des autos surgissaient et disparaissaient sur les vitres, Lurdes m'attendait en pestant contre moi et en brûlant des bâtonnets d'encens devant ses crêpes déjà froides, et moi je grignotais un biscuit à la vanille, ayant oublié le chat qui lacérait les coussins du canapé de ses griffes désespérées, j'écoutais le petit homme fripé m'expliquer qu'il avait été muté récemment de la succursale d'Azeitão et qu'il habitait une chambre meublée près de la baie de Cascais, se réveillant en sursaut à l'aube à cause des manœuvres des camions de la criée et des vociférations des marins pêcheurs, se réveillant avec le halo lumineux de la mer qui paralysait ses rêves et qui inquiétait son sang avec le parfum des vagues. J'avais oublié la confiture de cerises et les bouderies de Lurdes qui jetait avec dépit ses crêpes dans le seau à ordures et qui marmonnait des paroles de colère, j'écoutais un discours interminable sur la responsabilité qu'entraîne le fait de travailler avec de l'argent, sur son salaire minuscule, sur l'incompréhension des clients, sur les querelles avec ses collègues de bureau inattentifs qui se trompaient dans les numéros de chèque ou dans le décompte des billets de banque, je m'habituais peu à peu à sa laideur négligée, à l'ourlet tordu de son pantalon, à sa cravate qui tirebouchonnait autour de son cou comme une corde de pendu, je m'habituais à son crâne pelé et aux gestes de nouveau-né de ses petites mains de moineau, moi, la fille d'un avocat à Mirandela et d'une dame qui possédait plusieurs oliveraies et plusieurs propriétés dans les villages avoisinants, je me suis entendue dire avec surprise, hébétée par le vacarme de couverts autour de moi, Il est tard, vous ne voudriez pas venir dîner chez moi, je vous ferai une omelette rapide et je vous raccompagnerai à Cascais, j'ai payé mon tilleul et ses groseilles et j'ai marché avec des petits sauts d'insecte dans ma jupe moulante, le désir de l'Employé de banque collé à mes fesses, et dehors j'ai regardé en l'air, dans l'obscurité, Lurdes nous guettait de sa salle de bains au cinquième étage, penchée en silence à l'appui de la fenêtre comme une lune obèse, crépitant de haine, couronnée d'un fichu à ramages et de bigoudis. Les derniers clients sortaient du supermarché, leurs emplettes à la main, et en me dirigeant vers les feux de circulation d'Estoril je me suis souvenue qu'à cette heure ma mère ouvrait le balcon sur les ténèbres pour respirer l'odeur des rochers, des pommiers et des hêtres qui entrait en même temps que les hannetons du crépuscule, renversant les canapés d'osier couverts de couvertures et de draps.

J'ai recommandé au petit homme de rester dans la voiture pendant que j'ouvrais le portail pour que ma belle-sœur ou mon frère ne l'aperçoivent pas de la villa derrière la mienne, j'ai attaché les serra da estrela, les femelles et le mâle, pour qu'ils ne déchirent pas son fond de pantalon, j'ai rangé la voiture dans le garage et nous sommes entrés par le vestibule de la cuisine où s'entassaient des galoches, des parapluies, des bouées et tout un attirail pour catastrophes destiné aux hivers à Linhó qui font penser à un pont de navire battu inlassablement par des flots qui transforment les arbres en coraux submergés.

— Une jolie villa, il n'y a pas à dire, a déclaré l'Employé de banque d'un ton élogieux en marchant précautionneusement sur le carrelage comme si c'était un terrain miné, il examinait les saintes en bois sculpté et les photos sur les commodes, il scrutait les gravures, les livres et les dentelles, et il s'installait enfin, comme sur un trône, dans un énorme fauteuil à bras surmonté d'une coquille Saint-Jacques en bois d'acajou. Une jolie villa, pour sûr, et d'une propreté qui réjouit le cœur.

J'ai dressé la table avec une nappe brodée d'oiseaux et de fleurs, le service neuf et les couverts en Christofle de mon parrain, je me souviens que quand j'étais petite il tirait le tiroir d'une encoignure et il en sortait une fourchette à poisson qu'il me montrait en la tournant d'un côté et de l'autre pour que je puisse en apprécier le brillant et l'orfèvrerie, et il me déclarait en la rangeant de nouveau, Ça t'est destiné, petite, quand je mourrai ça t'appartiendra, ainsi que les bois et le sable de la Formosa, j'ai apporté une bouteille de vin vieux dont le bouchon s'est désagrégé dans le goulot en mille miettes de liège et que j'ai dû pousser vers le bas avec le doigt, j'ai donné sa tranche au chat qui m'a fuie d'un air fâché et qui est allé se cacher dans

169

le panier à linge de la machine à laver, j'ai versé deux omelettes au fromage dans le pyrex, je les ai ornées de persil, de mayonnaise et de rondelles de tomate et quand j'ai ouvert le battant de la porte qui menait au salon avec la pointe de mon soulier j'ai senti une petite serre cartilagineuse m'entourer la taille, une haleine aride et réchauffée par le tabac souffler dans mon cou, une deuxième serre agripper maladroitement ma poitrine, et la petite voix humble a ordonné en bousculant les mots, Oublie les omelettes, Berta, où est la chambre à coucher? de sorte que j'ai abandonné le pyrex sur la nappe, j'ai repoussé le couvre-lit, j'ai rangé mes bagues dans la coquille en nacre des bracelets et des chaînes, j'ai pris dans le placard à vêtements un oreiller garni de volants pour lui, et au moment où le petit homme, qui s'était mis nu, a commencé à m'embrasser, insérant ses paumes moites entre mes cuisses et plantant ses dents dans mes anneaux d'oreilles, j'ai fermé les yeux, j'ai entouré ses hanches efflanquées de mes bras, et quand il m'a pénétrée en gémissant, je ne sais pourquoi les jours de mon enfance me sont revenus en mémoire, mon parrain dans la grande maison sur la place bourrée d'ex-voto, gros, poilu, avec une moustache et une montre au bout d'une chaîne sur son gilet, ouvrant le tiroir de l'encoignure pour nous exhiber avec orgueil, à mes parents et à moi, une fourchette en Christofle, et annonçant avec une solennité de clown, Tout ça c'est pour la petite, Abílio, absolument tout, c'est écrit chez le notaire, elle hérite de mes vignes, du blé, du maïs, des terres en fermage et même de cette ruine qu'est la chapelle. Je ne sais si vous comprenez, monsieur, l'Employé de banque était en train d'aller et venir, en avant, en arrière, de geindre et de souffler dans le creux de mon cou, et moi j'étais étendue sur le dos, mes paupières flottaient au plafond, mais je n'étais pas là, sous les assauts du type, mais avec des bottines et des nattes comme sur certaines photos que j'ai gardées dans un album, adossée à un piano droit dans un salon plongé dans la pénombre dont les fenêtres à guillotine donnaient sur des montagnes et encore des montagnes où il pleuvait toujours et sur les champs d'oliviers bossus au loin, séparés par des murets

170

de pierres géométriques, et j'assistais à la conversation des adultes, énormes, autour d'un plateau de tisanes. Et après s'être lavé, pendant que l'Employé de banque soufflait de fatigue, la tête sur mon ventre, j'ai vu mon parrain mort dans la chapelle, l'odeur des cierges, d'innombrables femmes en noir, des grappes d'hommes qui fumaient sur le parvis sous les mûriers, mon père qui me soulevait par les aisselles pour que j'embrasse le mort, des couronnes de fleurs, des panneaux représentant des martyrs, et un prêtre chauve avec des narines protubérantes qui aspergeait le cercueil d'eau bénite.

A partir de cette nuit-là, Venâncio a commencé à me rendre visite le mardi et le vendredi, après la fermeture de la Caisse générale des dépôts, les doigts invariablement entortillés dans la ficelle d'un petit paquet pour le dîner, éléphants et panthères en chocolat, boîte d'œufs qui crachaient leur blanc sur le tapis, petits pâtés de morue dégoulinants d'huile, gâteaux poisseux de crème. Je soignais ma toilette, raccourcissais mes jupes, élevais mes talons, élargissais mes décolletés, dénudais mes clavicules malgré l'absence de sève de mes muscles et de ma peau, ornais ma poitrine de colliers mexicains qui tintinnabulaient de grelots, et je cuisinais, un tablier par-dessus le satin des corsages de fête, mes sempiternelles omelettes au fromage décorées de légumes que l'Employé de banque, couverts en Christofle à la main et pupilles plongées dans les escarpements de ma poitrine, plantait là au beau milieu pour me peloter les reins avec ses petits doigts d'oiseau en désignant la chambre d'un menton impérieux, Allons là-dedans, Berta, je ne tiens plus. Il déchirait presque mes vêtements dans sa brusquerie, il défaisait la laque de mes cheveux, il mordait la base de mon cou avec des petits suçons répétés, il m'obligeait à garder mes bijoux et mes souliers, il se débarrassait de son costume immonde, de la bandelette de momie qu'était sa cravate, de sa chemise dont les pans lui arrivaient aux genoux et de son slip sans élastique, et il s'abattait à côté de moi, chaussettes aux pieds, renversant des cygnes de porcelaine et une boîte de poudre de riz en écaille que Lurdes m'avait offerte à Noël, je soupirais Venâncio d'un ton de reproche, craignant que s'il continuait ainsi il ne me détruise la maison, le petit homme redoublait d'ardeur et me caressait les pieds, je cherchais des yeux le lustre au plafond et je me retrouvais à Mirandela, le lycée fini, disant au revoir à mes parents sur le quai de la gare d'un train en partance pour Lisbonne, un soupirant pharmacien, triste et discret, à côté de mes vieux, dans un nuage de vapeur qui m'empêchait de voir son chagrin.

Au bout de quelques semaines Lurdes a coupé les ponts avec moi par téléphone, furibarde de jalousie, me prévenant que les crêpes à la compote de cerises étaient finies pour toujours et m'avertissant que s'il lui arrivait de me rencontrer en compagnie de l'Employé de banque au *Gâteau Fondant*, elle déverserait la théière de tilleul sur sa calvitie car elle n'admettait pas une trahison pareille après vingt ans d'amitié, et comme au même instant Venâncio s'évertuait à dégrafer mon soutien-gorge j'ai raccroché sans lui répondre, préoccupée par les phalanges qui ne meurtrissaient les côtes, par le souffle d'animal minuscule qu'il promenait sur mon dos, par la boucle de sa ceinture qui m'éraflait la colonne vertébrale, attendant la requête habituelle Allons dans la chambre, Berta, sinon un malheur va m'arriver ici même et je faisais oui de la tête, je me levais, je me dirigeais vers le lit sur mes talons vertigineux, remorquant le petit homme qui se cramponnait à mes jambes, c'était dimanche et les chrysanthèmes du massif à côté du garage dardaient leurs frêles feuilles claires, des taches de soleil émergeaient obliquement des arbres et frappaient la maison de leur scintillation miraculeuse, la Cène circulaire achetée à Mafra resplendissait sur le mur, Venâncio examinait les apôtres et disait, Il faut que j'amène ici le père Dimas pour qu'il voie ça, c'est un passionné d'art sacré, tu ne peux imaginer, Oui, le père Dimas, je suis sûre du nom, pourquoi me demandez-vous de répéter, vous le connaissez? un homme grand et maigre, qui porte le col romain et la soutane, la quarantaine et quelques, curé dans une paroisse de Queluz, qui appelle tout le monde mon fils, non ce n'est pas le prêtre sur la photo, celui-ci est plus maigre, il porte des lunettes et se coiffe en arrière, et il est resté un temps infini à regarder les saints avant de faire un tour dans la maison pour examiner les alentours, suivi des serra da estrela qui se collaient à ses jupes, Votre villa est très isolée, madame, si on excepte cette maison là-bas, derrière les buis, et de l'Employé de banque, sans se faire prier, Elle appartient à son frère et à sa belle-sœur, Dimas, ce sont des personnes très retirées, très discrètes, ses neveux ne viennent la voir que si elle les appelle, personne d'autre n'habite à cent mètres à la ronde, c'est extrêmement paisible et si tu ne veux pas être vu tu fonces vers le portail et ça y est. A première vue, ça fait l'affaire, a dit le père Dimas en bénissant en latin un néflier mourant, mais à ta place j'enverrais l'étudiant ou quelqu'un du Comité de coordination explorer la zone avec soin pendant un certain temps, et moi, surprise, je redressais une marguerite, De quoi parlez-vous donc, je n'y comprends goutte? Nous songeons à implanter une œuvre de charité dans les parages, a expliqué le père Dimas en posant sa main sur mon épaule, avec tous ces communistes en liberté le pays a grand besoin d'un travail pastoral sérieux, nous avons déjà un petit groupe de fidèles qui se réunissent pour discuter les Écritures et les enseignements de Dieu, un mois plus tard Lurdes a retéléphoné, plus calme, pour me proposer un rendez-vous au *Gâteau Fondant* pour que nous fassions la paix au milieu des gâteaux de riz et des langues de chat trempées dans une tasse de tilleul, mais Venâncio m'occupait maintenant à plein temps, je lui achetais des pull-overs convenables, je lui lavais son linge, je remplaçais ses caleçons à boutons, je l'obligeais à prendre des bains et à se brosser les dents, à se désodoriser les aisselles, à se mettre de l'eau de Cologne et à se couper les ongles comme il faut, les chiens, familiarisés avec lui, ne levaient même plus la tête dans la remise quand il entrait et quand j'étais allée à Mirandela par le train toucher le loyer de la Formosa, je prêtais la clé de la porte à l'Employé de banque pour qu'il puisse dormir loin du supplice des moteurs des chalutiers et des vociférations de la criée et parfois, quand j'arrivais, je trouvais un groupe de barbus en train de siffler mon whisky sans cérémonie et de discuter religion autour de la table. Des individus bizarres, monsieur, l'un d'eux ressemble d'ailleurs à cette photo, presque tous avec des mines peu amènes et des lunettes, prenant des notes sur des calepins, je m'asseyais devant la télévision, je sortais mon tricot de la corbeille et j'attendais qu'ils s'en aillent en terminant un gilet, jusqu'à rester seule avec Venâncio, à parler d'omelettes et de chèques, en attendant qu'il me pousse vers la chambre, renversant les bibelots et se cognant aux meubles, pour que je puisse regarder le lustre au plafond et me souvenir des oliviers de Trás-os-Montes, la nuit, vus du petit salon qui avait appartenu à mon parrain et qui maintenant est à moi, écoutant le tic-tac de l'horloge, le trottinement des souris dans les lambris du plafond et le bruissement désordonné des arbres, pendant que le vieillard mort me montrait une fourchette en Christofle qu'il sortait du tiroir de l'encoignure et qu'il tournait devant moi, d'un côté et de l'autre, avec un sourire de satisfaction.

— Explique-moi un peu comment je peux avoir confiance en toi ? a dit le Juge d'instruction d'un ton fâché en se collant contre le mur de la ferme pour éviter les fenêtres des immeubles : il y avait sûrement à chacune un Libyen armé d'un fusil qui suivait ses mouvements avec une lunette d'approche et les pruniers du potager grinçaient comme d'antiques crédences. Je te raconte en passant, par pure amitié, que la police a infiltré un sous-marin dans l'Organisation et la semaine suivante on le retrouve flottant dans le Tage, les poignets attachés dans le dos et une balle dans l'oreille. Comment est-ce que je vais pouvoir justifier cela auprès de la Brigade, triple imbécile ?

— Nous l'avons repêché dans les égouts à Algés, a dit le Monsieur en chassant des souvenirs déplaisants avec ses paumes. Coincé dans un de ces tuyaux à côté de la plage qui déversent dans la mer les eaux usées de la ville. Il est évident qu'il y a eu délation, j'ai même pensé que vous-même, monsieur le juge, vous aviez laissé échapper par inadvertance que ce type travaillait pour nous.

— Moi, répéter là-bas ce que tu me racontes ? a dit l'Homme avec irritation en cassant une branche. La seule chose qui m'intéresse c'est d'en finir au plus vite avec cette histoire.

Les cigognes avaient terminé leur nid sur la cheminée de la grange et elles planaient autour, entre Venda Nova et l'église, en une perquisition aérienne. Seuls les figuiers sauvages résistaient dans le verger où les arbres dévorés par le mildiou et les mauvaises herbes se mouraient et se transformaient en squelettes décrépis, penchés au-dessus du puits moussu. Dans la porcherie vide, le ciment se craquelait en mille fissures d'où surgissaient des lichens, les rigoles d'irrigation étaient obstruées de terre, des mèches de gazon envahissaient le potager et poignardaient les laitues. Le père du Juge d'instruction, assis sous la treille, laissait errer ses yeux hébétés par le vin sur la roseraie qui s'étiolait et sur les bassins bourbeux où les poissons flottaient à fleur d'eau, le ventre en l'air et les nageoires immobiles, fixant les tonnelles de leurs pupilles vides.

— Il est évident qu'il a été tué avant, dans une pinède quelconque, des aiguilles de pin collaient encore à sa chemise, et placé là ensuite, attaché à l'égout par un cordage de bateau, a précisé le Monsieur en consultant d'avant en arrière et d'arrière en avant un bloc à spirales. Un gamin qui pêchait la crevette près du ponton est tombé un matin sur le corps, qui était chaussé et tout, avec une croûte sanguinolente à l'oreille. Un agent avec plus de vingt ans de service, monsieur le juge, et qui connaissait la musique, il est impossible qu'il n'y ait pas eu une fuite.

— Ton père pourrait s'occuper un peu mieux de ce foutoir, s'est plaint l'Homme au Juge d'instruction en indiquant avec la branche le tas de décombres qu'était la ferme. Il n'y a pas une vitre intacte dans la serre, il n'y a pas un berceau de verdure qui ne dégringole le long de son armature.

Une ou deux poules picoraient sans entrain dans les poulaillers, les pigeons, qui avaient émigré depuis longtemps dans la forêt, avaient laissé se déformer irrémédiablement le cube de planches du pigeonnier étayé par les barres des perchoirs et par les petites caisses de paille pour les pondeuses. La chienne, maintenant aveugle d'un œil, incapable de saisir avec ses dents les rats du puits, tremblait sur ses pattes antérieures, la langue pendante, l'arrière-train appuyé contre un citronnier défunt.

— Il est logique qu'on pense que c'est moi qui t'ai parlé du flic, logique que même si je jure que c'est impensable on ne me prenne pas au sérieux, a dit d'un ton fâché le Magistrat, qui se foutait pas mal de la ferme, en donnant un coup de pied dans un gros melon ratatiné. Je t'ai fait confiance parce que j'ignorais de quoi tu étais capable, mais maintenant tout cela est fini, mon petit gars. Et tu peux dire adieu à ton joli voyage au Brésil car je ne protège pas les salauds, bon sang de bonsoir.

— Mon informateur à la Judiciaire m'affirme que le bonhomme à la moustache qui était avec nous à Linhó est un espion, a susurré l'Homme à l'Employé de banque en approchant un briquet de son cigare. Je ne comprends pas comment il a pu tromper la sécurité avec autant de culot.

— Ce n'est pas la peine de dramatiser la situation, monsieur le juge, a rétorqué le Monsieur, plein de compréhension, en rangeant le bloc à spirales dans sa serviette, n'importe qui peut faire un faux pas, ce sont des choses qui arrivent, seul celui qui ne sort pas sous la pluie ne se mouille pas. La hiérarchie accepte parfaitement ce qui s'est passé, l'affaire est oubliée, l'État s'occupe de la veuve, on n'en parle plus. Vous savez, nous avons pesé les avantages de cette fuite car désormais le Mouvement est davantage disposé à croire votre ami.

— Sampaio? a dit l'Employé de banque en riant et en s'étranglant avec sa fumée. Tu es sûr que tu n'as pas la cervelle dérangée, que tu n'as pas besoin d'aller voir un psy? Sampaio est un type réglo, mon vieux, ça fait trois ans qu'il travaille avec nous, je connais peu d'opérationnels comme lui. Bon, à tout hasard, quitte à me faire traiter de cinglé, je vais demander aux gars du contrôle de l'avoir à l'œil.

De temps en temps, une des cigognes se posait sur le nid pendant que l'autre continuait à tourner au-dessus des statues de faïence du jardin, montant et descendant, sans remuer les ailes, au gré des bouffées de vent, ou donnant trois ou quatre coups de rame dans l'air calme de septembre près du moulin auquel il manquait des ailes et dont la queue de mise en vent pointait vers la colline de Monsanto, avec son fort rempli de prisonniers semblable à une patelle de pierre couronnant le mamelon. Bien des années auparavant, son grand-père l'avait emmené un dimanche après-midi rendre visite à un cousin militaire qui dirigeait la prison, un monsieur en uniforme portant un monocle, des bottes d'équitation, des éperons et une cravache, qui les avait reçus dans une pièce au carrelage glacial, avec une fenêtre garnie de barreaux, une photo du Président au mur et un encrier en argent représentant un lévrier posé sur le dessus en mica de son bureau. Les gardes armés de pistolet se mettaient respectueusement au garde-à-vous à son passage, le long des corridors séparés par des portes blindées que d'énormes clés de dépensier, maniées avec autant d'efforts qu'un volant, faisaient tourner bruyamment sur leurs gonds. Les éperons du cousin claquaient sur le carrelage avec un tintement de harnais, l'humidité sourdait des voûtes sous forme de résine et au-dehors, surveillées par des soldats armés d'un mauser, des personnes qui avaient l'air de paysans, le cheveu ras et en uniforme de coutil, sarclaient sans hâte un rectangle de terre où rien ne poussait. Sur la route de Monte Claros, de retour à Benfica, skiant, presque invisible dans le vaste, dans l'immense ciel sans nuages, un couple de cigognes, sans doute le même que maintenant, se confondait avec la pièce de vingt centimes du soleil chaque fois qu'il passait devant pour disparaître ensuite parmi les cistes en une longue courbe au-dessus de la coquille du fort ou du tertre d'Ajuda à cheval sur le fleuve.

— Non, blague à part, tu crois que je me serais permis de jeter le discrédit sur toi en dégoisant à droite et à gauche les secrets que tu me confies? a dit l'Homme d'un ton exalté en tournant le dos au Juge d'instruction, et déplumant rageusement un pêcher. Quand tu es devenu juge, j'en ai eu une joie du tonnerre, rappelle-toi, je t'ai même donné mes costumes, pourquoi diable est-ce que je voudrais te faire du tort, ça ne tient pas debout.

— En même temps, monsieur le juge, tout n'a pas que des côtés riants, a déclaré le Monsieur avec une grimace ennuyée, certains n'ont pas apprécié du tout cette mort, le Secrétaire d'État, par exemple, a proposé que nous vous retirions l'immunité judiciaire, il a fallu que les ministres s'y opposent et lui passent un savon et que le commandant de la Brigade spéciale menace de démissionner. Le communiqué de presse, je ne sais si vous l'avez lu, se borne à faire état d'un sous-inspecteur qui enquêtait sur un réseau de drogue et qui a manqué de prudence vis-à-vis des trafiquants.

— Il se pourrait bien que ton informateur ait raison, a dit l'Employé de banque à l'Homme, les gars du contrôle ont découvert des détails bizarres, des coups de téléphone, une correspondance louche, des conversations avec un sacristain dans une chapelle à Marvila, des rencontres avec des inconnus dans des cafés à Santa Catarina. C'est peut-être juste de la fumée mais c'est peut-être aussi du feu, dans quelques jours nous y verrons plus clair.

La femme du fermier est sortie de la remise à outils avec le maïs pour les poules dans une boîte en fer-blanc en traînant ses jambes gonflées et elle a gravi péniblement les marches qui menaient aux bancs tapissés de carreaux en faïence et aux poulaillers délabrés, pendant que son mari accroupi par terre et coiffé d'une casquette insultait le monde et renversait du vin sur sa chemise. Même la grande maison tombait en ruine, les herbes folles dévoraient les géraniums dans les jardinières aux fenêtres, les stores ballottaient au hasard, un tuyau crevé formait une tache oblongue sur le mur dans le salon au piano, les armoires puaient les champignons et les mites, le chauffage électrique ne fonctionnait plus. Seule la villa au violon résistait par miracle aux hivers successifs, égayant les après-midi immédiatement après le déjeuner avec un petit filet de musique qui semblait prolonger la pluie.

— Si ce n'est pas toi, alors c'est qui? a crié le Magistrat, furieux, en levant le poing sur l'Homme. Ne me raconte pas de salades, je te connais comme si je t'avais fait, tu n'as pas eu de repos tant que tu n'as pas tout débagoulé à tes copains. Et eux, tous ces révolutionnaires, ont tabassé le policier, ils lui ont crevé la paillasse et maintenant c'est moi qui trinque.

— Sincèrement, je ne comprends pas tes hésitations, excuse-moi, a dit l'Homme à l'Employé de banque en acceptant un verre de marc, pourquoi attendre plusieurs jours? Qu'est-ce qui t'empêche de vous enfermer tous avec lui dans une pièce jusqu'à arriver à un accord quelconque avec lui, à l'amiable? Je n'aime pas beaucoup l'idée que ma raison de vivre, plof, s'effondre en un instant, tu vois?

— Ne vous faites pas de soucis, a dit le Monsieur aimablement en tapotant sa cigarette sur son ongle, tout de suite après le coup on retirera le tapis de sous les pieds de votre copain d'enfance, il n'aura qu'à se débrouiller par ses propres moyens pour échapper à ses potes, s'il le peut. Je n'ai jamais fait confiance aux repentis, d'un moment à l'autre le virus de la fusillade les reprend, ils se dégottent des armes et recommencent à guetter les industriels à la sortie des usines.

— Tu as été hier à Monsanto avec ton grand-père? a demandé le Juge d'instruction, incrédule, couché à plat ventre dans le gazon, une tige d'herbe dans la bouche et tenant un papillon par les pattes. Le curé au catéchisme dit que c'est une prison, que si tu tues quelqu'un ou que si tu voles le tronc des pauvres on te garde là toute ta vie dans un souterrain sans lumière comme au cinéma, à regarder les yeux des geckos se balader sur les murs.

Le violon a entamé une mazurka dont les sons dévalaient de note en note comme les perles d'un collier cassé qui dévalent le long d'un escalier, et l'Homme, qui observait les perruches, s'est souvenu que quelques semaines auparavant, un matin de jour de congé, un monsieur avec une mallette, fort bien élevé, vêtu d'un costume impeccablement repassé, avait frappé à sa porte, était entré avec lui dans l'ancien bureau de son grand-père, avait accepté une liqueur avec gratitude et avait offert de lui acheter la villa de la musique pour en faire un centre de rééducation pour handicapés cérébraux, des types tremblotants dans des fauteuils roulants, penchés sur des machines à écrire, des métiers à tisser, des établis de menuisier, des écrans d'ordinateurs, sous la houlette patiente et douce de ces professeurs vêtus de blouses qui surgissaient parfois à la télévision pour défendre les droits des louchons, des gauchers, des microcéphales et des mongoloïdes avec une férocité inébranlable. L'Homme a accepté de réfléchir à la question, il a plié l'adresse du monsieur dans son portefeuille et a passé le reste de la journée à chercher des cliniques de fous dans l'annuaire téléphonique. La seule qu'il ait visitée s'appelait **Mon Nid** et était un rez-de-chaussée plein de vieillards en pyjama avec des chevilles entortillées dans des bandages sales, qui bavaient sur des canapés en skaï pendant que la directrice, une femme potelée et encore fraîche, avec des jambes gainées de bas à résille comme les artistes de cabaret, lui vantait le confort des chambres, lesquelles étaient des pièces minuscules puant l'ammoniaque et les matelas moisis où une demi-douzaine de vieillards voués à une mort prochaine, avec une serviette autour du cou, s'efforçaient de plonger une cuiller à soupe dans un bouillon où flottaient des pousses de navet répugnantes, cachées par des yeux de graisse.

— Moi, de la police, tu dérailles, ou quoi? a dit le moustachu à l'Employé de banque en haussant les épaules avec un petit rire ironique. Comme je viens de gagner aux cartes les doigts dans le nez, tu me racontes des histoires à dormir debout pour m'empêcher de me concentrer.

— Et des cachots pleins de criminels avec des menottes aux poignets et de longues barbes, hurlant comme des bêtes, et des voleurs à la tire fouettés quotidiennement sur la plante des pieds, et des déserteurs à genoux face au mur, au piquet comme les écoliers, a dit l'Homme au Juge d'instruction en secouant une sauterelle de son pull-over. Un cousin à moi, général de brigade et qui est le grand chef de tout ça, nous a montré un fossé plein de serpents venimeux destinés à ceux qui désobéissent aux gardes.

— Aujourd'hui est jour de grand nettoyage, s'est excusée la directrice de la clinique dans la chevelure rousse de laquelle pointaient des touffes de racines grisâtres, vous arrivez quand tout est sens dessus dessous, ni la cuisine ni les salles de bains ne fonctionnent, nous avons fait venir la nourriture du restaurant, et toute personne débarquant ici maintenant aura une idée tout à fait fausse du foyer. Vous ne voudriez pas revenir un vendredi ou un samedi pour voir les choses dans leur état normal?

Un des vieillards, relié à un ballon de sérum, a sangloté comme un petit chien en crachant une écume rose, une femme de service, un foulard noué sur le front, est passée en chantonnant, un balai et un seau à la main, le vieillard

181

a indiqué sa gorge de son ongle long et la directrice s'est empressée de lui essuyer le menton avec un morceau de gaze, Allons, voyons, monsieur Machado, cessez donc de vous tourmenter, vous avez de nouveau avalé de travers?

— Tu ne peux pas mettre un cinq rouge sur un six rouge, a dit l'Employé de banque au moustachu en indiquant les cartes éparpillées. On dirait que le conte à dormir debout t'a énervé.

— J'aimerais mettre ici, a expliqué l'Homme à la dame aux cheveux roux, un parent qui ne vous donnera pas beaucoup de travail, le pauvre, il ne parle pas, il est obéissant, il est autonome, le seul problème c'est sa manie du violon.

— Que la police aille se faire foutre, je l'aime autant que toi, s'est exclamé le moustachu en se penchant sur la table, le cinq n'a pas à être ici mais là-bas, je me suis trompé de rangée. Je ne supporte pas la psychologie à deux sous, va te faire voir avec tes énervements.

— Du violon? s'est étonnée la directrice de la clinique en fourrant le bout de gaze dans la manche de sa veste en tricot, qu'est-ce que c'est que cette histoire de violon?

— Ton cousin est le patron de la prison, menteur, a dit le Juge d'instruction d'un ton dubitatif en soufflant sur le papillon qui a poursuivi sa course sans but sur les agapanthes et qui a fini par se poser sur le tronc crevassé d'un acacia. Et je donnerais ma tête à couper que tu n'es jamais allé là-bas avec ton grand-père, tu passes ta vie à me raconter des bobards, frimeur. C'est bourré de canons et de soldats qui ne laissent pas entrer un nain haut comme trois pommes et surtout pas une grosse auto comme celle-là, on la remarque à des lieues de distance. D'ailleurs un des criminels vous aurait aussitôt assassinés à coups de couteau, ces gars adorent vous planter une lame dans le bide, le Curé dit que leurs dents de devant sont aussi longues que celles des loups.

— Du violon, a répété l'Homme, il se promène avec un violon sous le bras et de temps en temps l'envie le prend de jouer une valse, il y a une bonne quarantaine d'années que cela dure, depuis que sa femme est morte dans un accident.

— Pas dans cette rangée, a dit l'Employé de banque avec douceur, un cinq rouge sur un roi noir, ça ne va pas non plus. Tu es sûr que tu ne veux pas me parler de cette histoire de police?

La queue du moulin à vent a soupiré soudain, les ailes se sont mises en branle avec une rapidité bien huilée, l'eau coulait dans les rigoles du verger, inondant les asperges, les chiffons du bonhomme d'étoffe chargé de chasser les moineaux claquaient comme des banderoles au vent. La chienne, queue dressée, aboyait après les lièvres, gémissant de convoitise dans les arbustes, le fermier, son escabeau ouvert, raccommodait avec une tenaille les fils de fer des vignes, il y avait un autre nid de cigogne sur le toit de la remise et un troisième sur le hangar de la propriété, après la porcherie près de laquelle une femme de ménage étendait des draps entre des huttes de roseaux. A l'heure du maïs, les pigeons et les tourterelles surgissaient des citronniers du patronage pour s'enfourner dans la construction en planches. Le grand-père dodelinait de sommeil, là en bas, dans la grande chaise de toile.

— Votre parent est musicien? a demandé la dame de la clinique d'un air intéressé. Mon père jouait de la clarinette dans une fanfare d'amateurs à Chelas, quand j'étais petite j'assistais aux répétitions, un ruban dans les cheveux, fascinée par l'épilepsie du maestro. Et quand il était à la maison, mon vieux remontait un gramophone à pavillon, il plaçait une aiguille énorme sur un disque et il s'asseyait dans un fauteuil à oreilles, les yeux clos, l'air extatique, sans prêter attention à ma mère qui protestait dans l'office, écoutant les glapissements d'une symphonie quelconque. Si votre parent est musicien il pourra distraire les autres avec des tangos, le vieux raseur au sérum s'étranglera peut-être moins souvent.

— Nous n'arriverons à rien comme ça, a dit le moustachu d'un ton fâché, le nez sur la table, en récupérant sa carte. Ce n'est pas de jeu, dès que tu me parles de policiers je cesse de me concentrer et tu en profites pour me refiler des valets.

— Mon œil que tu as été reçu dans le bureau du directeur du fort de Monsanto, a dit le Juge d'instruction d'un ton moqueur en agitant son index recourbé. Dans ce cas, emmène-moi là-bas demain et montre-moi tout ça si tu en es capable, les prisonniers, les canons, les souterrains, à travers bois il ne faudra même pas une heure, si les gardes te font le salut militaire quand nous arriverons, tu pourras regarder ma sœur se déshabiller quand elle reviendra de l'usine.

— Musicien, je ne sais pas, a marmonné l'Homme d'un air gêné, mais il est capable de passer toute une nuit à jouer deux ou trois notes comme s'il accordait son instrument, c'est à vous rendre fou, je doute que même vos pensionnaires supportent cela.

La sœur du fils du fermier, nue, pêchait une jupe et un corsage dans une valise de vêtements, et les muscles de ses bras glissaient sous la peau avec des ondulations d'oiseaux qui dansent. Le soleil caressait sa nuque et ses épaules, ses fesses s'ouvraient en un tendre et doux éventail, des pigeons couleur de faïence ont atterri à deux pas au sommet de la treille, une grappe de guêpes bourdonnait dans un trou dans le mur et l'Homme enviait à mort l'amoureux de la sœur du Juge d'instruction, apprenti plombier, avec un grain de beauté sur la tempe, qui se faisait tout petit devant le fermier avec une timidité craintive.

— Je sais parfaitement où sont les as, je n'ai pas besoin que tu me l'apprennes, a crié le moustachu en adressant un geste obscène à l'Employé de banque, mais si tu n'arrêtes pas de jacasser il est normal que je me déconcentre et que je commette des bourdes de débutant, c'est naturel. Tâche donc de te taire une minute pour que je puisse réfléchir à mon jeu.

— J'adore le violon, a dit la dame de la clinique en tapotant sa coiffure de ses petits doigts boudinés, c'est si romantique, vous ne pensez pas? Il se trouve qu'il y a une place vacante entre un ingénieur et un médecin qui avaient sûrement un gramophone chez eux, je suis prête à le parier, et des parents friands de symphonies et de concertos. Vous n'aimez pas écouter du Beethoven en lisant le journal?

Le Magistrat et l'Homme sont montés par le Bairro de Santa Cruz, un ancien terrain en friche dont les mûriers avaient été sacrifiés et qui était couvert maintenant d'un essaim d'ouvriers qui élevaient des murs à grand renfort de briques et de sable, ils ont atteint le terrain de football de la Casa Pia et la propriété de riches Anglais dont les arbres débordaient au-dessus des grilles, avec une cour où l'on polissait de luxueuses automobiles, et ils ont commencé à gravir la colline en direction de la prison, d'abord en suivant la route où des camions asthmatiques haletaient au bas de la côte, puis à travers les buissons de mimosas, terrifiés par l'haleine empoisonnée des lézards et des chattes errantes qui mettaient bas dans les racines mortes des arbres. Des cabanes de pauvres, faites de planches, de restes de bidons et de plaques de liège, s'étayaient les unes aux autres presque au bord de l'asphalte le long du chemin du Club de Tir, et des enfants pieds nus, frange rousse et fesses à l'air, jouaient dans l'eau croupie et boueuse. Une ou deux cigognes planaient plus haut, du côté de la prison, à la recherche de cheminées abandonnées ou de la cime d'un saule. Les feuilles des buis vibraient quand on les effleurait, des petites fleurs ocre formaient comme des gerbes dans les arbustes, des fourmis effrayées s'engouffraient dans les pores de la terre.

— Alors, si vous aimez Beethoven, a rétorqué la dame de la clinique en trébuchant sur une pantoufle, pourquoi ces malheureux ne l'apprécieraient-ils pas, eux aussi? Amenez votre parent musicien et s'il force un peu trop sur les sonates ou s'il a des démangeaisons artistiques après minuit on lui confisquera son violon, c'est un remède souverain. Douze mille cinq cents escudos par mois, y compris les médicaments et une excursion annuelle en autocar à Fatima dans l'espoir que cela améliorera leurs rhumatismes, ne me semblent pas un prix exorbitant, cela couvre à peine la nourriture, le lavage des draps et la paille fraîche pour les paillasses. Et au moins vous serez tranquille de le savoir en paix ici.

Et l'Homme a imaginé son père, qui avait été opéré de la gorge un an plus tôt pour pouvoir y insérer un tube, se promenant silencieusement en pyjama, l'archet de son violon sous le bras, parmi les lits des malades, heurtant des pots remplis d'urine, s'asseyant aux tables en formica du réfectoire à des heures bizarres, attendant en vain une marmite qui ne venait pas, s'étonnant de l'exiguïté des locaux, de la disposition des chambres, de l'absence de stores donnant sur un jardin plein d'agapanthes et de statues de faïence ébréchées et de bassins avec des poissons immobiles sous les algues, il s'est imaginé lui-même en train de déambuler seul, les mains dans les poches, parmi les massifs à l'abandon, pendant que des grues cruelles démolissaient la villa dans la poussière et le vacarme, y plantant leurs dents et leurs griffes de fer comme dans un corps vivant qui s'effondrait salle après salle, sans une protestation et sans effusion de sang. Seules les vertèbres fracturées de l'escalier résistaient encore, conduisant à une dernière plate-forme en équilibre au-dessus d'une plaine de décombres parmi lesquels on distinguait des vestiges d'étagères, des fragments de miroir, un lavabo intact à la dérive dans un lac de briques et de planches.

— Voulez-vous dîner avec moi samedi? a proposé la directrice du foyer en le raccompagnant vers la sortie et agitant ses fesses rondes avec un tortillement prometteur. Nous pourrons causer affaires dans un petit bureau tranquille que j'ai là pour pouvoir manger en paix, et si vous voulez je vous passerai des disques de mon père sur le gramophone, car il collectionnait même les airs d'opéra, c'est tout dire.

— Qu'est-ce que c'est que ça, mon vieux? a murmuré lentement le moustachu, qui portait un bracelet en or au poignet. Baisse-moi ce canon de revolver ou tu vas estropier quelqu'un avec ce machin.

— A cette allure nous n'atteindrons jamais le fort, Zé, s'est lamenté l'Homme, assis par terre et se frottant un coude égratigné par les ronces. J'ai failli me tordre le pied dans la lande.

— Je ne le croyais pas, mais pour une fois c'était vrai, a dit le Juge d'instruction en offrant encore du café au Monsieur. Son cousin était effectivement le directeur de Monsanto, un officier de cavalerie avec un monocle et un petit rire sarcastique qui s'est suicidé quelques années plus tard lorsqu'on a découvert qu'il était impliqué dans des affaires douteuses. Je crois qu'on en a pas mal parlé à

Lisbonne, à l'époque, le troufion appartenait à une famille connue, il y avait des députés et un ancien ministre qui recevaient des pots-de-vin, la censure a étouffé l'affaire dans les journaux.

— Pas un mot, a dit l'Employé de banque sans la moindre exaltation dans la voix en faisant claquer la culasse de son arme. Tu as fait ton travail pendant des années et des années, tu comprendras que maintenant je fasse le mien.

Il a appuyé sur la gâchette, et le Magistrat et l'Homme qui n'avaient pas entendu la détonation ont atteint le sommet de la colline, une espèce de haut plateau entouré de fil de fer barbelé avec une grosse bâtisse au fond, des constructions plus petites tout autour, des champs où personne ne sarclait, un cheval entre les timons d'une charrue, des silhouettes avec des fardeaux sur le dos, les antennes d'un émetteur radio surmontées de lampes allumées en plein midi de septembre, les cigognes, toutes proches, tâtant le vide avec leurs pattes.

— Je me souviens vaguement, a dit le Monsieur d'un ton d'ennui en penchant le cou pour ne pas renverser le café. Les gens jettent les hauts cris puis ils oublient, cela se passe sûrement comme ça partout.

— Samedi n'est pas une mauvaise idée, a dit l'Homme, la main sur la poignée de la porte en répondant aux tortillements de la directrice avec une grimace timide. Dans la grange de la ferme il y a un gramophone en train de rouiller.

— Ainsi donc tu as voulu revoir tout ça encore une fois, a dit l'officier au monocle en se levant de son bureau dans le cabinet orné du portrait encadré du Président et tapotant sa cravache sur ses bottes d'équitation, ainsi donc vous êtes venus à pied de Benfica tous les deux, cela fait une sacrée trotte, il n'y a pas à dire. Bastos, appelle-moi donc le sergent Rodriguez pour qu'il montre la prison aux petits et qu'il prenne des dispositions pour les reconduire chez eux.

— Je n'aime pas vous appeler monsieur Antunes, les noms de famille sont si impersonnels, a roucoulé la propriétaire du foyer en posant ses doigts sur ceux de l'Homme, lesquels entouraient la poignée de porcelaine. Comment avez-vous dit qu'était votre petit nom, il y a un instant?

— Mais il n'y avait ni souterrain, ni cachot, ni bassin avec des serpents, ni instruments de torture, pas le moindre puits grouillant d'alligators, a dit le Magistrat d'un ton déçu en déchirant le coin d'un petit sachet de sucre. Rien que des corridors cimentés, des cellules, des barreaux, une odeur infecte, une infirmerie avec une demi-douzaine de corps étendus et un individu qui lavait des seringues, des détenus en uniforme qui fumaient, adossés aux murs, dans une atmosphère raréfiée. Je me souviens surtout d'une cigogne femelle qui inspectait un véhicule de la prison au-dehors et qui nous fixait de son petit œil rond, pendant qu'un couple de mâles la surveillaient en oscillant dans l'air comme des perroquets en papier.

— Nous le balancerons dans les égouts du fleuve, a décrété l'Employé de banque en observant le moustachu étendu à plat ventre sur un fouillis de cartes. Je veux que la police comprenne que nous étions au courant des saloperies que ce type leur vomissait.

— Nous traitons de sujets sérieux, s'est plaint le Monsieur en finissant son café, et vous me parlez de cigognes, monsieur le juge.

— António, a dit l'Homme timidement en battant des cils comme s'il lâchait une confidence honteuse. Mais depuis la mort de mes grands-parents personne ne m'appelle comme ça. Je suis devenus Antunes, j'ai l'habitude qu'on m'appelle par mon nom de famille.

Ils sont arrivés à Benfica presque à la nuit tombée dans une fourgonnette cellulaire avec une petite couverture à l'arrière, ballottés sur la moleskine à côté du chauffeur en uniforme et calot qui n'a pas cessé de parler pendant tout le trajet, enroulant sa langue autour d'une molaire qui le faisait souffrir depuis des siècles tout au fond de la bouche et qu'aucune aspirine ne calmait. Le Bairro de Santa Cruz ressemblait à une Pompéi en stuc, dans la rue Emilia das Neves les salles à manger étaient éclairées et on apercevait des tableaux et des meubles par les fentes entre les rideaux. Le grand-père, qui les attendait dans la cour en veste de lin et sans cravate, a glissé un pourboire dans la main du chauffeur qui a oublié sa dent pour se figer en un garde-à-vous reconnaissant. La femme du fermier a surgi de l'arche de la remise, suivie de la chienne et de son mari qui essayait de se redresser péniblement sur le fil de fer du vin. Les bonnes les contemplaient sur le pas de la porte, réunies en grappes et effrayées par le véhicule blindé.

— Va immédiatement dans ta chambre, a dit le grand-père à l'Homme dès que la fourgonnette a disparu en cahotant, un phare plus brillant que l'autre, et crachant de la fumée par le tuyau d'échappement. Tu peux oublier ton cadeau d'anniversaire ainsi que ton argent de poche aussi longtemps que je me souviendrai de cette aventure.

La femme du fermier poursuivait son fils, une savate à la main, dans un tourbillon furieux de jupes, l'insultant jusqu'à la cage des bergers allemands, pendant que son mari s'accroupissait sur une marche, le cerveau dans les limbes liquides du vin rouge, et la chienne tournait avec inquiétude autour de ses doigts incertains et de son haleine chargée. En haut, dans la maison collée au mur, éclataient les hurlements et les menaces d'une criaillerie interminable.

— Je ne suis pas d'accord avec vous, les cigognes sont un sujet très sérieux, a dit le Juge d'instruction au Monsieur en repoussant la cafetière avec dépit. Vous ne le comprenez pas, mais aujourd'hui encore, après tant d'années, je me demande s'il m'est arrivé quelque chose de plus important dans la vie.

— C'est bien, ça suffit, tu m'as convaincu, c'est fini, je me rends, a dit l'Employé de banque à l'Homme au-dessus d'une eau minérale et d'un gâteau à la farine de haricots dans une pâtisserie minable de la Lapa où des couples d'un certain âge s'installaient aux tables voisines, un journal sous le bras et en tenue de week-end, pour prendre leur petit déjeuner. Dès lundi nous commencerons à tailler des croupières à ce juge, l'Étudiant et l'Artiste auront quinze jours pour remettre un rapport en bonne et due forme, je demanderai peut-être au Comité de coordination de me prêter quelques opérationnels supplémentaires pour expédier l'affaire plus promptement. (Il s'est arrêté, menton sur la main, pour observer la serveuse adolescente qui servait des sandwichs et des cafés au lait et il a ajouté avec douceur en se frottant un doigt meurtri:) Si le gars est déjà à nos trousses nous n'avons pas une minute à perdre.

De la porte on apercevait les ruelles qui descendaient vers le Tage et en bas les grues du fleuve, des cheminées de navire, des entrepôts, des mouettes réduites à des points blancs, une illusion d'eau, la brume de la nuit, qui se dissipait lentement, contre les toits de la berge. Le tailleur de mon grand-père, a pensé l'Homme en se souvenant qu'il descendait du tramway à la basilique de la Estrela, un paquet d'étoffe serré contre son ventre, officiait tout près de là, rue Quelhas, dans une boutique minuscule avec un mannequin sur un trépied à l'entrée et à l'intérieur, derrière le comptoir, un monsieur chauve avec des lunettes et un centimètre autour du cou dessinait des croix avec une craie sur un pantalon. Des couturières riaient et chuchotaient sur des petits bancs bas, derrière un paravent aux vitres opaques, dans un cagibi où une vieille tâtait la température d'un fer à repasser en fonte avec son index mouillé de salive.

— Qu'Amaral lui fasse une veste croisée, a recommandé sa grand-mère qui passait en revue avec une amie les adultères récents : il a besoin de quelque chose de plus élégant, pour les grandes occasions, chaque fois que je le vois si mal fagoté aux dîners de famille, j'ai envie de lui glisser une pièce de cinquante centimes dans la main. Il tient de sa mère, qui était ficelée comme l'as de pique, la pauvre, je vous jure qu'encore aujourd'hui je ne comprends pas ce que le père du petit a pu lui trouver.

Le tailleur coupait les ficelles du paquet avec ses ciseaux, dépliait les alpagas, évaluait la qualité de l'étoffe avec sa paume, la rangeait sur une étagère du comptoir et lui donnait rendez-vous un mois plus tard pour l'essayage, pendant que l'Homme épiait par une fente du paravent les couturières qui se penchaient pour le regarder en murmurant des compliments, et la vieille étirait des bougrans sur une planche, avivant les braises du fer à repasser avec un van d'osier. Sur le trottoir de la rue Borges Carneiro, des employés de la Compagnie des téléphones défonçaient le sol.

— C'est vrai, la toilette n'était pas le fort de Teresa, a reconnu l'amie, une revue de décoration sur les genoux. Les couleurs juraient, elle portait des chapeaux ridicules, mais en revanche elle avait de beaux cheveux.

— A mon avis, le mieux ce serait de le surprendre à la sortie de la Judiciaire, la police ne s'attend sûrement pas à un culot pareil, a déclaré l'Homme en suivant les manœuvres d'un minuscule remorqueur qui ressemblait à un haltérophile nain fendant l'écume avec son thorax osseux. En dépit des risques, l'effet psychologique serait du tonnerre.

— Les cheveux, peut-être, a concédé la grand-mère avec générosité, encore qu'au premier signe d'humidité ils se mettaient à friser.

— Le tailleur et la vieille au fer chauffé sur des braises doivent être morts depuis des millénaires, a dit l'Homme au Juge d'instruction en poussant avec la pointe du pied un crapaud enfoui sous les feuilles dans la ferme, la couturière la plus jeune doit avoir au moins la cinquantaine, la petite échoppe a cessé d'exister depuis Dieu sait combien de temps, il semblerait qu'elle ait été remplacée par un de ces établissements qui vend des pâtés en croûte, des rissoles et du riz aux légumes verts à emporter chez soi, où des dames de bonne naissance vêtues de tablier tutoient les clientes et jouent à la cuisinière, une douzaine de bracelets en or à chaque bras. En attendant, ce qui m'a fait flipper c'est qu'elles ont dit pis que pendre de ma mère.

Il est sorti de chez le tailleur et il a erré au hasard dans les ruelles de la Lapa en direction de São Bento, reconstruisant mentalement les albums de photos du petit salon de sa grand-mère, avec leurs portraits protégés par du papier de soie, leurs aïeules coiffées de bandeaux, leurs oncles maigres, leurs bébés en col marin qui se métamorphoseraient en ingénieurs à rouflaquettes, des familles entières dont le patriarche était installé au centre sur un trône d'évêque, son père, petit garçon, avec des bottines et des jambes toutes fines, cramponné à une bicyclette trop grande, son père adolescent tenant en laisse un berger de l'Alentejo, et tout à coup la flamme de coton d'une mariée avec des gants et un bouquet de fleurs ruisselant de rubans à hauteur de la poitrine qui arborait un sourire timide sous son voile qu'il a trouvé beau, tout comme il a trouvé beau le cou élancé, les linéaments du visage, les paupières semi-closes de madone d'autel, la façon dont le satin de la robe dessinait ses épaules et la courbe de ses cuisses, le grain de beauté sur la joue gauche semblable au sien et la bouche copiée elle aussi sur celle qu'il apercevait tous les jours dans la glace, petite et charnue, aux lèvres légèrement avancées en une sorte de bouderie.

— A la sortie de la Judiciaire, pourquoi pas, il faut peser le pour et le contre de la chose, a grommelé l'Employé de banque, pensif, en rayant le dessus de la table avec l'ongle du pouce. Je peux soumettre la question au Comité de coordination et voir ce que les gars en pensent.

— Si tu veux bien venir chez moi, a suggéré l'Homme en indiquant au-delà de la serre des plantes grimpantes qui escaladaient un pan de mur, je te montrerai de quoi elle avait l'air en fait, j'ai tout rassemblé dans un seul album, il y a même un bout de frange dans un petit sachet, je n'ai jamais compris la haine que ma grand-mère lui vouait.

De São Bento il a trotté jusqu'à l'avenue du 24-Juillet et au quai de Sodré où les dernières marchandes rangeaient leurs paniers et où le ciel et le fleuve, d'une seule et même couleur, faisaient voguer les chalutiers dans une brume immatérielle trouée par les premières lumières, fixes et dures, d'Almada.

— Réellement, à la sortie de la Judiciaire, ce n'est pas mal imaginé du tout, a approuvé le Monsieur en se penchant au-dessus du bureau vers le téléphone du Juge d'instruction. Avec tous ces gens qui passent par ici en revenant du travail, il sera plus difficile de vous protéger. Vous permettez que je transmette ce petit renseignement à la Brigade? Nous avons besoin de temps pour mettre sur pied une stratégie adéquate, l'officier chargé des opérations ne saura plus où donner de la tête.

— Qu'elle ait été jolie ou laide, qu'est-ce que ça peut te faire maintenant, puisque tu ne l'as pas connue? a dit le Magistrat, fasciné par le crapaud qui se traînait sur une brique en direction du mur. Si ma femme était ici et si elle tombait sur une de ces bestioles elle pousserait les hauts cris, c'est sûr. Chaque fois qu'elle aperçoit une araignée, elle grimpe sur la table en beuglant, les voisins cognent à la porte, c'est la croix et la bannière pour la persuader de se taire.

— J'ai seulement commencé à pleurer de rage à la hauteur de la place Martim Moniz, a dit l'Homme en cherchant un bâton pour débusquer le crapaud qui entre-temps avait disparu sans bruit entre des pierres moussues d'où ses globes jaunes et pédonculés nous guettaient, impassible. L'Intendente n'était plus qu'à un pas et j'ai terminé l'après-midi dans une chambre de la rue Benformoso à écouter des chamailleries de prostituées et la musique des bars, pendant qu'une forme vague, avec des bas noirs et un porte-jarretelles, m'attendait au lit, surprise

194

par mes sanglots et répétant Allons, voyons. Une créature plus âgée, en robe de chambre, accompagnée d'un Noir en maillot de corps, a ouvert la porte pour me flanquer dehors et j'ai dévalé l'escalier en trébuchant, humilié, essuyant mes joues avec un mouchoir, talonné par le Noir qui me réclamait de l'argent dans un portugais de pacotille en m'acculant contre le mur.

— On louera un appartement au premier étage en face, a décidé l'Artiste avec un grand geste, on appuiera un bazooka contre la fenêtre et avec cinq ou six grenades d'affilée on trouera le bâtiment de la police de fond en comble.

— Et la famille de ta mère n'a jamais essayé de te retrouver? s'est étonné le Juge d'instruction qui espérait voir le crapaud le fixer de ses pupilles minérales, la gueule ouverte, et reculant avec frayeur quand un lézard a bondi brusquement sur la pointe de ses souliers. Ça me paraît vraiment bizarre qu'ils ne t'aient jamais rendu visite.

— Ils ne remarqueront rien, tu es bête, s'est énervé l'Artiste en multipliant les arguments avec de grands gestes du bras, on transportera l'arme en pièces détachées dans une caisse, on écrira FRAGILE dessus, qui s'imaginera être devant un locataire coltinant des bombes chez lui?

— Il y a des choses qui ne collent pas, mon vieux, toutes ces photocopies, ces documents, ça m'intrigue, a chuchoté l'Employé de banque dans la cuisine en prenant un pot de miel et faisant chauffer la bouilloire pour se fabriquer un thé au citron, je trouve que l'informateur d'Antunes sent le roussi à des kilomètres, nous en savons probablement plus sur le Juge que sa propre femme. Le Comité de coordination a approuvé le feu d'artifice sur la Judiciaire, nous ferons la première page des journaux et nous obtiendrons une petite rallonge monétaire de la part des camarades arabes, mais moi qui suis d'un naturel soupçonneux je vais envoyer quelqu'un enquêter sur toute cette affaire, j'y flaire le doigt de la Brigade, crois-moi.

Jusque dans la ruelle tranversale et sur le Largo do Benformoso encombré de camionnettes de livraison garées là, et dont les chauffeurs s'étaient réfugiés dans les bistrots avoisinants pour y jouer aux cartes, il y avait des prostituées monstrueuses postées dans les embrasures qui adressaient des sourires engageants aux fourgonnettes qui roulaient près d'elles, des dancings annoncés par des lampes rouges et décorés de formica vomissaient des *fados*, des marlous bavardaient au coin des rues en surveillant leurs marmites du coin de l'œil et en se curant les ongles avec des petits canifs en nacre. L'avenue Almirante Réis ouvrait un halo de fluor entre des immeubles anciens aux fenêtres ouvragées et aux vitres remplacées par du carton où l'on apercevait uniquement des silhouettes de ronds-de-cuir morts, crayon derrière l'oreille et visière en bakélite sur le front, additionnant les ventes à l'encre violette dans des registres à carreaux décolorés par le temps. Peut-être que ma mère déambule parmi eux, s'est dit l'Homme, enveloppée dans le linceul d'une robe de mariée en lambeaux, agitant derrière les croisées des fenêtres par les soirs de pluie les rubans et les rosettes de son bouquet de fleurs déchiqueté.

— En attendant de vérifier le rôle d'Antunes dans cette affaire, a grommelé le Curé en faisant grincer les gonds des placards à la recherche d'une bouteille de marc, pourquoi ne lui disons-nous pas mais oui, parfaitement, la Judiciaire, etc., et pendant ce temps-là on cherchera bien tranquillement, en secret, un autre endroit, l'autoroute de Setúbal par exemple, ou bien l'accès au pont sur le Tage?

— D'autre part, si on raisonne à froid, qui nous garantit que votre ami est sincère, monsieur le juge, qui nous prouve que cet individu ne veut pas effectivement vous tuer? a demandé le Monsieur au Juge d'instruction en regardant d'un air absorbé la tasse de café vide. Supposez qu'on truffe le quartier de policiers, qu'on le bourre de tireurs d'élite, de radios, de personnel de surveillance, de faux couples d'amoureux, et que fous de joie les types nous jouent leur sale tour ailleurs? Rien que sur le chemin de chez vous il y a une dizaine d'endroits idéaux.

— Ma mère n'avait pas de famille, a répondu l'Homme en découvrant le crapaud dans un trou de figuier et lui lançant sans l'atteindre les prunes qui gisaient par terre. Mes grands-parents maternels sont morts au Mozambique

de je ne sais quelles fièvres et je n'ai plus qu'une tante à
Coimbra dont je n'ai jamais compris où elle habitait et qui
m'a légué il y a quelques années une masse de meubles
vermoulus et de la vaisselle dépareillée et hideuse que j'ai
entassés dans une grange. Elle est venue une fois à
Lisbonne, m'a gratifié d'une caresse sur la joue, s'est
enfermée avec le vieux pour parlementer dans son bureau
et je suppose qu'elle est sortie par le petit portail car j'ai
surveillé la cour plusieurs heures durant et je ne l'ai plus
revue. Aujourd'hui je me souviens vaguement d'une dame
âgée avec une canne, et qu'on avait commandé chez le
pâtissier une glace à la fraise pour le dîner, et de la bonne
humeur de ma grand-mère qui était aux petits soins pour
moi, doublant mon argent de poche dans un soudain accès
de bonté qui m'a laissé pantois. Et que dans la villa de la
musique le violon ne s'était pas arrêté de toute la nuit,
angoissé, insistant sur la même note, je suis sûr que le fou,
le nez contre les stores, s'était aperçu de la visite.

De sorte que ce n'était plus seulement les ronds-de-cuir
et ma mère qui déambulaient dans les pièces éclairées par
des lampes surmontées de globes et aux sols concaves de
l'avenue Almirante Réis, contemplant les trottoirs de leurs
yeux immenses, mais aussi le couple malade de fièvres
africaines, avec un casque colonial, des guêtres et des
jumelles à la ceinture, qui exhalait une odeur putride de
marécage, hérissé de bubons et de pustules dus aux piqûres
de moustique, et la tante de Coimbra qui martelait le
plancher de sa canne, main tendue pour une caresse qu'elle
n'achèverait jamais.

— J'ai attrapé une grippe monstrueuse je ne sais où,
quelqu'un parmi vous aurait-il une aspirine? a demandé
l'Employé de banque en ajoutant deux cuillerées de miel
à son thé citronné et plongeant ses lunettes de myope dans
les volutes de vapeur où nageait la spirale d'une écorce
jaunâtre. Non, c'est décidé pour la Judiciaire, nous avons
besoin de publicité dans les journaux, les journaux radio-
diffusés et télévisés vont s'en donner à cœur joie, et on
racontera tranquillement à Antunes que pour des raisons
logistiques le coup se fera ailleurs pour voir si la Brigade
montre le nez, leurs petites voitures japonaises sont faciles

a repérer, ces couillons ne savent pas se déguiser, n'importe quel bébé au berceau reconnaît un poulet en cinq sec.

— On ne peut pas supposer non plus qu'ils soient aussi stupides, a dit le Monsieur qui ne s'habituait pas à son fauteuil et qui bougeait sans cesse sur le siège, posant sa tasse et se frottant l'estomac d'un air écœuré, certains ont de l'expérience, certains ont vécu quelque temps avec les Basques, avec les Allemands, avec les Libanais, ceux qui ont appris les techniques de la guérilla en Syrie, les Irlandais, des mecs mâtinés de chiens d'arrêt, ont montré à quelques-uns comment faire sauter les trains, maquiller les passeports, flairer un flic en civil, leur chef a fréquenté les Palestiniens, la poche bourrée de grenades, pour en découdre avec les Juifs. Je me suis dis parfois que nous exagérons, que nous donnons trop de microfilms à votre ami, que nous noyons le Mouvement sous les cassettes, qu'il est impossible que tous ces cadeaux ne leur mettent pas la puce à l'oreille. Et si tout à coup l'ennemi, sans piper mot, laissait tomber le plan de la Judiciaire, changeait ses batteries et nous téléphonait pour nous signaler que le cadavre de votre copain d'enfance, avec une balle dans la nuque, bénit les bigotes, attaché à un banc de confessionnal, dans l'église des Martyrs?

— Tu ne veux pas venir chez moi pour que je te montre les photos de ma mère? a imploré l'Homme en une supplication enfantine, en désignant du menton le mur couvert de plantes grimpantes. Si tu préfères que je te les apporte, j'irai chercher l'album en une minute, ça ne me dérange pas du tout, je te jure que ses cheveux ne frisaient pas, ils étaient lisses, il y a une photo d'elle en maillot de bain sur la plage où elle sourit, on dirait une artiste de cinéma.

Le violon a frémi avec une vibration plaintive qui tirait les géraniums de leur enchantement et mettait les perruches en émoi dans la cage près du mur, le crapaud, libéré de la grêle de prunes, s'est de nouveau faufilé derrière les pierres, écartant les pattes de son corps comme s'il avait des furoncles à l'aine, les figuiers sauvages ont agité leur feuillage un instant, secoués de faibles brises sans but, puis ils se sont tus. De temps en temps le père du Juge d'instruction allait et venait, s'appuyant sur son sarcloir, sifflotant des chansons, écrasant de ses bottes lourdes de vin les derniers légumes, laitues desséchées, cresson flétri, pousses vertes picorées par les oiseaux que l'épouvantail réduit à une croix de roseaux décharnés d'où pendaient des filaments d'étoffe avait cessé d'effrayer, le père ivre qui se présentait dans son bureau au début du mois, sa casquette à la main, en cravate et costume du dimanche couvert de taches, pour demander sa paye, respectueux et hésitant, plus maigre, plus rongé encore par l'alcool, le menton rasé de frais avec des araignées de sang sur la peau flasque des joues.

— Avec deux canons sans recul en face de la Judiciaire, a renchéri l'Artiste d'un ton enthousiaste en distribuant le marc, ils croiront que l'édifice a été détruit par un tremblement de terre. Et on profitera de la pagaille, de la fumée, des crises d'hystérie, du sang, des beuglements des blessés pour descendre l'escalier et s'esbigner chacun de son côté, ni vu ni connu. Si nous garons une camionnette place José Fontana, il ne sera pas difficile de transporter les canons, les gens penseront tout au plus que ce sont des tuyaux de canalisation, vous ne croyez pas?

— Antunes est un gars réglo, a affirmé la Directrice de la maison de repos qui préparait le déjeuner, une noix de margarine sur la lame d'un couteau et entrechoquant des poêles et des casseroles, d'ailleurs les risques inutiles ne sont pas son genre. Pourquoi se lancerait-il dans des aventures hasardeuses, vous pouvez me le dire?

— Je connais vingt mille manières de briser quelqu'un, a expliqué l'Employé de banque en haussant les épaules et écrasant une aspirine avec les dents d'une fourchette, je parie que les gars de la Brigade lui ont promis monts et merveilles et lui ont tiré les vers du nez, ou alors le juge lui aura fait du chantage et il s'est déculotté, nous n'avons pas réussi à lui tremper un peu le caractère. Moi, à l'époque où je croyais au Parti, la PIDE m'a cassé sept dents à coups de poing.

— A mon avis, quelques kilos de dynamite sur le pont du Tage ne seraient pas une mauvaise idée, s'est obstiné le Curé qui humait le pot-au-feu par-dessus la nuque de la femme. Des camions flottant sur le fleuve, des dizaines de morts, le gouvernement bien embêté, les Américains reconstruisant dare-dare les poutrelles, cinq cents stations de télévision étrangères filmant la scène, les habitants de Pragal ou de Laranjeiro furieux, accusant les pouvoirs publics, les ministres, le capitalisme, les Tchèques nous fournissant du matériel de guerre à l'œil, et l'Organisation augmentant le nombre de ses militants, s'étendant à la province, occupant des villages, des villes, des districts, se procurant des avions, démantelant des usines, noyautant les syndicats, créant des écoles révolutionnaires, séduisant les paysans et l'armée, prenant le pouvoir à Lisbonne et pendant les bourgeois haut et court sur la place du Rossio.

— Mais ils ne renoncent pas à la Judiciaire, rassurez-vous, ils ne veulent pas louper une occasion pareille, l'a rassuré le Monsieur en observant par la fenêtre le côté opposé de la rue Gomes Freire. A partir de maintenant, tous ces bâtiments m'intéressent, monsieur le juge, vous ne sauriez pas par hasard s'il y a là des appartements vides?

— Des cheveux frisés, je t'en fiche, a dit l'Homme en s'excitant, il avait oublié le crapaud et appuyait les mains sur un cerisier qui lui couvrait la moitié du menton avec l'ombre de son feuillage. Si elle était en vie, ma grand-mère ne me mènerait pas à la baguette et le potager ne serait pas dans cet état.

Et d'ailleurs il n'y avait pas que le potager, il n'y avait pas que les poulaillers, il n'y avait pas que le verger : même le ciel semblait se désintégrer comme les papiers peints des hôtels minables de banlieue, obscurcis par l'humidité et la colle, derrière lesquels la tuyauterie soupirait et hoquetait avec des borborygmes métalliques. Les perruches avaient attrapé une maladie et on les retrouvait à l'aube, mortes dans leur cage, raides, la langue dehors, les fleurs sentaient la chapelle ardente, les tentures noires, les gouttes de cire, les prières, elles ressemblaient à des corolles de cercueil qui auraient proliféré dans les massifs, la peinture de la façade s'enflammait d'une maladie de peau incurable, les tuyaux des gouttières s'oxydaient, l'horloge de l'église, déboussolée et sourde, sonnait les heures au petit bonheur. Le violon s'est tu subitement, la queue ankylosée du moulin a grincé, même la pluie ne s'écoulait pas dans les rigoles d'irrigation obstruées de cailloux, de grumeaux de sable, de débris. Sur le mur qui longeait la route de Benfica il manquait des ananas de calcaire, les arcs qui formaient un tunnel de bougainvillées hérissé de tresses et des grappes de pétales se tordaient dans une agonie de rouille, troublant la paix des camélias. Cela fait combien de temps, s'est demandé le Juge d'instruction en explorant avec son pouce les ravages de la calvitie, cela fait combien de temps qu'il n'y a plus eu de procession le dimanche après-midi?

— Ou alors on descend Antunes et finis les doutes, a suggéré l'Étudiant binoclard dans un coin en levant les sourcils d'un roman. Le hic c'est comment cacher le cadavre jusqu'au moment du coup pour que la Brigade ne se doute de rien.

— Descendre Antunes, mais c'est une manie, vous ne pensez qu'à descendre les gens, a dit la Proprio du foyer de vieux en battant des blancs d'œufs dans un bol en porcelaine. Un de ces jours il n'y aura pas un pépin dans la vie qui ne se résolve à coups de pistolet, que celui qui n'a pas uniquement une gâchette dans la cervelle lève la main.

— Il n'y a pas le moindre hic, a déclaré le Curé qu'un deuxième décilitre de marc avait rendu bienveillant et optimiste, le mec restera à Loures et dès que la Judiciaire aura sauté on creusera un trou derrière la maison ou bien on l'enveloppera dans un drap et on le jettera dans les égouts, comme le dernier.

— Je vote pour les égouts, a dit l'Artiste en éparpillant des assiettes et des couverts sur la table, un paquet de serviettes en papier coincé sous l'aisselle. Quand on s'est débarrassé du moustachu je n'ai vu que des algues et des traces de mouettes sur le sable, et après, ce paquebot illuminé qui remontait vers la barre et qui effrayait les oiseaux avec ses banderoles, ses lumières et ses guirlandes allumées, plus nombreuses que sur un arbre de Noël, et des flonflons qui se mêlaient au bruit d'orgue des machines.

Des silhouettes insignifiantes sur le ponton qui glissaient sur le varech et qui retiraient de la bouche d'égout un corps qui creusait un sillage parmi les détritus, l'ampleur de la barre, les embarcations à l'ancre, la berge sur laquelle on distinguait à peine, à mesure que le jour se levait, les toits de Seixal, Algés qui se multipliait en murs, ruelles, places et quais, la gare de chemin de fer, la plage immonde où le soleil de l'aurore prolongeait les planches des baraques en stries tremblotantes.

— On ne changera pas une virgule à ce que j'ai dit tout à l'heure, on maintient les deux embuscades et on cesse de se mettre martel en tête à cause d'Antunes, a déclaré l'Employé de banque en se mouchant dans une serviette et en la fourrant dans le sac en plastique pour les restes et les épluchures qui tapissait une poubelle avec un couvercle qui se levait quand on appuyait sur une pédale. Il faudrait que je m'étende un petit moment, l'aspirine ne va pas tarder à me faire transpirer.

— Fortunato? a dit le Monsieur dans le téléphone mural en étudiant l'ongle du médius. Dans vingt-quatre heures, et je dis bien vingt-quatre heures, je veux les noms des propriétaires, des locataires et des appartements vides autour de la Judiciaire, les fiches de police, les habitudes, les goûts, les manies, les vices, les personnes que fréquentent les habitants du voisinage. Si je ne trouve pas demain dans mon cabinet un dossier complet, je vous mute à la division de la Circulation, vous porterez un uniforme, un brassard et tout le tremblement, et vous infligerez des contraventions aux imbéciles qui garent leur voiture sur les passages cloutés.

Le Magistrat et l'Homme sont entrés dans la grande maison par la cour où on saignait naguère le cochon dans une frénésie de fête populaire, mais les dalles étaient disjointes et fendues, l'herbe poussait dans les fissures, des fiasques couvertes de paille s'entassaient dans l'ancienne salle d'eau des servantes ainsi que des paniers, des chaises bancales, une baignoire avec des pattes de sphinx attaquée par des acariens tenaces. Le fourneau à bois de la cuisine, irréparable, promu au rang de ruine monumentale, avait été remplacé par une petite boîte électrique avec des boutons en plastique et une porte en mica qui chauffait des rissoles pour des dîners désolés. Dans le corridor, les cabinets bouchés puaient le poisson, il manquait des fauteuils et des tableaux dans les salons, les étagères des bibliothèques étaient couvertes de moisissure, le canard brun et blanc en faïence qui avançait la spatule de son bec vers un cadre d'argent sur la petite table basse avait disparu, les horloges jamais remontées avaient momifié leurs aiguilles en des grimaces variées, et l'Homme, qui avait renoncé à gravir l'escalier menant à l'étage supérieur où les rats trottinaient sans relâche, où la pluie avait gauchi les portes donnant sur la terrasse et où les jardinières aux fenêtres déchiraient les rideaux, avait installé un lit de camp dans la chambre au piano et il dormait dans un enchevêtrement de couvertures, d'odeurs, de gobelets de lait, d'assiettes graisseuses et de vêtements suspendus à des ficelles, avec des boîtes de bière et des piles de livres et de revues tout autour, appuyant la tête sur les taches d'une taie d'oreiller qui n'avait pas été lavée depuis des siècles et qui tombait sur les franges du tapis à côté d'un réveil en fer-blanc et d'une lampe en métal qui éclairait ses insomnies et ses lectures. Derrière le store noirci par le temps, le jardin lançait ses frondaisons vers eux avec le désordre de l'abandon, les tonnelles étaient hérissées de vigne vierge et de plantes sauvages qui dardaient des étamines argentées, l'herbe avait effacé les allées de gravier et commençait à dévorer le crépi des murs et à étrangler les fils du téléphone, réduisant les voix à des murmures de noyés. Impossible à localiser, éthéré, rapide, proche, si proche qu'on sentait les notes résonner à l'intérieur de la poitrine et que le Juge d'instruction a cru que le malade allait entrer à tout moment, en pyjama et en pantoufles, levant l'archet pour faire frissonner les cordes qui restaient encore, le violon a commencé à jouer ses musiques absurdes qui ressemblaient au craquement des meubles en été, dans les appartements sans bibelots ni tentures, le soir, quand la toux des morts fait osciller doucement les fauteuils déserts. L'Homme, sourd, absorbé, à quatre pattes, écartait journaux et tas de chemises pour offrir au Magistrat un album recouvert de velours, avec des angles renforcés de cuivre et un myosotis en relief imprimé au dos :

— Ce sont les photographies de ma mère, j'en ai trouvé certaines, abîmées, dans le tiroir à chaussures dans le cagibi des placards, je parie que la vieille les avait exilées là-haut pour les oublier plus vite, a-t-il dit en feuilletant les pages avec un soin infini. Regarde donc si elle a les cheveux frisés, regarde donc si elle a l'air d'une péquenaude. Non, sérieusement, tu ne trouves pas qu'elle ressemble à une actrice de cinéma, tu ne trouves pas que c'est la plus belle femme du monde?

3

En arrivant à la maison j'ai immédiatement dit à Céu C'est pour demain, car se confier aide, même si c'est à une femme, et j'ai d'ailleurs intérêt à ce qu'elle raconte ma vie aux voisins et à ce qu'elle téléphone en catimini à ses belles-sœurs : j'aime que les gens me saluent avec respect et me laissent garer ma voiture juste devant ma porte, tout comme j'aime que la famille m'offre des cadeaux chers à Noël de peur que je ne leur passe les menottes aux poignets ou que je ne tire mon pistolet de ma poche pour leur interdire la dinde. Je n'oublierai jamais que pendant mes premières années de mariage, quand j'étais fourrier à Mafra, ils m'adressaient à peine la parole, ils refusaient de venir nous voir et ils priaient tous les saints du paradis dans l'espoir que ma femme demande le divorce, une crétine qui avait fait des études de médecine et qui avait renoncé à être docteur parce qu'elle s'était fait mettre en cloque par un troufion, comme je n'oublierai jamais que ses frangins s'étaient plaints en chœur au commandant de mon unité, disant que j'avais déshonoré leur sœurette, et le colonel, un cigarillo entre les dents, m'avait fait appeler dans son bureau pour m'annoncer en remontant sans cesse son pantalon qu'il existe des préservatifs dans les pharmacies et que j'étais la honte de l'uniforme, les militaires pour de bon font les choses comme il faut et sans laisser de trace, bon sang de bonsoir, mais où as-tu donc la tête, Bernardino? Personne n'est allé à la mairie d'Arroios en dehors de ma belle-mère qui se trouvait à Lisbonne rapport à une tumeur au sein, il n'y a eu ni robe de mariée ni photographe et Céu a pleuré tout l'après-midi, malheureuse comme les pierres, étreignant l'oreiller et regrettant déjà d'avoir abandonné les microscopes et les cadavres. Je l'ai consolée avec une paire de baffes et je l'ai envoyée repasser sa jupe pour dîner avec moi aux *Escargots de l'Espérance*, reniflant un reste de chagrin et souriant à travers un voile de larmes de peur de récolter un coup de pied éducatif sous la table. Je ne connais qu'une seule façon de traiter une femme : une bonne beigne pour leur apprendre à marcher droit, suivie d'une bonne platée de fruits de mer, et garder ses distances pour éviter les abus.

Quand je suis entré à la Brigade, évidemment, les choses ont commencé peu à peu à changer : mon nom est apparu plusieurs fois dans les journaux, dans des articles consacrés à la police spéciale, et les frangins ont dressé l'oreille et se sont mis à nous inviter très aimablement à des anniversaires, pour le Nouvel An et à des baptêmes où nous débarquions sur notre trente et un dans une auto conduite par un garde en uniforme, un type avec une casquette et un étui à revolver bien ciré qui finissait invariablement à l'office, faisant dégringoler des paquets de galettes et des boîtes de thon pendant qu'il étouffait de la main les petits cris de plaisir de la cuisinière. Instruit par cet exemple édifiant, j'ai traîné mes belles-sœurs les unes après les autres dans la chambre à coucher, sur le lit de laquelle s'entassaient les manteaux des visites et d'où je ressortais en dégageant un arc-en-ciel de parfums divers, avec des poils de manteau en mouton dans la bouche, reboutonnant ostensiblement ma braguette et donnant de petites tapes dans le dos aux maris horrifiés, pâles d'angoisse, la lèvre tremblante, le visage tordu par une grimace. Dans ses visons acryliques, une croquette plantée sur un cure-dent dans une main et une coupe d'orangeade dans l'autre, Céu triomphait, installée sur le canapé principal entre de vieilles parentes, la tache noire laissée par la mornifle de la nuit précédente couverte de poudre de riz et de crème de beauté, et mon fils, un enfant plein de vie et de pétulance, rossait ses cousins ou écrabouillait des gâteaux à la crème sur les papiers peints des murs sans que quiconque ose le gronder, et pendant qu'il mettait en pièces des encyclopédies on préférait me féliciter prudemment de l'entrain de mon héritier. Un de mes beaux-frères, qui donnait dans l'immobilier, nous a offert cet appartement sur l'avenue des États-Unis d'Amérique, équipé de tous les appareils électroménagers, d'un mobilier et de tapis d'Arraiolos, à la suite d'un petit ennui avec un entrepreneur de construction mal luné qui s'était rendu à ses arguments après une petite conversation discrète avec moi plus trois amis de la police sur un terrain désert du côté d'Alverca, un gros bonhomme aux joues flasques qui avait commencé par réclamer, allez savoir pourquoi, cinquante millions d'escudos à cause d'un chèque en bois, et qui a changé instantanément d'attitude, s'empressant de garantir au garçon une part majoritaire dans le quartier de HLM qu'il était en train de construire à Camarate. Comme j'ai coutume d'expliquer à Céu en lui caressant la nuque quand je lui demande de tout enlever sauf ses bas noirs et ses souliers à talons aiguilles pour faire l'amour avec moi, après lui avoir administré quelques claques au dîner parce qu'elle me cassait les oreilles, les gens, quand on les stimule convenablement, changent d'état d'âme plus rapidement qu'on ne le suppose ordinairement. Une jupe bien moulante ou un revolver vous transforment en un clin d'œil la tête la plus obstinée, et entre nous, à Alverca, avec l'entrepreneur en bâtiment, ce n'est pas une jupe que nous avons utilisée.

Mais comme je le disais au début, je suis sorti de l'ascenseur, j'ai introduit la clé dans la serrure, j'ai examiné avec satisfaction les moquettes, les potiches chinoises, le jet d'eau illuminé par des projecteurs intermittents qui s'élève dans le vestibule au-dessus d'une vasque en marbre que le père d'un passeur de drogue m'a offerte il y a quelques mois pour me remercier de ne pas avoir flanqué son rejeton en cabane, j'ai embrassé le petit assis par terre qui s'amusait à démolir à coups de marteau une commode en acajou, je suis entré dans la chambre où ma femme peignait les ongles de ses doigts de pied avec du vernis argenté, pliée en deux sur le matelas comme une crevette, j'ai posé ma serviette, j'ai enlevé ma veste et j'ai annoncé

C'est pour demain, tandis que sans même lever le menton vers moi elle retouchait son petit orteil avec des gestes d'horloger ajustant les minuscules roues dentées qui poussent les aiguilles tout au long du jour vers le silence anxieux de la nuit, où le vacarme de tempête des chasses d'eau quadruple et où l'on entend, cinq étages plus bas, les fleurs respirer et boire notre air avec leur énormes corolles.

— Demain, à huit heures et demie du matin, l'histoire des poseurs de bombes sera finie, ai-je dit en défaisant ma cravate, les yeux fixés sur son dos serré dans un corselet orné de dentelle et de marguerites en tulle et couvert d'un peignoir transparent (elle reste mince et n'a presque pas de cellulite sur les fesses, on remarque juste l'érosion du temps autour de ses paupières à un éventail de rides masqué par une frange teinte en blond. Le reste de ses cheveux, où brillent les nuances de mousseline des mèches, tombe en liberté sur ses épaules). Et avec la fin des poseurs de bombes, ai-je ajouté en déboutonnant ma chemise, je cesse d'avoir à endurer ce crétin de juge qui me parle de son enfance.

J'ai rangé ma serviette, mon canif en nacre, mon trousseau de clés et l'argent dans mon pantalon à côté d'une photo d'elle prise à Malaga l'été précédent et entourée d'un cadre en cuir à l'époque où elle s'était avisée de s'enticher d'un architecte italien à qui j'avais dû casser un coude pour le persuader poliment de rentrer bien tranquillement dans le pays de ses aïeux, et je me suis installé sur le pouf pour me battre avec mes lacets qui me désobéissent quand j'aurais le plus besoin qu'ils se défassent et avec mes souliers qui augmentent de taille comme ceux des clowns de cirque et qui m'obligent à avancer sur le parquet en levant exagérément les genoux, à l'instar des hommes-grenouilles chaussés de palmes qui se déplacent sur la plage comme s'ils évitaient à chaque pas des monticules de bouse invisible semés sur le sable par des vaches inexistantes.

— Ah oui? a dit Céu d'un air distrait en ramenant sa jambe sous elle et attaquant l'autre pied, armée d'une batterie d'instruments divers.

Elle s'était mis des faux cils, une pénombre de hangar

effaçait la moitié inférieure de son visage comme chez les anges en extase ou les tailleurs qui suturent des vêtements, et elle portait les mules en soie que je lui avais offertes pour Pâques, à elle et à mes belles-sœurs, car pour moi rien de tel que des mules en soie pour rendre désirable une femme qui a dépassé la trentaine et pour aider à oublier les plis sur le ventre et les varices des grossesses.

— Oui quoi? ai-je rétorqué avec irritation en cherchant des ciseaux pour détruire les lacets et finissant par me diriger vers la salle de bains avec l'intention de m'accroupir sur le bidet pour couper les cordons avec une lame de rasoir. Si tu avais entendu débiter pendant plus d'un mois des imbécillités à propos de cigognes tu remercierais Dieu à genoux que tout soit fini dans une douzaine d'heures, même au prix de quelques coups de feu.

J'ai trouvé l'interrupteur de la salle de bains et je suis allé directement là où sont rangés l'after-shave, la mousse à raser, l'alun et le pot avec les lames, à gauche du dentifrice et du désodorisant avec lequel je me frictionne les aisselles et l'aine les jours où je n'ai pas envie de me laver, j'ai enfourché le bidet où trempaient des slips et des chaussettes, et j'ai entrepris de scier méthodiquement les lacets, plein de haine pour Ofélia, une brune dodue et fatigante, mariée au jeune frère de Céu, qui n'arrête pas de jacasser et qui m'accompagnait le mardi et le jeudi dans une hostellerie de la Graça, m'appelait son gros Doudou, adorait me rhabiller et nouait mes lacets avec des nœuds de boy-scout que seule une aiguille de crochet, maniée avec patience pendant plusieurs semestres de suite, réussirait à dénouer.

— Des cigognes, qu'est-ce que tu chantes là? a demandé Céu de la chambre, absorbée par ses ongles, avec cette voix de fantôme avec laquelle on parle dans les rêves. Pour autant que je me souvienne, tu ne m'as jamais parlé de cigognes.

Une autre caractéristique typique des femmes, du moins de la mienne, c'est qu'il ne se passe pas une semaine où je n'aie envie de les étrangler ou de leur enfoncer mon genou dans le sternum, ou de lancer ma fourchette dans leurs colliers et de regarder leurs orbites bleuir de sang et leur langue cracher des bulles de salive jusqu'à ce qu'elles cessent de débiter des âneries, tout en froissant encore le drap, un sein à l'air et les cheveux épars sur l'oreiller autour du visage, comme une sorte de cadre d'étoupe, à l'instar des chevelures de poupées en filasse. Je lui ai parlé je ne sais combien de fois du Juge d'instruction et de son ami d'enfance qui se balade avec une pétoire dans un étui, je lui ai parlé je ne sais combien de fois de voitures piégées et d'attaques de banques, je lui ai décrit des dizaines de guets-apens contre de gros richards et j'ai longuement disserté à propos de crapauds et de cigognes et cette nigaude ne m'entend même pas, elle pense aux suggestions de sa couturière ou à la verrue sur son poignet, pendant que notre fils avance avec son marteau sur les potiches chinoises, prêt à réduire l'appartement à une montage de tessons. La vérité c'est qu'Ofélia et les autres, toutes pareillement stupides et incapables de dévouement, n'écoutent pas un traître mot, même symbolique, de ce que je dis, entièrement occupées par la rougeole de leurs rejetons et le meilleur moyen d'endormir la jalousie de leur mari, si bien que je passe par des phases, voyez-vous, où tout ce que je voudrais ce serait prendre le premier car qui se présenterait et retourner dans l'Algarve d'où je viens, sonner à la porte de ma tante ou aller sur la plage assister au départ des bateaux pour la pêche au fanal, au crépuscule, quand l'eau prend des teintes violettes et pourpres et que les hiboux survolent les toits en direction du petit bois de pins. Aller sur la plage, suivi du troupeau de chiens errants de l'automne reniflant sur mes talons leur espoir d'os, m'approcher des vagues dans la chaleur d'octobre face aux feux des chalutiers à l'horizon et sentir l'odeur du vent à ras de terre à laquelle se mêle un relent de pourriture d'algues et de cadavres d'anciens mariniers emprisonnés entre les rochers sous un dôme d'écume. J'ai scié les lacets et jeté les chaussures, une saloperie anglaise pour pédés qui m'a coûté vingt mille escudos, contre le carrelage de la douche, en me jurant de trouver un prétexte quelconque pour ordonner la fermeture du magasin qui m'avait refilé ces objets pervers munis de boucles énormes comme les bottes des princes dans les dessins animés qui descendent de cheval pour baiser au front des princesses qui ronflent dans des cercueils de verre.

— Ma vie tu t'en balances comme de l'an quarante, du moment que l'oseille pleut à la fin du mois, me suis-je lamenté en rentrant dans la chambre en caleçon, chaussettes et maillot de corps, et grattant l'eczéma sur mon ventre. Je t'ai répété à en perdre haleine qu'en ce moment mon boulot consiste à supporter un juge cinglé qui répond à mes questions en me décrivant les cuites de son papa.

Le chérubin a choisi ce moment pour pulvériser une des potiches à coups de marteau, à en juger par la tempête de porcelaine qui s'est déchaînée au salon, mais ni Céu ni moi n'avons accordé d'importance à cet amusement innocent de notre cher trésor, un gamin enjoué et énergique qui aime bien rayer avec un clou la peinture des voitures de nos voisins dans le garage de l'immeuble, avec notre assentiment enthousiaste, ma femme se concentrait sur ses orteils, tirant la langue comme une élève d'école primaire qui s'efforce de ne pas dépasser avec son crayon jaune le cercle du soleil, je me débarrassais de mon caleçon et de mes chaussettes en lorgnant le corselet en dentelle et le peignoir transparent avec un col garni de plumes qui la faisait ressembler aux lauréates des concours de beauté sur la couverture des revues, avec un diadème qui leur tombe sur le sourcil, et qui ont l'air si réelles, messieurs, que leur parfum nous titille l'intérieur des narines et qu'un genou s'insinue entre les nôtres, pendant que leur décolleté imprégné des odeurs balsamiques de l'encens et bordé de paillettes s'élève lentement vers notre bouche. A cette heure, me suis-je dit, Fortunato, un plan à la main, distribuait ses hommes autour de la Judiciaire, remplissait de mitraillettes et de tireurs d'élite les appartements inoccupés, postait des policiers déguisés en mendiants dans les escaliers, des faux maçons sur les échafaudages et des ivrognes avec un pistolet dans la poche au coin des rues, et nos Toyota, phares en veilleuse, patrouillaient sur le rond-point du Pão de Açucar à Almada, au croisement de la route de Lisbonne, tandis que nos soldats en treillis se cachaient dans des terrains vagues et dans les tentes des gitans, un bazooka à l'épaule. Céu a parachevé le dernier ongle en lui appliquant délicatement une retouche avec son pinceau comme si elle signait un chef-d'œuvre, elle a relevé légèrement ses seins que le corset rendait opalins et dressés, et arrondissant les lèvres en O elle a battu ses faux cils vers moi en rangeant les fioles dans les compartiments d'un coffret orné d'arabesques en argent que ses frères, solidaires dans leur malheur de cocus, lui avaient offert pour son anniversaire.

— Le juge de Viseu, le copain du terroriste, bien sûr que je suis au courant, comment ne le serais-je pas puisque tu ne parles pas d'autre chose, a-t-elle dit d'un ton offensé, et dans ses mules de soie elle avait une demi-tête de plus que moi, en rangeant le coffret dans sa coiffeuse entre la laque pour les cheveux et la petite corbeille pleine de colliers et de bracelets, faisant voleter son peignoir dans la chambre avec une grâce de nuage et se couchant sur le flanc au-dessus du couvre-lit pour se masser la cheville de son index tendu. A propos d'oseille, j'ai vu avenue de Rome des étoles de martre qui sont une affaire incroyable.

Elle a frissonné, ses cils ont vibré car après un nouveau coup asséné par le gamin qui faisait de son mieux pour anéantir notre mobilier, une deuxième avalanche de porcelaines orientales a ébranlé les murs. Ma tante, qui déménageait en été dans une masure délabrée à Carvoeiro qu'elle avait héritée de son père, sortait une chaise dans la rue pour tailler une bavette avec les voisins, et je me suis souvenu du ciel infini de la campagne, des arbres noirs dans le ciel noir, de la tache de craie du puits et du seau suspendu à la poulie qui oscillait sous le scintillement des étoiles. Cela ainsi que Fortunato en train de vider de leur personnel et de leurs fichiers les bureaux de la Judiciaire qui donnent sur la rue Gomes Freire, empilant des sacs de sable dans les corridors de l'édifice et parlementant avec le chef des pompiers, lui indiquant sur un croquis au crayon où placer les extincteurs et les abris pour les employés de bureau et les agents pour les protéger des lance-flammes, des canons sans recul et des grenades incendiaires, car on ne sait pas en toute certitude quel genre d'armements les Libyens leur fournissent et tous les jours des bateaux chargés de grenades et de dollars

214

accostent. Comme j'ai coutume de dire à mes beaux-frères, et ils sont d'accord avec moi, si j'étais le Président de l'Amérique, je résoudrais le problème du terrorisme en deux temps trois mouvements en envoyant une douzaine de missiles et de sous-marins atomiques sur ces basanés qui ne se lavent pas et qui n'enlèvent jamais leurs lunettes noires et leur turban, mais les Amerlots préfèrent envoyer des olibrius en scaphandre se balader sur la lune et les gens restent vissés, bouche bée, devant leur téléviseur pour regarder ces guignols sautiller en lançant des adieux à la caméra et planter des drapeaux dans une poussière floue.

— Une étole en martre? ai-je dit, fesses posées sur la coiffeuse, en regardant Céu s'étendre sur le lit pour allumer avec son briquet en écaille une cigarette française à filtre doré et souffler la fumée vers le miroir au plafond par l'entonnoir de sa bouche maquillée. (Ses doigts libres défaisaient les boutons du corselet, le devant de son pied se contractait et se détendait, tentateur, une épaule libérée de sa bretelle s'arrondissait sur le couvre-lit à ramages et une artère battait doucement le long du cou, disparaissant entre les plis transparents du peignoir.) Une étole en martre? ai-je répété en zieutant le monticule conique du pubis. Ta dernière bonne affaire, ma mignonne, la bague en émeraude, m'a coûté cent trente-six mille escudos et je n'ai pas encore fini de payer les traites.

En réalité elle n'avait pas coûté cent trente-six mille escudos mais quarante mille, d'abord parce qu'il y avait un défaut dans la pierre principale et deuzio parce que le bijoutier, un mec sympathique et désireux de faire plaisir, m'avait non seulement fait une petite réduction d'ami mais en plus il avait exigé que j'accepte aussi des boucles d'oreilles qui valaient au moins le triple de la bague et que j'ai accrochées aux oreilles extasiées d'Ofélia un après-midi où j'étais bien luné et où je m'étais amusé à regarder par la fenêtre la circulation à Lisbonne et le fleuve au loin, avec ses frégates, ses mouettes et ses grues, qui est toujours présent où que j'aille dans cette ville, faisant danser de petits points lumineux sur les façades, surtout quand je me crois à l'abri de lui. J'aime l'Algarve parce que je ne vois la mer que quand je le veux, je peux lui tourner le dos et plonger le regard dans un paysage aride d'oliviers et de cistes qui se meurent au soleil, sans que la scie des vagues m'incommode.

— Tu comprends si bien les femmes, a roucoulé Céu en se plaçant dans une attitude encore plus enjôleuse sur le matelas pendant que la bonne criait au salon Si vous cassez d'autres potiches je me plaindrai à votre mère, et deux pelotons militaires avançaient, accroupis, sur le talus du rond-point à Almada, pointant leurs armes sur les ténèbres.

— Des cigognes, ai-je dit en m'asseyant au bord du lit et posant la main sur la cheville de ma femme, je suis passé à Benfica il y a quelques jours et s'il y a bien une chose que je n'ai pas vue ce sont des cigognes. Rien que des immeubles neufs de toutes parts et un moulin près d'un mur en ruine au-dessus de la route, collé à une villa aux tuiles arrachées. Un moulin, une grande maison pourrie, des plantes grimpantes échevelées, mais pas le moindre oiseau planant au-dessus d'une jungle d'acacias. Il est difficile de comprendre pourquoi le poseur de bombes s'obstine à habiter là, moi à sa place je me débarrasserais du terrain et je louerais un appartement à Moscavide, je préférerais n'importe quoi à une bicoque pareille.

Avant de revenir avenue des États-Unis d'Amérique je suis passé à la Judiciaire, bousculé par une masse de gardes et de flics en civil, où Fortunato bavardait avec un inspecteur en bras de chemise et où on barricadait les cellules, les archives et les bureaux à l'arrière, et j'ai fait seul, à dix à l'heure dans ma voiture, le trajet de Miratejo à Lisbonne, contre le flot des voitures qui quittaient les lieux de travail, trébuchant sur les feux rouges en files patientes. Aux environs du Pão de Açucar, vidé de toute circulation à cette heure, j'ai aperçu plusieurs Toyota de la Brigade, tous feux éteints, garées sur les bas-côtés, chacune avec trois ou quatre silhouettes à l'intérieur, attendant les premières lueurs de l'aube. Avant d'être promu, j'ai travaillé comme ça pendant des années, dodelinant de la tête tant j'avais sommeil, pistolet au poing, presque incapable de soulever les paupières, attendant de recevoir par radio un ordre qui ne venait pas, écoutant les oiseaux de l'aurore, les camionnettes de légumes arrachées brutalement au sommeil qui cahotaient vers un marché quelconque, les multiples, les infimes bruits étouffés qui précèdent le jour, dormant, ou croyant dormir, au milieu d'un tourbillon de rêves, d'où j'étais soudain impitoyablement secoué par les revers, Ça y est, on y va, je me tassais plus confortablement sur la banquette, les yeux clos, bredouillant des protestations, pendant que mes collègues sortaient pêle-mêle en claquant les portes, on entendait des voix, des cris, des insultes, une détonation, puis une autre, plus proche, et moi j'étais debout, incapable de bouger, je me frottais les paupières avec mes manches, je distinguais un corps à plat ventre sur le sol et une demi-douzaine de types autour qui rengainaient leur revolver, éclairés par la petite orange du soleil levant.

— Odette m'a tapé, a glapi mon fils en martelant furieusement la serrure de la porte de la chambre, une poignée trempée dans un bain d'or pour laquelle j'ai payé une fortune en mars chez un antiquaire à São Pedro de Alcantara, un Juif à qui je laisse habituellement en consignation les objets superflus dont les prisonniers n'ont plus besoin, cuisinières, fauteuils, tableaux et autres inutilités du même genre, et chez qui les cambrioleurs des coffres-forts qui viennent discuter là colliers de perles et bracelets de saphirs me chuchotent toutes sortes de renseignements sur la contrebande de devises. Outre la poignée, j'ai aussi rapporté des robinets ouvragés et une baignoire sabot en marbre pour des bains de mousse qui est en train de se couvrir de toiles d'araignée dans le garage parce que je n'ai pas réussi à dénicher des costauds suffisamment forts pour me la charrier en haut sans tomber les uns après les autres sur les paliers de l'immeuble, qui de crise cardiaque, qui de hernie discale à chaque vertèbre. Dimanche encore, ma femme qui malgré tout n'est pas entièrement dépourvue de sens pratique a suggéré que nous nous en servions pour y ranger les fiasques vides qui s'accumulent dans l'office.

— Silence, Pedrinho, va taper sur le balcon, ai-je crié à la poignée de porte en insinuant mes phalanges dans la dentelle du corselet par-dessus la corolle en tulle d'une orchidée qui s'élevait et s'abaissait à la cadence des poumons.

Et bien que mon fils se fût apprêté à démolir la porte, je me suis approché des jambes de Céu pour déposer un petit baiser sur le pompon des mules en me souvenant de la grande maison de Benfica et du mur au-dessus de la route, et d'être entré, sans même avoir à le pousser, par le portail ouvert, d'avoir gravi la rampe menant à une cour goudronnée pleine de trous, avec des mauvaises herbes qui proliféraient dans les massifs, d'avoir traversé une remise délabrée, avec des anneaux pour attacher les chevaux qui rouillaient sur les murs et les vestiges d'une mangeoire en bois, quelques planches tordues qui ressemblaient aux côtes d'un animal inconnu, et plus loin une autre cour, une cage, des restes de pigeonnier, des poulaillers séparés par du grillage rafistolé avec des rectangles de bois et des bouts de ficelle qui s'élevaient au-dessus des rosiers, d'arbustes desséchés, de statues de faïence qui avaient perdu leurs membres et leur tête, avec des petits paniers qui s'effritaient à leur ceinture. En écartant le peignoir de Céu j'ai pensé que l'Homme n'irait jamais au Brésil et que le Secrétaire d'État m'avait affirmé qu'aucune promotion n'attendait le Juge car dès que l'affaire se tasserait et que les journalistes le laisseraient en paix il inviterait le bonhomme à démissionner de la magistrature et à ouvrir une étude d'avocat ou de notaire en province, pourquoi pas à Nelas d'où il venait, et il pourrait contempler par la fenêtre l'agitation des eucalyptus en hiver et la pluie balayant le champ de foire ainsi que le fou remontant la rue avec ses haillons et sa barbe effroyable, menaçant les balcons et les échos avec sa canne :

— Je suis Dom João, empereur de tous les royaumes du monde.

— Quoi ? a demandé Céu en augmentant le volume de la radio et explorant mon cou avec sa langue.

Et je me suis souvenu aussi du jardin, des bassins pleins d'eau croupie et de poissons morts, de la cage des perruches abandonnée, d'un bout de terrain hérissé de figuiers et du fuseau d'un épouvantail dans un coin du potager, ou de ce qui restait du potager, de plants de tomate qui pendaient à des tuteurs en roseau, de pommes de terre germées, de cresson sauvage, de rigoles d'irrigation obstruées de pierres et de sable, et d'un vieux bonhomme avec un gilet et un chapeau, couché dans un petit verger à l'abandon en compagnie d'une chienne lépreuse, sans race, au ventre pendouillant, avec des grappes de mouches sur les plaies de ses oreilles. Il n'y avait évidemment pas de cigognes ni de nids sur les cheminées de la grange, rien que des immeubles et encore des immeubles décolorés, envoyant des signes d'adieu avec le linge qui séchait sur les balcons, comme des navires en partance. Je me suis couché doucement à côté de ma femme et j'ai pressé mon ventre contre son dos :

— Benfica, ai-je murmuré en écartant une mèche de cheveux blonds, franchement, comment peut-on aimer Benfica ?

— Quoi ? a répété Céu en se frottant contre ma poitrine, et à cet instant le violon a commencé à jouer : ce n'était pas une mélodie, un chant, une architecture de notes organisées selon les lignes de la portée musicale, c'était une lamentation discordante, interminable, dépourvue de sens et de destinataire, qui dérangeait le feuillage des acacias avec leurs présages désolés.

— Rien, ai-je répondu en entourant sa taille de mes bras. J'étais en train de me dire que demain, dès que ce boulot sera terminé, je prendrai une semaine de congé, nous laisserons le petit à ta mère, on achètera l'étole en martre et je t'emmènerai faire un petit voyage.

J'ai demandé à arriver plus tard à Almada car c'était le jour où je dînais au Bairro das Colonias, dans l'appartement de mes parents. Je bavarde un moment au salon avec eux, avec ma sœur et mon beau-frère, jusqu'à ce que ma tante crie de la cuisine que la soupe était prête, et nous nous sommes tous assis à table en retirant nos serviettes de leur rond sous le lustre en fer forgé dont les lampes imitent des bougies, avec des toiles d'araignée entre les chaînes quand bien même on les nettoierait toutes les minutes, et dont deux ou trois ampoules étaient toujours grillées, je n'ai jamais compris pourquoi, ce qui faisait que la nuit de la rue se prolongeait à l'intérieur et qu'on distinguait à peine dans la pénombre les visages, les meubles et les arêtes de poisson. Je ne connais pas à Lisbonne de zone aussi grise et triste, qui insinue dans les matins d'août un hiver perpétuel où les gens se déplacent, parapluies grands ouverts, dans les chambres silencieuses, les épaules voûtées par le poids de tous ces mois de février successifs. L'année dernière, quand j'ai eu dix-huit ans et que je suis entré à la faculté, je me suis dépêché de louer avec les quelques sous que ma marraine m'a laissés le trou dans lequel j'habite, Estrada das Laranjeiras, un deux-pièces donnant sur les arbres et les animaux du Jardin zoologique, afin d'échapper à la moisissure qui se dégage des fauteuils et des tiroirs à linge et aux nuages qui remplacent les rideaux que ma mère suspend à des tringles de laiton avant que le vent n'arrive et ne les pousse au loin. Ce que je me rappelle

221

le mieux quand j'étais petit, ce sont les après-midi où j'étais grippé et où, étourdi par la fièvre, je feuilletais des revues dans le lit de mes parents, et le badigeon de teinture d'iode que le docteur équipé d'une lampe de mineur sortait de sa serviette pour en tamponner mes amygdales enflammées. Ou l'époque où j'ai découvert que les molaires des grandes personnes pouvaient être extraites des gencives pour être frottées avec la brosse à dents dans le lavabo de la salle de bains, ce qui leur laissait la mâchoire toute plissée comme les bassets et les vieillards dans les asiles. A partir de ce moment-là, je me suis mis à mesurer le temps non pas au nombre des petites flammes sur les gâteaux d'anniversaire mais à la réticence de mes incisives à quitter leur alvéole, bien décidé à ne pas grandir, de peur de me transformer en une créature démontable, formée d'une collection de pièces qui s'articulent et s'emboîtent, occupée à faire les mots croisés du journal, porte-mine à la main. Pour moi les adultes étaient des espèces de modèles qu'on assemble pièce par pièce, qui chaussaient des lunettes, souffraient de bronchite et s'indignaient du prix des fruits, et pendant des mois j'ai refusé de mettre des pantalons longs, pris d'une peur panique de voir mes cheveux déserter mon crâne, mes canines me tomber de la bouche, le médecin me diagnostiquer des dioptries terribles et d'arriver chez moi avec une serviette et une cravate à pois en me lamentant sur la tyrannie de mon chef au bureau, comme j'ai vu mon père le faire depuis que j'ai l'âge de raison, jusqu'à ce qu'une angine de poitrine le mette à la retraite et qu'il passe son temps de chaise en chaise à glisser des pastilles sous sa langue quand il n'était pas en train de fulminer contre le monde entier.

Si avant, les grandes personnes m'étonnaient, maintenant, quand j'y pense, ce sont les vieillards qui me déconcertent. Ma mère, par exemple, que je me rappelle droite, élégante, le cheveux noir, est aujourd'hui une grosse dame négligée, avec un chignon grisâtre, installée sur un coin de sofa et mâchonnant des biscuits au chocolat, qui fréquente un médium et qui convoque avec force cris et en frappant sur une table dotée de pieds en forme de pattes de coq d'étranges fantômes qui se manifestent de façon tortueuse en renversant les bibelots sur les étagères. A une époque de ma vie où je dormais mal, car j'étais préoccupé par mes derniers examens au lycée et par l'indifférence d'une gymnaste *aerobic*, elle m'avait obligé à l'accompagner à un deuxième étage de l'Arco do Cego où une femme outrageusement maquillée, enveloppée dans un châle semé de planètes et d'étoiles minuscules, m'avait palpé solennellement les tempes et averti qu'un cousin sergent, décédé à Póvoa do Varzim avant la guerre de quatorze, habitait le côté gauche de mon cerveau, me condamnant ainsi à des insomnies dont la seule possibilité de guérison consistait à réciter trois cent cinquante Je vous salue Marie par jour pendant les huit mois à venir et à verser huit cents escudos pour prix de la consultation. La spirite s'est empressée de faire disparaître les billets dans un cochonnet et nous sommes rentrés en tram au Bairro das Colonias, ma mère m'a recommandé les prières à sainte Philomène et un collier d'ail autour du cou pour chasser les humeurs malignes des défunts qui ont le bon goût de fuir les odeur désagréables. Quant à ma tante, adepte des Témoins de Jéhovah, qui travaillait dans un établissement de jambes et de bras artificiels rue da Madalena, elle gagnait quotidiennement en amertume ce qu'elle perdait en embonpoint, insultant le linge de la voisine du dessus qui gouttait perversement sur son étendoir à elle et occupant ses fins de semaine à sonner à toutes les portes du quartier en brandissant la Bible et en prédisant aux habitants ensommeillés qu'ils grilleraient sur le barbecue de l'enfer.

C'est parce que les grandes personnes m'étonnent que je suis arrivé en retard à Almada : je reste silencieux à table à les entendre parler sans s'écouter les unes les autres et sans se demander si quelqu'un les écoute, sans même s'écouter elles-mêmes, à entendre ma sœur et mon beau-frère, aussi ennuyeux que des encyclopédies sans gravures, qui ont ouvert une pharmacie naturiste d'herbes, de racines et de tisanes antidiabétiques, conseiller à mon père qui engloutit un comprimé à chaque coup de fourchette des graines de concombre pour fortifier son cœur, pendant qu'une nuit plus épaisse que la nuit de Lisbonne enveloppe nos gestes d'un crêpe que les lampes déguisées en cierges rendent plus opaque et que nos voix ressemblent aux voix qui parlent dans le noir, le premier instant de surprise passé, quand les fusibles sautent. Il y a quelques mois, fatigué de me cogner contre les chaises et les meubles, je leur ai offert une lampe convenable, je l'ai posée solennellement sur la console, j'ai cherché à quatre pattes une prise de courant en frottant des allumettes de cuisine qui me brûlaient les doigts jusqu'à parvenir à planter la fiche dans les petits trous, un cône de lumière a soudain illuminé la soupière et ils se sont mis à s'enfuir, épouvantés, telles des chauves-souris qu'une aurore inattendue fait tressaillir. Je suis resté, coudes sur la nappe, à les regarder se réfugier dans l'abri de la dépense en une débandade d'ailes et de couinements, remuant une forêt d'objets avec leurs pattes effarouchées. Avant de débrancher la lampe je me suis dépêché de reprendre de la soupe.

Mais la nuit du coup, en revanche, j'ai à peine touché à la nourriture. Ma tante a décrété que j'étais plus maigre, mon père m'a demandé en sortant ses comprimés de sa poche si je souffrais de palpitations, mon beau-frère a suggéré des gélules de pollen de gardénia pour fouetter l'appétit et régulariser l'intestin et ma mère a insisté pour aller chercher le thermomètre afin de voir si j'avais de la fièvre.

— J'ai déjeuné tard, ai-je expliqué à un cercle de spectres qui flottait dans la pénombre de la salle pendant que ma mère tâtait mon front avec le dos de sa main, déboutonnait ma chemise et introduisait un petit tube de verre sous mon aisselle. Et la bière que j'ai bue devait venir d'un fond de tonneau car j'ai d'horribles brûlures d'estomac.

— Ça se sent tout de suite si c'est de la bière de fond de tonneau, a dit mon père d'un ton ironique en protégeant son mamelon d'un index prudent. Chaque fois qu'un serveur m'a refilé de la rinçure de tonneau, je l'ai obligé à l'avaler lui-même.

— Trente-six six, a dit ma mère d'une voix triomphante en consultant le thermomètre, puis elle a secoué son poignet avec vigueur pour faire descendre le mercure et elle a rangé l'engin dans une espèce d'étui métallique. Au moins, ce n'est pas la grippe.

— Elle a un goût de rouille et d'eau croupie, même la couleur est différente, a précisé mon père qui se souvenait du temps paradisiaque où il rentrait tard parce qu'il avait couru les bistrots avec ses collègues. La première fois que j'en ai avalé une gorgée, j'ai eu les tripes en huit pendant des semaines.

— Attends un peu, qu'est-ce que c'est que ça, où vas-tu à cette heure? a demandé ma mère en coinçant de nouveau sa serviette sous son cou et s'apprêtant à réattaquer sa soupe. Il y a de l'agneau rôti après, tu as des vers, ce n'est pas possible, tu finiras par attraper un ulcère à force d'être toujours si pressé.

— Nous guérissons les ulcères infectés par l'application de rondelles de tomate sur les côtes, a dit mon beau-frère à mon père, coudes dressés en un geste de massage. Des malades déçus par les hôpitaux, qui n'ont que la peau et les os et qui n'arrêtent pas de vomir du sang.

Une odeur d'agneau rôti émanait effectivement de la cuisine, on distinguait le parfum de laurier et de coriandre du plat qui cuisait à feu doux dans le four, il n'était pas difficile d'imaginer les pommes de terre sautées, la sauce et la salade, mais j'étais déjà dans le couloir, presque à la porte, et je me demandais si je trouverais un taxi pour le quai des Colonnes à temps pour le bateau de neuf heures, si bien que j'ai dévalé l'escalier en pestant contre le manque de tact de l'Employé de banque qui organisait des guets-apens un soir d'agneau au four, même si celui-ci était mangé à un premier à droite dans le Bairro das Colonias, même sous des lampes en forme de larmes et des toiles d'araignée, même dans une lumière pour hiboux où seuls les yeux des portraits et des personnes tourmentées par un deuil cruel émettaient des phosphorescences.

Un taxi en maraude qui circulait rue d'Angola, une Mercedes où tout s'entrechoquait comme si elle était faite de boîtes de caramels remplies de pierres, attachées lâchement les unes aux autres par des ficelles, m'a déposé sur le Terreiro do Paço cinq minutes avant le départ du bateau, à en croire la vieille horloge à chiffres romains de

225

la gare. Les marins larguaient les amarres, les hélices accéléraient peu à peu, brassant une encre écumeuse, la coque s'éloignait du quai, j'ai cherché une place sur le pont, le dos à la proue, pour regarder les lumières de la ville rapetisser et danser comme des flammes de cierge chaque fois qu'une vaguelette se brisait le dos contre la muraille. Les mouettes dormaient sur les entrepôts des docks, nul oiseau de rivière ne sanglotait à côté du gouvernail, le château avait l'air d'un croûton planté au sommet d'une côte parsemée de virgules de lumière, mon père avait fini de dîner et retournait à tâtons au salon, attentif aux soubresauts de son cœur : je ne l'ai pas vu à mon jugement, ni lui, ni ma mère, ni ma tante, et d'une certaine façon je préférais qu'ils n'y assistent pas, mais du banc des accusés il était presque impossible de repérer un visage connu parmi le public, avec toutes ces têtes qui nous regardaient dans l'assistance, sans parler de la télévision, des journalistes, de la radio, des témoins, des greffiers, des types en toge, très dignes dans leur chaire, des policiers en uniforme adossés aux murs et des poulets en civil qui se promenaient dans les travées, à l'exception peut-être de mon beau-frère qui est rouquin et tavelé d'éphélides et dont la peau semble continuellement s'embraser dans une combustion de taches qui s'avivent et s'estompent comme les braises d'un brasero. Non seulement je ne les ai pas vus à mon jugement mais en plus ils ne m'ont pas écrit, et ils ne sont pas venus me voir quand on nous a enfin permis de recevoir des visites deux dimanches par mois, mais je suis content à l'idée qu'ils continuent comme par le passé à manger de l'agneau rôti dans le noir dans le Bairro das Colonias et à parler de décoctions médicinales et de bocks de bière.

L'Artiste m'attendait à la descente du bateau parmi les autocars alignés côte à côte en attendant le lever du jour, grignotant des cacahuètes achetées à un marchand sur un tricycle et crachant les coques par-dessus son épaule sans cesser de remuer les mâchoires, les yeux fixés sur le ferry qui s'en retournait à Lisbonne et sur les petits bateaux de pêche qui voguaient vers la barre. Une odeur d'huile brûlée et de marée s'élevait des coques des bateaux, et les façades des constructions avoisinantes, rongées par les fumées du

Tage, flottaient elles aussi, libérées de leurs amarres et de leurs racines, en direction de l'estuaire. Un groupe d'Indiens poussait une voiturette chargée de coupons d'étoffe et les nodules scintillants des phares de voiture glissaient sur le tablier du pont.

— Je t'attends ici depuis sept heures, je m'imaginais déjà que tu ne viendrais pas, a dit l'Artiste en m'offrant la dernière cacahuète du paquet, et je me suis souvenu des samedis au Jardin zoologique passés avec ma tante à lancer des caroubes aux babouins. Je faisais de la balançoire sous d'énormes arbres et les lions qui poussaient des rugissements découragés derrière une palissade de cactus me semblaient inoffensifs et tristes. Un jour, j'ai demandé à la bibliothèque de la prison un livre avec des images d'animaux et j'ai passé des après-midi entiers à m'extasier sur les girafes et les zèbres et à me rappeler mon enfance.

— Le vendredi, j'ai un mal fou à me débarrasser de mes vieux, ai-je soupiré en essayant de deviner à la densité des nuages si j'avais eu tort de ne pas prendre mon parapluie : quelques gouttes suffisent à réveiller ma bronchite et à me mettre à l'agonie pendant un mois, paupières gonflées, poches débordant de mouchoirs en papier.

Toutefois la couleur du ciel était pareille à celle de la nuit, couleur d'absence comme dans les chapelles, avant qu'on n'allume les lampes, quand on ne distingue ni les saints, ni les autels, ni les tableaux de martyrs et que les os des défunts crépitent des confidences sous le dallage. Un papillon voletait autour d'un réverbère solitaire au bord du fleuve, agitant le crêpe désespéré de ses ailes, et j'ai demandé Et les autres? en traversant Almada à côté de l'Artiste, sentant sur mes papilles le goût de l'agneau rôti et la graisse de la sauce et suçant les feuilles de laurier, mon ventre criant famine. Dans la vitrine d'une pharmacie, un type en blouse immaculée préparait des sirops avec une majesté de diacre.

— Il n'y a personne d'autre, mon grand, nous suffisons amplement à cette mission-là, a-t-il dit en s'engageant dans une rue secondaire, un morceau de fil de fer à la main. L'Employé de banque veut que nous allions bien tranquillement au rond-point du Pão de Açucar vérifier si la

Brigade est là-bas, et de là rue Gomes Freire pour l'informer.

Il a introduit le fil de fer dans la serrure d'une Morris garée sur le trottoir devant les fenêtres éclairées d'un rez-de-chaussée, il a essayé de coincer le pêne, sans y arriver, il a essayé de nouveau, il m'a fait signe de regarder si personne ne venait, il a fait le tour de la voiture pour essayer de l'autre côté, à une secousse plus forte le fil de fer s'est cassé, une silhouette a surgi au coin de la rue avec un sac en toile de jute sur le dos et l'Artiste s'est vite éloigné de l'auto en sifflotant. La silhouette au sac fourrageait dans des poubelles à dix mètres de nous à la recherche d'os et de restes de nourriture : c'était un vagabond encore jeune, avec une gabardine déchirée, du genre épouvantail à moineaux, enfilée à la diable sur les épaules, un pantalon de fantaisie noué par une ficelle autour du ventre, des bottes délacées et un chapeau sans bord planté sur le balai crasseux qu'était sa tignasse, il a extrait de son sac une casserole et a entrepris de la remplir de reliefs de dîner, spaghettis à texture de méduse, grumeaux de riz brûlé, peaux de poulet, une tête de poisson avec des mandibules féroces, réservant à la toile de jute les bouts de carton, les couvertures de revue, les papiers, les pages de journal déchirées. La rue débouchait, un pâté de maisons plus loin, sur une petite place bordée d'immeubles modestes et de petits arbres qui tendaient leurs branches avec une joie immobile. Les chalutiers sur le Tage mugissaient par-dessus les toits et quand j'arrêtais de respirer je percevais le cœur infime de l'eau, caché dans une nappe de boue, comme celui des anguilles et des grenouilles. Quand j'étais petit j'allais en vacances dans le village de ma mère aux environs d'Alenquer et mes parents, occupés à visiter la parentèle, m'oubliaient, je m'accroupissais sur une pierre pour observer le mouvement du soleil et les têtards qui nageaient sous la mousse dans la rivière et qui lâchaient des bulles à la surface avec leur petite bouche ronde.

Le clochard a délaissé son travail pour nous regarder : il portait une longue moustache qui rebiquait et des lunettes de général de théâtre de province qui scintillaient de temps en temps en un clair de lune inattendu, comme lorsqu'un de mes cousins d'Alenquer éclatait soudain de rire et qu'une dent en or apparaissait au coin de sa lèvre, dévorant son visage tout entier avec la surprise de son scintillement.

— Cette Peugeot là-bas est facile, a dit le mendiant en indiquant d'un doigt entortillé dans un bandage immonde une ombre garée sur la petite place, elle a les pneus à plat et le carburateur fuit, mais elle marche.

Il arborait sous la gabardine une chemise à losanges et une cravate à rayures et j'ai pensé C'est un clown qui a mis sa roulotte au clou ou qui a semé son cirque, j'ai pensé C'est un flic fou déguisé en clochard de carnaval, les joyeux drilles de la Brigade se payent notre tête, j'ai pensé C'est un couillon quelconque qui boit la pension que lui verse l'État dans une gargote des quais, écoutant à travers les brumes du vin le piaillement des mouettes à l'aube, mais l'Artiste m'a dit, sans se soucier du vagabond, Attends-moi bien tranquillement, et il s'est dirigé vers les arbres rachitiques, a enfoncé dans la fente de la serrure le fragment de fil de fer qui lui restait, a ouvert la porte, l'ampoule du plafond a éclairé le rembourrage, sa tête et son cou ont disparu pendant qu'il attachait et détachait des fils sur le tableau de bord, et la Peugeot, un seul phare allumé comme les malades de thrombose, a roulé vers nous, c'est-à-dire vers le mendiant et moi, en cahotant sur ses jantes, tandis que mon camarade m'appelait de l'intérieur avec des gestes frénétiques.

— Une chouette bagnole, a dit le vagabond d'un ton appréciateur en levant la casserole à la hauteur du front en une espèce de toast qui faisait voleter sa gabardine. Et vous n'aviez pas besoin de fil de fer, il suffit de tirer un peu et les gonds cèdent. L'an passé j'ai dormi là-dedans tout l'hiver, si vous trouvez une couverture sur le siège elle est à moi.

Ses lunettes se sont éteintes sans pour autant tomber de son nez car ses pupilles sont restées énormes et, de profil, son nez se tordait comme le manche d'une cuiller dans un verre. L'Artiste m'ouvrait la porte, penché par-dessus le levier de vitesse, et une fois installé sur la banquette je me suis penché en arrière et j'ai aperçu le clochard, de plus en plus lointain, appuyé contre les poubelles de la ruelle, nous adressant des adieux avec sa casserole d'émail. Ce n'est ni un flic ni un clown qui a mis sa roulotte en gage, ai-je pensé, c'est un ange aux ailes malades cachées dans une doublure en tissu écossais, en attendant qu'une queue lui pousse pour s'élever au-dessus des toits comme les canards qui émigrent en automne, un ange myope, avec des lunettes attachées par un fil au revers de sa veste, dont j'ai cru reconnaître les traits, quelques mois plus tard, quand les gardes me conduisaient vers le banc des accusés au tribunal, parmi des dizaines de visages qui se tendaient vers moi comme des tentacules, au milieu des éclairs de magnésium des appareils photo des reporters, des caméras de télévision et des micros des journalistes qui me hurlaient des questions depuis les travées, un type encore jeune qui nettoyait ses lunettes avec la pointe d'un mouchoir dans les premiers rangs, fixant par la fenêtre un ciel sans nuages où devait flotter un essaim de séraphins invisibles.

— Si cette saloperie tient, dans cinq minutes nous serons au rond-point du Pão de Açucar, a dit l'Artiste, préoccupé par le niveau d'essence dans le réservoir, les hoquets du moteur et l'aiguille de la température qui ne cessait de grimper.

La Peugeot s'appuyait sur le fer des jantes comme si elle marchait sur des béquilles, la suspension cassée du côté gauche faisait pencher la voiture et nous poussait tous les deux vers le volant, le pot d'échappement était pris de tremblements de fièvre et Almada était un tourbillon de feux de circulation et d'enseignes au néon, maintenant loin du fleuve et de la lamentation des chalutiers.

— Elle ne tiendra pas, ai-je dit. Elle va bientôt exploser en trois morceaux et nous ferons le reste du trajet à pied.

Et je nous ai imaginés, trottant vers le pont, lui, introduisant un chargeur dans son pistolet, et moi, qui n'avais même pas apporté un canif, titubant de faim et pensant à l'agneau rôti de mes parents. Je n'ai jamais eu le courage d'avouer cela à l'Employé de banque de peur qu'il ne me réponde par trois heures bien tassées d'endoctrinement politique, mais l'odeur des pommes de terre sautées a toujours été plus importante pour moi que les œuvres complètes de Lénine, cette grotesque petite momie chauve couchée dans un cercueil comme un merlan sur un plat, mais sans rondelle de citron dans la bouche. Un merlan en faux col et costume moisi, et les juges m'ont condamné à dix-huit ans de prison parce qu'ils me soupçonnent d'avoir de la sympathie pour ce macchabée russe.

— Il faut qu'elle tienne, a dit l'Artiste, impassible, cramponné au volant comme à la roue d'un gouvernail, en essayant de manœuvrer l'auto vers la déviation du Pão de Açucar qui apparaissait en lettres de néon orange, de plus en plus grosses, au sommet de la façade. Il faut qu'elle traverse le pont et qu'elle arrive à la Judiciaire, peu importe comment, même si elle tombe en morceaux tout au long du chemin.

Nous avons dépassé le bâtiment du supermarché vide où une enregistreuse ou une autre sanglotait un cauchemar de chiffres et où le vigile ronflait sur le couvercle du congélateur des jambons, immédiatement après le rayon des jupes, nous avons fait le tour du rond-point pendant que le pot d'échappement crachotait sur le macadam une pyrotechnie d'explosions et, au virage suivant, l'Artiste a éteint le moteur et les phares, il a garé la Peugeot sur le bas-côté, tiré le frein à main, posé la nuque sur l'appuie-tête, sans un regard pour le Christ-Roi sur sa colonne de béton.

— Nous ferions mieux de faire notre tour de reconnaissance à pied, a-t-il dit avec un soupir en enlevant une chaussure pour se gratter le talon. L'œil bien ouvert, mais tout doucement, sans nous presser, comme deux copains qui digèrent leur rosbif.

— Attends un peu, écoute, calme-toi, où les mecs l'ont-ils blessé ? a demandé l'Employé de banque, extrêmement nerveux, en désignant du menton l'Artiste effondré sur le canapé, affreusement pâle et couvert de sueur, pendant que la Directrice de la maison de repos, à genoux, une casserole d'eau à ses côtés, tamponnait avec une serviette la tache de sang sur sa chemise. (L'Homme guettait la Judiciaire en face par une fente entre les rideaux, le doigt sur la détente du bazooka.) Où l'ont-ils touché, bon sang, est-ce qu'il y avait des gars de la Brigade à Almada ou pas ?

— Au nom du Père et du Fils et du Saint-Esprit, amen, a dit le Curé, une tresse de grenade en bandoulière, en lisant un petit livre et aspergeant le blessé de bénédictions. Au moins il ne partira pas sans l'extrême-onction.

Il n'y avait presque pas de circulation au rond-point, juste une ou deux camionnettes dont les feux s'intensifiaient ou se voilaient au gré des caprices du moteur, quelques rares automobiles filant vers Lisbonne, l'édifice du Pão de Açucar s'estompait dans l'obscurité, des herbes et des petits arbustes rampant dans les replis d'un terrain vague et à l'intérieur du bruit, le silence de la nuit, qui semble nous guetter sans cesse, comme un chat juché sur la tête de mort de la lune.

— Jusqu'à présent je n'ai rien remarqué de bizarre, ai-je dit à l'Artiste qui s'étonnait de la longueur de nos ombres sur l'asphalte, ondulantes, pointues, collées à nos semelles, comme des raies sur les galets. Le Comité de coordination s'attend à ce qu'on rencontre quoi, à pareille heure sur une place?

— Comment cela s'est-il passé, qui vous a attaqués, qu'est-il arrivé à Almada? insistait l'Employé de banque, une mitraillette sous chaque aisselle, hésitant entre l'Artiste, l'Homme et un balcon orné d'œillets qui donnait sur la rue Gomes Freire, et d'où on pouvait toucher du doigt les Archives des services d'identification, séparés de nous par les pots de fleurs en faïence. Avez-vous au moins remarqué quelques Toyota sur le rond-point?

— De l'eau, a imploré la Directrice de la maison de repos en tordant la serviette au-dessus de la casserole. Et un drap et des ciseaux pour lui faire un pansement, en attendant que vous vous défassiez de votre manie des armes à feu et que vous alliez chercher un médecin qui s'occupe de lui.

— Peut-être une ou deux, je ne suis pas sûr, comment veux-tu que je sache, je n'y entends goutte question bagnole, ai-je avoué, une fois dans la cuisine, un broc en fer-blanc sous le robinet dans l'évier. Les voitures se ressemblent toutes, comme les Chinois, même quelqu'un qui travaillerait chez un concessionnaire ne pourrait pas te répondre.

— J'aurais dû prévoir cette éventualité et apporter les saintes huiles, a dit le Curé d'une voix pleine de repentir, le dimanche des Rameaux mes ouailles m'ont offert un sac en peau de chamois pour y ranger le coton, les fioles, et aujourd'hui, après la messe, je l'ai posé sur la commode des parements avec l'intention de le mettre dans ma poche mais un baptême m'est tombé dessus à l'improviste et je l'ai oublié à la sacristie, c'est vraiment con.

— Il y a des masses de gens à l'entrée de la Judiciaire, a dit l'Homme d'un ton préoccupé, ça va être coton de repérer le Juge au milieu de tout ce bordel.

— Alors l'eau, c'est pour aujourd'hui ou pour demain? a crié la Directrice de la maison de repos d'une voix impatiente. Lâchez-moi ces saloperies de pistolets et trouvez-moi un drap et des ciseaux, je n'arrive pas à stopper l'hémorragie.

— J'aurais dû penser à cette éventualité, j'aurais dû envisager cette possibilité, répétait le Curé avec consternation, en une sorte d'écho. J'espère que Dieu aura la présence d'esprit de ne pas ajouter cette erreur de ma part aux péchés de l'agonisant.

Nous avons traversé la déviation de Setúbal et nous sommes retournés à la Peugeot, dans la direction opposée au Pão de Açucar et aux néons d'Almada qui transformaient le ciel en pâte crémeuse où naviguaient des toits, des inscriptions et des lampes, quand une mobylette est passée lentement en faisant le tour du bassin, elle est repassée une nouvelle fois, un phare s'est allumé soudain sur le bas-côté, une balle a sauté sur le macadam comme une truite dans une rivière, à quatre ou cinq mètres de nous, l'Artiste a dit Vite et il s'est mis à courir vers la Peugeot, des dizaines de coups de feu sont partis des talus, de la mobylette, d'un tricycle d'invalide qui s'est enfui sur le chemin de Cacilhas, de tireurs invisibles et des replis de la nuit perchée comme un chat sur la tête de mort de la lune, dans les orbites et dans la bouche de ténèbres de la tête de mort de la lune, des fusées s'illuminaient et s'éteignaient sur un entassement d'échafaudages, d'outils et de sacs de ciment, l'Artiste a atteint l'automobile et il a allumé le moteur, les essuie-glaces ont promené leurs balais de caoutchouc, je me suis installé sur le siège, recroquevillé, le front au ras des vitres, pour me mettre à l'abri des fusées éclairantes qui éclataient maintenant sur tout le cercle de la place, nous avons gravi cahin-caha la courbe menant au pont, les détonations des fusils s'étaient tues, Lisbonne scintillait, immergée dans le Tage, sous les yachts et les bateaux à l'ancre, les rues, les monuments, les églises et les petites maisons de Belém étaient noyés dans l'eau car au-dessus du fleuve il n'y avait plus que les collines désertes et le champ semé de dalles funéraires d'un cimetière que les vagues avaient refusé d'emporter, si bien que nous sommes descendus vers la statue du marquis de Pombal en nous débarrassant des requins et des pieuvres qui nous mordaient le nez, quand nous avons heurté un feu de circulation près d'une corvette hollandaise aux drapeaux lacérés par les crabes, manœuvrée par un marin aux longs cheveux accrochés à la rambarde du gaillard, l'Artiste a appuyé le menton sur le volant et m'a dit sans émotion, sans surprise, sans alarme, Je crois que je suis blessé à la poitrine, il faut que tu m'aides à conduire jusqu'à la rue Gomes Freire.

— Le broc, a dit la Directrice de la maison de repos en déboutonnant le blessé, vous n'êtes même pas fichus de me passer un misérable petit broc? Vous êtes une fameuse armée, vraiment, toutes mes félicitations, vous n'avez même pas commencé la guerre et déjà il y a des blessés.

— Béni soit Jésus, le fruit de vos entrailles, a marmonné le Curé en tournant la vis qui réglait l'inclinaison du mortier. A soixante-seize degrés et avec un peu de chance, chers chrétiens, les grenades éclateront peut-être au centre du toit.

— Installe le canon sans recul, tu n'as pas le temps de te laver maintenant, m'a dit l'Employé de banque en fermant le robinet à la cuisine et posant le broc sur une étagère de pierre. Concentre-toi sur les bombes et laisse l'Artiste en paix, mon petit gars : de toute façon il a accompli la mission qui lui incombait.

— Quels qu'ils soient, il semble qu'ils nous attendaient pour déclencher sur nous leur feu d'artifice, a dit l'Étudiant en secouant la tête, assis par terre et ajustant les pièces du canon les unes aux autres. Comme s'ils savaient exactement qui nous étions, tu comprends, comme si quelqu'un les avait prévenus que nous irions patrouiller le rond-point. A mon avis, un guet-apens pareil, ça ne s'improvise pas.

— Comment le trouves-tu? a demandé l'Employé de banque à la Directrice de la maison de repos en retirant des chargeurs de mitrailleuse d'une serviette moisie. Tu pourrais toujours faire un saut à la pharmacie en bas et lui acheter un médicament quelconque, ça va être sacrément difficile de nous tirer d'ici en nous coltinant le bonhomme sur le dos.

— Toujours rien, a dit l'Homme en soulevant le rideau avec l'œilleton du fusil et plaçant sa montre-bracelet contre son oreille pour s'assurer qu'elle marchait. D'après mes calculs, ça bardera dans dix minutes au plus tard.

— Un médicament? a dit la Propriétaire du foyer de vieux d'une voix sarcastique en m'entourant les côtes d'une bande de chiffon, quel médicament veux-tu que je rapporte, tu peux me le dire? Du sirop pour la toux, des aspirines, des pastilles à la menthe? C'est un médecin qu'il lui faut, avant qu'il ne passe l'arme à gauche, pourquoi ne téléphones-tu pas à l'un de vos chefs pour qu'ils nous envoient un médecin ici, rue Gomes Freire?

Ma mère, a pensé l'Artiste, aurait aussitôt appelé le Responsable de la Santé publique, un vieux barbon qui hibernait tout au long de la saison sèche, claquemuré dans son dispensaire au bout du village, refusant de voir les malades, refusant de voir sa famille, se fabriquant des bouillies de nègre sur un petit réchaud antique et dormant sur la couche des malheurs, un après-midi après l'autre, stores baissés, sans se laver ni se changer, entouré d'armoires pleines de cathéters et d'instruments chirurgicaux, écoutant des opéras sur un tourne-disque en matière plastique. Il collait un écriteau avec du sparadrap sur la porte FERMÉ JUSQU'À LA SAISON DES PLUIES, barricadait le corridor avec l'étagère à livres, et si sa femme carillonnait à la porte en le suppliant d'ouvrir, il se bornait à augmenter le volume des arias et retournait s'étendre, ravi, sur la couche des patients, desserrant de quelques crans la ceinture de son pantalon, les yeux fermés pour mieux savourer les vocalises des chanteurs, jusqu'à ce que son fils, vétérinaire dans le Huambo, débarque avec le piquet d'incendie à bord d'un camion-citerne hurlant, les pompiers démolissaient la serrure à coups de hache, renversaient les étagères d'encyclopédies cliniques, éteignaient le réchaud avec un jet d'eau qui trempait le vieux barbon, faisaient taire la musique et brisaient les carreaux, et ils le traînaient de force à l'hôpital, indifférents à ses protestations, à ses insultes, aux tubes de l'irrigateur qui se tordaient sur le plancher et à la curiosité des voisins, vers la salle des pansements où un infirmier qui détestait l'opéra lui baissait son caleçon et lui plantait dans le joufflu la banderille d'une injection de calmant. Le vétérinaire restait un ou deux jours pour consoler sa maman et surveiller le bon rétablissement de son papa, c'est-à-dire pour jouer au billard dans le bistrot avec ses amis d'enfance et aller ensuite avec eux et une bouteille de mousseux à la pension de la Française où un deuxième tourne-disque, plus moderne, sifflait des tangos et des boléros dans un salon tendu de velours et il repartait enfin en jeep vers le sud, le col estampillé de rouge à lèvres, lançant des adieux aux pensionnaires de la madame avec la gaze de son casque colonial.

Mais quand venait la saison des pluies, le Responsable de la Santé publique que l'infirmier martyrisait à coups de piqûre se rétablissait complètement : au premier coup de tonnerre, il se levait de son lit, se rasait, savonnait sous la douche la sueur de plusieurs mois d'inertie, se parfumait les joues, le cou et le mouchoir d'essence de tubéreuse, se vêtait de lin empesé, domptait ses cheveux avec de la brillantine, baisait le front étonné de son épouse, passait à l'hôpital expliquer en souriant à l'infirmier vert de peur que, comme d'habitude, il s'était trompé dans les doses quotidiennes de calmant, nettoyait le dispensaire, aidé par la bonne amenée de Carmona vingt-sept ans plus tôt, quand la lecture des prouesses des explorateurs l'avait attiré en Afrique, il déjeunait avec son compère le notaire, fumait un cigare avec volupté en buvant son café et quand une heure sonnait, il ôtait sa veste en mâchonnant une bribe de tabac et la suspendait à un crochet planté dans le panneau de carreaux de faïence de la maison mortuaire, il se munissait d'un couteau, d'une paire de gants et d'un tablier en toile cirée, il s'avançait vers la table en marbre des autopsies surmontée d'un cadavre et il regagnait enfin le monde des vivants en découpant avec des gestes savants des foies, des cerveaux et des reins. A cinq heures, il commençait à recevoir les patients de sa clientèle privée, y compris les pompiers qui détruisaient à chaque saison sèche à coups de manche à incendie le tableau des lettres pour l'examen de la vue et l'enfilade de pipettes contenant des réactifs divers sur une tablette de pierre, il dînait chez lui en observant son régime pour l'hypertension, changeait de chemise et terminait la journée dans la pension de la Française en dansant des rumbas avec une négresse grêlée par la petite vérole qui répondait au prénom d'Alcina et dont les fesses réjouissaient les miroirs.

Pendant l'hivernage, a pensé l'Artiste loin de l'Employé de banque, du Curé, de l'Homme, de l'Étudiant et de la Dame du foyer de vieux qui lui comprimait la poitrine avec une bande découpée dans un drap, l'obligeant à respirer par les clavicules, la peau frissonnante comme un oisillon qui n'est pas encore entièrement sorti de sa coquille, loin des mitraillettes, des fusils, des revolvers, des canons et des secrets de ses collègues, loin de l'agitation de la rue et de la frénésie des ambulances, pendant l'hivernage,

a-t-il pensé,

la plante grimpante qui s'enroulait autour des piliers de la villa à colonnes se piquetait de petites fleurs rouges et les soldats indigènes, calot sur le chef et pieds nus, coupaient tous les samedis l'herbe du générateur électrique posé sur un socle en fer au milieu des acacias qui fonctionnait de 6 à 11 dans un grand vacarme de bielles pour nous éclairer ainsi que le poste de secours désert, aux vitres cassées, et l'établissement du commerçant mulâtre sous les manguiers où les caisses de poisson séché exhalaient une odeur d'égout et de magnolia. A onze heures, mon père débranchait la lumière pour économiser le pétrole, le bruit du ventilateur et des cylindres cessait, les chiens du village nègre aboyaient dans le silence, ma mère, le visage émacié par la flamme des allumettes, allumait des bougies dans les chambres et au salon, et de la véranda on apercevait le fleuve encaissé entre deux collines qui brillait sous la lune, au-delà des broussailles et des arbres. Une bougie était posée sur le plancher près de mon lit et je mettais des siècles à m'endormir, enfermé dans l'haleine chaude de la pluie, regardant les lampes distantes et le promontoire obscur du village indigène, jusqu'à ce que le soufre des premiers éclairs qui arrivaient avec le vent du Congo m'ensevelisse de terre sous les draps.

Pendant l'hivernage, ai-je pensé, les boas constricteurs grimpaient le matin de ce côté de la bourgade, ils suivaient la ligne du chemin de fer à la recherche des chèvres qui s'éloignaient des paillotes, loin de la vigilance des chiens, les insectes bourdonnaient dans l'air humide, des fourmis rousses surgissaient des appuis des fenêtres et des fissures dans la chaux, on distinguait presque les gros murs de l'église et les araucarias du couvent sans bonnes sœurs dont les cloîtres étaient revêtus de panneaux ornés d'angelots, tout à coup le ciel devenait noir, le tonnerre grondait de vallée en vallée avec un fracas de meubles qu'on déplace, brûlant les champs labourés et les caféiers, et mon père arrivait à la maison en jeep, trempé, tremblant de paludisme, il s'enveloppait dans des couvertures et du fond de couches de laine superposées il demandait à ma mère le flacon de comprimés de quinine. Dans ces cas-là, c'était elle qui, en robe de chambre, chaussée de caoutchoucs, munie d'une ombrelle et d'une lanterne, allait brancher et débrancher le générateur, accompagnée de la cuisinière qui portait un bidon de pétrole, après avoir éparpillé des bougies allumées dans les chambres, comme un oratoire sans images saintes, je m'adossais à la porte de la véranda et j'avais peur que des boas tapis dans l'herbe ne la dévorent en une seule bouchée, comme ils faisaient des chèvres, pendant que mon père, une compresse de vin à l'ail sur le front, vomissait tripes et boyaux dans une bassine d'émail.

Ma mère, de retour du générateur, m'ordonnait d'enfiler un pantalon sur mon pyjama, de chausser les bottes en caoutchouc avec lesquelles je pêchais dans le Dondo, d'endosser la gabardine de mon père, trop longue, qui traînait dans la boue, et d'aller chercher le Responsable de la Santé publique chez la Française, accompagné de trois serviteurs noirs dont les pupilles aux reflets métalliques roulaient dans l'obscurité, comme suspendues dans le vide. Nous franchissions des flaques et des talus inégaux, un bout du village indigène avec des cabanes en torchis, bouse de vache, plaques de zinc, planches de bois, groupées autour d'un baobab réduit à un squelette d'écorce par les sauterelles, nous arrivions à côté de l'aérodrome qu'aucun avion n'utilisait jusqu'à la route de sable qui menait au centre de la bourgade, nous tournions à droite près du couvent des bonnes sœurs, avec son petit bassin tapissé de galets, et nous tirions la sonnette de la madame dans une des maisons du quartier populaire que l'usine de boissons gazeuses et de bière avait fait construire pour les familles des ouvriers qui faisaient fermenter le malt et qui mettaient l'orangeade en bouteilles.

C'était une petite construction innocente avec un jardinet planté de bégonias et une lampe en cuivre au-dessus de l'entrée, que les clients reconnaissaient, même les yeux fermés, aux tangos du gramophone qui inondaient les ténèbres d'accordéons tragiques et de hurlements de résignation ou de jalousie. Une petite construction parmi d'autres petites constructions, avec des rideaux froncés et des oiseaux en terre cuite qui voletaient sur la façade, avec des jeeps et des autos garées sur le trottoir, une clarté ambrée adoucissait la croisée des fenêtres et à l'intérieur il y avait un petit salon avec un cercle de canapés et des chaises au siège en forme de queue de morue, rangées contre les murs comme dans les académies de danse, des lampes recouvertes de papier cellophane, un lustre ruisselant de gouttes de verre biseauté et un serveur en gilet, avec des manches bouffantes et une serviette sur le bras, qui trottait de fauteuil en fauteuil avec un plateau rempli de verres.

Les boys noirs sont restés à rouler leurs globes oculaires argentés dans le jardin sous la pluie, appuyés au portail comme les éléphants qui étayent les dictionnaires, et l'Artiste qui devait avoir à l'époque sept ou huit ans a avancé seul vers la porte sous la menace des corolles de bégonias qui lui faisaient des signes dans la nuit et comme, même sur la pointe des pieds, il n'atteignait pas la sonnette, il était obligé d'attendre sous la lampe de cuivre en regardant le bourg que les éclairs révélaient et voilaient dans des fulgurations bleues qu'un client sorte ou entre dans l'établissement de la Française, pour fouler le tapis en raphia du vestibule et découvrir la fille aux cheveux défrisés, avec un diadème et une cape comme une trapéziste de cirque, qui passait des boléros sur le gramophone, les messieurs chauves qui dansaient en sautillant sur le plancher inégal, sept ou huit autres trapézistes avec des décolletés vertigineux et d'immenses bouches écarlates, et la patronne sur la plate-forme de l'escalier menant à l'étage supérieur, une coupe de champagne entre les doigts, grande, maigre, digne, avec un sourire inaltérable, sans âge, constellée de bijoux, commandant avec une autorité bienveillante et d'un simple haussement de sourcils son troupeau de mulâtresses. Le Responsable de la Santé publique, libéré de la torture du veston, de la cravate et des souliers, en bras de chemise et bretelles, était vautré sur un coussin au crochet, pendant qu'une créature anguleuse aux bras couverts de bracelets tintinnabulants du poignet jusqu'au coude lui chatouillait le nombril et lui mordillait les oreilles et les bajoues, telle une mante religieuse dévorant un cafard en chaussettes.

— Arme-toi de patience, a dit l'Employé de banque à la Patronne du foyer de vieux, il va falloir que tu t'en occupes toute seule, sans médecin, en attendant que nous ayons fini ce boulot, dès que l'embuscade sera terminée nous l'emmènerons chez un de mes amis qui est secouriste à Oeiras pour qu'il lui fasse un pansement comme il faut. Peut-être qu'il n'a pas de balle dans le poumon, peut-être que c'est une simple égratignure qui guérira avec cinq gouttes d'eau oxygénée et une compresse, tu ne veux tout de même pas que je foute en l'air des mois de travail pour un petit bobo de rien du tout?

Au bout de tant de temps, couché sur le divan d'un appartement inconnu dans la rue Gomes Freire, devant la grosse bâtisse d'angle de la police judiciaire, ses collègues allant et venant autour de lui comme un ballet d'ombres, l'Artiste se souvenait de la Française rencontrée en Angola trente-neuf ans plus tôt par une nuit de typhon échevelé qui a extrait la mante religieuse aux bracelets d'au-dessus du Responsable de la Santé publique extasié de plaisir et qui l'a obligé à se chausser, à enfiler son veston, à donner un coup de peigne à sa calvitie, à nettoyer avec son mouchoir le rouge à lèvres sur ses joues, son cou et son front, à nouer sa cravate sur sa chemise et à l'accompagner, lui et les Noirs qui l'attendaient près du portail avec leurs yeux ronds, pour soigner la fièvre et les vomissements de son père. Il se souviendrait du trajet de cauchemar pour retourner chez lui, sous une tempête déchaînée qui arrachait les branches des arbres et les tuiles des toits, d'abord le long du quartier des ouvriers de l'usine de bière où les rares réverbères allumés pâlissaient sous la pluie et où le son du tourne-disque s'effilait et s'évanouissait à mesure qu'ils s'éloignaient, courbés par les tourbillons de vent, en direction du village indigène qui les séparait de la villa à colonnes où l'Artiste était né, où il avait grandi et où il habiterait quelques années encore, avant qu'on ne l'envoie dans un collège tenu par des religieux à Luanda, au-dessus de la baie et de Muxima,

et ensuite, au-delà du village indigène, fouettés par la

pluie, se cramponnant les uns aux autres comme un cortège d'aveugles, éblouis par des pans de cabane qui se dressaient brusquement quand un éclair touchait la cime d'un araucaria avec un sifflement, par les humbles petits fourneaux à l'intérieur des masures en forme de cube, par les chiens, tête basse d'angoisse, et par les flaques de boue où des crapauds et des grenouilles naissaient instantanément,

regardant surgir les arcades du couvent de religieuses, les collines descendre vers la rivière et la silhouette de l'église se réduire à des fragments de brique et de pierre et aux statues brisées des saints, et entendant des voix assourdies par la pluie chuchoter derrière les plaques de zinc et les murs en torchis,

entendant maintenant les gémissements des roseaux et des osiers des paillotes du village noir qu'ils contournaient sur un sentier ouvert entre les herbes par les coupe-coupe des femmes, et voilà qu'est apparu le dispensaire désert, avec une table gynécologique dans un coin, une odeur de formol et d'éther qui imprégnait le plâtre qui se décollait et l'établissement du commerçant métis à barbiche, avec ses caisses de poisson séché et de bière,

et je me suis aperçu alors que ma mère n'avait pas débranché le générateur, non pas à cause des fenêtres illuminées de la villa mais à cause du bruit heurté des cylindres qui trépidaient dans l'obscurité et des bielles qui crachotaient de l'huile, surveillés par un soldat indigène armé d'un tromblon et qui dormait, le menton sur la poitrine, assis dans l'herbe malgré la pluie, les éclairs, les protestations des arbres et les sifflements du vent, assis dans l'herbe, son calot sur le nez, appuyé au tronc d'un manguier malgré l'odeur de phosphore, de soufre, de manioc et de bois brûlé. Il se rappellerait sa mère aidant le Responsable de la Santé publique à retirer le tablier en toile cirée avec des trous pour le crâne et les bras et l'accompagnant jusqu'au lit, déjà entouré de bougies en stéarine dans des soucoupes, où son mari continuait à vomir, frissonnant de froid, dans une cuvette d'émail, et les traces laissées par les semelles sur les planches, dans le vestibule, dans le couloir, dans le petit cagibi avec le lavabo, dans le WC à la turque sous la construction en roseaux à l'arrière,

il se souviendrait du vieux qui détestait la saison sèche et qui s'enfermait dans son cabinet de consultation jusqu'à ce que les pompiers, accompagnés de son fils vétérinaire, viennent l'arracher de force à ses irrigateurs et à ses airs d'opéra, ouvrant sa mallette de médecin à côté de mon père qui transpirait en grelottant, qui posait sur nous ses yeux absents et nous laissait déboutonner son pyjama pour qu'on l'ausculte, dénouer les cordons de son pantalon pour qu'on lui palpe le foie, lui soulever les paupières pour voir s'il était anémique, obéissant sans parler, sans rien demander, sans s'intéresser à qui que ce soit, pâle d'aigreurs d'estomac et d'écœurement, contemplant le tableau suspendu entre la commode et la porte, une toile gigantesque achetée à Salazar, dans le Dondo, ou à Henrique de Carvalho quand, du temps où il était encore célibataire, il avait travaillé à la Compagnie des diamants, et qui représentait un couple de lions dévorant un zèbre avec, en arrière-plan, une masse d'éléphants, d'hippopotames et de plantes tropicales, pendant que la mère de l'Artiste, qui se faisait beaucoup de souci pour son mari, lui appliquait des compresses d'huile sur les tempes et lissait ses mèches trempées au-dessus de ses oreilles. La cuisinière et les boys épiaient le manège du médecin qui préparait une seringue et examinait à contre-jour le contenu d'une ampoule en fredonnant *Rigoletto*, le commerçant métis, qui était rongé par une affection intestinale, venait s'enquérir des progrès de la fièvre tierce, et par-dessus la pluie on entendait les coups de tonnerre et le coassement des grenouilles, les ronflements du soldat, assis pieds nus et coiffé de son calot, son tromblon sur les genoux, à côté du générateur, surveillant les cylindres et les giclements d'huile bouillante.

— Faites comme vous voudrez, a dit la Directrice de la maison de repos en haussant les épaules, détruisez tout Lisbonne, anéantissez le pays, faites sauter la planète, mettez tout sens dessus dessous, mais je ne veux pas être responsable du blessé, le bonhomme n'arrête pas de perdre du sang, je ne trouve pas son pouls, dans une demi-heure il sera passé de vie à trépas et je n'y serai pour rien, je ne veux rien savoir, c'est à vous de vous débrouiller avec son cadavre, et d'ailleurs comment ferez-vous pour le transporter jusqu'à la fourgonnette, hein?

Le Responsable de la Santé publique, une aiguille à la main, frictionnait la fesse du père de l'Artiste avec un bout de coton et au même instant les lampes ont faibli, le générateur se secouait en crachotant, affolée, ma mère criait aux boys Videz vite une bouteille de pétrole dans le réservoir, autrement la pompe va se désamorcer. Les nègres aux globes argentés ont trotté vers la dépense à la recherche de l'entonnoir et du bidon de carburant mais les lampes se sont éteintes d'un seul coup, les flammes des bougies se sont élevées, grossissant les objets, les visages sont devenus transparents, comme les spectres des nonnes dans le couvent abandonné qui erraient dans le cloître au milieu des brumes de la saison sèche, et l'Artiste, posté sur la véranda, a vu les Noirs s'approcher du générateur, la lanterne de son père à la main, il a vu une lumière se promener dans l'herbe, il a vu le soldat endormi qui ronflait appuyé contre un arbre, il a vu la nuit sans pluie et sans nuage prolonger les collines et les échos de la terre, et le ruban métallique de la rivière en contrebas qui scintillait entre les rochers comme le cadavre d'un naufragé.

— Tiens-toi sur tes guibolles, ne te laisse pas aller, cramponne-toi, m'a dit l'Employé de banque en me pinçant l'oreille et regardant constamment le bâtiment de la Judiciaire par-dessus l'Homme. On va bientôt partir à Oeiras, le secouriste t'extraira la balle avec une pince et demain tu te réveilleras frais comme un gardon.

Et l'Artiste moribond, qui ne vivrait pas assez pour assister à l'attaque du bâtiment de la Judiciaire, s'est souvenu que le générateur était devenu muet à tout jamais malgré les efforts des boys et de la cuisinière, et que le commerçant aux manches retroussées et au pantalon maculé d'huile dévissait ampèremètres et pistons et les lançait au hasard dans les broussailles, et que le Responsable de la Santé publique était venu, seringue au poing, étudier l'origine de la panne, si bien qu'il ne restait plus que ma mère, mon père et moi dans la demeure aux colonnes, illuminée comme un autel par des centaines de chandelles et ressemblant à un paquebot habité par la frénésie des insectes.

— Il manque une pièce au canon sans recul, les Marocains se foutent de notre poire et nous vendent n'importe quoi, a dit l'Étudiant d'une voix indignée en fourrageant dans la paille des caisses. J'offre un gâteau à celui qui réussira à tirer avec une arme sans gâchette, l'an dernier ça a été pareil lors de l'attaque du supermarché à Cartaxo, un de ces jours ils nous enverront des pistolets de carnaval et nous ne nous apercevrons même pas de la différence.

— En tout cas, au supermarché les gens n'y ont vu que du feu, a dit le Curé en corrigeant d'un dixième de degré l'inclinaison du mortier. Pour effrayer les gens, rien de tel qu'une mitraillette pour rire, je n'ai jamais vu des tiroirs-caisses s'ouvrir si vite.

— Tiens-moi ça, a dit le médecin à un des nègres en lui tendant la seringue et poussant le commerçant de côté pour s'agenouiller devant des résistances hirsutes, des réservoirs sans bouchon et des pièces en métal rouillé. Quelqu'un de vous aurait-il une pince convenable à me prêter?

Et l'Artiste se souviendrait de l'aurore sans nuage de cette nuit qui s'étirait au-dessus de la brousse en teintes lilas et vertes, il se souviendrait des araucarias, des acacias et des manguiers qu'un soleil subit arrachait à l'obscurité, des plants de coton comme piquetés de papillons, des oiseaux du matin qui se bousculaient dans le feuillage et surtout du Responsable de la Santé publique à genoux qui s'acharnait contre le générateur, lequel ne fonctionnerait jamais plus, transformé en une montagne de fils métalliques inutiles, pendant que le soldat au tromblon continuait à ronfler, secoué de temps en temps par les tressaillements du rêve. Il se souviendrait qu'il dormirait à son tour, recroquevillé de fatigue sur la marche de la véranda, sentant les arbustes de l'Afrique s'incendier de chaleur et les tournesols tourner leurs cils vers le soleil naissant, il se souviendrait que sa mère l'avait porté dans ses bras à l'intérieur de la maison qui embaumait le café au lait du petit déjeuner de son père toussant dans le lit conjugal son phlegme péremptoire d'adulte. La semaine suivante des Bailundos au dialecte étrange ont installé des câbles électriques jusqu'à la villa, jusqu'au dispensaire désert et au magasin de poisson séché, épargnant les arcades en ruine de l'église et ce qui restait des cellules du couvent, mon père a guéri tout seul de son paludisme avec des comprimés de quinine et un régime à base de racines dont il avait eu connaissance à Silva Porto, et quinze jours plus tard, quand le train-train de la maison a repris son cours normal, ma mère a rangé la bassine d'émail à l'office et le thermomètre dans le tiroir à médicaments pour le prochain accès de fièvre, et le vent du soir apportait les valses sensuelles du gramophone de la Française.

Quinze jours plus tard, en partant pour l'école, j'ai trouvé le Responsable de la Santé publique penché au-dessus des cartilages du générateur, en train d'essayer de le reconstituer à l'aide d'une pince et d'un tournevis, aidé du Noir auquel il avait ordonné de tenir la seringue et qui continuait à la tenir entre ses doigts prudents, et du soldat qui ronflait toujours dans l'herbe, devenue à cause des pluies un bourbier plein de crapauds.

— Son pouls s'est arrêté, a dit la Patronne du foyer de vieux en posant son oreille sur le cœur du blessé, puis plaçant son petit miroir de poche devant son haleine et cherchant à tâtons la palpitation des veines dans sa nuque. J'ai comme l'impression que cette fois il a plié son pébroque, vous allez devoir jouer aux cow-boys avec un partenaire en moins et vous dépêcher d'en finir avant que le défunt n'empeste.

— Ça fait des heures que je farfouille dans les caisses et je te garantis qu'il n'y a pas la moindre gâchette, a crié l'Étudiant à l'Employé de banque en lançant des brassées de paille sur le sol. Il manque la gâchette et le percuteur, et les grenades ne sont pas du bon calibre, si on arrive à se servir de cette saloperie en guise de gouttière on aura de la chance.

— Tu as emboîté les pièces à l'envers, mon coco, a dit le Curé d'un ton moqueur en démontant le canon, bien sûr que comme ça aucune grenade ne convient. C'est un modèle spécial, il faut commencer par lire les instructions, il y a des croquis et des flèches qui t'expliquent tout.

— Ça ne tardera plus, maintenant, a murmuré l'Homme à la fenêtre en soulevant davantage le rideau avec l'extrémité de son fusil. Des policiers sans uniforme sortent dans la cour de la Judiciaire et il y a un véhicule blindé devant le portail. Je parie qu'il y a des tireurs d'élite de l'armée sur les balcons, je parie qu'ils se préparent aussi soigneusement que nous.

— S'ils se préparent c'est parce que quelqu'un a jacté, a dit l'Employé de banque, à plat ventre par terre, en guettant la rue entre les plants d'œillet et les pots de marguerite et de lys : des silhouettes accroupies marchaient à quatre pattes sur les toits et on apercevait des mitraillettes dans les cheminées et sur les avant-toits.

— Je n'entrave pas le tchèque, a protesté l'Étudiant en examinant un dépliant, les lettres sont le contraire des nôtres, les croquis sont d'une complication diabolique, les mots finissent quand ils devraient commencer, j'ai peur d'appuyer par erreur sur un bouton et que l'engin ne fasse un bond et ne m'explose entre les mains.

— Si ça se trouve ils ont remplacé la gâchette par une clavette, a dit le Curé en étudiant le canon, si ça se trouve la mire c'est ces petits anneaux en plastique, si ça se trouve le percuteur c'est ce petit marteau qu'il faut glisser comme ça dans le trou. Demain j'achèterai un dictionnaire tchèque-portugais ou bien je demanderai à ce copain de l'ambassade de Syrie qui a fait ses études à Moscou et la prochaine embuscade sera un succès du tonnerre de Dieu.

— Plus que mort, complètement raide, a conclu la Directrice de la maison de repos en croisant les bras de l'Artiste sur son ventre, après avoir rangé son miroir de poche dans son sac à main. Est-ce qu'il y a un pistolet pour moi au moins ?

— Si ce n'est pas du tchèque c'est de l'hébreu, si ce n'est pas de l'hébreu c'est du chinois, si ce n'est pas du chinois c'est du yougoslave, a dit l'Étudiant d'une voix furieuse en déchirant le dépliant, pourquoi diable les Anglais et les Français ne fabriquent-ils que des hélicoptères et des avions à réaction? Nous allons nous mettre à attaquer les bureaux de change avec des chars de guerre, des bataillons d'infanterie et des croiseurs, et si nous tombons sur un nazi en train de vouloir entrer dans sa voiture, nous avancerons sur lui en véhicule blindé.

Probablement l'Artiste était-il effectivement déjà mort, probablement avait-il cessé de respirer, d'entendre, de sentir, de voir, probablement ses viscères commençaient-ils à fermenter de gaz et de ces lézards qui semaient leurs œufs dans les rivières et qui laissaient des sillons de moisissure sur la muqueuse des tripes. Probablement le marxisme-léninisme, la compagnie d'assurances, les projets grandioses d'exposition et l'appartement de la Calçada dos Mestres avaient-ils cessé d'exister pour lui, mais il avait sept, huit ou neuf ans et il fréquentait l'école primaire du bourg, il habitait dans la maison à colonnes avec ses parents pendant l'hivernage où le générateur était tombé en panne et avait été détruit par l'élan réparateur du tournevis et de la pince du Responsable de la Santé publique qui tapait sous les averses avec une furie obstinée. Il n'était pas sur la marche de la véranda, les mains sous le menton, à contempler la rivière, le village noir et les femmes qui revenaient des champs, un panier d'ignames sur la tête, mais affublé de ses habits du dimanche, suffoquant de chaleur devant la maison de la Française dans le quartier ouvrier, avec sa lanterne de cuivre et les paso doble rayés du gramophone qui s'évanouissaient dans l'air en accords héroïco-tragiques,

il était devant des messieurs chauves, rouges d'enthousiasme, glissant sur le parquet au rythme des valses ou couchés dans des positions de diva sur les coussins du canapé. L'Artiste, qui venait de mourir à Lisbonne, dans la rue Gomes Freire, quelques instants avant le guet-apens tendu au Juge, a traversé le trottoir avec ses insupportables habits du dimanche et l'argent qu'il avait reçu à son anniversaire serré dans sa paume, il a tiré la sonnette, il a attendu, il a sonné de nouveau et quand le serveur au plateau lui a ouvert et l'a regardé avec surprise en disant, Mon garçon, tu t'es sûrement trompé de numéro, ici ce ne sont pas des amusements pour collégien, il est passé sous

248

son bras sans répondre, d'un air décidé et grave, rajustant son col, ses cheveux coiffés avec la brillantine de son père à base de graisse de cochon, il a traversé le salon sans se soucier des robes en lamé et des messieurs d'âge mûr qui sirotaient du whisky et allumaient des cigarillos dans les fauteuils, il s'est approché de la patronne, grande, droite, maigre, sans âge, une coupe de champagne à la main, qui surveillait au bas de l'escalier l'ordre, la rigueur et la décence de son établissement et qui donnait des ordres aux filles d'un simple haussement de sourcils, et lui a tendu trois ou quatre billets de banque froissés pendant des heures par la sueur de son désir et de sa panique :

— Je voudrais aller avec vous là-haut ne serait-ce qu'une minute, a-t-il dit lentement d'une voix ponctuée d'aigus enfantins. Plus aucune femme au monde ne m'intéresse.

Et j'étais là, moi, un tonsuré, un élu, un oint du Seigneur, un prêtre frère de deux prêtres et petit-fils de l'abbé de la maison à la treille qui a inauguré la vocation religieuse de la famille, un vieillard en soutane assis, un chat sur les genoux, entre le bac à linge et un pin parasol dont l'ombre faisait dépérir ses laitues, regardant dans les soirées d'automne par-dessus ses bésicles la chapelle, les pierres tombales et les cyprès du cimetière pendant que les corbeaux et les nuages de la nuit s'étiraient en longues taches au-dessus des champs de blé de l'Anglais. Je me souviens de lui avoir baisé la main à Noël dans la sacristie de Carrazeda de Anciães (les peupliers chantaient dans mon sang) pendant qu'il revêtait ses parements pour la messe dans une pièce glaciale, sous d'énormes christs qui saignaient des larmes de bois. La veille de mon entrée au séminaire j'ai accompagné mes parents pour recevoir sa bénédiction et je l'ai trouvé en train de manger du poisson et des haricots verts dans une petite salle bourrée de crucifix ouvragés et de peintures représentant des martyrs, je me suis agenouillé avec contrition, le menton sur les franges de la nappe pour que l'abbé, qui se versait de l'huile sans cesse de cracher des arêtes de poisson, me trace à la hâte sur le front avec le bouchon de l'huilier un signe de croix quelque peu dégoulinant. Je l'ai encore vu cette année-là pendant les vacances, caressant son chat devant les laitues flétries, mais l'été suivant c'était le pharmacien à perruque qui habitait sa villa, le pin parasol avait été scié à la racine, le potager remplacé par un carré de gazon parsemé de Bambis en faïence, il y avait des arabesques de fer forgé autour de la véranda, l'épouse allemande du bonhomme aux pilules qui se baladait dans le village en jupe moulante avec un caniche en laisse était étendue en maillot de bain sur une serviette de plage et elle lisait des revues spécialisées dans les scandales à côté des cyprès. C'est seulement alors que j'ai appris que mon parrain (il était le parrain de tous ses enfants et de tous ses petits-enfants et il les baptisait tous, avalant les paragraphes en latin avec des marmonnements bourrus) était mort en odeur de sainteté en avril à l'hôpital de Lamego, après que son fusil à chasser les perdrix lui avait explosé dans l'épaule, sans même avoir eu le temps de choisir le prénom de son dernier filleul, né d'amours volcaniques avec l'employée de la mercerie, une louchonne prénommée Lucilia, de cinquante-trois ans plus jeune que lui, qui a hérité de son bréviaire et de ses arpents de terre et qui a fait un riche mariage avec le gouverneur civil de Bragance. Quand je vais à Carrazeda, je visite toujours le cimetière avec un pliant sous le bras, d'abord pour prier confortablement à côté de la tombe du défunt ornée d'une statue en marbre poli représentant la Chasteté, et ensuite pour regarder la femme du pharmacien à travers une forêt de monuments funéraires s'enduire de crèmes et de lotions bronzantes sur ses cinq pieds carrés de gazon. Quand la Teutonne déserte le jardin pour aller essayer des corsages chez la couturière, je récite un tour supplémentaire de Je vous salue Marie sur mon rosaire pour aider le trépassé à arriver à un accord avec les anges (ces espèces de mouettes des cieux qui dorment sur les mâts du paradis, la tête sous l'aile), et je contemple jusqu'au crépuscule les montagnes qui me séparent des coteaux du Douro et des petits bateaux qui dansent en bas, comme autant de pupilles sous leurs paupières de schiste.

Pourtant, quand je pense à Carrazeda de Anciães, ce ne sont pas seulement les peupliers, l'Allemande, les champs de blé et le prêtre assis devant les laitues, son chat sur les genoux, qui chantent dans mon sang : c'est le voyage dans l'ambulance des pompiers, un jour d'hiver, pour transporter mon père moribond à Porto où il s'éteindra, les eucalyptus au bord de la route qui surgissaient du brouillard en tourbillonnant, l'infirmerie où l'humidité suintait par plaques sur les murs de granit, l'enterrement dans la concession que mon grand-père avait réservée autour de la Chasteté sur sa tombe pour son innombrable troupeau de filleuls, chacun portant le nom du saint du jour où il était né, qui s'étaient groupés autour du cercueil, marmonnant des prières avec le ton bourru de leur parrain, pendant que l'épouse du pharmacien, serrée dans une robe blanche, caressait son caniche sur le coin d'une pierre tombale, ses cheveux cascadant sur ses épaules, une tristesse charbonneuse zigzaguant sur le maquillage de ses joues.

Et dix ans après les obsèques de mon père, qui avait été ramené de Porto sous un drap noir et or dans un fourgon aux portes ornées d'ampoules électriques, sans cortège ni fleurs, je suis entré au Mouvement pour des raisons purement théologiques (pour ne pas parler du démocrate-chrétien qui m'a soufflé ma catéchumène favorite, une minette de dix-sept printemps, qui promettait beaucoup), et la semaine suivante, à l'heure du déjeuner, je faisais exploser à la bombe sur le Terreiro do Paço l'automobile d'un directeur général du ministère de la Justice, faisant voler en éclats les vitres de douze devantures dans la rue da Prata et effrayant tellement les albatros que pendant au moins un mois aucun oiseau ne s'est posé sur la muraille du fleuve, ils s'étaient tous exilés dans les quartiers de Dafundo, disputant des arêtes de limande aux mendiants de l'aurore.

— Tu dois continuer à t'entraîner, m'a encouragé l'Artiste en me donnant une petite tape amicale dans le dos, et j'ai perfectionné la précision de mon tir pendant je ne sais combien de temps, de la fenêtre d'un camarade, en m'exerçant sur les Cap-Verdiens des chantiers. Jeudi ou vendredi je te dénicherai quelques tubes d'explosif pour que tu puisses t'entraîner à loisir, bien tranquillement, entre deux messes.

J'ai évidemment commencé mon initiation révolutionnaire en plaçant des petits rouleaux de trinitrotoluène dans la boîte aux lettres du député démocrate-chrétien qui entre-temps s'était installé à un huitième étage à Alvalade, et j'ai regardé le vestibule de l'immeuble, les marches en marmorite, les plantes vertes, les poulies, les câbles et la cage de l'ascenseur ainsi que la loge de la concierge exploser en fragments qui ont détruit les arbres de la rue et les façades des édifices en face dans des tourbillons de poussière qui ont mis une éternité à s'apaiser. Puis j'ai dynamité sa voiture et je l'ai empêché d'épouser ma catéchumène en plaçant dix-neuf kilos de nitroglycérine dans les bureaux de l'état civil, la veille du mariage, déclenchant un incendie qui s'est propagé, aidé par le vent, au pâté de maisons tout entier, carbonisant au passage un établissement de sauna et de massages dont les clients, nus comme des fœtus, ont bondi dans la rue enveloppés de peignoir en tissu-éponge, et j'ai conclu mon apprentissage en lançant une grenade avec un mortier sur la terrasse du restaurant où la traîtresse et le fasciste se remettaient des bombes avec un crabe arrosé de bière, anéantissant par la même occasion sans le savoir un major du Service des Renseignements et trois anciens commissaires de la police politique, attablés à une petite table pour siroter paisible-ment les cafés frappés de la retraite.

— Ne t'avais-je pas dit que c'était une question de persistance ? s'est exclamé l'Artiste d'une voix exultante en me serrant sur son cœur avec émotion dans le vestibule du centre paroissial, tandis que j'arrangeais mon col et les plis de ma soutane pour une réunion évangélique d'un noyau de couples dont faisait partie une jeune ingénieur sympa-thique. Tu as descendu trois mecs de la PIDE d'un coup, le Comité de coordination est aux anges.

— Tu es nommé deuxième commandant de notre groupe d'assaut, toutes mes félicitations, m'a complimenté l'Employé de banque en me serrant la main devant les camarades de cellule sous la photo de Lénine. Comment diable as-tu fait pour deviner que nous traquions ces gus depuis des siècles ?

— Les journaux d'aujourd'hui ne parlent pas d'autre chose, nous faisons la une partout, a annoncé l'Étudiant d'un ton triomphant en exhibant les gros titres soulignés au crayon rouge. Quarante et un cadavres au milieu des crustacés, la Judiciaire aux cent coups, la droite bien embêtée, et notre petit communiqué revendiquant l'attentat bien en évidence.

Or donc, chers chrétiens, j'étais là, moi, un tonsuré, un oint du Seigneur, un serviteur de Dieu, luttant pour libérer mes pauvres et innocentes brebis sans défense de la tentation démoniaque du Capital et des voleurs de catéchumènes du beau sexe, attendant un ordre de l'Employé de banque pour lancer la première grenade de 70 mm sur le toit du bâtiment de la police après avoir administré l'extrême-onction à l'Artiste qui se mourait d'une balle dans la poitrine en murmurant des discours sur l'Angola. L'Étudiant ne comprenait rien au canon sans recul auquel manquaient ou surabondaient des pièces, selon que j'essayais de les ajuster de telle ou telle façon en suivant les instructions d'un dépliant tchécoslovaque que personne ne réussissait à déchiffrer, sans le moindre endroit où placer le dispositif de sécurité ou la culasse si tant est que l'engin fût muni d'une culasse, un vulgaire tube un peu rouillé, avec des boutons et une anse, sans la moindre ouverture pour introduire les munitions, ce qui m'a donné à penser qu'il s'agissait là d'une filouterie de la part des Arabes qui nous refilaient toute la camelote qu'ils pouvaient en échange des marks de nos collègues allemands ou des livres des camarades irlandais qui, lorsqu'ils attaquaient une banque, un train ou des coffres-forts, ne nous oubliaient pas, par solidarité prolétarienne.

— Même en faisant comme tu dis, je n'y arrive pas, ces saloperies de cylindres ne se vissent pas les uns dans les autres, s'est lamenté l'Étudiant en ramassant par terre un bout de tuyau qui ressemblait à un périscope qui aurait passé un nombre incalculable d'années dans la mer et me le tendant. Qu'est-ce qu'on fait maintenant, à ton avis?

— La prochaine fois qu'on ira dans l'Algarve prendre livraison d'une cargaison d'armes, sois tranquille, nous réglerons nos compte avec eux, a promis l'Employé de banque en déballant des grenades. Essaie donc le bazooka qui est dans la caisse, avec un peu de chance il y a peut-être quelque chose qui fonctionnera.

Nous sortions dans le soir de Lisbonne, arrivés dans l'Alentejo nous mangions du potage et du poulet dans une gargote pour camionneurs au bord de la route et à dix heures du soir nous attendions, cachés dans les cistes d'une grève déserte et sans rochers, entre Faro et Tavira, dont les vagues déferlaient à dix mètres de nous, avançant et reculant avec un tintement de coquillages. Les fanaux des bateaux de pêche étaient suspendus comme à un fil de fer sur la ligne d'horizon, la cigarette de l'Employé de banque s'avivait et disparaissait, la géométrie des étoiles me déconcertait, soudain nous commencions à entendre, venant de l'eau, sans voir autre chose que des reflets et des ténèbres, un bruit mouillé, monotone et lent, de moteur avançant vers nous, l'Étudiant me donnait une bourrade dans le ventre, Ce sont eux, le moteur s'arrêtait à l'instant où une embarcation, tous feux éteints, sortie du néant, s'immobilisait, la quille plantée dans le sable, et trois ou quatre silhouettes sautaient du pont et déchargeaient des ballots, l'Homme approchait la fourgonnette dissimulée dans un boqueteau de pins et le patron de l'embarcation, un gros bonhomme aux pieds nus, annonçait, facture au poing, en indiquant les sacs (un vol de chouettes trouait les ténèbres couleur d'ardoise, les pins dans lesquels la fourgonnette était cachée bruissaient sur un petit tertre couvert de saules pleureurs), De la bonne artillerie, ça fait cinquante mille marks, monsieur, il y a des corvettes de la marine de guerre dans le canal.

— Vingt mille, marchandait l'Homme en descendant de la fourgonnette, mains incurvées devant sa bouche pour allumer une allumette. La dernière fois, à la place de mitraillettes, tu nous as fourgué une tonne de liqueur de café et de cigares cubains, nous avons de quoi fumer jusqu'à la fin de nos jours.

— Et ta liqueur nous a bousillé la vésicule, elle nous a coûté une fortune en toubib, a renchéri l'Employé de banque d'un ton décidé, vingt mille marks, tu veux rire, dix mille, c'est plus que suffisant. Et on va vérifier les armes ici même.

— On n'a pas le temps, les gardes-côtes arrivent, a dit le patron d'une voix effrayée, son pantalon de serge retroussé jusqu'aux cuisses, en faisant signe aux marins d'accélérer le déchargement. De la bonne artillerie, quarante mille marks et l'affaire est conclue.

Un des chalutiers s'est déplacé d'un centimètre à l'horizon, comme une pince à linge sur son fil, dorant l'eau, une deuxième chouette est passée près de nous en battant les rames de ses ailes et elle a disparu dans la tache sombre des pins, l'Homme a traversé la plage et s'est approché de la marchandise, un couteau à la main. Des nuages floconneux éclairaient le sable et le rebut de la marée dédaigné par la mer. Une espèce de lumière noire émanait de la terre, dessinant les arbustes, les arbres et les contours des collines, les maisons au loin, un pilier d'aqueduc, un entassement de réverbères de village agglutinés dans un ravin ombreux.

— Seize mille marks et tout le monde sera content, a suggéré l'Employé de banque d'un ton conciliant en tirant des billets de sa poche et humectant son pouce pour compter l'argent. Et si vous voulez, nous vous donnons les cigares en prime pour que vous les refiliez à des péquenauds quelconques.

— Ou les flacons d'after-shave et les caramels espagnols que nous avons reçus à la place des mitraillettes, l'avant-dernière fois, ai-je dit en observant le chalutier d'il y a un instant et le fanal à la poupe, qui se superposait au fanal de l'autre bateau de pêche dont l'éclat jaune redoublait et se réflétait dans l'eau. Cet original aime organiser des révolutions avec des sucettes et des pistolets pour garçonnets.

— Trente-huit mille marks, a cédé le patron, inquiet, guettant la sirène de la corvette de la Marine. Très dangereux, venir ici, monsieur, je ne veux pas aller en prison au Portugal.

Les Marocains déguenillés qui transportaient les sacs vers la fourgonnette se sont approchés lentement de nous en demi-cercle, traînant leurs pieds nus dans le sable, plus deux ou trois gaillards qui ont surgi de la cabine du bateau, un fusil de chasse sous le bras, et l'Homme qui tâtait le contenu d'un ballot a laissé tomber son couteau en regardant bouche bée l'embarcation dont les hélices se mettaient à tourner avec le même son mouillé que lorsqu'elle avait accosté sur la plage. Le vent d'est faisait frissonner les pins, le chalutier continuait à glisser sur l'horizon en touchant de son fanal plusieurs fanaux à l'ancre, une vague a balayé les détritus de la plage avec un grand mouvement de faux.

— Trente-huit mille marks, vite, a ordonné le patron du bateau en sortant un revolver de guerre d'entre les boutons de sa chemise et baragouinant dans un charabia étrange avec les matelots aux membres ballants qui nous menaçaient maintenant et qui convoitaient de leurs pupilles luisantes nos vestons et nos chaussures. Trente-huit mille marks, monsieur, les vedettes des gardes-côtes sont tout près.

Les gars armés de fusils de chasse ont sauté sur la grève pendant que l'embarcation s'éloignait à reculons pour se placer parallèlement à la direction des vagues, un des matelots a renversé l'Étudiant avec une baffe, la chouette, étourdie par le vent, a rapetissé du côté de l'aqueduc et des réverbères du village, le patron a rangé l'argent de l'Employé de banque, lui a ordonné de retourner ses poches dans l'espoir d'y trouver de la menue monnaie, a confisqué la montre, le stylo et la chaîne en argent de l'Homme, a lancé les clés de la fourgonnette dans une touffe d'agave et nous avons vu l'embarcation disparaître en mer dans un sillage d'écume tourbillonnante, le va-et-vient des vagues a couvert le bruit du moteur et nous sommes restés tous les quatre à quatre pattes par terre dans l'obscurité à chercher les clés de la voiture pendant que l'Artiste, qui avait surveillé la route d'en haut durant l'aventure avec les Arabes et qui avait vu le bateau partir, s'approchait en courant et en trébuchant sur des racines de pin, passait à côté de nous en enfonçant ses chevilles dans le sable, s'agenouillait près d'un sac et retirait de la toile en nous insultant des paquets et des paquets de bouchées de chocolat suisse conditionnées dans des emballages en carton et en papier cellophane ornés de paysages, de petits ours et de scènes champêtres sur le couvercle, avec cachets de garantie et rosettes de rubans roses.

— Que je sois pendu si je ne vous oblige pas à avaler

258

tous ces chocolats aujourd'hui même, a-t-il crié, furieux, en agitant une boîte de bouchées fourrées à la menthe, décorée de guirlandes de chardonnerets et de canaris en relief. Combien avez-vous payé, bande de couillons, pour la diarrhée que vous allez vous taper?

Maintenant les fanaux des bateaux restaient fixes, comme des pièces d'échec sur l'horizon invisible et pourtant nets comme les craquements des meubles du passé dans l'insomnie d'aujourd'hui. Le vent d'est s'était tu brusquement et on sentait le parfum des pêchers et des orangers de Tavira embaumer l'air. Du côté opposé à la côte on apercevait non seulement l'aqueduc, les arbres, les maisons et le profil arrondi des collines mais aussi la léproserie en ruine en haut d'un mamelon et un champ de figuiers sauvages hérissé de varices qui mordait sur la plage, vers la mer.

— Tais-toi et aide-nous à retrouver les clés avant que la police ne débarque, a dit l'Employé de banque, le nez au ras du sol, en palpant une touffe d'herbe. On nous offrira peut-être quelques sous pour cette saloperie, ça nous permettra peut-être de nous acheter un petit couteau à l'Intendente.

— Tu te souviens des chocolats de l'Algarve? m'a demandé l'Étudiant entouré de ressorts, de tiges et de tubes, qui essayait de comprendre pour la millième fois les indications et les croquis du dépliant qui accompagnait le canon. Je parie que c'est un tuyau de chiotte déniché dans une démolition quelconque, si vous voulez je vais aller dans la salle de bains avec un pioche et une torche et dans moins d'une demi-heure je vous apporte une arme pareille.

— Lâche-moi ce canon, a insisté l'Employé de banque que les grenades préoccupaient, l'œil sur sa montre, et vois ce que tu peux faire avec le bazooka. Il est impossible que tout soit de la merde, quelque chose doit fonctionner, bordel de bordel.

— Des chocolats, monsieur, a dit le patron en débarquant jovialement de son rafiot et nous fixant avec une innocence étonnée. C'était pas des chocolats, c'était de la bonne artillerie, le chef se trompe jamais dans commandes. Vous avez ici les chocolats, pour les montrer à lui?

— Nous les avons mangés, a avoué l'Homme d'un air honteux, pendant un mois nous nous sommes bourrés de chocolats à la menthe, nous en avons offert à la famille, aux amis, aux mendiants à la porte des églises, aux clubs récréatifs et aux sociétés de bienfaisance, j'ai envie de vomir rien qu'à penser à de la confiserie. Aujourd'hui encore les devantures des confiseurs me donnent la nausée.

— C'était pas des chocolats, c'était de la bonne artillerie, a répété le patron de l'embarcation avec un sourire en se baisant les doigts, Portugais de bonne humeur aime plaisanter avec Marocain. Montre les boîtes, monsieur, et tu paies pas carabines russes.

— Les boîtes ? a dit l'Artiste, mon camarade t'a déjà expliqué que nous avons mangé les bouchées, et d'ailleurs celles fourrées à la noix n'étaient pas mauvaises du tout. Ce qu'on veut c'est que tu nous rendes nos marks.

Et de nouveau les gars armés de fusils de chasse surgissaient à la proue de l'embarcation, et les matelots en haillons nous entouraient lentement, et le patron sortait son revolver de guerre de sa chemise, et la même chouette rasait la cime des pins, guettant les vermisseaux dans la nuit. Et les fanaux des chalutiers se balançaient à intervalles réguliers sur la crête de la houle.

— Pas de boîtes de chocolat, pas d'argent, a tranché le capitaine, que l'humour de l'Artiste amusait, et il a ordonné à ses associés de décharger les ballots sur la plage. Aujourd'hui c'est des canons tchécoslovaques sans recul, un instrument sûr, ça démolit tout un immeuble, trente mille livres, monsieur, un prix de frère, Portugal et Maroc sont amis.

Il a retiré une bouteille de sa ceinture, a bu une gorgée, a offert sa limonade à la ronde sans qu'aucun de nous accepte, l'a rebouchée et renfournée dans son pantalon, un filet de liquide brillant dans son sourire :

— Trente mille livres, monsieur, meilleure affaire du monde. Vous pouvez vérifier le canon, y a le temps, gardes-côtes patrouillent à Lagos.

— De sorte que, a dit l'Étudiant en regardant les tubes inutiles, nous sommes rentrés à Lisbonne avec pour vingt-sept mille livres de babioles tchécoslovaques, capables à elles seules de réduire la bourgeoisie en poudre et de donner le pouvoir à la classe ouvrière, et nous, crétins que nous étions, nous étions épouvantés à l'idée qu'un barrage de la douane volante nous force à nous arrêter et découvre sous les bâches ces tubes grotesques et cette ferraille bonne à rien. Même si ces fragments s'adaptaient les uns aux autres, vu l'état dans lequel nous les avons achetés, ils ne supporteraient pas la moindre grenade : la bourgeoisie continuera à dominer le monde jusqu'à la résurrection de la chair.

— Le mieux ce serait de coucher le cadavre sur un des lits à l'arrière, a dit la Directrice de la maison de repos que l'Artiste étendu les yeux ouverts sur le sofa incommodait. Il ne tardera pas à changer de couleur et à sentir mauvais, des caillots de sang lui sortent de la bouche, je ne sais pas, mais moi, les défunts, ça me rend toute chose, tant qu'ils ne sont pas sous terre je n'ai pas de repos.

— Le mortier ne fonctionne pas, ai-je dit en essayant le percuteur avec le petit doigt. Il a un grave défaut, il faudrait le démonter à la base, quelqu'un aurait-il un levier?

— Mais qu'est-ce qui marche, finalement? s'est fâché l'Employé de banque en lançant un coup avec la pointe de sa chaussure au canon sans recul et saisissant ensuite sa chaussure avec une grimace de douleur et sautant à cloche-pied. Je me suis foulé la cheville, crotte et merde, ma jambe ne plie plus, si j'attrape ce Marocain, je vous jure que je le châtre.

— Canons sans recul, bazookas et mortiers d'Afghanistan ont détruit en une seconde six cents chars d'assaut, déclarait le patron de l'embarcation en indiquant un entassement de ballots. Dans une semaine moi apporter mitraillettes israéliennes volées à Beyrouth, Libération de la Palestine vend.

— De la flicaille sur les toits, de la flicaille aux fenêtres, j'ai l'impression que même au coin des rues il y a des mecs armés, a dit l'Homme sans tourner la tête et plissant le rideau avec l'œilleton de son fusil. Et il y a un type en uniforme dans la cour des Archives du service d'identification qui disperse le populo.

— Qui est-ce qui m'aide à transporter le mort? a demandé la Patronne du foyer de vieux en attrapant l'Artiste par les mollets. Je ne le veux pas ici, j'ai peur, le défunt a craché un liquide bizarre par le nez.

— Le bazooka ne vaut pas mieux que le canon, l'oxyde obstrue la sortie des gaz, a jappé l'Étudiant en rayant le métal avec son coupe-ongles, on arrivera peut-être à le déboucher un peu avec une brosse dure.

Dans l'Algarve, entre Tavira et Faro, la nuit, les figuiers s'avançaient dans la mer, soulevant leurs racines au-dessus des vagues et se dirigeant vers les fanaux des bateaux de pêche ancrés à l'horizon, les pêchers et les orangers parfumaient l'eau d'une douceur joyeuse, l'aqueduc émergeait de la terre, et l'Arabe, chaque fois plus cordial, chaque fois plus sympathique, chaque fois plus fraternel, sautait de son rafiot pour nous fourguer des kilos et des kilos de poupées en plastique, de services en porcelaine chinoise made in Rabat et de grammaires turques que nous nous empressions de payer avec les marks et les livres des camarades allemands et irlandais. Dans l'Algarve, entre Tavira et Faro, nous rampions entre les saules pleureurs vers la plage, guettant les corvettes de la Marine et les jeeps de la Garde, guettant les chouettes de la pinède et le silence des étoiles, pendant que l'Artiste surveillait la route, accroupi sur une borne kilométrique, attendant sur la route sans clair de lune des phares inexistants.

— Qu'est-ce que c'est que ça? a demandé soudain l'Employé de banque frappé d'immobilité, les yeux au plafond, en laissant tomber une grenade ovale qui a roulé lourdement sur le plancher et qui a disparu sous une armoire. Qu'est-ce que c'est que ce truc dans le lustre, bon sang?

— Il a craché un glaviot jaune, regarde, a dit la Directrice de la maison de repos en se cramponnant à la manche de l'Étudiant, si vous ne me l'enlevez pas d'ici, c'est moi qui me tire au trot, rien ne me dégoûte plus qu'un cadavre.

— Qu'est-ce qu'il a, le lustre? a demandé l'Homme avec surprise en abandonnant la fenêtre pour examiner un chandelier à six bras suspendu au plafond par une chaîne en laiton où se balançaient des pendeloques de verre. Je ne vois rien de particulier dans ce lustre, il est effroyable, comme le reste du mobilier, c'est tout.

— Le mortier, lui au moins, fonctionne, ai-je dit en élargissant la base du trépied, quand vous voudrez que je décoche un pruneau, vous n'aurez qu'à le dire.

— Ce truc sur la spirale de l'ampoule grillée, ce petit carré noir, merde, s'est impatienté l'Employé de banque en tournicotant sous le lustre. Trouvez-moi vite un escabeau, j'ai l'impression que ces salopards de la Brigade nous ont joué un très sale tour.

— Et si le mort se lève, hein? a crié la Patronne du foyer de vieux sans lâcher la manche de l'Étudiant, j'ai lu dans un livre brésilien que les morts se lèvent et se promènent sur terre pour nous tourmenter.

— Grammaires, monsieur, quelles grammaires? s'est esclaffé le Marocain, noir d'huile, très amusé, il a traduit la blague aux matelots et m'a félicité de mon sens de l'humour en me pinçant la joue. Portugais rigolo appelle mitraillettes grammaires.

— S'il n'y a pas d'escabeau, trouvez-moi n'importe quel machin pour que je puisse grimper là-haut, a dit l'Employé de banque qui s'énervait, planté sur le parquet, les poings sur les hanches, étudiant le lustre. Ou je me trompe lourdement ou nous sommes cuits.

— Il vomit, je te jure qu'il vomit, a dit la Directrice de la maison de repos à l'Étudiant, tu vois ces petites bulles qui bouillonnent dans sa bouche? Attrape-le vite par les épaules, on va l'enfermer dans le placard à provisions.

— Nous allons ouvrir une quincaillerie avec ce que vous nous vendez, a dit l'Homme au capitaine en lui pinçant à son tour vigoureusement la joue. Nous avons un bazar au grand complet dans l'entrepôt à Loures, nous avons même des bicyclettes japonaises et des produits de l'artisanat indien.

— Hissez-moi sur cette commode, a ordonné l'Employé de banque, coudes en l'air comme un parachutiste, en attendant que nous le soulevions sur la commode vernie protégée par un napperon au crochet et un bouquet de fleurs artificielles au milieu. Plantez là le mort et les bazookas, je veux bien être pendu si ce n'est pas un micro de la Judiciaire.

— Propriétaires magasins tous riches, a dit le patron de la barque d'un air grave, sensible aux arguments commerciaux et se grattant la nuque avec son revolver. On apportera marchandise d'Afrique dans bateau, tapis, colliers, ceintures, guitares électriques, on engagera employé arabe pour vendre dans boutique.

L'Employé de banque a arraché du lustre, dans un tintement de pendeloques, un petit cube de deux ou trois centimètres de côté au maximum, il l'a tourné et retourné dans tous les sens, comme quand on examine un objet inattendu, une bête venue du fond des océans, une pierre lunaire, répétant, Un micro, un micro, un micro, d'une petite voix de vaincu. L'Étudiant et l'Homme l'ont descendu de la commode et il s'est laissé choir sur le sofa à côté de la dépouille de l'Artiste, le cube dans la paume, nous fixant d'un air hagard, la lèvre tremblante. Nous sommes pris dans une souricière, camarades, nous sommes complètement fichus.

— Arabe être très bon vendeur, monsieur, a affirmé le patron du bateau en retroussant davantage son pantalon, monsieur savoir.

Dans l'Algarve, entre Tavira et Faro, les figuiers entraient dans la mer et je me suis mis à rire. Aujourd'hui encore, en prison, après tant d'années, je ris en pensant aux vagues.

— Vous êtes une bande de cinglés, qu'est-ce qu'il y a de drôle dans tout ça? m'a demandé la Directrice de la maison de repos en indiquant le cube de l'Employé de banque d'un mouvement du menton. C'est toi qui l'as posé là-haut, par hasard?

Des figuiers qui faisaient des galipettes dans la mer, des figuiers qui crachaient du lait en dansant dans la mer, le boqueteau de pins, le parfum des pêchers et des orangers, les arches de l'aqueduc, le village, le matelot déguenillé, un fusil de chasse lui battant le flanc, sur la proue relevée de son bateau.

— Qu'est-ce qu'il y a de rigolo dans tout ça? m'a demandé le type en uniforme, un étui de revolver et un trousseau de clés à la ceinture, qui surveillait l'atelier de menuiserie de la prison. C'est l'idée de passer vingt ans à raboter des planches qui te rend aussi joyeux?

Des détenus s'affairaient autour de moi, peaufinant des ornements, mesurant la verticale exacte avec un fil à plomb, de la sciure et des copeaux jonchaient le sol, de la poussière voletait dans la clarté des vasistas, un deuxième type en uniforme se tenait à côté de la porte, képi sur la nuque, présidant au frottement des limes, au va-et-vient des scies et à l'application du vernis.

— Non, ai-je répondu, c'est que dès que je sortirai de taule, comme on m'a expulsé de l'Église, je me chercherai un emploi de contrebandier à Tanger et je ferai fortune en vendant des chocolats à des couillons dans mon genre.

J'ai imploré presque à genoux Enlevez-moi ce cadavre d'ici car je ne supporte pas les trépassés, mettez-le dans la cuisine, dans l'office, sur le balcon couvert, dans une des chambres à coucher à l'arrière, dont les fenêtres donnaient sur d'autres chambres, d'autres fenêtres, des cordes à linge et des jardinets minuscules

et eux se désintéressaient totalement de l'Artiste, ils ne me répondaient pas, ils ne m'entendaient pas, ils ne faisaient pas attention à moi, ils étaient penchés sur une petite chose insignifiante qu'ils appelaient micro, ils le flairaient, ils le touchaient du doigt, ils le secouaient, ils le plaçaient contre leur oreille comme un coquillage, ils cherchaient une fente avec un canif pour pouvoir le séparer en deux et examiner ses entrailles

je les prévenais Je vais avoir une crise de nerfs, des palpitations, je vais tomber dans les pommes, chaque fois qu'un vieux s'éteint au foyer je m'enferme à clé dans mon bureau et je ne remets les pieds dehors que lorsque les pompes funèbres l'ont transporté vers la parcelle réservée aux miséreux dans un cimetière quelconque

alors je retourne le matelas, je désinfecte le lit, j'ébouillante son assiette, j'avale un somnifère, je rêve toute la nuit de vampires et de squelettes et je commence seulement à me calmer vers le matin quand je sens l'odeur du café d'orge grillée et les beuglements des femmes de service qui tempêtent contre les pensionnaires qui renversent le sucrier ou qui urinent dans leur tombeau de draps et j'insistais Otez le corps du salon, ou je vais avoir une attaque, et l'Employé de banque, sourd, tirant la langue et fronçant le sourcil, dévissait le micro, soulevait le couvercle, montrait aux collègues une touffe de fils et murmurait d'une voix de vaincu, Ils savent tout, ils sont au courant du canon, ils sont au courant du bazooka, ils savent exactement ce que nous voulons faire

et l'Étudiant Si ça se trouve c'est la police qui nous a bousillé nos armes, si ça se trouve ils sont déjà entrés dans l'immeuble, si ça se trouve ils vont briser la porte à coups de crosse et alors bonjour les dégâts

et le Curé Peut-être pas, peut-être qu'eux aussi ont acheté leur micro au Marocain et qu'ils n'entendent que des chuintements et des sifflements et des hoquets électriques, je ne crois pas que les Arabes se débarrasseraient de marchandises en bon état, quelles que soient les circonstances

et l'Homme Sauf les bouchées fourrées aux noix

et le Curé Ne me parle pas des bouchées aux noix, elles m'ont détraqué le pancréas, vous ne pouvez imaginer ce que j'ai dépensé en radios et en analyses, le médecin m'a dit que si je ne me remettais pas je devrais passer sur le billard

et j'ai traîné l'Artiste toute seule sur le parquet, je lui ai accroché l'aisselle par mégarde autour d'un pied de table, j'ai renoncé à le tirer et je l'ai abandonné sur le tapis, je me suis assise sur le sofa de peur de me fendre le crâne dans un accès d'épilepsie et je me suis relevée aussitôt avec la chair de poule parce que je venais de toucher une tache de sang du cadavre

je ne les ai jamais accompagnés dans l'Algarve car je ne peux pas abandonner longtemps la maison de repos, comme je l'ai expliqué à l'Employé de banque, pour éviter que la cuisinière ne me vole sur le riz et sur les pommes de terre et que les bonnes n'oublient de laver les pensionnaires, de glisser la cassette de dessins animés dans le magnétoscope ou de changer les sondes des malades

et l'Employé de banque, surpris, Qu'est-ce qu'une demi-douzaine de vieux pépés peut bien comprendre à un film?

et moi Au moins, même s'ils ne le regardent pas, et ils

ne le regardent presque jamais, ils restent bien sagement sur leur chaise, sans bouger, ils ronflent, l'estomac bien lesté de congre, Donald Duck les calme et cela impressionne les visiteurs, sans parler du fait qu'ils payent un supplément pour les distractions pendant leur temps libre, pour les dominos auxquels ils ne jouent pas et pour les films qu'ils ne regardent pas

et l'Étudiant De sorte que sans le foyer tu n'aurais pas fait la connaissance de l'Homme

et moi Il avait envisagé d'y placer son père, un simple d'esprit que je n'ai pas rencontré et qui déambulait dans une villa abandonnée en jouant du violon

et l'Artiste Nous avons vérifié tout cela, le fou est toujours là-bas, il regarde de temps en temps à travers les stores déglingués, protégé par la jungle du jardin, par des chrysanthèmes monstrueux, des narcisses géants, des tulipes démesurées, un néflier qui n'en finit plus et qui lance ses fruits presque jusqu'aux nuages

et je me souvenais de Lagos au temps où mon oncle et ma tante m'avaient envoyée faire la bonniche dans un hôtel pour étrangers sur la plage, où je dormais à côté de la buanderie et où je me réveillais en sursaut à cinq heures du matin à cause du piaillement des mouettes dans les dunes

une étendue de sable immense, les nuages de la nuit à l'horizon, pas le moindre bateau, l'azur sans ride de l'eau et les oiseaux, des dizaines, des centaines, des milliers d'oiseaux venus on ne savait d'où, se lissant les ailes, picorant les varechs, s'élevant pour des vols brefs et se posant de nouveau dans l'écume

les mouettes qui disparaissaient, toujours en piaillant, avec la venue des premiers baigneurs et le passage des chalutiers voguant vers le large

et je me souvenais de l'hôtel, du lacis de ruelles et d'impasses qui débouchaient sur des parvis, sur des placettes et dans des cours, je me souvenais du médecin de l'hôpital assis à son bureau, remplissant un formulaire, me demandant si j'étais mariée ou célibataire et je lui disais Qu'est-ce que ça peut vous faire?

et le médecin, sans cesser d'écrire, A moi rien du tout je

te le jure mais préviens ton mari ou qui tu veux que nous t'opérons demain

et moi sans avoir qui prévenir car le portier de l'hôtel n'imaginait même pas qu'il m'avait engrossée deux mois plus tôt

si bien qu'en me réveillant de l'anesthésie j'ai constaté que tout était blanc et plein de mouettes comme la plage à l'aube et soudain j'ai compris que c'était moi qui criais, l'aiguille d'un ballon de sérum attachée par du sparadrap à mon bras, et le médecin, en blouse et capuchon, était penché sur moi comme un saule, Ne songe pas à avoir d'autres enfants car nous t'avons retiré l'utérus

et moi Et l'enfant?

et lui Quel enfant? il n'y avait pas d'enfant, ta grossesse a foiré dès le début, tu nous as donné un mal de chien, c'est un miracle que tu sois encore là

et j'ai passé trois semaines à l'infirmerie, à recevoir des injections, à avaler des cachets et à regarder par la fenêtre la pluie de novembre pendant qu'on supprimait ma fièvre, qu'on examinait mon pansement, qu'on me faisait un brin de causette, qu'on me laissait seule

et un jour on a placé un paravent autour du lit de la dame à ma gauche et quand on a retiré le paravent une demi-heure plus tard, j'ai vu que le lit était vide

je suis retournée à l'hôtel sans force, ma jupe glissait sur mes hanches, j'avais un flacon de suppositoires dans mon sac et le visage hâve tant j'avais maigri

et le gérant, qui ne m'avait même pas saluée, a interrompu sa conversation avec un couple d'Anglais, a fait le tour du comptoir et m'a annoncé en tirant sur les poignets de sa chemise qu'à son grand regret il avait engagé quelqu'un d'autre à ma place

et moi Quelqu'un d'autre?

et lui Oui, quelqu'un d'autre, tu as disparu, personne ne savait où tu étais passée, nous avions besoin d'une fille pour faire ton travail, le portier a dit qu'il lui avait semblé t'avoir vue monter il y a quinze jours dans le car pour Lisbonne

le couple d'Anglais, chemise à fleurs, short et panama, attendait au comptoir, nous regardant, la clé de leur chambre suspendue au petit doigt, tandis que la pluie de novembre continuait à tomber dehors

alors je suis allée chercher ma valise dans le cagibi à côté de la buanderie où j'ai trouvé une autre valise semblable à la mienne, un peigne identique au mien sur l'étagère sous la glace et les mêmes mouettes sur la plage solitaire où dansaient des volutes de brouillard, je suis remontée dans le vestibule et j'ai commandé une orangeade au bar, me juchant sur un tabouret très haut et essayant de découvrir ce qu'on peut faire sans argent

j'ai bu une deuxième orangeade pour chasser un comprimé et j'ai ordonné au barman qui faisait semblant de ne pas me reconnaître, Mettez cela sur mon compte, et je l'ai laissé bouche bée, une bouteille de whisky en l'air, pendant que je me dirigeais vers la rue comme si au lieu d'un manteau élimé je portais une fourrure

j'ai adressé de loin au gérant un petit signe d'adieu avec deux doigts et quand le portier s'est incliné pour me pousser la porte, j'ai déposé dans sa paume, Merci sale con, la dernière piécette qui me restait

et cette nuit-là j'ai commencé à servir à table et à aider les clients à engloutir du gin dans une discothèque à six kilomètres de Lagos dans l'espoir de gagner de quoi me payer le transport à Lisbonne

un établissement dans lequel un aveugle jouait du concertina, fréquenté par des Américains âgés, des paysans qui servaient de gigolos à des Argentines veuves et des employés de magasin en casquette, caché entre des amandiers d'où on ne voyait pas la mer et où on entendait seulement le bruit mécanique, de machine à coudre détraquée, des vagues heurtant les rochers de pierre ponce

de temps en temps le médecin qui m'avait opérée faisait une apparition et nous bavardions

et j'ai fini par quitter l'Algarve dans un train de marchandises, assise sur une caisse posée sur une cage contenant deux veaux malodorants qui mugissaient de tristesse et de faim et après cela je n'ai plus jamais traversé l'Alentejo

pas à cause des mouettes, pas à cause des souvenirs de l'hôpital, des lumières éteintes et des soupirs des malades, pas à cause de ce qu'on m'a fait à l'hôtel ni à cause des flopées de puces que les veaux du train m'avaient collées

et pas non plus parce que je devais surveiller le foyer pour que la cuisinière ne rafle pas tout ce qu'il y a dans l'office et pour que les autres n'oublient pas de vider les crachoirs et les pots de chambre des pensionnaires que leur famille serait pourtant bien aise de voir mourir pour ne pas avoir à leur rendre visite à Pâques dans le petit salon où Donald et Mickey se poursuivaient à la télévision

la vérité c'est que je ne les accompagnais pas dans l'Algarve parce que entre-temps je m'étais amourachée dans la pâtisserie où je prenais le café après le déjeuner et le dîner d'un type d'une cinquantaine d'années qui s'était installé sur une chaise à peu de distance de la mienne avec un journal et une liqueur

et qui me regardait par-dessus les nouvelles avec un intérêt et un respect avec lesquels, jamais, ni avant, ni plus tard, personne ne m'a regardée

un monsieur soigné, aux cheveux coiffés en arrière, avec une moustache et des ongles vernis comme je les aime, qui reflètent le néon du plafond comme les instruments chromés des dentistes

un type tellement différent, mon Dieu, de l'Homme, qui était timide, mal fagoté, dans la lune, laid, avec des vêtements fripés

et qui, quand il ouvrait la bouche, sans un geste ni un mot de tendresse, me rebattait les oreilles de sa compagnie d'assurances, de son père cramponné à son violon dans une villa en ruine, de sa désaffection grandissante pour le marxisme, et à partir du moment où l'histoire du Juge a commencé, Juge qu'il avait connu dans son enfance, m'a-t-il expliqué, de son désir de quitter l'Organisation, de changer de nom et de s'enfuir avec moi en Espagne

et l'Employé de banque Le mec t'a dit ça, qu'il voulait laisser tomber le Mouvement?

et moi Il affirme mordicus qu'il ne veut plus tuer de gens, qu'il en a plein le dos d'avoir peur, qu'il est fatigué d'envoyer des pruneaux à droite et à gauche, que cette histoire de Juge le contrarie parce qu'ils ont été copains dans leur enfance et l'Étudiant Quoi?

et moi Quoi quoi?

et l'Employé de banque J'exige qu'on surveille ce salaud vingt-quatre heures sur vingt-quatre, j'exige que tu le convainques de se mettre en ménage avec toi pour que tu puisses l'avoir à l'œil du matin au soir, mais l'Homme refusait d'abandonner la grande demeure en ruine où il avait toujours vécu et qui était maintenant aussi délabrée et aussi pleine de trous que la villa de son père au milieu d'une jungle d'arbustes, de platanes morts et de plantes grimpantes sauvages, une bâtisse pourrie dont les stores claquaient au vent et dans les pièces de laquelle des grosses plaques de plâtre et des larmes d'encre se détachaient en hiver

il refusait d'abandonner les draps du lit de camp dans lequel il dormait, le poêle à briquettes qui ne fonctionnait plus depuis des siècles, la chasse d'eau détraquée, l'office pillé par les souris, les sofas éventrés, les moulures du plafond qui s'écaillaient

il refusait d'abandonner ce paquebot aux planches disjointes, plein de cartons à chapeau, noyé dans les broussailles, il refusait d'abandonner le poulailler, la grange et les remises croulantes, et les fins de semaine, en mai, il se promenait dans le jardin coiffé d'une casquette, attendant les cigognes, surveillant le haut des cheminées dans l'espoir d'y découvrir un nid

il allait de la porcherie au puits d'où l'on apercevait Monsanto et les toits de Brandoa, il plaçait la main sur son front en guise de visière et il me disait en tâtant ses poches à la recherche de cigarettes, Je ne vois rien, Hortense, qu'est-ce qui se passe avec les cigognes cette année

de sorte que nous passions des heures à attendre tous les deux dans ce qui avait été sans doute une roseraie et qui n'était plus aujourd'hui qu'un enchevêtrement d'épines et de feuilles qui dévorait la balustrade de pierre, les bancs carrelés et les débris des statues de faïence représentant les quatre saisons

en attendant que le profil planant d'une cigogne surgisse du Bairro de Santa Cruz ou du clocher de l'église et s'approche en décrivant des cercles du toit de la grange, de la serre, de l'orme agité par le vent qui grimpait vers le ciel, je chancelais sur mes talons aiguilles, terrorisée par les serpents et les lézards et par l'idée de me piquer aux orties, il murmurait entre ses dents des paroles que je ne saisissais pas

et cela jusqu'à ce que le soleil disparaisse, jusqu'à ce que le crépuscule teinte les herbes et que nous revenions, trébuchant sur des cailloux, des racines et des morceaux de brique, à la grande maison aux vitres brisées, écoutant le violon dans la villa, écoutant les insectes de la nuit, écoutant les parquets gémir dans le silence, comme j'avais écouté les mouettes à Lagos quand j'étais jeune

Des cigognes, mais quelle idée, a marmonné l'Artiste, impressionné

tandis que le monsieur aux ongles vernis me payait des cafés, me souriait, s'occupait de moi, s'intéressait à moi, m'invitait à déjeuner, à dîner, me régalait de poulet aux amandes dans des restaurants chinois, m'emmenait au cinéma voir des films romantiques qui me faisaient pleurer et me caressait la main pour me consoler des malheurs sur l'écran

un homme compréhensif et gai, aux cils touffus, qui se parfumait avec une eau de Cologne qui me faisait tourner la tête et que j'ai retrouvé un beau matin dans mon lit en train de m'embrasser les épaules et de me faire des serments d'amour

et l'après-midi de ce jour-là, j'ai reçu au foyer un flacon de parfum français et trois paires de jarretières enveloppées dans du papier doré, sans parler d'une gerbe d'œillets nouée de faveurs roses et d'un carton proclamant Je suis tout entier à toi, tout cela si beau qu'on avait envie de le placer sous un dôme de verre sur la commode du salon

et l'Homme, qui est venu dîner dans mon bureau quelques heures plus tard, a vu les œillets dans un vase et n'a même pas demandé D'où viennent-ils?

il s'est assis à table, il a mangé sa soupe en silence et au moment de la crème caramel il a levé les yeux sur un tableau au mur représentant des chiots en train de jouer et il a annoncé J'ai découvert un nid sur la cheminée de la grange, ça m'a donné envie de téléphoner au Juge pour le lui dire, si bien qu'il m'a presque fait de la peine car il ne me comprenait vraiment pas, j'ai prétexté une douleur aux ovaires pour dormir seule, après l'avoir laissé me parler de nid pendant l'eau-de-vie et la cigarette

et l'après-midi suivant j'ai reçu un autre carton et une autre gerbe d'œillets, accompagnés cette fois d'une bague et d'une langouste, et immédiatement après la bague et la langouste le monsieur en veston croisé, avec une épingle de cravate ornée d'une perle, a frappé à la porte du foyer et demandé à la bonne de m'appeler, et la bonne est entrée dans la cuisine en battant des paupières, Il y a là un monsieur qui demande Madame et qui est si bien mis que j'en suis toute retournée

et le monsieur, la mine grave, élégant comme un député, m'a caressé l'oreille en présence de tous, Il est arrivé une chose très grave, chérie, il faut que je te parle

et je pensais Je suis en pantoufles, en bigoudis et sans maquillage, j'ai un ongle cassé et, sans talons, je mesure un mètre cinquante-trois, s'il s'aperçoit de tout cela il cessera de m'aimer

et le monsieur s'est enfermé avec moi au salon, il a avancé son pouce vers le décolleté de ma robe et il a crié par-dessus les hurlements de Donald à la télévision, Je dois te faire un aveu, Hortense, je suis un policier

la bonne a fait taire les dessins animés pour coller son oreille à la serrure pendant qu'il desserrait sa cravate et dégrafait mon soutien-gorge en soupirant Je t'adore

et à partir de ce moment-là j'ai travaillé en parallèle pour l'Organisation et pour la Judiciaire, préparant l'embuscade du Juge, visitant l'Homme dans sa grande baraque à Benfica, supportant les piaulements du violon paternel, cherchant des nids de cigogne sur les cheminées et sur les toits et m'étendant avec lui sur le lit de camp qui sentait la nourriture froide et le matelas moisi

et le jeudi, le monsieur attendait dans la pâtisserie en face du foyer en tournant les pages du journal avec ses ongles vernis que l'Homme ait terminé sa crème caramel, son eau-de-vie et sa cigarette, pensant au Juge avec préoccupation, proposant que nous abandonnions le Mouvement, que nous changions de nom et que nous nous enfuyions en Galice pour aller travailler dans un restaurant qui appartenait à des parents de ma mère, de lointains cousins qui ne soupçonnent même pas que j'existe

et moi, qui ne suis jamais allée en Galice, qui ne suis jamais montée plus haut qu'Alcobaça, je le faisais patienter, obéissant aux ordres du monsieur, Bien sûr, mon gros minou, la Galice ressemble comme deux gouttes d'eau au Minho, tout est très vert, c'est plein de concertinas, d'anneaux d'oreilles et de processions, et la mer est tout près, les jours de congé tu t'amuseras avec les cigognes, ce ne sont pas les cigognes qui manquent, je te le garantis, chaque cheminée en a une, patte en l'air, et lui, fasciné, interrompait le va-et-vient de sa cuiller à dessert, Ce n'est pas possible?

et moi Le Ciel est tout blanc d'ailes, tu ne peux imaginer, nous nous procurerons de nouvelles cartes d'identité et aucun maoïste ne nous retrouvera, nous nous marierons même à la mairie, si tu veux

et l'Homme, cuiller figée en l'air, Des cigognes, et si je disais au Juge de se tirer avec nous, nous avons passé vingt ans à chercher ces oiseaux, aujourd'hui encore, figure-toi, nous avons découvert l'amorce d'un nid à la ferme

et moi, impatiente, me languissant de l'after-shave du monsieur, Trois personnes ça se remarque, les Galiciens nous repéreraient, tu as envie qu'un Basque te tire dessus à un coin de rue?

et moi, puisant dans ses cigarettes, D'ailleurs, à Vigo, ce n'est pas la saison des cigognes, tu imagines sa déception en trouvant les clochers vides?

et l'Homme, le menton sur la poitrine, sans plus aucune envie de manger, Cette histoire de Juge me chagrine, nous avons été amis jadis, un jour il m'a empêché de tomber par la lucarne quand nous assistions au bain de la bonne

et moi qui contemplais les évolutions d'un papillon sur l'abat-jour, Tu assistais au bain de la bonne?

et l'Homme, le menton sur sa cravate, posant sa serviette sur la nappe et se versant une deuxième eau-de-vie, Je n'ai pas envie qu'on le descende, je n'ai pas eu d'autre ami ensuite

le papillon marchait à l'intérieur de l'abat-jour et se

dirigeait vers l'ampoule et moi qui mourais d'envie qu'il s'en aille, je me suis mise à imaginer la Galice, les édifices, les arbres, les rivières, les plages encaissées, les monastères, je me suis mise à nous imaginer dans une chambre près des vagues, écoutant la mer rouler toute la nuit dans les profondeurs du parquet, je me suis mise à imaginer le restaurant minable de mes cousins et les ouvriers au comptoir, la mine soucieuse, soignant au marc les maladies de la misère

sur ces entrefaites le papillon a atteint l'ampoule, il a rougi, s'est contracté, ses antennes ont crépité, ses yeux ont ressemblé à des petits points métalliques et l'insecte s'est abattu, ventre en l'air, plissé, pattes recroquevillées, sur la console où je rangeais le whisky, la photo du portier de Lagos et le livre de comptes de la clinique

à l'instant où, désirant que l'Homme se lève et s'en aille, et lui crier presque de me débarrasser la maison des cigognes, j'ai entendu les femmes de service envoyer les pensionnaires se coucher et un frottement de pantoufles et de savates sur la moquette

pantoufles et savates d'oiseaux maigres sans cheminée de grange où jeter l'ancre, les oiseaux de Pontinha, de Buraca, d'Amadora, les oiseaux de Paiã et de Pedralvas, ceux qui arrivaient au-dessus des cèdres de la forêt de Benfica, ébranchant la cime des arbres de leurs rémiges, les oiseaux qui dormaient à Monsanto, à São Domingos, à Damaia, près de la ligne de chemin de fer, sur le quai où une vieille femme avec un parapluie ouvert attendait un train qui ne venait pas, seule entre des roseaux et des murets de pierres sèches, des cigognes en haut du palmier devant la poste, sur le grenier de Vila Ventura, sur le grand édifice massif et triste de Pires avec ses statues et sa petite véranda dentelée

des cigognes sur la cheminée de la Panificação do Sul, sur le Patronato, rue Ernesto da Silva et sur l'ancien collège sans élèves de l'avenue Grão Vasco, réduit aux omoplates de ses murs et à l'officine de forgeron qui occupait la cour, des cigognes partout sauf sur la remise, l'étable et la grange de la propriété de Benfica, et l'Homme et le Juge, trente ans plus tard, en culottes courtes, attendant dans le verger moribond avec l'impatience d'autrefois, l'Homme terminait son eau-de-vie et sa cigarette, le menton sur sa cravate, regardant obstinément au fond de son verre, Je n'ai pas envie qu'on le descende, tu crois que tes cousins le recevraient à Vigo?

et l'Homme que j'ai presque poussé dans l'escalier, tant j'avais la nostalgie de l'after-shave et de l'élégance de l'autre, Je suis morte de fatigue, Antunes, excuse-moi, ne pourrions-nous pas parler de cela demain?

et l'Homme, cherchant un cendrier des yeux, Bien sûr, bien sûr, quand tu voudras

perdu, comme les retraités, dans ses souvenirs d'enfance, se dirigeait à reculons vers le vestibule, se cognait à une petite table, faisait tomber le téléphone, disait Bien sûr, bien sûr, quand tu voudras, et regardait les appliques, à la recherche de nids comme s'il y avait des cigognes dans les fils tressés, comme s'il continuait à guetter la cheminée de la grange, vêtu de son petit tablier

et moi, grossière, j'ai claqué la porte dans son dos, j'ai collé mon sourcil au judas, je l'ai aperçu sur le paillasson, les mains dans les poches, planté devant l'ascenseur, sans appuyer sur le bouton, jusqu'à ce que la lumière du palier s'éteigne, se rallume, s'éteigne

et j'ai imaginé mon pauvre monsieur dans la pâtisserie, son journal plié sur la table, une forêt de verres d'eau et de tasses de café sur le marbre, pendant que le gérant répandait de la sciure par terre

si bien que j'ai ouvert la porte, fait monter l'ascenseur, poussé l'Homme dedans en lui disant Descends vite, tu veux compromettre ma réputation, ou quoi?

et avant d'avoir eu le temps d'arranger mes cheveux, de retoucher mes ongles, de me parfumer convenablement, de me suspendre de longues boucles d'oreilles aux lobes et de troquer ma robe pour un peignoir en satin, la cuisinière est entrée dans ma chambre sans frapper, Madame, le monsieur du jeudi est là, qu'est-ce que j'en fais?

et moi, d'un ton dégagé, saisissant mon crayon à paupières, Il vient pour affaires, Adelaïde

et quelques secondes plus tard il se caressait la moustache en souriant, appuyé en chambranle de la porte, une petite boîte noire à la main, Alors, ma toute belle, devine le cadeau que je t'apporte

mais il ne m'a pas offert la gerbe d'œillets ni les jarretières habituelles, juste ce petit truc noir qu'il tenait entre l'index et le pouce

et qu'il a placé à côté des brosses en écaille et du vaporisateur à laque pendant que j'agrandissais le décolleté de mon peignoir pour lui exhiber ma gorge et la naissance de mes seins qu'il ne voyait même pas, occupé à me tendre la petite boîte en me disant C'est un micro, ma petite chatte, voici du scotch, je veux que tu le caches dans l'appartement de la rue Gomes Freire d'où ils vont tirer sur le Juge, ton amoureux est tellement godiche qu'il n'est pas possible qu'ils ne se méfient pas de lui

et moi j'agrandissais mon décolleté, je montrais mes genoux par l'ouverture du peignoir, je tapotais mes mèches mais le monsieur ne me touchait pas, ne m'enlaçait pas, ne m'embrassait pas, il ne pensait qu'à son micro, qu'à l'embuscade, qu'aux coups de feu, me fixant sans chaleur ni tendresse et tortillant sa moustache autour de son petit doigt humecté de salive

je l'attirais à moi, je lui pinçais le ventre, je lui caressais la poitrine, j'appuyais le nez contre son nombril, Je t'adore

et le monsieur, le tronc arqué comme si je lui répugnais, me tenait par les épaules pour se soustraire à mon étreinte, Mets cette saloperie là où personne ne la verra et on te dédommagera, je n'ai pas envie qu'un tremblement de terre secoue la Judiciaire

et moi, au bord des larmes, frottant mon visage contre sa taille, On, on, qui ça on? je n'ai pas besoin qu'on me dédommage, je me suis débrouillée seule toute ma vie

et le monsieur, observant la rue de la fenêtre, Quand je parle de dédommagement, ma cocotte, je veux dire que tu passeras moins de temps en prison que les autres

je ne comprenais pas, En prison?

une clarté mauve tombait sur les objets sans s'y attarder, nimbant mes arlequins et mes pierrots en porcelaine d'un halo argenté, estompant le poil de la moquette, augmentant le volume des oreillers sur le lit, et je ne comprenais pas En prison?

et le monsieur jouait avec un petit pot de cuivre, Oui, en prison, mais moins longtemps que les autres, cache le micro là où personne ne pourra l'apercevoir, j'ai installé une équipe à trente mètres pour enregistrer les conversations

et moi qui commençais enfin à comprendre, je pensais à la Galice, aux édifices, aux arbres, aux rivières, aux plages encaissées, aux monastères, à la mer roulant toute la nuit dans les profondeurs du parquet, je pensais aux cigognes de Vigo, aux dizaines, aux centaines, aux milliers de cigognes de Vigo, et à l'Homme et au Juge en culottes courtes, les poches bourrées de billes et de timbres, s'amusant à regarder le va-et-vient des oiseaux.

— Soyez tranquille, je m'occuperai de la petite boîte, lui ai-je dit en tournant la poignée de la porte, écœurée soudain par l'élégance, la moustache et l'after-shave du monsieur. Une minute de moins en prison, monsieur, c'est toujours bon à prendre.

— La voiture du Juge arrive, a annoncé l'Homme en nous appelant avec la main, penché vers la rue Gomes Freire et tirant en arrière la culasse de la mitraillette. Je parie qu'il va aller la garer là-bas, entre la Mercedes et le rideau de l'échafaudage, je parie que la police a acheté le micro au Marocain et qu'elle n'a rien entendu de ce que nous avons dit.

— Le même numéro d'immatriculation, la même marque, la même couleur, c'est bien notre oiseau, s'est exclamé le Curé d'une voix exultante en examinant la voiture par-dessus l'épaule de l'Étudiant. Quand tu voudras que je tire une charge de mortier, préviens-moi.

— Et le cadavre? a crié la Directrice de la maison de repos, indignée, en essayant vainement de déplacer le corps de l'Artiste en le tirant par la doublure de sa veste. Alors c'est comme ça, le défunt ne bouge pas, il reste à empester au milieu du salon?

— Moi je ne sens rien, ai-je répondu en écrasant le micro sous ma semelle, comme une araignée ou un cafard. Je t'ai déjà dit que lorsqu'on aura fini on l'emportera et on l'enterrera dans le jardin à Loures, à l'ombre du hangar rempli de parfums français, de chocolats et de liqueur de café que nous avons payés à l'Arabe avec les livres des camarades irlandais. On récitera même quelques phrases en latin sur sa tombe, ne te fâche pas.

— On commence à tirer dès qu'il sort de sa voiture ou bien on attend qu'il arrive sur le trottoir de la Judiciaire?

a demandé l'Étudiant en ouvrant la fenêtre et en enclenchant son arme, suivant ensuite la voiture avec la mire. Si le canon sans recul fonctionnait, ça serait du gâteau, on transformerait le pâté de maisons en un tas de décombres, vite fait bien fait.

— Il la gare en marche arrière devant la Mercedes, il a presque renversé le rideau de l'échafaudage, a dit l'Homme en sortant la moitié du buste dehors et tournant un volant imaginaire avec les bras, et je me suis souvenu que quand ma grand-mère me donnait à manger dans mon enfance elle desserrait les mâchoires chaque fois qu'elle approchait la cuiller de ma bouche. Je n'ai jamais cru qu'il arrive un jour à bien conduire, que voulez-vous attendre d'un fils de fermier?

— Essaie le bazooka plutôt que le fusil et charge-le avec une grenade, a dit le Curé à l'Étudiant, qui te dit que cette fois il ne fonctionnera pas? Les bazookas sont des engins très capricieux, j'en ai eu un pendant des mois qui ne tirait que quand il le voulait bien, j'avais beau enclencher, clic, des clous, l'an dernier j'ai raté d'un cheveu le nonce apostolique.

— L'enterrer à Loures? s'est exclamée la Patronne du foyer de vieux d'un air stupéfait en faisant rouler le défunt vers la porte, l'enterrer dans la ferme de la Belge qui se nourrit de simples et de petits pâtés aux coquelicots? Si vous ne le couchez pas immédiatement dans une des chambres du fond, je vais faire un foin tel que j'ameuterai tout le voisinage.

— Ce n'est pas n'importe quelle ferme, ce n'est pas une ferme comme les autres, a dit l'Étudiant d'un ton querelleur en posant le fusil et soulevant le bazooka, c'est notre cachette, notre lieu de réunion, notre port d'attache. L'Artiste préférerait sûrement cela aux cimetières bourgeois de Lisbonne, tu peux en être certaine.

Une propriété sur un coteau, ai-je pensé en regardant aussi par la fenêtre le Juge manœuvrer, pas au bord du trottoir mais à un ou deux kilomètres de lui, à laquelle on accédait par un chemin de pierre et de terre que l'hiver transformait en bourbier grouillant de têtards, une maison qui était un ancien moulin prolongé par une construction en brique avec un toit en zinc, un hangar où s'entassaient dans de la paille la dynamite et la quincaillerie du Maure, et une étendue mal délimitée de champs en friche, découpée par une succession de murets semblables à ceux qui séparent les lopins à la campagne et entourée d'immeubles illégaux de trois ou quatre étages, sans égouts, sans eau et sans électricité, habités par des métis d'Angola. Une propriété, ai-je pensé, avec un potager de choux rouges et de carottes collé au hangar où l'étrangère sarclait les légumes en tablier, ou bien elle épiçait ses soupes végétariennes dans la cuisine et se plongeait dans des méditations polynésiennes, à croupetons devant un autel couvert de galets, de coquillages et d'images saintes, tandis qu'assis sur des coussins éparpillés à même le sol nous attendions autour d'un pot de tisane la fin des prières.

— Un endroit paisible, calme, retiré, sans le moindre bruit, sans le moindre aboiement de chien, ai-je dit à la Patronne du foyer de vieux en me souvenant de la tranquillité des nuits à Loures en automne, quand la veille d'une embuscade nous allions vérifier le matériel, les grenades, le trinitrotoluène, les appareils radio, le lance-flammes, et que le chien de la Belge, un saint-bernard avec des sourcils et des bajoues de juge à la Cour suprême, avançait vers nous d'un train de sénateur et s'installait sur son derrière pour présider à la distribution des balles et au graissage des revolvers, remuant de temps en temps la queue avec une joie mesurée. Tu préférerais que l'Artiste soit enterré sur les hauts de São João, au milieu du vacarme de Lisbonne?

— Il a éraflé un pneu sur le rebord du trottoir mais il a tout de même réussi à se garer tant bien que mal, a dit l'Homme d'un ton moqueur en orientant ses mains fermées à droite, puis à gauche, comme s'il tenait difficilement un gouvernail de chalutier. Si je devais voyager avec ce type j'aurais au moins un infarctus par feu rouge.

— Je m'en contrefiche de la tranquillité à Loures, a dit la Directrice de la maison de repos qui s'énervait, insensible aux charmes de la province, et qui poussait le cadavre de l'Artiste sur la moquette. Je m'accommode aussi bien du hangar à Loures que d'un caveau de famille aux

Prazeres, mais ce que je ne supporte pas c'est qu'un défunt me fasse tourner en bourrique.

— Le bazooka m'a l'air normal, a dit le Curé d'une voix encourageante à l'Étudiant en testant le mortier avec le doigt. Avec un peu de chance tu raseras la façade de la Judiciaire en un clin d'œil.

La Belge, ai-je pensé, brûlait des essences dans des soucoupes en métal, elle nous régalait de jus de persil et de beignets à la tomate, elle nous passait des chansons malaises et des ballades pakistanaises sur son tourne-disque, elle fermait les yeux, croisait les chevilles en position de lotus sur le parquet et quelques instants plus tard elle lévitait au salon dans un crépitement de coton-nades et survolait des sculptures en plâtre et des cailloux bariolés pendant que je regardais de la véranda les lumières des lampes à huile ou à pétrole des immeubles illégaux, le ciel semblable à une tente de cirque soutenue par les branches des araucarias, avec ses petites étoiles en papier d'argent et ses déchirures de brume. Le Curé l'avait découverte dans un lointain mois d'août, portant des sandales et des bas et priant ses dieux particuliers, pendant des vacances à Peniche, et comme toutes les religions l'émouvaient, il s'était attaché à perfectionner son portu-gais au moyen de lectures en commun, payées en francs, des menus à la terrasse des restaurants. Il avait courageu-sement fait le voyage de retour à Loures dans l'immense Citroën de musée de l'étrangère qui cahotait dans des angoisses de vapeur et, une semaine plus tard, nous occupions son hangar, une simple remise pleine de râteaux rouillés, avec les chocolats, les cigares uruguayens de l'Arabe et les mitraillettes que de temps en temps il nous vendait par erreur, et nous nous réunissions au moulin avec le saint-bernard, le nez sur un plan, pour discuter tactique et comparer nos notes, sans un regard pour la femme qui flottait d'autel en autel en chuchotant de mystérieuses prières à des idoles équipées de bras innom-brables.

— Le type est sorti de sa voiture et il bavarde sur le trottoir avec des mecs qui n'arrêtent pas de lever la tête vers nous, a dit l'Homme en reculant d'un pas dans le salon. Si ça se trouve la Brigade est au courant de tout, si ça se trouve ce couillon de Marocain leur a refilé un micro qui marche.

— Je le tiens dans ma mire, a murmuré l'Étudiant en braquant le bazooka en direction du rideau de l'échafaudage. Je descends le gars maintenant?

— Vise-le bien, a dit le Curé en découvrant ses petites dents pointues dans une grimace gourmande. Vise-le bien car je veux le voir se transformer en une petite flaque de fumée.

— Il y a une masse de mecs dans la rue et dans la cour de la Judiciaire qui sont tournés vers nous, a ajouté l'Homme en faisant pivoter sa tête de la grande porte de l'école de médecine vétérinaire au magasin d'un horloger dans le pâté de maisons suivant, à côté d'une enseigne de pension et de l'entrée d'une taverne flanquée de palmiers nains. L'immeuble est sûrement cerné par la police, on réussira peut-être à s'échapper par-derrière.

— Tire, ai-je ordonné en observant la Judiciaire d'une deuxième fenêtre et essayant de découvrir aux mouvements des uns et des autres qui commandait les gardes.

— Ne vaudrait-il pas mieux décamper déjà d'ici? a demandé l'Homme près de la porte, s'apprêtant à se débarrasser de son arme et quêtant du regard l'approbation de la Directrice de la maison de repos qui ne lâchait pas le défunt. Si nous plantions là le matériel et l'Artiste, si nous les amusions avec quelques coups de feu, en vingt minutes nous serions à Loures et ça serait fini.

— Tire, ai-je ordonné à l'Étudiant en parcourant avec ma mitraillette les policiers sur les balcons sans réussir à découvrir qui était le chef.

Nous dormions au moulin jusqu'à ce qu'il soit l'heure de partir, sur des nattes que la Belge déroulait pour nous sur le carrelage du salon, le saint-bernard se couchait, la gueule sur les pattes, contre la cheminée éteinte, un plat en laiton luisait dans les ténèbres, j'écoutais les soupirs de l'étrangère et les marmonnements du Curé dans la chambre voisine, j'entendais les tressautements de leur lit et leurs chuchotements, la femme qui se levait pour aller uriner dans le cabinet à côté de la chambre, le bruit de la chasse d'eau, le frottement des semelles sur le sol, le gémissement concave du lit qui l'accueillait à son retour et quelques instants plus tard une voix qui me secouait le bras, Il est trois heures, réveille-toi, il est trois heures, des camarades nous attendent à Coimbra avant huit heures. Nous dormions au moulin et une odeur d'infusion de camomille pimentait mon insomnie, le petit vent de la nuit descendait par la cheminée et chantait dans les stores, l'Artiste allumait des cigarettes à plat ventre, protégeant la flamme du briquet avec la main, l'Homme, entortillé dans une couverture, se recroquevillait de peur, et les édifices illégaux, soudain énormes, inclinaient vers nous leurs façades dépourvues de peinture.

— Tu as entendu l'Employé de banque? a demandé le Curé à l'Étudiant en lui envoyant une bourrade dans les reins. Tire, puisqu'on t'a dit de tirer, pourquoi lambines-tu, bordel de merde?

— Avec un peu de chance et les mains libres, nous atteindrons la fourgonnette sans encombre, a insisté l'Homme en indiquant le balcon couvert avec son arme. Même si l'immeuble est cerné, même si, c'est une supposition, les sorties sont bloquées par des piquets.

— On verra ça après, ai-je décidé en arrêtant ma mitraillette sur un gus en gilet qui gesticulait sur un balcon de la Judiciaire en direction d'une voiture cellulaire avec des petites fentes oblongues en guise de fenêtres qui occupait l'entrée des Archives du service d'identification et qui tournait vers nous la gueule carrée de son capot. Devrai-je te répéter de tirer pendant toute une semaine?

Nous sortions du moulin, engourdis de fatigue, nous partageant un petit flacon de vodka (ni la Belge ni le saint-bernard ne se levaient pour nous dire au revoir), les araucarias et les carottes du potager bruissaient dans l'obscurité, des nuages de pluie arrivaient de la mer, survolaient Alverca et se dirigeaient vers le fleuve, le halo qui précédait l'aurore s'élargissait du côté du levant, l'Artiste au volant appuyait sur l'accélérateur, réveillant des lampes endormies dans les maisons avoisinantes, le Curé, les mains sur l'appui de la fenêtre, a beuglé Vas-y, l'Étudiant, bazooka au cou, a froncé les sourcils, plié les clavicules, appuyé sur la détente et rien ne s'est produit, il a appuyé une deuxième fois et toujours rien, il a insisté une troisième fois, on a entendu un déclic fatigué et rien d'autre, Lâche ça et foutons le camp, foutons tous le camp à toute vitesse, a imploré l'Homme en quêtant du regard l'assentiment de la Patronne du foyer de vieux, Tire, ai-je ordonné de nouveau, désespéré, en braquant ma mitraillette sur le gus en gilet, tu ne vas pas laisser le mec traverser la rue et disparaître dans les corridors de la Judiciaire, Les bazookas sont comme ça, l'a encouragé le Curé, comme les radiateurs qui ne s'allument que quand ça leur chante, ne renonce pas, si bien que l'Étudiant a de nouveau visé, clic, il a froncé davantage les sourcils et, clic, il a opté pour une salve de tirs, clic, clic, clic, et le Juge, serviette à la main, a continué à parler à des inconnus en traversant tranquillement la rue, l'Étudiant faisait clic, nous attendions l'explosion et clic, Donne-moi ça, ai-je dit en m'emparant du bazooka, oubliant l'olibrius en gilet, et clic, comme un moteur qui ne démarre pas, comme des pièces métalliques qui se frottent vainement sans que la moindre étincelle jaillisse, clic, je sentais le poids de la grenade attendant impatiemment qu'on l'oblige à bondir et clic, j'ai regardé le canon d'un côté puis de l'autre, j'y ai collé mon oreille et clic, Pas comme ça, s'est interposé le Curé en secouant le tube, peut-être qu'en agitant cette saleté quelque chose de mal ajusté se remettra en place, nous étions sur le tapis au milieu du salon, l'Étudiant, le Curé et moi, donnant des coups de pied dans des chargeurs et des pistolets, secouant le bazooka et appuyant sur la détente, clic, et sur ces entrefaites une énorme détonation a retenti, le salon s'est rempli de fumée, une force dépourvue de mains nous a projetés contre le papier à fleurs et les tableaux des murs, une partie de la cloison en brique et en mortier qui nous séparait de la salle de bains s'est effondrée, on voyait le lavabo, la glace, un bout de bidet, les deux tiers de la baignoire, des serviettes de toilette suspendues à des crochets, une robe de chambre, nous étions assis sur des canapés, entourés d'un essaim de plumes, d'étoupe et de flocons de coton, nous regardions

287

nos cheveux roussis, nos vêtements en lambeaux et nos visages barbouillés de suie.

— Qu'est devenu le cadavre de l'Artiste? a demandé la Directrice de la maison de repos d'une voix lunaire en s'extrayant de la caverne d'une armoire et regardant avec ébahissement la moquette sans défunt sur laquelle le lustre au micro avait semé ses volutes dorées, ses pellicules de chaux et ses pleurs de verre.

Au moins, ils avaient eu le bon sens de remiser le corps dans les chambres à l'arrière, Dieu soit loué.

— Nous l'avons descendu, a déclaré l'Artiste qui revenait d'un pays lointain, après avoir perdu une manche de sa veste, une chaussure et un morceau de pantalon. Nous avons descendu le Juge en beauté, et maintenant donnez-moi l'engin, ils vont tous y passer.

— Tu as attrapé le tour de main, il n'y a pas à dire, a constaté le Curé d'un ton approbateur en descendant prudemment du fauteuil comme s'il se fût agi d'une échelle et passant un doigt charbonneux dans ses mèches grillées. Quel tir magnifique, nom de Dieu, l'Arabe s'est gouré, il nous a vendu une ogive nucléaire pour des clopinettes. Vas-y mon gars, cramponne-toi à l'engin, tire-nous encore deux ou trois coups et nous en aurons terminé.

Mais ce n'était pas uniquement le défunt qui avait disparu du salon, remplacé par des fragments de carreaux, des angles de cadres, des lambeaux de rideaux, des meubles en pièces, la cuvette du WC de la salle de bains couchée sur le flanc, saignant une eau bourbeuse sur le plancher. Ce n'était pas seulement le trépassé, les gonds des fenêtres, les tringles des tentures et les poignées de porte qui s'étaient volatilisés, c'était aussi le bazooka, cet objet terrifiant et apocalyptique que nous nous sommes mis à chercher en fourrageant dans les débris poussiéreux de l'appartement, des morceaux de tasses, une théière intacte, des lithographies et des portraits, des bâtons de chaise, des tiroirs éparpillés, le porte-canne du vestibule, le compteur électrique qui agitait ses tentacules de fils sur l'appui de la fenêtre comme une pieuvre de métal, les gens dans la rue nous regardaient, les serveurs et les clients de la pâtisserie, poings sur les hanches, la tête tournée vers nous, le Juge, toujours en vie, une main en visière au-dessus des yeux pour mieux nous voir et se retenant de l'autre au portail de la Judiciaire, et le Curé était assis sur la moquette et fouillait avec enthousiasme parmi les décombres, Où a-t-il disparu, ce fichu bazooka, de ma vie je n'ai vu une détonation pareille.

— L'Artiste est dans la cuisine, sur le réfrigérateur, a annoncé l'Étudiant du fond de l'appartement, d'une voix amplifiée comme par un haut-parleur de kermesse par la disparition des tentures et des meubles. La force de l'explosion a été telle que tout est en pièces, l'évier a volé sur le balcon couvert, il n'y a plus une casserole qui soit accrochée à son clou.

A cette heure la Belge, en jean et bottes de caoutchouc, arrosait ses carottes dans le potager ou préparait un petit carré de terre qu'elle recouvrait de plastique pour y planter du soja. Un ouvrier avec une barbe et des cheveux longs qui avait été oublié par l'entreprise de bâtiment et qui habitait son île de ciment comme un naufragé s'affairait avec un marteau dans un immeuble, l'énorme chien chassait les guêpes de mars avec sa queue et j'étais de nouveau un enfant, dans la maison de mes parents, regardant le poulailler où était enfermé le renard mal en point que mon oncle avait capturé dans un sillon et qui boitait en poursuivant les poules, jappant comme un chiot blessé.

— L'Artiste est ici et le Juge est dehors, à l'entrée de la police, en train de se foutre de nous, ai-je dit en découvrant ce qui restait du bazooka et brandissant les bouts de fer calcinés à contre-jour. La grenade a explosé à l'intérieur de l'arme, si j'attrape cette ordure de Marocain je lui arrache le foie avec mes dents.

— Le Juge se fout de nous ? a demandé le Curé, furieux, l'écran d'un téléviseur sur les genoux. Laisse-moi tout juste régler le mortier et il ne rira pas longtemps.

— L'Artiste est ici mais l'Homme et la Directrice de la maison de repos ont profité de la fumée pour se carapater par la porte de service, a crié l'Étudiant, invisible, en marchant sur des chaudrons et des casseroles. Ils viennent de sauter par-dessus une clôture de jardin, du côté de la rue

Conde Redondo, ils se cachent chez le coiffeur ou dans la pension, ils téléphonent à un taxi et adieu les copains.

— Le mortier, mon vieux, le mortier, grouille-toi, a glapi le Curé en se débarrassant de son écran de télévision, quand il s'agit du prolétariat personne ne plaisante avec moi. Le type est déjà entré dans le bâtiment de la police?

— Non, rassure-toi, lui ai-je dit en lui tendant le mortier et une grenade, il est toujours près du portail, tiré à quatre épingles, avec sa serviette et son parapluie, et il regarde dans notre direction.

L'étrangère enfouisssait les plants de soja dans la terre avec un petit plantoir, mon oncle promenait le renard en laisse dans le bourg, il s'asseyait avec l'animal au café pour sa partie de dominos vespérale, les chiens grondaient sur le seuil, attirés par l'odeur sauvagine de la bête, ses adversaires battus regardaient l'animal avec haine et chacun jurait de se dénicher un renard pour avoir la même chance au jeu que lui.

— Tiré à quatre épingles, hein? a dit le Curé en inclinant le mortier, le pouce sur la vis, attends un peu et tu vas voir ce que j'en fais, de son élégance.

— Tu veux que j'attrape l'Homme avant qu'il n'atteigne la fourgonnette? a hurlé l'Étudiant dans la cuisine au milieu d'un vacarme de bouilloires et de couverts. Tu veux que je te le ramène par la peau du cou?

Le Curé a vérifié plusieurs fois la solidité du trépied, le fonctionnement du percuteur et la trajectoire du projectile, a sorti une grenade de la caisse, l'a frottée sur sa manche pour la débarrasser de sa poussière et des bouts de plâtre, est allé à la fenêtre s'assurer de la position du Juge, est revenu au mortier pour le redresser de sept ou huit degrés, a regardé la grenade, a regardé l'appui de la fenêtre, a de nouveau regardé la grenade, l'a placée lentement dans la bouche de l'arme en la tenant du bout des doigts, a pris appui plus commodément sur ses talons, a dit Feu, la grenade est descendue à l'intérieur du mortier comme une pierre dans un puits, le percuteur a claqué, nous avons entendu un sifflement semblable à celui des fusées les matins de fête foraine et de mon balcon j'ai vu le projectile s'élever presque à la verticale, se suspendre dans le vide, hésiter, commencer à tomber de plus en plus vite au fur et à mesure qu'elle s'approchait du Juge, j'ai vu le bon-homme en gilet et les tireurs juchés sur les toits le suivre des yeux, j'ai vu une douzaine de soldats en treillis surgir en courant de la Judiciaire avec des lance-flammes et s'arrêter net dans la cour, j'ai vu la grenade à cinquante, à vingt, à dix mètres du sol, j'ai vu le Curé bénir la rue avec d'amples gestes pontificaux, je me suis bouché les oreilles avec mes index pour ne pas être assourdi par l'explosion, et la grenade a heurté le trottoir, a roulé mollement vers le caniveau et s'est fendue en deux comme une noix de coco pourrie.

— Tu veux que je les rattrape, oui ou crotte? a crié la voix de l'Étudiant qui me semblait étouffée maintenant par les cuvettes sur le balcon couvert. Si tu ne te décides pas dare-dare, ils embarqueront bientôt pour la Suisse.

— Kékcékça? a demandé le Curé d'une voix incrédule, pendant que les gars armés de lance-flammes se dirigeaient au trot vers nous. Explique-moi ce qui s'est passé et ne me mens pas, nous sommes au carnaval ou quoi?

— J'ai l'impression que le Marocain n'a rien à voir avec ça, ai-je dit en observant le bonhomme en gilet qui donnait des ordres dans une radio portative en gesticulant avec sa main libre. J'ai l'impression qu'un membre du Mouve-ment nous a trahis, tout comme mon oncle a cessé de gagner aux dominos quand son renard s'est enfui.

C'est ma cousine qui a annoncé la nouvelle en entrant dans la maison en sanglotant, Quelqu'un a soulevé le grillage du poulailler et le renard s'est enfui, mon père qui grillait une saucisse sur le réchaud à pétrole s'est précipité pieds nus, en caleçon, dans le jardin, essuyant son canif sur sa chemise, mon grand-père qui était installé avec son assiette de bouillie d'avoine sur les genoux dans le fauteuil à bascule entre le placard et l'évier, murmurait d'une voix préoccupée, Vu l'amour qu'il avait pour cette bête, Carlos en perdra la raison, mais mon oncle, en revenant de l'usine, a écouté le récit de mon père sans sourciller, sans dire un mot, sans même pousser une exclamation, racontant comment quelqu'un avait soulevé le grillage du poulailler et retiré une planche de la clôture du jardin pour que le renard puisse disparaître dans les terrains en jachère qui précédaient les taillis, il a terminé son assiette de mie de pain trempée dans de l'huile, il s'est lavé la figure et les bras sous le robinet du bac à lessive, il s'est couché pour faire un somme sur le divan de la petite salle, écartant du coude la préoccupation de ma mère, et ce soir-là, après s'être changé, il est entré au café à l'heure accoutumée, il s'est assis sans sa bête à la table des dominos, il a mélangé les plaques devant le cercle de ses partenaires qui ne faisaient pas un mouvement, l'œil rivé sur leur eau-de-vie. Il a perdu ce soir-là et tous les autres soirs qui ont suivi et cela pendant trente-sept ans, dimanches et jours de fête inclus, jusqu'au samedi où on l'a ramené en civière chez lui, incapable de parler, un double-six dans son poing serré.

— Qui dans l'Organisation a bien pu nous trahir, qui a intérêt à ce que nous allions en taule, dites-le-moi? a demandé le Curé d'un ton dubitatif en palpant les grenades une à une, intéressé par leur poids et leur marque d'origine. Des grenades françaises, ordinaires, vues de l'extérieur tout au moins, je ne crois pas qu'elles soient trafiquées, cela dit il est toujours possible qu'il y ait une munition qui n'explose pas.

— Et la Brigade entière sur le pied de guerre à la Judiciaire, et les coins de rues grouillant d'agents, et le véhicule blindé au portail? ai-je rétorqué en sortant mon coupe-ongles de ma poche pour couper les peaux de mon petit doigt. Dans une minute à peine la troupe va déferler dans l'appartement, tu vas voir. Le plus drôle c'est qu'on n'a jamais reparlé du renard, pas même à l'enterrement de mon oncle, quand la bête qui s'était volatilisée il y avait des siècles ne portait plus chance ou malchance à quiconque.

De sorte que je me suis assis sur le canapé, sur le coussin sur lequel le souffle du bazooka m'avait catapulté, j'ai croisé les jambes et j'ai regardé le salon dévasté, les meubles en mille morceaux, l'eau de la cuvette de WC qui se répandait sur le plancher, le jet de la douche que personne n'avait ouvert et qui s'aplatissait contre le carrelage des murs, jusqu'au moment où l'Étudiant, mains en l'air, suivi d'une armée de policiers, est venu nous rejoindre, le Curé et moi, au salon, pendant que je coupais mes petites peaux sur le canapé et que le Curé contemplait par la fenêtre le ciel au-dessus des toits et tandis que mon oncle se lavait la figure et les bras sous le robinet du bac à lessive et que le Juge, parapluie et serviette à la main, gravissait l'escalier menant à son bureau et que les ambulances des pompiers reprenaient leur itinéraire habituel le long de la rue Gomes Freire en direction de l'hôpital Saint-Joseph.

4

— Votre ami a rempli une partie du contrat, presque tous les terroristes sont à l'ombre, le Secrétaire d'État m'a prié de vous transmettre les félicitations du gouvernement, a déclaré le Monsieur en s'asseyant devant le Juge d'instruction qui rangeait des dossiers dans le petit bureau de la police, pendant que les tireurs d'élite quittaient le toit et que les véhicules de l'armée se remplissaient de militaires devant le portail. J'ai apporté une petite bouteille de whisky pour fêter ça, je vous sers?

— Voilà de la vodka finlandaise que j'ai barbotée dans le placard du vieux, a la santé de qui la boirons-nous? a demandé l'Homme, couché dans le gazon, en arrachant la capsule avec les dents. Cette fois j'ai échappé d'un cheveu à ce qu'on me mette en pension à Abrantes, à la dernière minute ma grand-mère s'est laissé attendrir et elle me permet de rester à Lisbonne à condition que je ne redouble plus aucune année au lycée.

— Il promet, il promet, mais moi j'en ai ma claque de ses promesses, s'est lamenté le grand-père en cherchant son fume-cigarette en écaille dans les poches de son gilet. Je te jure que je ne ferai plus ses quatre volontés, Mathilde, s'il est collé à ses examens je le flanque commis de bureau dans l'entreprise et finies les études, il sera rond-de-cuir toute sa vie.

— Quelques leçons particulières et le problème sera vite résolu, a décidé ma grand-mère, comme les professeurs sont mal payés ils passent leur vie à être absents et à déverser leur rogne sur leurs élèves.

— Merci, cela fait des années que je ne touche plus à une goutte d'alcool, s'est excusé le Juge d'instruction en souriant au Monsieur et déplaçant les téléphones sur la petite table à côté de son bureau. D'ailleurs, pour autant que je me souvienne, je n'ai pris une cuite qu'une seule fois, quand j'étais petit garçon.

Une envie folle de mourir, une sensation d'évanouissement, un mal de crâne horrible, un écœurement immense, des vertiges qui faisaient onduler les massifs et les arbres du jardin, la serre, floue, s'éloignait et se rapprochait, l'Homme avait des fous rires et chantonnait des fados, il remplissait les verres et versait de l'alcool sur les fleurs, et je pensais avec terreur, Je ne tiens plus sur mes guibolles, comment vais-je pouvoir rentrer chez moi maintenant, ma mère me flanquera une raclée avec sa savate si elle me voit franchir la porte à quatre pattes.

— Presque tous sont en cage, il n'y a pas eu la moindre anicroche, c'est un succès éclatant, a dit joyeusement le Monsieur en levant la bouteille en un toast universel, comme vous voyez, vous n'aviez aucune raison d'éprouver des craintes. Il n'y a que votre copain et sa petite amie qui se soient enfuis mais d'après le lieutenant de la Brigade dans une heure ou deux eux aussi seront sous les verrous, tranquillisez-vous.

— Un collège en province, mais quelle horreur, passé Alverca tout le monde sent mauvais, a déclaré la grand-mère d'une voix scandalisée en tendant une cigarette au briquet de son mari, une revue de mode sur les genoux. Tu ne veux tout de même pas que ton petit-fils soit dans un trou ordinaire, Fernando ?

— Je ne vais pas dans un internat, je ne vais pas à Abrantes, je reste à Lisbonne avec toi, a dit l'Homme d'une voix triomphante en cassant des tiges avec les bras. Avale encore un peu de gnôle, espèce de pédé, ce soir on ira chez les putes à Pedralvas.

— Ce n'est pas du tout un trou, c'est un collège magnifique, très bien tenu, mon frère est allé là et tu vois le poste important qu'il occupe maintenant à la banque, a protesté le grand-père, fume-cigarette entre les canines, en jouant avec un coupe-papier. Mais n'en parlons plus, l'affaire est close, on verra le résultat à la fin de l'année.

— António n'a pas été arrêté, comment cela se fait-il? s'est étonné le Juge d'instruction, méfiant, en guettant le Monsieur du coin de l'œil. Comment un quadragénaire, incapable de mettre un pied devant l'autre sans trébucher, a-t-il pu échapper à une compagnie de fusiliers marins avec la moitié de son âge et formée à la guérilla urbaine?

— Un collège à Abrantes, mais tu es fou, je n'ai jamais entendu une idiotie pareille, tu n'as jamais remarqué la tête de débile mental qu'a ton frère, par hasard? a dit la grand-mère d'un ton sarcastique en pliant une page de son magazine. Cette robe n'est pas vilaine, il faudra que je la montre mardi à Cristina.

— C'est parfaitement possible, les fusiliers n'ont pas pensé à la pension et c'est justement par là qu'ils sont sortis, a dit le Monsieur en montrant au Juge un plan zébré de traits multicolores et dessinant du doigt un trajet sinueux entre les rectangles des immeubles. Les responsables seront punis, évidemment, mais j'ai l'impression, vous voudrez bien me pardonner, que vous êtes assez content que votre ami ait pris la poudre d'escampette.

— Tu n'as pas envie de vomir, toi aussi? a demandé l'Homme avec un hoquet, à plat ventre au-dessus des fleurs et s'essuyant le menton et la bouche avec sa manche. La vodka était sûrement gâtée, l'alcool ne me fait aucun effet.

— En tout cas il a un air plus intelligent que les anormaux de ta famille, a répliqué le grand-père d'un ton fâché en lui tournant le dos pour regarder la route de Benfica par la fenêtre, et lui au moins ne vit pas à mes crochets comme tes beaux-frères.

— Content, moi? a dit le Magistrat en rougissant et trempant sa plume dans l'encrier d'un air embarrassé, pourquoi diable serais-je content, vous en avez de bonnes, vous? Et cessez de l'appeler mon ami, je me passe fort bien d'amitiés pareilles.

Maintenant ils vomissaient tous les deux, côte à côte, au bord du gazon, affalés dans les fleurs, souillés de terre, se retenant à un tronc de cèdre pour mieux s'effondrer à nouveau, regardant avec des pupilles aveugles les buis qui s'approchaient et reculaient, le pigeonnier qui bougeait constamment, le poulailler qui dansait autour d'eux vertigineusement. Si ma mère m'appelle pour que je l'aide avec le maïs, je ne pourrai même pas lui répondre, a pensé le Juge d'instruction, affolé, le front sur l'épaule de l'Homme, je resterai ici à me vider comme la chienne de mon père, jusqu'à ce qu'on nous découvre demain matin dans une mare de tripes, couverts de scarabées et de fourmis, au milieu des agapanthes écrabouillées. Content, moi? a-t-il dit au Monsieur en séchant son stylo sur un pan de sa chemise, content, moi, tonnerre de Dieu? Eh bien, sachez que je trouverais honteux qu'il n'écope pas au moins de vingt ans.

— Des parasites, tiens, tiens, a dit la grand-mère en comparant la nuance de son vernis à ongles avec celle d'un petit flacon sur une publicité. Eh bien, si être un parasite c'est ne pas être le fils d'un droguiste mal dégrossi comme toi, laisse-moi te dire que je suis extrêmement fière de ma famille. Eux au moins n'ont pas besoin qu'on leur apprenne à manier leur fourchette et ils ne gesticulent pas avec leurs couverts : ces choses s'apprennent au berceau, vois-tu.

— Quand est-ce que ça va s'arrêter, Zé, quand est-ce que mon estomac va se calmer? a demandé l'Homme en plongeant le visage dans l'herbe et en s'agrippant à la cuisse du Juge. Je veux qu'on m'emmène vite à l'hôpital, je veux un comprimé qui me guérisse.

— Attraper votre copain et sa petite amie est une question de temps, ils aboutiront fatalement ici, a déclaré le Monsieur d'une voix rassurante en indiquant un autre point sur la carte avec l'annulaire. Et s'il sort vivant de cette chasse à l'homme, ce dont je doute, il est bon pour trente ans de cabane.

Ma mère, a pensé le Magistrat en apercevant avec étonnement la tache d'encre sur sa chemise et se demandant si elle disparaîtrait avec du savon et de l'eau chaude, ma mère avait trouvé la chienne morte dans le verger, entourée d'un essaim de mouches bleues, le ventre lacéré par la tige d'un piège à merles, et mon père, installé à côté d'elle, la tête de la bête sur les genoux, balançant un verre de marc au rythme du violon dans la villa en ruine qui jouait pour lui seul les notes désaccordées d'un tango dramatique.

— Tu tiens peut-être ta fourchette comme il faut, a concédé le grand-père en continuant à lui tourner le dos, l'air extrêmement intéressé par les villas entourées de petits jardins cernés de murs sur la route de Benfica, mais c'est moi qui remplis ton assiette avec l'argent du droguiste, ce qui te permet ensuite d'exhiber à tout le monde l'éducation que tu as reçue et de passer tes journées chez le coiffeur et dans les magasins.

— Assieds-toi ici sur cette brique et écoute-moi ça, a dit le fermier en ordonnant de se taire, un doigt sur les lèvres, à sa femme en larmes qui le regardait en tortillant un bord de son tablier. Tu connais une musique plus belle que celle-ci, toi?

— S'il sort vivant? a demandé le Magistrat en sortant un dossier au hasard et plongeant ses lunettes et son nez dans les pages, sans rien voir. Vous dites ça pour effrayer les gens, bon sang, il n'y a aucune raison pour qu'il ne sorte pas vivant, n'est-ce pas?

— Ne me touche pas, lâche-moi, laisse-moi m'étendre un instant, le mal de cœur va passer, a dit l'Homme au Juge d'instruction d'une voix implorante en regardant avec angoisse les nuages échoués sur les branches du cèdre et les oiseaux qui nageaient dans le feuillage. Tâchons de nous remettre et ce soir, ça ne fait pas un pli, on ira à Pedralvas, j'ai chipé des sous dans le sac de la vieille.

— Cette histoire d'en sortir vivant est compliquée, a dit le Monsieur en pliant le plan et en l'enfouissant dans la poche de son veston. Un malheur est vite arrivé, vous comprenez, il faut compter avec les impondérables, il y a des gars qui font des bêtises, qui se précipitent, qui appuient un peu trop vite sur la détente. Et puis votre ami ne nous est plus d'aucune utilité, au contraire, imaginez qu'il change d'avis et qu'il raconte tout à ses camarades... Je n'ai pas envie qu'ils me vident un chargeur dans le dos et je suppose que l'idée ne vous sourit guère non plus. Je déteste la violence mais il y a des moments où il vaut mieux trancher dans le vif, vous ne trouvez pas?

— Va-t'en, a crié le fermier à sa femme en faisant de grands gestes d'ivrogne. Si tu t'approches de nouveau de mon chien je te plante mon sarcloir entre les yeux. Va donner du maïs aux pigeons et laisse cette brave bête se reposer, elle en a grand besoin.

— Si nous l'envoyons au Venezuela ou au Brésil comme nous le lui avons promis, dans un de ces petits bleds perdus au fin fond de l'Amazonie, a dit le Juge d'instruction en ouvrant et fermant le dossier, ses camarades ne pourront jamais l'y dénicher, personne ne courra de risque et il ne sera pas nécessaire de continuer à faire joujou avec des armes à feu. Je n'ai pas très envie d'avoir sa mort sur la conscience.

— Si ce n'était pas toi, ce serait un autre, qu'est-ce que tu crois, a répondu la grand-mère au dos penché vers la route de Benfica et la forêt de l'avenue Grão Vasco, avec ses arbres immenses, ses bassins mystérieux et ses tourterelles à la queue en éventail. Et de préférence un autre qui me traiterait comme on traite une dame et pas un mufle dans ton genre.

— Tes vomissements sont-ils passés, Zé, tu n'as plus mal au cœur? a demandé l'Homme avec sollicitude, appuyé sur un coude et regardant le Magistrat qui se comprimait le ventre à deux mains, adossé au cèdre, et qui donnait des coups de pied à la bouteille avec un talon incertain. Cette nuit on prendra notre revanche à Pedralvas, on fera venir toutes les putes chez la Borgne, on mettra la radio à plein tube et on s'en choisira chacun d'eux, ça sera une nouba à tout casser.

— Je préfère prendre mes précautions, a déclaré le Monsieur en appliquant une tape à la poche qui contenait le plan, je préfère ne pas laisser en liberté des petits malins. Je veux pouvoir entrer et sortir de chez moi, me promener le dimanche en famille, bavarder avec mes amis, rendre visite de temps en temps à une petite nana place Estefânia sans m'imaginer que chaque voiture garée contient une bande d'assassins prêts à me crever la paillasse à coups de mitraillette. Je comprends vos sentiments, monsieur le juge, mais vous devez comprendre à votre tour que je n'aime pas beaucoup l'idée de finir sur le carreau d'une ruelle quelconque, en train de me vider de mon sang sous une bâche des pompiers.

— Va au diable, a répliqué le dos que les ondulations des toits de la rue Emilia das Neves hypnotisaient, avec leurs ornements, leurs arbustes, leurs petites cheminées pour rire, leurs plantes grimpantes jaunes et bleues.

Il a été impossible de convaincre mon père que la chienne était morte, a pensé le Magistrat en se souvenant du fermier assis sur une brique, en train de caresser la tête de la bête et de brandir le sarcloir contre ma mère, contre moi, contre le chauffeur en livrée de Monsieur le Professeur qui l'exhortait, sans se hasarder à avancer, Du calme, Oscar, du calme, lâche cette saloperie ou tu vas blesser quelqu'un, contre la cuisinière, contre les bonnes qui le regardaient de loin sous la treille, saupoudrées de reflets et de taches de lumière, les grappes de raisin se confondant avec les boucles de cheveux sur leur front. Il a été impossible de convaincre mon père, qui avait terminé son verre et qui voulait à toute force boire encore du marc, que l'animal couvert de mouches bleues aux entrailles pendantes ne respirait plus. Le chauffeur en casquette et veste à boutons dorés a apporté un décilitre de la taverne, pour donner plus de poids à ses arguments, la cuisinière lui a offert du ragoût aux petits pois pour le lendemain, les bonnes piaillaient de terreur sous les vignes, et mon père, sarcloir à l'épaule, nous suivait en sifflotant la musique du violon qui augmentait et diminuait comme l'ombre d'une chandelle dans un courant d'air.

— Du calme, Oscar, a conseillé le petit chauffeur frénétique aux souliers pointus, voici du carburant, que veux-tu de plus?

On entendait les poules s'agiter, les pigeons affamés faisaient la navette entre le pigeonnier et la grande maison, on percevait les hésitations tâtonnantes de la queue du moulin en quête de vent, on devinait les premières couleurs sourdes du crépuscule, le quartier de Brandoa se parait dans le noir, on entendait mon père accepter le marc, ordonner d'une voix sévère à la chienne morte de ne pas se lever, de ne pas bouger, de ne pas aboyer après les oiseaux de la nuit, et nous insulter parce que nous avions oublié la volaille, négligé les dindons, et que nous restions dans le verger comme des nigauds à embêter la chienne au lieu de lui faciliter le travail.

— Tiens, Oscar, prends un autre décilitre, lui a dit le chauffeur d'un ton encourageant en suspendant sa casquette à une branche et retroussant ses manches comme pour une tâche pénible, il a cligné de l'œil d'un air entendu et a montré à mon père cinq doigts de marc. La chienne est juste un peu malade, ça se voit sans peine, elle fait un petit somme et après elle ira mieux.

— Arrière, canailles, arrière, bande de voleurs, a crié mon père en perdant l'équilibre et pourfendant l'air avec le sarcloir.

Et le Juge d'instruction a pensé, sans oser fixer le Monsieur, Il a fallu six décilitres pour qu'il s'écroule enfin sur la chienne, et cette nuit-là on l'a emmené pour la première fois à l'hôpital.

— Il a son compte, a dit la cuisinière en soulevant avec appréhension le poignet inerte de mon père, maintenant il aura besoin d'au moins trois jours pour cuver sa cuite.

— Pour plus de sûreté, retire-lui son sarcloir, a dit le chauffeur au Magistrat, moi je ne fais confiance ni aux ivrognes ni aux gitans, maintenant il s'agit de le transporter chez lui et de l'étendre sur son lit, qui veut bien me donner un coup de main?

Les fruits du verger luisaient dans l'obscurité, des chandeliers sans but se promenaient derrière les stores de la villa, la constellation de Brandoa clignotait derrière les contours de la porcherie. Le chauffeur, la cuisinière, ma mère et moi, a pensé le Magistrat, nous glissions tous les quatre sur des racines, dans des rigoles d'irrigation, sur des pierres, des arbustes, des briques qui traînaient par terre, nous avons descendu mon père qui exhalait des vapeurs d'alambic, nous l'avons couché sur le lit que ma mère a recouvert de la nappe du dîner pour qu'il ne salisse pas les draps avec la boue de ses bottes et, un quart d'heure plus tard, après avoir enterré la chienne dans ce qui fut une plate-bande d'oignons et qui se transformait peu à peu en un parterre de mauvaises herbes, le chauffeur est revenu flanqué du pharmacien, dont la petite moustache filiforme semblait dessinée au crayon sur la lèvre supérieure, qui a examiné les pupilles de mon père avec une lanterne docte tout en lorgnant à la dérobée les jambes des bonnes, il a tâté sa carotide pour s'assurer du flux du sang, il a administré des coups de marteau sur ses rotules avec le bord de la main pour vérifier ses réflexes, il a souri à la cuisinière en se nettoyant les gencives avec la langue et il a annoncé à ma mère en projetant des ovales plus clairs sur les murs avec sa lampe, Pour moi, ça ne fait aucun doute, il a avalé son bulletin de naissance, si vous voulez, emmenez-le à l'hôpital Saint-Joseph par acquit de conscience, il faut qu'un médecin délivre le certificat de décès.

— Je lui ai fait comprendre que je le mettais dans un avion pour le Brésil, le type m'a pris au sérieux et c'est sur cette base qu'il a collaboré avec nous, a dit le Magistrat en regardant le Monsieur en face pour la première fois. Je lui ai affirmé qu'il n'aurait pas d'ennuis, et si vos hommes de main le descendent en arguant de la légitime défense ou de tout autre prétexte, je vous jure que je ferai un foin terrible dans les journaux.

— Mort ? s'est étonné le chauffeur en collant son oreille contre la bouche du fermier, puis se redressant et dansant sur ses souliers pointus vers le pharmacien qui examinait avec sa lampe la grimace jalouse de la cuisinière et les nichons des servantes. C'est drôle ça, j'ai vu des morts tant et plus quand je travaillais à la Miséricorde mais c'est bien le premier que j'entends ronfler.

— On se change, on prend une douche froide, on se met sur son trente et un, et après le dîner on se tire à Pedralvas, a proposé l'Homme qui se cramponnait au cèdre en essayant de se tenir sur ses genoux et ses chevilles gélatineuses. (Sa tête lui faisait mal comme une blessure ouverte, ses intestins semblaient sur le point d'expulser un hérisson par l'anus, le visage flou du Juge d'instruction le regardait derrière une rangée de narcisses.) Moi je me porte comme un charme, je pourrais aller jusqu'à Leiria au pas de course.

— Pas un journal ne publiera un mot sur cette affaire, monsieur le juge, ils tiennent trop à être bien avec nous, a rétorqué le Monsieur avec un sourire aimable, sans s'offenser, jambes croisées et étudiant le tissu de son pantalon. Il ne faut pas voir ces choses-là sous un angle personnel, il faut apprendre à faire abstraction de ses sentiments et à les considérer sous l'angle de la raison d'État. Nous avons promis le Brésil à votre ami parce que nous avions besoin de sa collaboration, mais nous savions tous trois que le Brésil était un mensonge, nous savions tous trois qu'une fois l'Organisation démantelée l'Homme serait obligatoirement entraîné par le torrent car si nous ne lui clouons pas le bec, il y aura toujours un Allemand ou un Espagnol pour le faire, après lui avoir tiré les vers du nez à notre sujet.

— Il y a des jours où j'ai honte de toi, a dit tristement la grand-mère plongée dans un article sur des cosmétiques qui effaçaient les défauts sur les fesses après un mois de friction. Ton langage de charretier me fait mal, il n'y a rien de plus obscène qu'un vieillard vulgaire.

— Ce ne sont pas des ronflements, ce sont ses poumons qui se vident, a déclaré l'apothicaire en essayant de sauver la face devant les domestiques, au moment où on rend l'âme, l'air produit ce petit gargouillement dans la trachée et immédiatement après, chlac, les défunts se mettent à pourrir que c'est pas croyable.

— Allons, voyons, Zé, lève-toi, a dit l'Homme d'une voix impatiente, en refrénant un vomissement, au Juge d'instruction qui se traînait parmi les agapanthes en s'écorchant les joues sur les tiges brisées. Il y a cinquante nanas qui nous attendent, qu'est-ce qu'il te faut de plus?

— Décidez-vous une bonne fois pour toutes, a dit la cuisinière avec irritation en regardant alternativement le chauffeur et le pharmacien qui dissertait à propos de cadavres, lampe au poing, devant les bonnes ébaubies. Où en est-on, le bonhomme est-il mort ou n'est-il pas mort?

— Si on suit votre raisonnement de la raison d'État, on se débarrasse et de lui et de moi, ce sera bien plus sûr, a conclu le Magistrat en posant le dossier sur les autres et se mouchant interminablement. Le gouvernement sera bien plus tranquille sans témoins gênants.

Mais ils ne se décidaient pas, a pensé le Juge d'instruction, l'employé de la pharmacie, sous le charme de la femme de chambre, jurait Il est mort, il suffit de regarder la couleur de sa peau, il suffit d'observer son cou, dans une heure il empestera comme une latrine, et le chauffeur s'entêtait Si les macchabées ronflent, nom d'un petit bonhomme, alors les cimetières font un tintamarre de garage, tous deux se querellaient à grands cris au-dessus du lit où mon père changeait de position, tressaillant comme font les animaux pendant leur sieste, tous deux se chamaillaient devant ma mère et moi, adossés au mur sous un calendrier arrêté en mars 1926 sur lequel une jeune fille avec des cheveux frisés et un costume de bain inconcevable souriait d'un air extatique à côté du guidon d'une bicyclette antédiluvienne, tous deux hurlaient pendant que le figuier collé au mur de la maison frottait son feuillage contre le volet de la chambre, l'apothicaire pontifiait sur la décomposition des corps et le chauffeur secouait mon père en lui criant d'une voix furibonde, Ouvre les yeux, compère, montre à cet âne que tu es vivant, et cela jusqu'à ce que la cuisinière, qui était sortie en traînant la savate et clamant Mais qu'est-ce que j'ai donc fait au ciel pour ne gagner que des crétins à la loterie, je ne supporte pas les cinglés, revienne avec Monsieur le Professeur, un brancard et trois pompiers, et Monsieur le Professeur a dit Mettez un peu la sourdine, il a tout simplement une cuite du tonnerre de Dieu, et il a demandé aux pompiers de transporter mon père jusqu'à l'ambulance dans la cour, une fourgonnette avec une lampe sur le toit et une sirène hurlante qui a arraché la lanterne d'un des piliers en franchissant le portail, et le soir suivant nous avons rendu visite à mon père à l'hôpital, un pavillon au milieu des platanes avec trente, quarante, soixante malades translucides et maigres, séparés par des petites tables de chevet en émail. Mon père, un ballon de sérum s'écoulant dans son bras et son dentier dans sa main libre, est resté le menton tendu vers le plafond, entrechoquant ses molaires en plastique, il a parlé seulement au moment où on est venu nous dire Il est six heures, et où nous étions sur le point de nous diriger vers les platanes, alors il a demandé à ma mère si elle n'avait pas oublié de donner du vermifuge à la chienne.

— Quelle idée, monsieur le juge, pour qui nous prenez-vous? a dit le Monsieur d'un ton peiné en levant une paume consternée. Notre seul désir est d'en terminer avec cette affaire et de la classer au plus vite, car comme vous pouvez l'imaginer ce n'est pas le boulot qui nous manque. D'ailleurs nous aurons peut-être encore besoin de vous, car il n'est pas vrai que tous les magistrats ont le sens du bien public et qu'ils collaborent tous avec nous : ils se cramponnent à leurs codes et à cette connerie du secret judiciaire, mettant ainsi en danger toute la collectivité.

— Zé, a crié soudain la femme du fermier aux alentours du pigeonnier, viens m'aider avec le maïs, Zé.

— Tu as raison, je suis vieux, mais dès demain matin je me fais tirer la peau et je me transformerai en une momie grotesque comme toi, a déclaré le grand-père en abandonnant la fenêtre pour éteindre sa cigarette. Tu t'es déjà regardée dans la glace, tu as vu comme tu ressembles à une déterrée vivante, avec plus de silicone que de chair sur les os?

— Tu y parviendras, c'est facile, regarde comme j'arrive à l'acacia en cinq sec, a dit l'Homme d'un ton encourageant en se dandinant comme une oie en direction de l'arbre dans la plate-bande voisine et trébuchant sur le gazon qui n'était pas au même niveau. Remets-toi vite sur tes guibolles, ta mère t'appelle dans le poulailler.

— Si vous le tuez, je ne me tairai pas, a annoncé le Juge en pliant son mouchoir pour que le Monsieur ne soupçonne pas sa panique. Il doit tout de même y avoir des gens à l'étranger qui n'ont pas peur et qui s'intéresseront à cette affaire et tôt ou tard ici les gens sauront ce que le gouvernement a manigancé, même s'ils ne se soucient pas de l'exécution de l'Homme et de la mienne et qu'ils continuent à voter pour vous.

— Exécution, tout de suite les grands mots, si je ne vous connaissais pas, je jurerais que vous êtes un amateur de feuilletons télévisés brésiliens, s'est exclamé le Monsieur en riant et en nouant son lacet de chaussure. Je vous parle raisonnablement, j'évoque l'hypothèse d'une petite opération de nettoyage et aussitôt vous prenez les choses au tragique, on n'a pas idée. Dans quelques mois, après cette petite phase d'agitation, nous irons boire un verre dans un bar sympathique et je parie que vous me donnerez raison, vous verrez.

— Maintenant lâche l'acacia et retourne au cèdre, a dit l'Homme, assis dans un massif d'agapanthes, en essayant de faire taire le hérisson qui lui déchirait les entrailles de ses piquants acides. Peut-être que cette fois-ci tu ne tomberas pas par terre une seule fois, peut-être que tu ne te casseras pas la figure sur le gravier.

— Comment pouvais-je deviner qu'il n'avait pas l'habitude, monsieur le Professeur? a dit le chauffeur d'une voix contrite, dans la cour, pendant que la sirène et le projecteur de l'ambulance disparaissaient dans la nuit. Moi je dis que quelqu'un qui travaille toute la journée avec des pastilles, des bandages et des clystères devrait avoir fait des études et s'y connaître en cadavres.

— Ne te fais pas de mouron pour la chienne, a dit la femme du fermier, immobile au pied du lit, dans ses habits du dimanche, le sac à main en vernis que Madame lui avait offert à Noël serré sous le bras comme un coin à fendre du bois. Juste avant de partir pour l'hôpital je lui en ai versé une cuillerée dans le gosier.

Je l'ai vu pour la dernière fois un dimanche, après le déjeuner, dans la partie de la ferme où le son du violon ne parvenait pas et où les fraisiers résistaient encore, malgré les parasites du verger, le manque d'eau, l'herbe à côté de la remise à râteaux et à pelles et le mur surmonté de tessons de bouteilles qui donnait sur la cour du singe, laquelle était remplacée maintenant par des édifices de trois et quatre étages où le linge séchant sur des cordes avait des gestes de naufragé. La dernière fois que je l'ai vu, je me penchais sur les plantes moribondes et leurs fruits mal en point, pensant Un de ces jours les broussailles feront irruption dans la grande maison et l'herbe sortira des robinets et des brûleurs de la gazinière, pensant Un de ces jours je me réveillerai avec des coquelicots dans les tiroirs à linge et un prunier s'élèvera lentement sur la moquette du bureau, et sur ces entrefaites j'ai entendu tousser derrière moi et il était là, l'air sérieux, chaussures vernies, costume trois pièces et cravate, le visage vieilli, me regardant avec ces pupilles éteintes que je lui ai retrouvées bien des années plus tard, dans le bâtiment de la police, quand il me disait Vous allez me tuer vendredi, Antunes, il faut que tu remplaces les grenades par des grenades en tous points semblables que je t'ai laissées là en bas.

Mon père devait jouer ses menuets étranges dans la petite salle du premier étage, assis sur un tabouret devant une portée vierge de notes, la femme du fermier, un panier au bras, cherchait des œufs et chassait les poules dans les

311

poulaillers dévastés, des ouvriers montaient des échafaudages et des colonnes en ciment dans un énorme vacarme de machines, juste derrière la porcherie, nous cernant de fenêtres et de balcons qui cachaient Pedralvas, Pontinha, Brandoa, et sans me redresser, sans sursauter, sans me tourner vers le Juge d'instruction toujours penché vers les fraisiers et examinant leurs tiges et leurs feuilles, j'ai demandé Tu reconnais encore Benfica avec ces rues, ces viaducs et tous ces immeubles, tu te souviens encore de la route du Poço do Chão et des mûriers de l'école? et lui Au diable la route du Poço do Chão, il y a six caisses qui t'attendent à la porte de la cuisine et tu as six heures pour les transporter à Loures.

Les fraises se détachaient, à peine les touchait-on du doigt, tout comme les cadres en noyer des tableaux dans le corridor tombaient du mur si je m'en approchais pour les nettoyer et les poignées des portes me restaient entre les mains quand je les tournais. Le matin, quand je m'habillais, mon pouce remarquait l'absence de boutons sur ma chemise, je sautais à cloche-pied dans la chambre à la recherche d'une chaussette manquante, cachée sous l'oreiller ou sur le plateau du dîner de la veille et tachée de soupe coagulée.

— Et comment est-ce que je vais charrier les caisses à Loures, gros malin? ai-je dit en regardant un furoncle qui s'élargissait au bas de son front, tout près des sourcils, rendant ses paupières asymétriques derrière le verre de ses lunettes. Je débarque de but en blanc chez la Belge, dans une camionnette de déménagement, et je lui annonce que je viens changer les munitions pour foutre en l'air la vie de son amoureux?

On ne distinguait pas le son du violon mais on entendait les coups de marteau des ouvriers sur les échafaudages, les pétarades des tracteurs et la trépidation des machines invisibles qui mélangeaient le ciment et le sable, faisant vibrer le moulin déplumé dont la queue avait cessé de quêter le vent depuis des siècles. On entendait les pétarades, les machines et les coups de cisaille désordonnés du fermier, à cheval sur le parapet de pierre, désormais sans statues, et qui s'amusait à saccager la roseraie. Le Juge d'instruction s'est avancé d'un pas pour tenter d'attraper la queue d'un lézard qui a disparu immédiatement dans une crevasse du sol :

— Tu n'as pas besoin d'une camionnette de déménagement, nous t'avons laissé devant le portail une voiture semblable à la tienne, avec le même numéro d'immatriculation, la même couleur et le réservoir plein, la seule différence c'est qu'elle marche. Tu mets les caisses dans le coffre, tu vas à Loures cette nuit et demain matin nos gars viendront récupérer les grenades. La Belge se couche avec les poules, elle ne remarquera rien, c'est simple comme bonjour.

L'espace d'une seconde j'ai cru entendre la musique de mon père flotter au loin, mais c'était un autre bruit quelconque, le sifflement inattendu de la touffe de roseaux à côté du puits, le bruissement des arbres ou la rumeur de coquillage des planchers de la maison, au début de mai, quand les géraniums éclosent et que je reste en pyjama pendant une semaine, enflé de ganglions, avec une angine, me bourrant de fébrifuges et avalant des bouillies pour bébé qui lardent ma gorge de petits coups d'épingles pervers.

— Si le mec de la Sécurité ne me harponne pas pour me tenir le crachoir, il se peut que j'y arrive, ai-je dit en frottant mes paumes sur la couture de mon pantalon et hochant la tête avec chagrin devant les fraisiers à l'agonie. Sinon, eh bien, tu mourras comme prévu, il vaudrait mieux que tu t'habitues à cette idée.

Si j'avais un peu de bon sens, je mettrais ses parents à la porte avant qu'ils ne me transforment la maison, le jardin et la ferme en un tas de ruines et d'herbes, avant qu'ils ne décident de mettre en pièces les bancs en faïence, les vases et ce qui reste du mobilier, si j'avais un peu de bon sens je cesserais de supporter le traînement de savates de la femme dans les pièces et les cascades de vaisselle qu'elle fait tomber des armoires, j'empêcherais le fermier d'envahir ma chambre, casquette à la main, pour m'offrir des dahlias avec un chantonnement d'ivrogne, je les enfournerais dans un wagon de troisième classe avec un mois de gages et un billet pour Nelas et je resterais dans la gare jusqu'à être certain que le train était bien parti, jusqu'à être sûr qu'ils étaient réellement partis et qu'ils ne frapperaient plus à ma porte en pleine nuit d'un air grave, cérémonieux, emprunté, un paquet enveloppé de papier brun sous le bras et me fixant de leurs orbites plissées de vieillards.

— Les fraisiers sont complètement flétris, a dit le Juge d'instruction en froissant une feuille entre ses doigts. Sincèrement, je ne comprends pas comment tu as pu laisser les choses aller à vau-l'eau comme ça, encore un an de je-m'en-foûtisme et des sangliers et des cerfs galoperont dans les massifs.

Une cigogne s'est abattue sur la petite véranda de la grande maison, un deuxième oiseau décrivait des cercles au-dessus du Bairro de Santa Cruz à la recherche d'une cheminée où jeter l'ancre, les coups de marteau, les pétarades des tracteurs et la trépidation des machines invisibles se sont arrêtés et la brise nous a soudain apporté le violon de mon père, arrêté sur l'aigu d'une note interminable.

— Si ton vieux se défaisait de son penchant pour le marc, peut-être que le jardin serait un peu mieux tenu, peut-être qu'il y aurait moins de rats dans le puits, peut-être que quelques citronniers en réchapperaient, ai-je dit en haussant les épaules, une cigarette au coin de la bouche, assis dans une rigole d'irrigation. Mais la révolution a nationalisé notre compagnie d'assurances et maintenant je n'ai plus d'argent ni de patience. A quarante-sept ans je n'ai plus envie de remuer le petit doigt, et surtout pas de transporter tes bombes à Loures, comme tu peux l'imaginer.

Et pourtant, ai-je pensé, j'ai envoyé le signal avec mes phares au début de l'année, je l'ai répété cent mètres plus loin, j'ai arrêté l'auto sous le pin parasol et j'ai attendu je ne sais combien de temps, moteur coupé, que l'homme à la mitraillette jaillisse de l'obscurité en palpant la voiture avec sa torche pendant que le Juge d'instruction étudiait les progrès du mildiou dans les néfliers tout en évitant d'écraser les légumes.

— Pas un arbre en bon état, a-t-il dit d'un ton de reproche et d'un air d'ennui, quand je pense aux magistrales coliques de fruits verts qu'on s'est tapées ici, pendant les vacances.

— En voilà une heure pour se balader à la campagne, s'est étonné le sbire à la mitraillette en allumant et en éteignant sa torche sur une touffe de genêts. Tu m'as presque fait peur, zut alors, c'est quoi la raison de ce voyage, camarade?

— Sors du verger, coquin, sors du verger, bon à rien, a crié le fermier, encore jeune, sans bedaine ni cheveux blancs, en courant après son fils, pioche en l'air. Si demain t'as des coliques et que tu manques l'école je te démolirai la carcasse à coups de torgnoles.

— J'ai laissé mes papiers dans la grange, ai-je expliqué, ils me sont tombés de la poche pendant la réunion de samedi, tu parles d'une tuile si je me fais piquer sans papiers.

— C'est Antunes, pas de problème, disparais, a ordonné le sbire à la mitraillette à la touffe de genêts qui se détachait de l'obscurité et dans laquelle zigzaguait avec hésitation le point lumineux d'une seconde torche. Tant que Bernardino ne se fera pas soigner dans un hôpital de fous, il continuera à déconner, un de ces jours je lui planterai une clé anglaise dans le cassis pour lui calmer les nerfs.

— Je te jure que ça me fend le cœur de venir ici, a dit le Juge d'instruction en soulevant le couvercle métallique du puits comme il eût fait d'un couvercle de soupière pour regarder la soupe. Vu la puanteur, on pourrait croire que tu as balancé là-dedans toute ta parentèle morte.

— Je vais le raconter à votre grand-mère, a dit le fermier, fou de rage, en saisissant son fils en larmes par le bras et l'entraînant brutalement vers la treille. Je m'esquinte à prendre soin de la propriété et le petit monsieur me dénude mes arbres, regardez-moi ce pêcher, si c'est pas une honte.

— Laisse Bernardino en paix, la Coordination allait le liquider à cause de son erreur à propos du consul de Bulgarie, ai-je dit en riant au zigue à la mitraillette qui inspectait les sièges de l'auto avec sa torche. Tu me laisses aller chercher mes papiers dans la remise, oui ou crotte?

— C'est pas moi, c'est pas moi, je le jure, ne me bats pas, c'est lui qui est fou de pêches, pleurnichait le Magistrat en tombant à la renverse dans une rangée de framboisiers à la première gifle de son père. J'ai mangé que celles qu'étaient tombées, j'ai pas secoué l'arbre, que je sois paralysé des jambes si c'est pas vrai.

— Ça va pour cette fois, camarade, a accepté l'homme à la mitraillette en s'écartant d'un pas de la voiture. Tu connais les ordres, vieux, tu sais que personne n'a le droit d'approcher de la grange.

Alors j'ai conduit la voiture le long de la petite allée que le dernier hiver avait transformée en une succession de bosses et de creux, jusqu'à la maison de la Belge et au cercle de l'aire à battre en haut d'un mamelon d'où l'on apercevait des lumières d'usines et la scintillation du fleuve, j'ai contourné les légumes macrobiotiques de l'étrangère, j'ai garé l'auto tout contre l'entrepôt et en sortant pour ouvrir le coffre de la Volkswagen et troquer les caisses du Marocain contre les grenades du Juge j'ai senti une haleine marécageuse sur mes cuisses, le saint-bernard flairait mon pantalon en me regardant avec la tristesse infinie des veufs.

— Tu te souviens de l'après-midi où mon père m'a flanqué une dérouillée à en crever à cause de ces saloperies de pêches? a demandé le Juge d'instruction, attendri par les souvenirs du passé, en se suspendant à une branche. Si la vieille ne s'était pas interposée, je ne serais pas en train de tailler une bavette avec toi.

— T'as retrouvé tes papiers? a demandé l'homme à la mitraillette, adossé à l'angle de la remise, en frottant une allumette à l'intérieur de ses mains réunies en coupe devant sa bouche. Je te trouve bizarre aujourd'hui, tu ne dis rien, t'es tout drôle, qu'est-ce que tu as, on t'a chipé ta nana ou quoi?

— Lâche ce gredin, ma fille, ne défends pas un voleur, sans ça je vous casse la figure à tous les deux, a averti le fermier en tirant vigoureusement sa femme par les épaules et distribuant au hasard des coups de pied et des claques tout en retirant la ceinture de son pantalon pour en frapper avec la boucle le Magistrat et sa mère. Ce pantin va apprendre à ne pas m'esquinter mes arbres et à ne pas me mettre mes choux dans ce triste état.

Une lampe s'est allumée dans le moulin de la Belge, semant la pagaille parmi les ombres et éclairant de profil le révolutionnaire à la mitraillette qui était commis au ministère des Pêches et qui par amour du prolétariat prenait le car pour Loures tous les jours à sept heures du soir pour surveiller la remise de l'étrangère géante qu'il trouvait plongée dans des méditations polynésiennes ou en train de préparer des betteraves diététiques, invariablement coiffée d'un chapeau de paille et chaussée de sandales.

— Je mange que les fruits tombés à terre, et seulement parce qu'il m'oblige à les manger, père, je mange que les fruits tombés à terre, je le jure, insistait le Magistrat en larmes qui tendait les bras pour éviter la ceinture, et les oignons c'est sûrement les oiseaux qui les ont déterrés, j'ai même pas vu qu'il y avait des oignons par là.

La lampe dans le moulin s'est éteinte, les ombres ont repris leur place telles des lentilles de télescope qui s'ajustent, les rideaux des haies, la chevelure des arbustes, le toit de la grange parcouru de reflets métalliques, et l'homme à la mitraillette a de nouveau disparu dans les ténèbres, réduit à la braise de sa cigarette cachée dans sa paume et qui s'avivait de temps en temps dans l'entonnoir de ses lèvres. Le saint-bernard couché sur l'aire de battage à quelques pas de nous continuait à me regarder avec son air de veuf angoissé.

— Blague à part, camarade, a dit le commis curieux que les péripéties des romans d'amour passionnaient, ta fiancée t'a plaqué ? Tu sais, avec le plat que lui fait Bernardino, il joue au jacquet avec elle, il lui offre des fleurs, eh bien, un de ces quatre matins, je te parie que la Belge enverra le Curé sur les roses.

— Et la porcherie est vide, s'est lamenté le Juge d'instruction en rangeant ses lunettes dans leur étui et tournant les gonds de la grille d'un côté puis de l'autre. Je te parie que je grimpe toujours sur le toit plus vite que toi.

— Je t'interdis de mettre les pieds à la ferme pendant un mois, a décrété ma grand-mère, qui prenait son petit déjeuner au lit, dans une chemise de nuit en dentelle, entourée de théières et de journaux. Si j'avais pu imaginer qu'il arrachait les fruits verts je l'aurais envoyé dans ce fameux collège à Abrantes se faire taper sur les mains à coups de règle par les pions.

— Tu pourrais au moins parler à l'Employé de banque pour qu'on me réintègre dans un des groupes d'assaut, a demandé l'homme à la mitraillette assis sur le garde-boue de l'automobile. A force de surveiller l'entrepôt sept heures par nuit il n'y a pas un matin où je ne m'endorme pas au travail, j'ai la cervelle comme du coton, je bois vingt cafés pour garder l'œil ouvert.

— Alors j'ai gagné ou j'ai pas gagné, espèce de pitre? a dit le Juge d'instruction en haletant d'épuisement, pans de chemise à l'air, perché sur l'avant-toit et balançant les jambes. Et dis-toi bien que ça fait plus de trente ans que je ne fais pas d'exercice.

Il a repoussé vers la nuque les quelques cheveux gris qui barraient sa calvitie, encore hors d'haleine, encore tout tremblant de l'effort accompli, regardant autour de lui la jungle qu'était devenue la ferme, les vitres cassées de la serre, les tonnelles hirsutes, les bassins envahis de mousse, la grande maison qui commençait à ressembler à la villa en ruine de mon père, pendant que je pédalais dans le vide et que je détachais des fragments de chaux avec mes semelles en essayant de me hisser en haut de la porcherie, me meurtrissant les coudes contre les murs. Le fou au violon nous observait sûrement par une fente des persiennes de ses pupilles qui traversaient les objets pour débarquer dans une époque distante.

— Je te jure que tu es unique dans ton genre, a déclaré le Juge d'instruction en secouant la poussière et les crottes de pigeon avec ses manches. Celui qui arrivera le dernier à la clôture du potager devra se rouler dans les orties, en guise de punition.

— Donne-moi un coup de pouce, vieux, travaille l'Employé de banque, il t'écoute, toi, je ne supporte plus Bernardino, insistait l'homme à la mitraillette, soudain rempli d'espoir, en me soufflant au visage son haleine d'insomnie. L'action me manque, tu comprends, le mouvement me manque, j'ai envie d'aider à faire sauter la bourgeoisie.

— Se rouler dans les orties c'est bon pour des gamins, ai-je rétorqué en me hissant enfin sur la porcherie à côté du Juge qui pestait contre un accroc dans son pantalon. On met chacun cinq cents escudos sur le mur et le vainqueur ramasse les fafiots, ça te va?

— Ça serait super, mec, tu crois que ce salaud ne te dira pas non à toi, tu crois qu'il me permettra de préparer une petite embuscade? a demandé l'homme à la mitraillette d'un ton joyeux, se voyant déjà en train de mettre une bombe à retardement dans un conseil des ministres. Loures est d'un casse-bonbons à faire pleurer, Bernardino s'enferme au moulin pour baratiner l'étrangère pendant que moi j'attrape la crève dans les arbustes, malgré ma couverture.

— D'accord pour les cinq cents escudos, a accepté le Juge d'instruction qui a retiré sa cravate et son veston, déboutonné son col et placé un billet sur le mien. Et en voici encore cinq cents, pour faire un chiffre rond, du potager à la serre.

— Du potager à la serre ce n'est pas cinq cents escudos mais mille, ai-je déclaré en me piquant au jeu et aplatissant un deuxième billet sur l'argent du Juge. Et de la serre à la tonnelle, mille de plus, si tu veux.

Et pourtant, ai-je pensé en sautant de la porcherie et commençant à courir, sentant les pas du Juge d'instruction derrière moi, il n'y avait pas de potager, il n'y avait pas de serre, il n'y avait pas la moindre tonnelle, il n'y avait ni massifs ni allées de gravier, il n'y avait que la forêt vierge de la ferme et du jardin qui recouvrait ce qui restait des bancs et du parapet aux statues et qui escaladait la clôture à côté de la villa de mon père, si bien que les deux maisons, la grande et la petite, donnaient l'impression de s'enchevêtrer dans un unique méli-mélo de branches, d'insectes, d'épines, de troncs, de tiges, de vrilles, de crapauds, de corolles et de feuilles sur lesquels planait de temps en temps comme une navigation distraite de violon.

— Ce n'est pas juste, retiens ton char, ce n'est pas juste, j'ai trébuché sur une pierre et je suis tombé, il faut que nous retournions de nouveau à la porcherie, s'est exclamé le Juge d'instruction en se tâtant les côtes, étalé sur ce qui avait été jadis une succession de marches, maintenant fracturées, désagrégées, couvertes de coussinets de mousse et de narcisses sauvages. Si tu ne t'arrêtes pas je téléphone à la police et je t'enferme immédiatement à la Judiciaire, comment pouvais-je deviner que même ces saloperies de marches étaient foutues.

Le soir tombait, la chaleur avait diminué, le ciel s'était plissé du côté de Monsanto, et comme chaque nuit la remise à carrioles semblait se déprendre de ses racines de ciment pour glisser vers la route. Quand j'étais petit, tout s'enfuyait à l'heure du crépuscule, la grange, les villas voisines, les créneaux des portes de Benfica, les voix, le sang-froid et les préoccupations des adultes. Tout s'échappait loin de moi tandis que je m'endormais au salon, glissant sur le canapé au gré des gros balanciers des horloges, les rideaux s'évaporaient, les gravures rapetissaient et mon corps devenu filament sans poids, petite semence sans racines, nageait entre des rhumes et des odeurs, rattaché uniquement à l'épaisseur des ténèbres par le violon de mon père qui s'insinuait par les fentes des fenêtres dans un souffle d'agonie.

— Moi aussi je suis descendu par cet escalier et je ne me suis pas étalé par terre, téléphoner à la police est indécent, ai-je protesté en l'aidant à se relever, nettoyant son fond de pantalon, cherchant dans les narcisses le soulier qu'il avait perdu. Nous nous sommes mis d'accord pour courir jusqu'au potager, et du potager jusqu'à la serre, on n'a jamais dit qu'on recommençait la course si l'un de nous se cassait la figure, les mille cinq cents escudos sont à moi. Tu peux prendre ta revanche d'ici à la tonnelle et on sera quittes.

— Des fruits verts, franchement, il ne manquait plus que ça, a dit mon grand-père avec indignation, de retour du travail, en enlevant ses gants et son manteau orné d'un col en fourrure, et tapotant d'un doigt expert sa chevelure dans la glace du portemanteau. S'il était allé à Abrantes, cela ne serait pas arrivé, Mathilde, tu feras bien de l'emmener demain chez le médecin.

Le son du violon enflait, insistant, mélancolique, pendant qu'on me portait jusqu'à mon lit, qu'on m'obligeait à m'asseoir au bord du matelas pour me retirer mes sandales, mon caleçon, mon pull-over, qu'on me couvrait avec le drap, qu'on éteignait la lumière, et dans le rectangle de la fenêtre subitement net ont surgi, enveloppés de brume, une grappe de bougainvillées et les reflets biseautés de l'ampoule du porche.

— D'ici à la tonnelle pour le double de la mise et peut-être que dans ces conditions j'oublierai la police, a marmonné le Juge d'instruction en cherchant à quatre pattes dans la mousse sa chaussure égarée. J'aurais dû te laisser pourrir pendant des mois et des mois à la Judiciaire, tu as inventé cette course pour que je me rompe les os sur les marches.

— J'ai pensé à un coup sensationnel, a déclaré l'homme à la mitraillette en décollant enfin ses fesses de la voiture et pointant son arme sur Lisbonne, par-dessus les choux mystiques de la Belge. Neuf cents kilos de dynamite dans le palais du Président de la République et nous faisons sauter en l'air toute cette merde, hein ? Raconte ce projet à l'Employé de banque, dis-lui que c'est moi qui en ai eu l'idée, que j'ai écrit les détails dans un carnet et le bonhomme m'enrôlera aussi sec dans votre groupe, il ne va pas rater une occasion pareille.

La porte de l'étrangère s'est ouverte toute grande, le chien et Bernardino sont entrés, les arbustes s'éclairaient sur ma gauche, mon grand-père a rangé ses gants à côté de son manteau, il a marché le long du corridor en frappant sa fesse de son journal plié et il est allé s'asseoir dans le fauteuil en cuir au salon.

— Ne t'avise pas de toucher à cet argent, m'a dit le Juge d'instruction, qui avait renoncé à sa chaussure et qui se dirigeait de nouveau vers la porcherie d'un air impassible, sa chemise hors de son pantalon. Nous allons faire cette course comme il se doit et maintenant ce n'est pas mille cinq cents escudos, c'est cinq mille, dix mille, trente mille, tout ce que tu voudras, mais ne t'imagine pas que tu vas gagner.

— Ne sois pas idiot et cesse de nous casser les oreilles

avec ton Abrantes, en province il n'y a que des arbres, a dit ma grand-mère à son mari en fermant son coffret de maquillage pour les yeux avec un claquement. Tout le monde sait qu'une diarrhée ça se guérit avec un tube de tanalbine.

— J'ai quarante-sept ans, il y a une éternité que je ne fais pas d'exercice, si je recommence à galoper j'aurai une crise cardiaque du tonnerre de Dieu, ai-je rétorqué en traînant les pieds sous la treille où les vignes desséchées, avec leurs petites fèves jaunes, étaient boursouflées de ganglions et de callosités. Je ne comprends pas pourquoi nous ne mettons pas fin à ces enfantillages, mon vieux, arrivés à la retraite nous serons encore en train de nous disputer.

Ce que j'aurais aimé, moi, c'est que nous soyons comme jadis, appuyés au grillage intact du poulailler, regardant les poules, les dindons et le couple de jars qui sifflait de rage contre le monde, que nous échangions des billets de tram avec des numéros symétriques et des photos de joueurs de football sur un banc du jardin, que nous tourmentions les porcelets avec une baguette pour que les bêtes désespérées sautent les unes par-dessus les autres afin de nous échapper, j'aurais aimé faire tourner à l'envers la machine des jours, pour que nous allions rôder, intrigués par la musique, autour de la villa du fou, cherchant à voir qui jouait à travers les lamelles des stores baissés, j'aurais aimé que la queue du moulin danse en grinçant à la rencontre du vent, précipitant l'eau dans les rigoles de la ferme, pendant que nous nous vautrions tous deux dans l'herbe, trop jeunes pour les crises cardiaques, fumant les cigarettes de mon grand-père dans le verger, j'aurais aimé voir le singe et les perruches, regarder par la lucarne sur le toit les bonnes se laver, j'aurais aimé voir le chauffeur astiquer les autos dans la cour, voir dans la maison en face la fille du médecin qui s'appelait Madalena et à qui je n'ai jamais adressé la parole. Moi, au lieu de courir, j'aurais aimé que ce soit l'été, j'aurais aimé qu'il fasse chaud, qu'il y ait des cigognes, tandis que lui se dirigeait vers la porcherie, furieux contre moi, grommelant Tu vas voir si j'appelle la police ou pas, je te jure que tu ne te moqueras pas de moi, gagner comme tu l'as fait c'est dégoûtant, tandis que lui était indifférent à son père qui ronflait, couché comme un mort dans une rigole ou affalé sur un sac de pommes de terre, tandis que lui me menaçait Si tu arrives le premier je te ferai arracher les ongles, vriller les dents, fusiller en prison, si tu arrives le premier je demanderai qu'on jette aussi ton père en taule, ce fou qui enquiquine le monde avec son obsession des valses, si bien que je l'ai attrapé par le col, je l'ai jeté à terre et je me suis précipité sur lui en le bourrant de coups de coude et de poing, je lui ai tiré les oreilles, j'ai essayé de lui écraser la poitrine avec ma rotule, et le Juge d'instruction tendait la main vers une pierre pour m'en frapper le visage tout en m'entourant le cou avec ses deux jambes, nous étions tous les deux hors d'haleine, tous les deux ruisselants de sueur, tous les deux épuisés, tandis que les tourterelles retournaient au pigeonnier et que des gouttes de lumière vermeille s'allumaient à la cime des antennes de Monsanto. Téléphone à la Judiciaire, va, téléphone aux poulets, montre que tu as du courage, l'ai-je provoqué en lui enfonçant le pouce dans la gorge, pendant qu'il me désarticulait la mâchoire, Je vais leur téléphoner, ils te passeront les menottes, ils t'empêcheront de bouger et je ferai la course tout seul, la fille du médecin a épousé un monsieur avec un bouc, elle a quitté Benfica avec une masse de valises dans une auto blanche, je l'ai observée, tapi derrière le mur, pensant Je n'ai jamais été foutu de lui parler, de lui écrire, pas même de lui sourire, quand je l'apercevais au loin, je changeais de trottoir, je rougissais et je passais des heures à imaginer, ô délice, que je traversais la rue pour lui conter fleurette, Tu es tellement nigaud que tu dois être encore amoureux de la fille du docteur, a crié le Juge d'instruction, maintenant à califourchon sur mon ventre, brandissant la pierre pour m'écrabouiller les côtes, cette blondasse courte sur pattes avec une queue de cheval et des fils de fer entre les dents qui était la chose la plus moche du quartier, et moi, indigné, je me protégeais le visage avec mes manches, Menteur, elle n'était pas du tout moche, elle était belle, elle n'était pas courte sur pattes, même en te dressant sur la pointe des pieds tu ne lui arrivais pas à la taille, le fermier, une lampe à pétrole à la main, est passé dans le potager en titubant, loin de nous, en direction de la petite cabane à outils, le Juge d'instruction m'a lâché et s'est étendu à côté de moi dans l'herbe, silencieux, les yeux fermés, sa poitrine s'élevant et s'abaissant de fatigue, il murmurait, Une naine, Antunes, un microbe, avoue donc à ton ami que tu as un faible pour les monstres, s'il n'y avait pas eu cette marche manquante j'aurais gagné.

— Tu me jures que tu en parleras à la réunion de cellule, a demandé l'homme à la mitraillette d'un air heureux en imitant une explosion avec les joues, tu me jures que tu poseras la question aux camarades? Si tu veux, je te donne le plan de l'opération, une sacrée aventure, on aura besoin de l'aide des Basques et des gars de l'IRA, mais des centaines de cadavres et un palais en miettes, ça vaut bien qu'on se casse un peu la tête.

— Mon œil que tu aurais gagné, ai-je rétorqué, d'abord à quatre pattes, puis me relevant à grand-peine, endolori, lentement, sans énergie, en appuyant mes épaules contre le mur de la porcherie, les grillons des ténèbres s'égosillaient autour de moi et une fraîcheur de pluie humidifiait l'air. Mon œil que tu aurais gagné, et la fille du docteur était la minette la plus gironde de Benfica.

On entendait le couinement des souris parmi les roseaux du puits et les stores de la grande maison cogner contre les croisées des fenêtres, on entendait le piaillement des oiseaux de l'obscurité, les cygnes de la forêt et le dernier train à la halte de l'avenue Gomes Pereira, immobile à côté de l'horloge de la gare, appelant les passagers dans les wagons déserts. N'était la voix du fermier insultant les outils qui dégringolaient de leur clou, ai-je pensé en déboutonnant ma braguette pour pisser dans les ténèbres, on aurait pu croire que le Juge d'instruction et moi étions les seules personnes vivantes au monde.

— Elle n'était pas moche, je veux bien, mais elle n'avait aucune raison d'en épouser un autre, a-t-il dit, épuisé lui aussi, pissant lui aussi, penché en avant, à une demi-douzaine de pas de moi. D'ailleurs, si cela peut te consoler, le mariage n'a pas tenu, je me suis occupé de son divorce en octobre, quand j'étais au tribunal civil. Alors, le communiste, on la fait cette course, j'ai envie de voir ce que tu as dans le ventre, on court d'ici au potager et du potager à la serre, OK?

— Oublie ce qui s'est passé tout à l'heure, ai-je murmuré avec gratitude en rentrant les pans de ma chemise dans mon pantalon et descendant vers la maison, les mains dans les poches, avec la certitude qu'en dehors de nous et des défunts sur les portraits il n'y avait plus personne à Benfica. Garde l'argent du pari, Zé, et à un de ces jours, si tu n'avais pas glissé sur les marches tu aurais gagné la course.

Comme je vous le disais, c'était une question de temps, monsieur le juge, une question d'heures, et nous allions reconstituer le trajet de votre copain et de sa petite amie depuis qu'ils s'étaient enfuis de la rue Gomes Freire à cause d'une bourde que nous avons commise, a dit d'un ton joyeux le Monsieur en décrochant le téléphone et annonçant Ils ont pris un taxi rue Conde Redondo, le chauffeur est en train de faire une déposition à la Brigade, mais devinez donc, juste pour rigoler, où ces imbéciles sont allés.

La pédicure était revenue travailler cet après-midi-là et par la fenêtre ouverte le Magistrat l'a vue se laver les mains, allumer le spot, placer les instruments et la cuvette d'eau chaude sur un plateau à côté du petit banc, troquer ses chaussures contre des sandales orthopédiques, enfiler sa blouse et aller dans la petite pièce à côté appeler une cliente avec des cheveux trop noirs et vêtue d'une djellaba tunisienne qui trompait l'attente en lisant une revue spécialisée dans les mariages des gens riches. Il était presque trois heures et dans les corridors de la Judiciaire, encore obstrués par les sacs de sable et de sciure avec lesquels le lieutenant avait décidé de protéger les murs contre les bombes maoïstes, les pas et les échos éclataient dans un murmure de sieste que seules troublaient les ambulances qui glapissaient en direction de l'hôpital Saint-Joseph. Les photomatons devant les Archives du service d'identification étaient bourrés de monde et envoyaient des éclairs de magnésium dans les yeux des gens.

— Chaque fois que je me fais tirer le portrait là en bas, a dit le Juge d'instruction en se penchant sur sa chaise pour observer les deux établissements aux vitrines pleines de jeunes mariées sortant des Jerónimos et séparés par le cabinet d'un ostéopathe, je ressemble à une victime d'accident de chemin de fer, il ne me manque qu'une jambe écrasée et ma tête dans l'herbe. Pour cette raison et pour d'autres encore j'ai interdit à ma bourgeoise de se balader avec ma tronche dans son sac à main.

La dame aux mèches trop noires s'est installée dans le fauteuil des traitements, elle a couvert ses jambes, elle s'est appuyée contre le dossier pendant que la pédicure s'accroupissait sur le petit banc et choisissait une lime, après avoir séparé les orteils de la dame avec des rouleaux de coton hydrophile. Des armoires s'entassaient dans la pénombre, des étagères, des vases en cuivre, une couchette, toutes sortes de meubles, on devinait les taches formées par les lithographies et un portemanteau avec des tabliers et on voyait dans la pièce voisine un client chauve regarder avec appréhension ses oignons proéminents.

— Essayez de deviner, bon sang, ça ne vous coûte rien, où nos tourtereaux se sont réfugiés? a dit le Monsieur, troublé par les fesses de la pédicure et laissant des cendres goutter sur sa cravate. Vous connaissez le bonhomme par cœur, monsieur le juge, où aurait-il l'idée d'aller, dans un mauvais pas comme celui-ci, dites voir un peu.

— Tu veux te cacher dans la serre et que je t'apporte une marmite de nourriture à l'heure du déjeuner, comme la cuisinière au fou, c'est ça? a dit le Magistrat en déambulant parmi les arrosoirs renversés et les caisses d'orchidées. On me verra traverser le jardin avec un plateau, on te découvrira immédiatement et c'est moi qui trinquerai.

— Je ne peux pas rentrer chez moi avec un zéro en géographie, a dit l'Homme d'une voix désespérée, la lèvre tremblante, protégé par une muraille de cactus qui alignaient leurs langues sombres sur une banquette. Si la vieille a le moindre soupçon, de chagrin elle ne se lèvera pas de son lit pendant huit jours.

Les parois vitrées, s'est souvenu le Juge d'instruction, accentuaient la chaleur, des corbeilles suspendues par des cordes se balançaient au plafond, des plantes tropicales étaient enveloppées dans une brume humide, et l'Homme, horriblement nerveux, les cheveux en bataille, les yeux arrondis par la peur, se tordait les mains dans un coin, son cartable et son sac de gymnastique appuyés contre un hévéa.

— Alors? l'a asticoté le Monsieur en introduisant une cigarette dans sa bouche, pas la moindre idée, pas le moindre pressentiment, pas la moindre intuition? Devinez au petit bonheur, monsieur le juge, faites une tentative, si vous tombez juste je vous donnerai un gâteau.

— Ne dis rien à ta grand-mère, range le bulletin dans la couverture de ton cahier, a conseillé le Magistrat, et si la prochaine fois tu décroches une bonne note, tu montreras les deux et elle ne se fâchera pas contre toi, c'est simple. Mais qu'est-ce que tu vas bien pouvoir faire au milieu des cactus toute la sainte journée, tu t'es posé la question?

Ça sentait le fumier, ça sentait la terre, un tuyau d'arrosage zigzaguait sur le sol, de grands pétales bleus dardaient sur nous leurs étamines velues, un pan de ciel sans oiseaux reculait très loin par une fente du toit. Une paire de gants et un sécateur attendaient sur une table la main qui les animerait.

— J'ai apporté du chocolat, du chewing-gum et un livre de bandes dessinées, a répondu l'Homme de derrière les pots de fleurs, si tu viens me rendre visite de temps en temps, j'attendrai ici tranquillement pendant une semaine. Écoute, je te donne toutes mes billes si tu ne me dénonces à personne, et tu m'apporteras à manger le soir dès que les lumières du jardin s'éteindront.

— Quoi, dans la serre, tu ne me racontes pas une blague, tu en es sûr, mon garçon? a dit la cuisinière en le poussant avec son ventre vers la lingerie où une femme avec un long nez repassait des draps dans une atmosphère suffocante d'amidon. Attends un petit instant, ne bouge pas d'ici, je vais prévenir la patronne.

— J'ai encore d'autres billes dans ma chambre, a expliqué l'Homme, il manque le sac des calots, je te le donnerai aussi, ne t'en fais pas. Aide-moi à me sortir de ce pétrin, Zé, ne cafarde pas, je te prêterai ma petite bicyclette toutes les fois que tu voudras.

— Passer la nuit dans la serre, quelle sottise, a soupiré la grand-mère, en peignoir, sans ses bagues, le cou barbouillé de crème antirides. Ce petit n'aura pas de repos tant qu'il ne m'aura pas tuée, Adelina, fais-moi du thé et amène-le-moi ici par la peau du cou.

— Un pressentiment? a dit le Juge d'instruction au Monsieur qui regardait la pédicure plonger le pied de sa cliente dans la cuvette pleine d'eau après avoir retiré les rouleaux de coton d'entre les orteils.

Quand il était gamin, dès qu'un danger menaçait, il remplissait ses poches de chewing-gum et de bandes dessinées et il courait vers la serre s'abriter entre les cactus, persuadé qu'on n'irait jamais le chercher là.

— T'es allé cafter, pédé, tantouse, traître, a hurlé l'Homme, furieux, en menaçant le Magistrat avec sa raquette de tennis, à cause de toi on m'a supprimé mes vacances sur la plage, à cause de toi je vais pourrir ici, sans rien à faire, pendant tout l'été. Et moi qui avais confiance en toi et qui t'offrais mes billes, salaud, si tu ne me les rends pas immédiatement je dirai à ton père que tu me les as chipées.

— La serre, tiens, tiens? a répété lentement le Monsieur, les yeux fixés sur le Juge d'instruction, en composant un numéro de téléphone avec son crayon. La serre est une possibilité, monsieur le juge, merci, il y a des moments où l'envie me vient de débarquer à la Brigade et de distribuer des gifles à ceux qui travaillent là.

Ce fut un mois d'août amer et chargé de rancœur, a pensé le Magistrat, les patrons étaient partis prendre les eaux et ils iraient ensuite à Granja, sans l'Homme, dans une voiture débordante de valises, de clubs de golf et de cartons à chapeau, et lui, boudant le tuage du cochon et la douche des bonnes, m'a évité pendant tout ce mois, maussade, dédaigneux, fumant tout seul les cigarettes de son grand-père dans les allées de gravier, lisant des romans policiers dans la grange, lançant des cailloux sur les hirondelles ou hurlant des ordres absurdes aux bonnes.

Ce fut aussi un été pluvieux qui désespéra mon père, désorienté par l'anémie des légumes, une époque de tonnerre qui gronda pendant des semaines d'affilée du côté d'Amadora, souillant l'air d'une odeur de champignon et de foin et excitant le fou qui passait ses nuits à jouer du violon, nous empêchant de dormir avec ses mazurkas insensées. Un mois d'août où les cigognes, effrayées par la tempête, avaient abandonné leurs nids inachevés pour mettre le cap sur le sud, à la recherche de chênes-lièges et de léproseries en ruine, au-dessus desquels les nuages passaient très haut, voyageant vers la mer en rubans étirés. Je lui ai laissé les billes et huit volumes neufs de bandes dessinées dans la serre, vite dévorés par les cactus affamés, et en septembre l'auto blanche a gravi la rampe menant à la cour, Monsieur le Professeur, la peau très hâlée, en veste de lin beige et chapeau de paille comme un chanteur français, a attendu que le chauffeur lui ouvre la porte pour sortir de la voiture et saluer la cuisinière d'un petit signe de son fume-cigarette, et Madame, maquillée de carmins agressifs, est revenue quinze jours plus tard en taxi, couverte de bracelets et de colliers, chassant la chaleur avec un éventail gigantesque. L'Homme s'est réfugié d'un air bouder dans la porcherie des porcelets et il a fallu que le vieux lui-même, réconcilié avec le zéro en géographie, l'appelle à table dans une brume de saison sèche africaine qui transfigurait les rosiers, lesquels clignaient leurs paupières innombrables avec un bruit de papier froissé.

— Tavares, a dit le Monsieur au téléphone en frappant son crayon contre le rebord de la petite table, écoute-moi un peu, Tavares, est-ce que vous avez fouillé la serre de la maison de Benfica? Envoie immédiatement au moins un peloton et à la moindre manifestation de résistance, tirez, comment voulez-vous l'attraper si vous cherchez partout sauf là où vous devriez le faire, qu'est-ce que c'est que cette foutue troupe spéciale que je commande? Dès que tout ça sera fini, il faudra que je vous parle, des gardes qui ne servent à rien, ça se flanque à la porte.

— Votre fils a volé mes billes et il s'est servi de ma bicyclette, a dit l'Homme au fermier effaré qui présidait le repas familial, serviette autour du cou et bouteille de marc à côté de son assiette. Quand je raconterai ça à mon grand-père, il vous mettra à la porte, monsieur Oscar, il ne supporte pas les domestiques voleurs.

— La police ne savait rien et n'a reconstitué aucun itinéraire, même l'histoire du taxi rue Conde Redondo est un bobard, vous avez joué au poker avec moi depuis le début, a crié le Juge d'instruction au Monsieur en administrant une claque de dépit à un code. Vous vous êtes servis de moi pour lui donner la chasse, mais vous vous êtes mis le doigt dans l'œil, la serre était une cachette d'enfant, vos assassins débarqueront là et trouveront une demi-douzaine de planches et de vitres dévorées par les mauvaises herbes et un tourbillon de fleurs qui empoisonnent les agapanthes et les poissons.

Ce fut un été amer et un automne amer, a pensé le Magistrat, mon père a posé sa serviette sur la table et il m'a rossé devant toute la famille avec le manche du râteau, si impitoyablement que même la chienne a rampé sous le fourneau, l'œil pâle. L'Homme et moi nous sommes croisés sans nous parler, ruminant notre rage, nous prenions le même tramway pour aller au lycée et en revenir, nous tournant le dos comme deux étrangers, chacun descendait seul au puits ou tourmentait seul les dindons dans le poulailler, nous fréquentions la Borgne de Pedralvas à des heures différentes, mais nous entendions l'autre rôder parmi les arbustes, nous avons cessé d'acheter en association des portraits d'actrices de cinéma et des photos de femmes nues à cheval sur des chaises autrichiennes, les yeux fermés dans une jouissance inexplicable. Le printemps suivant seulement, après les orages de mai qui avaient désorienté les pigeons, arraché les tuiles de la remise et abattu une des statues en faïence, nous nous sommes retrouvés côte à côte, à genoux sur le mur de la route de Benfica, nous donnant des coups de coude jaloux et espionnant la villa du médecin que le fiancé barbichu, bien plus vieux que nous, avait commencé à fréquenter, cérémonieux, bien élevé, prodiguant des baisemains dans le vestibule. Et c'était l'époque

a pensé le Magistrat

où le moulin fonctionnait encore, où ses ailes tournaient

en cahotant pour attraper le vent, où la ferme regorgeait de volaille et la grande maison de bonnes affublées d'un col en celluloïd et d'un tablier à volants, l'époque où le singe grattait ses aisselles déprimées avec des phalanges noires de malade de la gangrène en étudiant son écuelle avec une concentration de chercheur derrière un microscope. C'était l'époque des processions de Notre-Dame du Bon Secours et de la fanfare dominicale des pompiers, l'époque des grandes paniques, des cocktails Molotov et des haines dévastatrices et passagères, quand la fille du médecin promenait sa queue de cheval dans le jardin devant sa maison en souriant d'un air fasciné à son fiancé barbichu penché vers elle pour d'ardents et solennels discours.

— Il y a des moments, je vous jure, où j'ai l'impression que vous êtes un sympathisant de l'Organisation, a dit le Monsieur avec un sourire en contournant le bureau pour aller se rasseoir, attentif au pli de son pantalon. Votre ami en liberté représente un danger pour nous, qui nous garantit par exemple, c'est une supposition, qu'il n'ira pas à Miratejo faire la peau à votre famille, par vengeance? Un gars comme ça est tout ce qu'il y a de plus imprévisible et tant que je ne lui aurai pas mis la main au collet je n'aurai pas de repos.

— C'est une idiote, a décrété l'Homme en haussant les épaules avec une grimace dédaigneuse, faire les yeux doux à un vieux de vingt ans, c'est dégoûtant.

— Je parie qu'elle ne l'aime pas, je parie qu'elle se fiche complètement de lui, a dit le Juge d'instruction d'une voix pleine d'espoir en empoignant la nuque de son copain et la secouant. C'est sûrement une idée des parents, ils veulent marier leur fille de force, c'est tout.

— Et les petits sourires, mon vieux, comment tu expliques les petits sourires? a dit l'Homme d'un ton dubitatif en adressant au couple des gestes obscènes par une fente dans le mur. La maligne nous a bien eus, il n'y a pas à tortiller, avec ses airs de sainte-nitouche.

— Vous avez vérifié qu'il n'y a personne dans la serre, Tavares, vous me certifiez que vous avez passé le jardin au peigne fin et que vous n'avez rien trouvé? a demandé le

Monsieur en fronçant le sourcil devant le soulagement du Juge, sans cesser de tapoter avec son crayon le rebord de la petite table. Non, non, restez, éparpillez-vous dans la ferme, dans la grange, à l'étage supérieur de la maison, placez-moi deux ou trois agents de toute confiance avec une radio dans la villa du fou et les terroristes finiront bien par montrer le bout du nez, rassurez-vous, ils doivent surveiller les alentours en attendant le meilleur moment pour entrer. Appelez-moi toutes les trente minutes et mettez d'ores et déjà en état d'alerte l'hélicoptère, les gardes-côtes et les gars aux frontières.

Fasse le ciel que je me trompe à propos de la bêtise de l'Homme, a souhaité le Magistrat, fasse le ciel qu'il se souvienne de l'épisode du zéro en géographie et qu'il disparaisse au fin fond du Minho ou dans l'Alentejo du côté de l'Espagne et qu'il s'entende avec des passeurs à la mine patibulaire dans une taverne à Viana do Castelo ou à Borba, fasse le ciel qu'il traverse le Guadiana ou le Lima cette nuit et qu'il arrive jusqu'à Vigo et qu'il se déniche un emploi dans un restaurant au bord de la plage ou sur un cargo panaméen impatient de partir pour le Venezuela ou la Bolivie, vomissant tripes et boyaux par le hublot, pour la plus grande joie des mouettes. Fasse le ciel qu'il ne soit pas assez crétin pour décider d'aller faire ses adieux à Benfica, aux odeurs défuntes et aux rues qui n'existent plus, aux tramways dont il ne subsiste même plus les petites tranchées pour les rails et à la Route Militaire remplacée par une bousculade d'immeubles, fasse le ciel qu'il se soit détaché de son enfance et qu'il ait oublié l'échoppe de barbier de M. Frias, le Cellier des Os, la cordonnerie Saul, Porcalhota, mais surtout les cigognes, mon Dieu, ah les cigognes, dès que j'aurai fini, dans vingt-trois ans et onze mois, de payer mon appartement à Miratejo, je déménagerai dans une zone avec des oiseaux, je prendrai des vacances, je me mettrai en survêtement de gymnastique et je passerai mes journées à la fenêtre à regarder avec une attention sans relâche les nids grandir dans les palmiers. La pédicure a rangé ses instruments sur le plateau, elle a séché avec une serviette-éponge les chevilles de la dame aux mèches trop noires, elle a retiré le drap qui lui couvrait les jambes, elle l'a aidée à se chausser et à se lever, le patient aux oignons s'est avancé en boitillant vers le fauteuil et il s'est embrouillé les doigts dans les lacets en apercevant avec terreur l'éclat des ciseaux.

— Comme l'expérience le montre, je me suis trompé, je ferais un détective lamentable, a dit le Juge d'instruction au Monsieur en écartant les bras comme pour démontrer une évidence. Vous feriez peut-être mieux d'envoyer vos gardes à Loures, le poseur de bombes décidera peut-être d'aller demander du secours à l'étrangère, à l'homme à la mitraillette, à Bernardino, peut-être empruntera-t-il la voiture de la Belge sous un prétexte quelconque.

— Regarde-moi ces cons qui se baladent main dans la main, regarde-moi ces cons qui se bécotent, a dit l'Homme d'une voix sibilante en perdant la tête et multipliant les gestes obscènes, passe-moi ton lance-pierres, ils vont voir ce qu'ils vont voir.

— Ne vous moquez pas de moi, monsieur le juge, ne me prenez pas pour un jobard, a dit le Monsieur, le bonhomme n'ira sûrement pas à Loures, il ferait à peine cinq pas que trois cents chargeurs se videraient sur lui, plus personne n'ignore maintenant qu'il a craché le morceau. Mais si vous en pincez tellement pour ce mec, cachez-le sur le balcon couvert chez vous ou enfuyez-vous avec lui en Galice, pourquoi n'en profitez-vous pas aussi pour vous enrôler dans l'Organisation?

La première pierre n'a même pas atteint l'autre côté de la route, s'est souvenu le Magistrat, elle a été arrêtée par un mûrier, semant la panique parmi les feuilles, et elle est tombée à pic sur le toit d'une auto en produisant un fracas métallique, la deuxième a brisé une fenêtre de la villa à gauche de celle du médecin, faisant sursauter un chien frénétique qui s'est mis à courir et à aboyer, l'homme au bouc qui ne nous avait pas vus indiquait le moulin à la jeune fille et l'Homme, désespéré, se munissait d'un caillou pointu, Cette fois je les aurai, cette fois je les envoie à l'hôpital avec les dents en bouillie, mais tout ce qu'il réussissait à faire c'était fracasser des vitres, des lampes sous les porches et les vasques en plâtre imitant des phénix bariolés qui ornaient les portails, pendant que la fille du docteur se promenait à notre barbe, enlacée à son promis, ou extrayant du nez d'icelui une graine ou une petite semence avec le gras du doigt, j'étais outré, Quelle putain, Antunes, démolis-moi immédiatement le portrait de cette salope, et l'Homme, pleurant de rage, tirait sur les élastiques du lance-pierres, Trouve-moi un caillou comme il faut, ni trop gros ni trop petit, et je vais te montrer, pendant que le barbichu enlaçait les épaules de sa promise, lui caressait la joue ou rajustait le ruban autour de sa queue de cheval, Regarde-moi cette indécence, regarde-moi ce culot, ai-je grondé, furieux, en cherchant des cailloux dans les plates-bandes, si c'était ma sœur, attention, je lui enverrais de ces baffes à cette traînée, les plantes grimpantes agitaient leurs guirlandes au-dessus de nous, un grouillement de pigeons s'approchait et repartait, le patient affligé d'oignons était assis dans le fauteuil, pantalon roulé, et il contemplait la cuvette d'eau avec effroi pendant que la pédicure se penchait vers lui, lime au poing, et je déclarais au Monsieur en serrant une agrafeuse dans ma paume, Franchement, je ne me souviens même pas que nous ayons été amis, comment peut-il y avoir une amitié, pouvez-vous me l'expliquer, entre le rejeton du fermier et le petit-fils du patron, il se trouve que nous avons joué ensemble quand nous étions gamins, c'est tout, quant à être intime avec un pauvre, ne me faites pas rire, monsieur, croyez-vous que ses vieux y auraient consenti?

— Il se comporte à table comme un charretier, a dit la grand-mère d'un ton réprobateur au-dessus d'un samovar d'argent, tu ne pourrais pas te trouver une compagnie plus convenable que le fils d'un ivrogne qui se lave à peine une fois par semaine, et encore?

— Ces pierres ne vont pas du tout, elles ne tiennent pas sur la fourche du lance-pierres, a dit l'Homme en écartant les cailloux de la main. Apporte-m'en des normaux, mon vieux, qu'est-ce que tu veux que je fasse avec des rochers?

— Bien sûr, bien sûr, a dit le Monsieur d'une voix conciliante en mordillant les peaux de son auriculaire, l'œil sur le patient pétrifié de peur. Il arrive qu'on déraille, excusez-moi, nous travaillons dans des conditions impossibles, je n'avais pas l'intention de vous offenser, moi aussi je suis né dans une famille pauvre, comme vous, monsieur le juge.

— Qui ça, le petit d'Oscar, le bon élève, l'espoir de la famille, le maigriot aux oreilles en feuilles de chou? a dit avec surprise le grand-père qui disséquait sa sole d'un couteau expert au haut bout de la table. Tu te trompes sûrement, Mathilde, ce garçon ne pense qu'à ses études, il passe tout son temps le nez fourré dans sa grammaire, avec un peu de chance il réussira à devenir notaire ou inspecteur des impôts.

— Tu n'as aucun sens des proportions, bon sang, a protesté l'Homme, agacé par l'incompétence du Juge d'instruction, maintenant ce sont des grains de sable à peine visibles, j'aurai beau les lancer, ils se désagrégeront dans l'air à mi-chemin.

— Eh bien, oui, le petit d'Oscar, ce gnome mal torché, maigrelet, laid comme les sept péchés capitaux, a gémi la grand-mère, qui s'indignait de la température du beurre fondu, combien de fois devrai-je répéter que j'ai un duodénum fragile et que la nourriture froide me retourne l'estomac? Sache que ton petit-fils est constamment fourré avec lui, d'ici peu il aura même attrapé son accent de la Beira.

— Moi, quand j'étais môme, j'étais copain avec le neveu du notaire à Faro, a chuchoté le Monsieur en feuilletant son passé. Nous tendions ensemble des filets pour attraper les oiseaux, nous échangions des billets de tram avec des numéros symétriques, nous jouions au foot dans la même équipe, j'empêchais les camarades de le battre à l'école, et puis un jour, vlan, nous avons commencé à grandir, à nous faire la barbe, à porter des pantalons longs et il m'a fui comme le diable la croix, il faisait semblant de ne pas me voir, il ne m'a jamais rendu un livre d'histoires salaces de Boccace qui appartenait à mon oncle, il ne m'a jamais remboursé les dix sous qu'il me devait, il est parti faire des études de lettres à Coimbra, je suis resté au bourg, derrière le guichet de la poste, et lors des vacances de Noël quand il envoyait une lettre à un camarade, ce salaud faisait semblant de ne pas me reconnaître, de ne pas savoir qui j'étais, il me donnait l'enveloppe et l'argent des timbres sans me regarder et il ressortait, la mine renfrognée, oubliant de dire merci.

— Il tient de sa mère, c'est le mauvais goût des Machado, a conclu le grand-père en déménageant les arêtes et la tête du poisson sur une petite assiette, il fallait bien qu'il hérite quelque chose de ce côté-là, que faire si son vernis social n'est pas très solide?

L'homme affligé d'oignons se tordait d'effroi sur le fauteuil, essayant d'échapper aux instruments de la pédicure qui pourchassait ses chevilles avec une obstination féroce, tandis que de nouvelles victimes envahissaient peu à peu la salle d'attente et occupaient les canapés d'osier recouverts de coussins en mousse, s'observant mutuellement avec la résignation complice des condamnés qui attendent le ciseau fatal, tels des animaux à l'abattoir. Un mécanicien réparait une fourgonnette dans la cour de la Judiciaire, la vendeuse de journaux se querellait bruyamment avec un malheureux qui s'était trompé dans la monnaie, et le Juge d'instruction a pensé à la mer dans l'Algarve en septembre, au souffle de l'Afrique qui flétrissait les amandiers et les saules pleureurs et aux tireurs de la Brigade spéciale en treillis de combat qui encerclaient la serre pour abattre l'Homme dans un grand fracas de mitraille.

— Le côté de sa mère et ton côté à toi, a renchéri la grand-mère en tâtant la température du beurre fondu avec le petit doigt. Car entre nous, pour ce qui est du mauvais goût, tu n'as rien à lui envier. Il y a des moments où je me demande où je trouve l'énergie de supporter tout cela, pas étonnant que ma tension soit dans un état aussi lamentable, un de ces jours j'aurai une attaque sous ton nez.

— Passe-moi n'importe quel caillou, vite, grouille-toi, avant que le barbichu ne rentre avec elle dans la maison et ne nous gâche la fête, a dit l'Homme à croupetons sur le mur en appelant le Magistrat avec la main. Une pierre, un morceau de brique, un bout de fer, quelque chose qui fasse bien mal, cette traînée me le paiera, mon vieux.

— L'imbécile me remettait ses lettres et j'attendais qu'il ait le dos tourné pour jeter sa correspondance au panier, pas une enveloppe n'est arrivée à Coimbra, ne serait-ce qu'en guise d'échantillon, a raconté le Monsieur en redressant les crayons sur le bureau du Juge. Et ne voilà-t-il pas qu'il y a deux ans ce type a débarqué chez moi à la Brigade, parfaitement désinvolte, parfaitement à son aise, me tutoyant, J'ai quelques petits ennuis avec une de mes élèves, tu imagines un peu, cette idiote est allée dire à son papa que l'enfant est de moi et ils m'ont collé un procès sur le dos, si tu n'étouffes pas l'affaire, ma femme demandera le divorce.

— Le jour où tu rendras l'âme, j'ouvrirai une bouteille de champagne, Mathilde, a promis le grand-père en s'essuyant le menton avec sa serviette de table. L'ennui, c'est que j'ai comme l'impression que tu ne mourras jamais et que dans deux mille ans tu seras encore assise au salon à casser les pieds à la famille.

— Magne-toi avec ce caillou, Zé, ces cochons sont déjà sur le perron, j'ai une de ces envies de les chasser à coups de pied, t'as pas idée, a crié l'Homme au Juge d'instruction en lâchant les élastiques du lance-pierres. Sur le perron ça va être du gâteau, qu'est-ce que tu fabriques avec cette pierre, bon sang?

— Pardon, un moment, pardon, a coupé le Monsieur, très digne, glacial, le sourcil froncé, fixant le neveu du notaire d'un air interrogateur et sévère, d'où me connaissez-vous, monsieur?

En ce moment, a pensé le Magistrat, préoccupé, les tireurs de la Brigade spéciale sont en train de ramper parmi les chrysanthèmes vers la serre, sous l'œil indifférent des cigognes, des tourterelles et des poissons dans le bassin, pendant qu'Antunes se fait tout petit, un genou touchant sa bouche, derrière les cactus qui décapitent les orchidées avec leurs piquants, qui scient la base du tronc des hévéas, qui dynamitent les croisées vermoulues, et lui, un sarcloir à la main, entend la voix des soldats, les crachotements des radios portatives, les chargeurs qu'on introduit dans les armes, le vent sur les ailes calcifiées du moulin, une toux militaire de l'autre côté de la cloison de bois et le son du violon dans la villa du fou, et sur ces entrefaites une rangée de pots de fleurs s'écroule, et sur ces entrefaites le premier coup de feu retentit, et sur ces entrefaites des bottes se bousculent sur le plancher de la serre, et sur ces entrefaites le corps d'Antunes et ses bras privés de force, et le sarcloir qui s'agite, et le cri, et le sang, et le Monsieur indique le neveu du notaire à un sergent en uniforme, Cet individu commet des sévices sexuels sur les enfants, Monteiro, appliquez-lui quelques bonnes beignes et flanquez-le dehors.

Ils sont entrés dans la maison, ils nous ont échappé, lâche tes cailloux, a dit l'Homme en se mettant debout avec un soupir et un haussement d'épaules, et rendant le lance-pierres au Magistrat. Maintenant on va attendre qu'il fasse nuit et on crèvera les pneus de leur auto avec un clou.

— Tu es sûr qu'ils sont dans la villa du fou, Tavares? a demandé le Monsieur au téléphone en continuant à tapoter le bord de la petite table avec son crayon. Dans ce cas, retire les gardes de la serre, répartis-les en groupes de cinq, examine le plan de la villa avec les gradés, couvre l'assaut avec le canon sans recul et les bazookas et capturez-moi ces communistes une bonne fois pour toutes.

— Des sévices sexuels, des enfants, mais qu'est-ce que tu racontes, mon vieux? a dit le neveu du notaire d'une voix suraiguë en s'aplatissant de stupeur contre un fichier. Je suis venu te voir en tant qu'ami d'enfance, nom d'un chien, nous avons tendu des filets ensemble pour attraper les oiseaux quand nous étions petits.

— Il se peut que vous ayez raison, il se peut qu'il en soit ainsi, a acquiescé le Magistrat en regardant l'homme aux oignons qui s'efforçait d'échapper à la lime en se livrant à des reptations de lézard. Les riches, finalement, ne se souviennent de nous que lorsque nous pouvons les tirer d'un mauvais pas.

Mon mari, jusqu'à sa mort, ne m'a jamais beaucoup parlé, pas même le dimanche après le déjeuner quand nous faisions une promenade en voiture pour faire prendre l'air aux enfants. Nous sortions de l'immeuble de Miratejo où les voisins clouaient des étagères, tiraient la chasse d'eau, blackanddéckérisaient les murs et traînaient des meubles depuis six heures du matin, nous nous promenions un moment à vingt à l'heure, pare-chocs contre pare-chocs, à Barreiro, à Alcochete, à Montijo, le long du fleuve où les mouettes gémissaient, nous nous asseyions devant une orangeade et un gâteau de riz vieux de trois jours à la terrasse d'une pâtisserie de la Cruz de Pau qui donnait sur la fumée des usines, aux toilettes toujours occupées, à côté d'autres familles, d'autres orangeades et d'autres gâteaux de riz, et mon mari et moi revenions à la maison en chaussures de tennis, enjoignant à nos enfants de ne pas se trucider à coups de baffes, de ne pas se bourrer de coups de pied ni d'essuyer leurs mains poisseuses sur les sièges, et quand les petits commençaient à vouloir faire pipi toutes les cinq minutes, je leur répondais, tordue sur mon siège, le dos en capilotade, Nous sommes presque arrivés, attendez un petit instant, ce ne sera plus long, mon mari les cherchait du regard dans le rétroviseur et contribuait au charivari. Celui qui mouillera la banquette sera puni et passera la nuit dans le placard de la cuisine, et nous rentrions dans l'appartement à la tombée de la nuit, les enfants grognant de sommeil dans l'ascenseur, pour nous

341

attabler devant le poulet rôti et les pommes frites en sachet des dîners du week-end, humant les menus des voisins, palier après palier. La bonbonne de gaz finissait invariablement quand, la table étant mise et les pommes de terre placées dans le plat en pyrex, j'approchais une allumette du brûleur de la gazinière, de sorte que nous mangions des petits biftecks en râlant ferme dans une brasserie à Almada, fréquentée par des adeptes de fruits de mer, curedents entre les lèvres, adossés à un aquarium géant dans lequel des langoustes arthritiques se traînaient sur des cailloux et des algues en palpant l'eau.

C'est après sa mort qui, venant s'ajouter à la panne de la machine à laver et à la disparition de la chienne quelque temps plus tôt, a contribué à m'enfoncer encore davantage, en chemise de nuit et flacon de calmant dans la poche, sur le canapé face aux feuilletons télévisés, que mon mari a commencé à me parler et à s'intéresser à ses enfants, à notre maison et à moi, surtout à partir du moment où la concierge d'une amie de la concierge de mon bloc, une dame qui habitait deux immeubles plus loin devant les poubelles, dans un sous-sol avec des petits rideaux en plastique et une affiche accrochée à un clou qui proclamait en majuscules JE SUIS LION ET PAR CONSÉQUENT JE SUIS INTELLIGENT IMPÉTUEUX DOMINATEUR SOCIABLE PASSIONNÉ VIOLENT SINCÈRE GAI GÉNÉREUX CAPRICIEUX OPTIMISTE TENDRE IRRÉSISTIBLE, m'a emmenée en autocar jusqu'à un appartement à Feijó, a monté avec moi les marches d'un magasin de fifres et d'accordéons éclairé par une lampe poussiéreuse et m'a invitée à m'asseoir au milieu de saxophones autour d'un bureau où un vieux à barbiche, un mulâtre grisonnant et trois veuves en deuil faisaient tourner une assiette du bout des doigts jusqu'à ce qu'elle s'immobilise sur une des lettres inscrites en cercle sur une feuille de papier. Le mulâtre, dont les yeux étaient embrumés par les apparitions et les fantômes, m'a fait payer deux cents escudos qui est le prix d'un aller et retour au pays des morts, il s'est concentré avec le secours d'une gorgée de liqueur, il a récité en bénissant l'assistance plusieurs Je vous salue Marie rapides, il a posé ses phalanges sur la soucoupe et il a déclaré que mon mari demandait si l'électricien avait réparé le grille-pain, si on lui avait repassé le pantalon de son costume marron et pourquoi je n'achetais pas un accordéon aux enfants. Une des veuves a fait observer que feu son père, voyageur de commerce et représentant en couverts et autres babioles, et qui ne s'était jamais intéressé à la musique du temps de son existence terrestre, l'obligeait à acheter au mulâtre une flûte à bec par semaine. Le vieux à la barbiche a déclaré qu'il n'y avait rien comme la mort pour vous changer les goûts des gens : son épouse, par exemple, décédée il y avait trois mois, qui détestait le bruit à un point tel qu'elle piquait une crise chaque fois que quelqu'un dépliait un journal, ne cessait d'exiger un trombone à coulisse, et le mulâtre a fait remarquer que celui qui n'exécutait pas la volonté des morts attrapait un cancer. J'ai essayé d'expliquer que le grille-pain fonctionnait à merveille et que mon mari ne supportait pas le marron et n'utilisait que du drap gris ou bleu, mais le mulâtre qui distribuait gratuitement des brochures d'initiation au violoncelle a rétorqué d'un ton péremptoire que ce qui était important en définitive c'était l'accordéon et que je ne me soucie pas du grille-pain ni du pantalon, vu que les esprits errants, comme chacun sait, confondent tout le temps les couleurs et qu'ils perdent le sens des objets usuels à force de se préoccuper de l'éducation artistique de leur famille. Si bien qu'au bout d'un mois de visites au magasin de vielles, mon mari, obsédé par les clés de sol et ayant oublié le grille-pain et le costume marron, m'invitait constamment à vendre ses livres de droit et à offrir le produit de la vente à l'Académie républicaine extra-sensorielle de la rive sud et au Centre d'études psychiques de Feijó dont le mulâtre était le fondateur, le président, le secrétaire général et le trésorier, et il m'a obligée à transporter à la maison un orgue, quatre pianos droits, deux cors de chasse, un jeu de becs pour flûte et quatre douzaines de castagnettes sévillanes. Pour récompenser sa ferveur mélomane mon mari s'est vu décerner le titre et le diplôme d'Ame en peine de la semaine, avec une frise de tibias croisés et son nom inscrit sous une tête de mort effrayante que j'ai suspendu au salon entre une photo en couleurs de ma petite chienne et un poster que la concierge de l'amie de la concierge de mon bloc m'a offert pour mon anniversaire et qui proclame en majuscules JE SUIS CAPRICORNE ET PAR CONSÉQUENT JE SUIS SOCIABLE PASSIONNÉ VIOLENT SINCÈRE GAI GÉNÉREUX CAPRICIEUX OPTIMISTE TENDRE IRRÉSISTIBLE. Le mulâtre, obéissant aux instructions de mon mari que, selon l'assiette, les finances du Centre d'études psychiques de Feijó préoccupaient, m'a aidée à charrier les livres dans une fourgonnette lamentable chez un bouquiniste à Setúbal, il a parlementé avec un employé à la calvitie couverte d'une petite calotte en soie, il a gardé les billets et m'a promis un deuxième diplôme et une plaque de bronze de Bienfaitrice de l'occultisme, il m'a accompagnée dans un café pour retraités déguster des croquettes et un thé au citron et il m'a demandé pourquoi une femme aussi jolie que moi et dotée d'autant de qualités physiques et morales n'allait pas de temps en temps chez le coiffeur et ne se souciait pas davantage de sa mise, car ce n'est pas tous les jours qu'on rencontre des fesses comme les vôtres, Dona Clotilde, et il m'a téléphoné ce soir-là pour m'inviter à déjeuner le samedi suivant dans un restaurant chinois regorgeant de bols, de lanternes et de dragons où nous avons mangé du porc aigre-doux et bu une chope de bière. Nous étions à une table à côté de la porte de la cuisine où un bébé oriental assis sur le carrelage tapait sur une boîte de conserve avec une cuiller et où nous distinguions derrière des bouteilles de vin et des caisses en carton une femme coiffée d'une toque qui touillait des poêles sous une hotte rouillée. Vers la moitié de la bière j'ai acheté pour vingt mille escudos le titre de Membre honoraire de l'Académie républicaine extra-sensorielle de la rive sud, mon corps s'est libéré de ses vêtements, je me suis sentie capable de voler, la nostalgie de ma chienne s'est atténuée puis a disparu, le genou du mulâtre se collait avec insistance contre ma cuisse, sa bouche chuchotait dans mon oreille pendant que sa main brandissait l'huilier, Vous aimez la sauce au soja? les serveurs devenaient plus nets, les conversations me parvenaient en des houles de phrases tempétueuses, la main du mulâtre s'emparait de la mienne, grimpait le long de mon bras, m'explorait lentement le cou, ses lèvres me chatouillaient l'oreille Vous aimez la sauce au soja? j'ai agrippé son annulaire avec le mien pour m'empêcher de léviter et de flotter dans la salle près du plafond avec les spirales de fumée brassées par un ventilateur, le mulâtre m'enfournait dans le gosier des petits morceaux de banane frite tout en pêchant mon porte-monnaie dans mon sac pour payer l'addition et il m'a guidée vers la sortie à travers un labyrinthe de chaises et de tables qui me meurtrissaient les hanches, Vous aimez la sauce au soja? ai-je demandé en riant à un client qui s'approchait pour me regarder, nous nous sommes embrassés dans la fourgonnette, dans un intervalle d'ombre entre deux réverbères, le pouce du mulâtre dans mon slip faisait frissonner mon entrecuisse pendant que ses autres doigts déboutonnaient le décolleté de ma blouse avec des chuchotements enthousiastes, les arbres et les arbustes d'un jardin au bout de la rue respiraient, agités par le vent, avec leurs poumons de ténèbres. Le mulâtre a mis le moteur en marche et les phares ont tiré soudain de l'obscurité des balcons, des gouttières, des petits escaliers, des portails en ogive, nous avons traversé Setúbal loin du fleuve, dans des quartiers d'immeubles gris avec des pelouses symboliques, et nous nous sommes dirigés vers les édifices pelés de Miratejo, l'évaporation de la bière me rendait à ma mélancolie, à mon dégoût de la vie et ma nostalgie de la chienne, nous avons dépassé des bicyclettes d'ouvriers et des carrioles de gitans bourrées de monde, avec des lanternes qui se balançaient aux brancards, nous avons pris à gauche, puis à droite, puis à gauche, le pouce du mulâtre continuait à me caresser les jambes avec une obstination patiente et je retrouvais dans la brume de mars la laverie, les mûriers plantés par la mairie qui ne poussaient pas, les voitures des voisins aux vitres opaques d'humidité, la clarté de bloc opératoire du vestibule, le mulâtre qui me chuchotait dans l'ascenseur, sans me lâcher le ventre, Il y a un salon de coiffure tout près d'ici, tu n'as même pas besoin de prendre un taxi, je veux que tu te teignes en blonde et que tu te fasses les ongles, je lui ai demandé d'entrer chez moi sans faire de bruit, ses chaussures à la main, pour ne pas réveiller les petits, je l'ai renvoyé en vitesse, dès qu'il a cessé de souffler comme un phoque moribond, couché sur le flanc au-dessus du drap, j'ai passé des heures sans dormir, sans penser à rien, sans m'angoisser, vide, à regarder la fenêtre jusqu'à ce que le ciel se teinte de cette espèce de blancheur qui précède l'aube et que les objets dans la chambre (le réveil, les bagues, les poupées de chiffon à la tête du lit, le pierrot en porcelaine, le coffret des bracelets sur la commode et la glace de l'armoire qui ne reflétait personne) retrouvent leur densité inerte et leur absence de mystère habituelles, et que je me lève du lit pour m'affaler sur le canapé du salon en chemise de nuit, un cachet de tranquillisant dans la main, assistant au retour du jour sous le poster qui jurait que j'étais intelligente impétueuse dominatrice sociable passionnée violente sincère joyeuse généreuse capricieuse optimiste tendre irrésistible, si bien que lorsque la première chasse d'eau a secoué la maison et que le premier coup de marteau a écrasé mes tempes j'ai découvert sur la moquette en baissant les yeux un code de mon défunt que le mulâtre avait oublié et duquel est tombée, quand je l'ai ramassé, la photo de deux garçonnets en culottes courtes et avec une frange, assis côte à côte sur un banc tapissé de carreaux de faïence.

— Moi et le fils du fermier de Benfica, un idiot qui n'a pas plus de cinq ans d'école primaire et qui travaille comme messager dans notre compagnie d'assurances, m'a dit mon mari dans le réfectoire de l'université en me montrant une photo sur laquelle, déjà maigre, déjà petit, déjà noiraud, mais encore sans lunettes et avec une raie dans les cheveux, il appuyait le bras sur les épaules d'un blond avec une mâchoire carrée et une paupière tombante qui me fixait depuis le papier de ses orbites asymétriques. Pendant les vacances de Noël, si mes grands-parents vont à Badajoz faire des achats, je te ferai visiter le jardin, les poulaillers, le verger et les porcs que nous engraissons à l'autre bout de la propriété, dans la porcherie près du mur.

Nous nous fréquentions depuis cinq ou six semaines tout au plus, j'avais accepté qu'il me fasse la cour parce qu'il m'avait affirmé qu'il serait juge sitôt ses études terminées et que mon père, greffier au tribunal de Sintra, m'avait parlé durant toute mon enfance des juges et des conseillers à la Cour suprême avec la révérence avec laquelle les prêtres parlent des saints, si bien que je m'imaginais me promenant dans Lisbonne avec un monsieur en toge, maître des destinées du monde, qui laissait derrière lui dans tout le Chiado un sillage d'admiration craintive. Mes camarades de la section de langues romanes qui nourrissaient des passions tumultueuses pour des joueurs de handball musclés promis à un avenir minable de ronds-de-cuir aigris, le trouvaient laid, taciturne, rachitique, mal habillé, avec des pellicules sur le col, et elles se moquaient de lui parce qu'il mastiquait la bouche ouverte, étudiait dans des livres d'occasion et s'exprimait avec l'accent provincial commun aux chanoines et aux policiers qui font leur ronde. Il détestait le cinéma mais m'attendait, même en hiver, sur un banc de l'Avenida, jusqu'à ce que la séance soit finie, indifférent au froid, sous un parapluie d'abbé, de même en sortant de chez moi pour aller à mes cours je le trouvais planté à l'arrêt d'autobus, minuscule, les yeux cernés, la mine sérieuse, nageant dans un vieux veston trop grand qu'on aurait dit offert par un curé charitable, m'expliquant d'un air gêné qu'il allait à la faculté, que ma rue était sur le chemin, que rien n'était plus près de Marvila que Benfica, qu'en passant par les hauts de São João c'était à deux pas, et je me disais qu'il avait dû se lever à l'aube blême et qu'il avait pris au moins trois moyens de transport différents pour traverser tout Lisbonne afin de faire le trajet avec moi, insistant pour m'offrir mon billet et roulant le manche de son parapluie dans sa main.

Je l'ai accepté par pitié pour son obstination et son silence humble, à cause de ses pupilles qui n'osaient pas me regarder et de ses doigts qui ne me touchaient jamais, de sa promptitude à m'approvisionner en photocopies et de la sollicitude avec laquelle il me ravitaillait en stylos et en calendriers de la compagnie d'assurances de sa famille, avec des feuilles de platane et du papier d'argent d'emballage de chocolat entre les pages. Je l'ai accepté parce que aucun joueur de handball ne s'intéressait à moi ni ne m'invitait à danser aux bals du vendredi soir de l'Association des étudiants où je faisais tapisserie sur une chaise en tapant du talon au rythme des boléros, ruminant ma déception dans ma robe à volants et entrevoyant une existence solitaire de professeur dans un lycée de garçons en banlieue, condamnée à dîner à la cuisine avec une revue pédagogique adossée à la carafe d'eau, peuplant ma ménopause de petits chats en verre et de pierrots en biscuit. Je l'ai accepté et je me promenais avec lui les jours de congé dans le jardin de Campo Grande, rougissant de ses pantalons en accordéon et de ses chaussures jamais cirées, regardant le carroussel des motos de location qui tournaient sous les arbres, regardant les canards, les cygnes et les bateaux à rames sur le lac et l'homme en costume de coutil, un sifflet aux lèvres, qui attachait les anneaux de la proue à des petits poteaux en ciment, regardant les groupes de gitans accroupis dans l'herbe, avec des iris obliques comme ceux des loups sous leurs larges chapeaux de feutre. Nous buvions d'innocentes groseilles sur la terrasse au bord de l'eau verdie par les algues, les ombres des arbustes et le reflet des troncs, il posait solennellement, sans parler, sa paume moite sur ma main, et j'avais horreur de l'idée qu'on m'aperçoive en compagnie de ce gnome prévenant et malingre qui léchait la paille quand il avait terminé sa boisson et dont les cheveux devenaient clairsemés sur le sommet du crâne et sur les tempes, mettant à nu des cicatrices de teigne sur la peau. De retour à Marvila, le juge en herbe cherchait les zones les plus hautes du macadam pour réduire notre différence de taille de quelques centimètres, je feignais de ne pas sentir son bras maladroit et anxieux autour de ma ceinture, je l'obligeais, après une chaste poignée de main, à sauter du tram aux alentours du Beato et je pénétrais dans mon quartier seule, saluant les marchands, me rêvant l'élue du Magistrat idéal avec d'incroyables épaules et un torse de discobole qui courait vers moi en me tendant les bras, nu sous sa toge, indifférente à l'admiration et à l'envie de ma classe de littérature française, oubliant les vers de Baudelaire et les joueurs de handball de l'Athénée.

Et trois années avant notre mariage, l'hiver où je l'ai présenté à mes parents, les grands-parents du gnome sont allés faire des emplettes à Badajoz (ce qui aujourd'hui encore me surprend car en Espagne je ne vois que de l'essence, de l'anis et des caramels) et il m'a proposé gravement, avec une urbanité de châtelain, de visiter la propriété de Benfica pour que je m'habitue peu à peu à mes futurs domaines, qui se résumaient à un long mur flanqué d'un portail à chaque bout, presque collé à Venda Nova, un moulin et une grande maison de gravure hollandaise avec des jardinières de géraniums qui pourrissaient dans la pluie de décembre.

— Si nous étions en été, tu verrais des cigognes sur la cheminée de la grange, a déclaré le nain en indiquant des lointains imprécis. Quand tu habiteras ici, tu installeras un pliant et un parasol sur la terrasse et tu pourras passer tes après-midi à les regarder bâtir leur nid.

Mais nous n'étions pas en été, les nuages naufragés au-dessus des entrées des immeubles faisaient couler leurs larmes le long des tuyaux de descente, le vent mettait les plantes grimpantes en charpie, à la faculté les globes des lampes s'allumaient dès onze heures du matin et les étudiants trempés ressemblaient à des mousses émergeant des cabines d'un chalutier. Le tonnerre grondait du côté d'Amadora où mon parrain habitait avec sa sœur sourde dans un petit sous-sol bourré de coffres en bois de camphrier et de pots de bégonias, et le gnome, protégé par son parapluie d'abbé, me montrait avec une minutie de cicérone une cour, deux massifs de buis, des fenêtres aux stores tirés et un garage avec des pneus dans un coin et une tache d'huile qui brillait sur le ciment, tout cela immobile sous la pluie, tout cela loin de Marvila, tout cela empreint de la tristesse propre à l'hiver, de sorte que j'ai imaginé les chambres à coucher de la villa de gravure hollandaise remplies de chevaliers vêtus de noir, une fraise en dentelle autour du cou, penchés dans une odeur vénéneuse de peinture à l'huile au-dessus de cadavres de leçons d'anatomie. La voix de ma mère dans la cuisine me manquait, mon petit-neveu faisant le diable à quatre dans le corridor me manquait, le fleuve que j'apercevais du balcon du salon, encadré de mûriers et de grues, me manquait ainsi que les bateaux qui peinaient à contre-marée en se dirigeant vers la barre.

— C'est cela, finalement, le palais? ai-je demandé, les souliers trempés, tirant vers moi le manche du parapluie dont les baleines m'éraflaient la nuque et faisaient pleuvoir des gouttes de pleurésie le long de mon échine. Si c'est ça le palais, ne compte pas sur moi, je m'en vais immédiatement, rien que l'idée de me retrouver seule la nuit dans cet endroit me donne la chair de poule, tu n'as pas idée.

Et pourtant j'ai fini par retourner là pendant les vacances de Pâques, quand ses grands-parents sont allés en train dans la Beira visiter des parents, il ne pleuvait pas, des feuilles vertes pointaient dans les massifs de la cour, un chauffeur en uniforme astiquait des automobiles devant le garage, des bonnes secouaient des tapis à l'étage et un souffle lent poussait les ailes huilées du moulin. A cette époque-là je l'avais déjà présenté à ma famille à Marvila au cours d'un dîner silencieux et pénible, fait de soufflé au merlan, de méfiance, de monosyllabes et de pauses que ma grand-mère s'efforçait vainement d'animer avec sa bonhomie anxieuse. Ce fut un repas éprouvant, ponctué par les coups de sifflet des remorqueurs qui pénétraient par les fentes du balcon couvert, que le nain a mis à profit pour déclarer pompeusement qu'il allait bientôt être juge. Mon frère Nelson a lorgné ostensiblement ses habits de mendiant et ses ongles rongés tandis qu'imperturbable, le pygmée a décrit la maison de Benfica, le nombre de bonnes et de services de couverts en argent, la mort de ses parents dans un accident de voiture en Espagne, la ferme, la serre, la roseraie, les poulaillers, les activités financières de son grand-père qui avait refusé un nombre incalculable de fois le poste de ministre. Mon frère Edgar a demandé en regardant sa cravate lustrée, C'est lui qui t'habille, par hasard? et le gnome, cachant en rougissant ses poignets de chemise dans ses manches, Nous sommes des gens discrets, nous avons horreur de nous faire remarquer, et mon frère Nelson insistait perversement, Il est un peu difficile de ne pas remarquer ton veston, on y logerait trois personnes à la fois et il y aurait encore du tissu de reste, et le pygmée, transperçant son soufflé au poisson avec sa fourchette, Je n'aime pas être engoncé, j'ai besoin de pouvoir bouger dans mes vêtements, et d'ailleurs c'est ce qui se fait maintenant, les costumes ajustés sont passés de mode depuis longtemps. Mon père retirait les arêtes et débouchait le porte-cure-dents, il a dit Alors comme ça vous allez être juge, hein, alors comme ça vous allez commander aux greffiers de tribunal, vous savez quelle est ma profession, mon garçon? Un paquebot mugissait sur le Tage, près de nous, appelant à lui les églises, les docks, les grues, Les greffiers de tribunal sont les piliers de la Justice, monsieur Macedo, a bredouillé le nain en inclinant un cou déférent vers le haut bout de la table, sans les greffiers qui ferait entrer et sortir les témoins, vous pouvez me le dire? Ma grand-mère s'est agitée avec panique contre le dossier de sa chaise, mon frère Belarmino a fermé les paupières avec force, comme avant une détonation de fusil, ma mère a reculé sa chaise dans un sursaut de frayeur, et mon père a bu une petite gorgée de vin, il a posé ses poings sur ses genoux, il a gonflé la poitrine et il a dit en martelant les syllabes dans une espèce de glapissement de colère, Vous me prenez pour un commis ou quoi? Le paquebot glissait sous le balcon, faisant frissonner les entrepôts le long du quai, on voyait les bouées, le profil des canots de sauvetage au-dessus de la rambarde, l'horloge de la chapelle a sonné neuf heures, mon père déboutonnait son col, une allumette dans la bouche, Pas d'excuses, je vous prie, ai-je l'air par hasard d'être la bonniche de qui que ce soit? si blanc de fureur que pas même le plat de riz au lait, avec ses initiales tracées à la cannelle, ne l'a calmé, le paquebot faisait défiler hublot après hublot et des cheminées gigantesques en direction de l'embouchure, le pommier susurrait dans le jardin, le chien du sergent s'est mis à hurler et aucun de nous n'a osé raccompagner le gnome jusqu'à la porte de la rue, de peur qu'une veine n'éclate dans le cerveau du vieux, qu'une thrombose ne l'attaque, que son cœur ne flanche, nous lui apportions des verres d'eau et nous l'éventions avec sa serviette de table pendant que privé de forces, en bretelles, il gémissait, à moitié effondré, et que ma mère soutenait sa nuque défaillante, Il a fallu que j'aie soixante-trois ans pour qu'on me manque de respect, je ne veux plus jamais voir cet âne venir m'insulter chez moi, les riches sont tous les mêmes, je t'interdis de le revoir,

Clothilde. Mon frère Edgar a demandé au voisin d'en bas
l'autorisation de téléphoner au médecin avec qui il jouait
aux dames après le travail dans un café du Beato, nous
l'avons étendu sur le lit et nous avons défait sa ceinture
pour faciliter le transit des gaz, Qu'est-ce que c'est que ça,
Tarzan, qu'est-ce qui se passe, Macedo? a demandé le
médecin en lui prenant la tension, arrête donc de t'agiter
car si tu crèves d'anévrisme je perdrai le seul partenaire
avec qui je réussis à gagner, il nous a conseillé, après avoir
éclusé un digestif et englouti le riz au lait de ma grand-
mère, d'appeler l'infirmier pour qu'il lui fasse une injection
dans le bras, mais dès qu'on a retroussé sa manche, mon
père, qui gisait comme mort sur l'oreiller, s'est mis à crier
comme un cochon de lait que le remède était pire que la
maladie et que tout le monde souhaitait sa mort pour se
dépêcher de sortir les trente mille escudos qu'il avait à la
banque, si bien qu'il a fallu le clouer de force sur le matelas
pour lui planter l'aiguille dans la peau sous un crucifix
postmoderne et une affiche proclamant JE SUIS CANCER ET
PAR CONSÉQUENT JE SUIS INTELLIGENT IMPÉTUEUX DOMI-
NATEUR SOCIABLE PASSIONNÉ VIOLENT SINCÈRE GAI GÉNÉ-
REUX CAPRICIEUX TENDRE IRRÉSISTIBLE, on ne l'a lâché que
lorsqu'il a commencé à ronfler sur la courtepointe, ventre
en l'air, énorme, pareil à un hippopotame dans le coma,
et nous avons dû le déshabiller, mes frères et moi, pour le
mettre entre les draps d'où il s'est relevé en titubant deux
matins plus tard, suivi de la famille préoccupée, pour aller
aux cabinets uriner des océans et fourrager dans les
placards de la cuisine en renversant des casseroles, dans
l'espoir d'y trouver un reste de riz au lait sur le coin d'un
plat. Et ce n'est qu'à cet instant que le paquebot gigantesque a fini de passer.
     Pourtant, quand je suis retournée à Benfica, mon père
s'était déjà réconcilié avec le gnome et non seulement il ne
s'opposait pas à ce que nous nous fréquentions mais
encore il l'invitait de temps à autre à la maison pour une
partie de dames, surtout après que le pygmée lui a promis
un emploi de gérant dans la compagnie d'assurances de
son grand-père, avec droit à une villa à Restelo, un
majordome et trois reines de beauté, avec écharpe en

bandoulière et couronne sur la tête, comme secrétaires particulières, et le nain, qui continuait à perdre ses cheveux et à maigrir et qui portait maintenant des lunettes de myope mais qui s'obstinait à se vêtir de haillons de mendiant, le laissait gagner par peur d'un anévrisme. La joie de la victoire adoucissait sa sévérité et souriant triomphalement il rangeait les pions dans la boîte ainsi que le bouton de pyjama qui remplaçait un pion manquant et il consentait alors à ce que nous bavardions au salon où nous demeurions tous les deux silencieux et sans nous toucher devant le buffet où étaient alignés les verres, écoutant les heures à l'horloge de la chapelle et les adieux des pétroliers qui naviguaient vers l'estuaire, écoutant ma mère et ma grand-mère converser sur le balcon couvert, lui pensant à ses nids de cigogne et moi m'imaginant à côté d'un joueur de handball qui m'offrait des bonbons à la menthe, des bouchées à la crème et des déclarations d'amour.

Quand je suis retournée à Benfica, j'ai trouvé le quartier moins triste et la ferme plus petite qu'il ne l'avait affirmé, un vulgaire jardin avec des massifs de fleurs et des bordures de gazon, des allées de gravier et une cage de perruches collée contre le mur d'une villa fantôme, des bancs carrelés et des figures en faïence drapées dans des tuniques et le sein à l'air qui représentaient les quatre saisons, un pigeonnier posé sur des pieux tordus, des poulaillers, une serre aux vitres chaulées, et enfin une treille accrochée à des fils de fer et à des arceaux rouillés, un petit verger et un potager avec des épouvantails, une porcherie et la cheminée de la grange où le pygmée garantissait que les cigognes se posaient en mai, après des jours et des jours de vols concentriques au-dessus du feuillage des figuiers.

— Le mois prochain mon grand-père achètera la propriété là-bas et il agrandira tout cela jusqu'aux collines au fond, a dit le nain en indiquant modestement un horizon de terrains en friche et de maisons distantes, avec des chèvres attachées à des tiges de fer entre des oliviers épars. Et je ferai construire une villa avec piscine pour nous et un portail qui s'ouvre tout seul quand la voiture s'en approche.

Nous étions près d'un puits, pas celui du moulin à côté de la route, mais un deuxième, plus petit, avec un couvercle de métal, une poulie et un seau pour amener de l'eau aux choux du potager et d'où l'on apercevait un bassin plein de poissons sous une tonnelle couverte de plantes grimpantes et les toits de Santa Cruz montant vers les roseaux qui bordaient la ligne de chemin de fer. Les tourterelles du pigeonnier se lissaient les plumes du jabot sur les murs à pignon, les dindons semblaient se gargariser avec de l'élixir pour les amygdales, un homme en tablier de toile cirée et une casquette sur la tête est passé sur le sentier qui menait à la serre, un sécateur à la main, suivi d'une chienne qui lui flairait les chevilles.

— C'est le fermier, il travaille pour nous depuis vingt ans, le seul vice que je lui connaisse c'est qu'il est un peu trop porté sur le martini, a expliqué le gnome en s'accroupissant pour ne pas être vu tandis que j'étais frappée par la ressemblance de leurs traits, le même nez, la même bouche, la même courbure du front, la même démarche oblique et hésitante. Il vient de Nelas, le pauvre, il n'a jamais pu s'habituer à la ville, il est allé une fois au zoo et depuis il a peur de sortir d'ici à cause des éléphants, il est persuadé qu'ils errent en liberté dans les rues.

— Dès que je dirigerai la compagnie d'assurances, je vous y ferai entrer et j'achèterai pour les vacances un appartement de six pièces à Caxias, a décidé mon père en refusant le riz au lait et allumant le cigare colombien que mon frère Nelson lui avait acheté, pour célébrer l'occasion, à la Havanera de Marvila. Et j'irai chercher mon cousin au sanatorium, le pauvre garçon est drôlement doué pour fourguer des polices aux gens.

Toutefois le nouvel emploi de mon vieux s'est évaporé avant même d'avoir commencé, précisément le soir de ce jour de mars, au moment où le pygmée guettait l'apparition des cigognes, une paire de virgules ailées en haut de la grange ou des antennes de Monsanto, tournant au-dessus de la ferme en grandes hyperboles planées. Il s'est évaporé quand quelqu'un a crié des poulaillers Zé, viens m'aider avec le maïs, Zé, et le nain m'a chuchoté d'un air inquiet en se faisant de plus en plus petit dans le verger, C'est la femme du fermier qui appelle son fils, tu comprends, tous les soirs c'est la même scène, et maintenant ce n'était plus seulement la voix mais un son désarticulé de violon, difficile à localiser, qui s'élevait de la grange sans oiseaux ou de la villa au-delà du mur et qui ébouriffait les arbres comme une caresse à rebrousse-poil. Le nouvel emploi de mon père s'est évaporé à l'instant où le gnome me parlait en détail des installations de la compagnie, des tapisseries du vestibule, des marbres du couloir et des bustes romains de l'escalier et où un jeune homme blond et blanc, à la mâchoire carrée, un nigaud de la famille du fermier, d'après le nain, qui se promenait mains dans les poches sous la treille a crié On te réclame dans le pigeonnier, Zé, inutile de te cacher dans l'herbe, ton père t'a aperçu, si tu ne te dépêches pas il va te planter le sécateur dans les reins.

— Quoi, tout ça c'était de la frime, tout ça c'était des mensonges, la compagnie d'assurances appartient aux patrons de son vieux, et le rachitique est un pauvre hère sans le sou? s'est exclamé mon père avec un petit sourire amer en refusant le riz au lait d'un signe. Ton amourette est terminée, Clotilde, tu peux prévenir le gars que si jamais je l'attrape à Marvila je le tue avec le couteau à pain. Et téléphonez vite au docteur, j'ai le cœur qui flanche.

Toutefois il n'a flanché pour de bon qu'il y a cinq ans, au tribunal, quand mon père s'est effondré, bras ouverts, sur la dactylo qui protestait, honteuse, Allons, voyons, monsieur Macedo, allons, voyons, monsieur Macedo, et qui est allée à l'enterrement, vêtue de noir et protégée par des lunettes fumées, et qui s'est postée de l'autre côté du cercueil en fusillant ma mère du regard, elle aussi avec des lunettes sombres et en noir, par-dessus le couvercle en acajou de la bière. Pourtant mon père n'a jamais communiqué avec moi par l'intermédiaire de soucoupes dans le magasin de concertinas, alors que mon mari, mort il y a six mois de cet échange de coups de feu, n'a arrêté de me réclamer des violoncelles et des banjos que lorsque le mulâtre a déménagé à Miratejo avec deux valises pour venir habiter chez moi et me voler mes draps pendant la nuit. Il semblerait que le gnome ne s'intéresse plus à la musique car il m'a ordonné de rapporter les instruments au magasin et quand je demande à l'assiette comment il va, il me répond qu'il suffit que je me teigne les cheveux, que je me fasse les ongles, que je mette les gamins dans un hospice pour enfants pauvres, que j'obéisse au président du Centre d'études psychiques de Feijó et que je me marie avec lui en communauté de biens pour qu'il accède enfin à cette divine sérénité qu'il a cherchée désespérément tout au long de ses quarante-sept années d'existence terrestre. Pour respecter sa volonté et contrairement à l'avis de mes frères, j'ai fixé la date de la cérémonie à la mairie d'Arroios au six du mois prochain.

5

Un de ces jours je vais traverser la rue et aller tout droit là-bas faire redresser un orteil qui chevauche les autres, a dit le Monsieur en fixant la fenêtre de la pédicure où le patient affligé d'oignons, étendu dans le fauteuil, au bord de l'évanouissement, suppliait par gestes qu'on lui prenne le pouls. Ce sera en tout cas une bonne entrée en matière, peut-être qu'elle ne refusera pas d'aller faire un tour au Guincho avec moi, nous arrêterons la voiture dans les buissons au bord de la mer et nous discuterons de mon pied pendant une heure ou deux.

Une route séparée de l'eau par des arbustes et des rochers, a pensé le Juge d'instruction pendant que la pédicure cherchait une veine avec l'index et regardait tour à tour le bras du patient et les aiguilles de l'horloge, une lanterne rouge qui s'allumait et s'éteignait en haut d'un phare en brique, le vent qui soufflait du sable contre les vitres, des voitures garées sur la bande de terre après le macadam, Madame le Procureur de la République, qui était laide, et moi en train de nous bécoter sur la banquette arrière, et soudain une petite main délicate frappe à la vitre, un salut militaire et le policier incline son casque vers moi à côté d'une énorme moto, Papiers, s'il vous plaît.

— L'autre jour je l'ai vue de près, disons comme d'ici à là, qui sortait de l'immeuble à l'heure du dîner, eh bien, laissez-moi vous dire que c'est une femme formidable, a déclaré le Monsieur, une cigarette oubliée au coin de la bouche, en surveillant la fenêtre où l'homme aux oignons retrouvait peu à peu ses couleurs, bien qu'il fût encore effrayé par une batterie de limes. Trente-sept ans, quarante au maximum, mais bien conservée, monsieur le juge, une paire de gambettes à rendre jalouse n'importe quelle minette de quinze ans.

— Je suis magistrat, je suis venu me détendre un peu du tribunal avec une collègue, a gémi le Juge d'instruction, qui était certain d'avoir des traces de rouge à lèvres sur sa chemise, en cherchant son portefeuille pendant qu'un second gendarme, lui aussi coiffé d'un casque, s'approchait d'eux. (La mer, invisible, déferlait dans l'obscurité, noyant les paroles, on apercevait comme une pinède de l'autre côté de la route, et plus loin, vers Malveira, les nuages de la montagne de Sintra et les lumières d'une maison ou d'un hôtel.) Tenez, voyez, lisez, voici ma carte, même si vous vouliez m'arrêter vous ne le pourriez pas.

Madame le Procureur de la République, s'est souvenu le Magistrat, nous regardait à l'autre bout de la banquette, se reboutonnant, tirant sur sa jupe, remontant la bretelle de son soutien-gorge, arrangeant sa ceinture, tandis que moi je rajustais ma cravate, passais ma main sur mes cheveux en pensant à la réaction de ma femme s'ils lui téléphonaient du commissariat, aux cris, aux pleurs, aux récriminations, aux menaces de divorce, au corps fâché qui me donnerait des bourrades au lit, qui m'éviterait, jusqu'au moment où elle en sortirait enfin en bougonnant, un oreiller sous le bras, pour aller dormir dans le fauteuil du salon, enveloppée dans une des couvertures de l'armoire.

— Le problème avec les nanas, c'est de savoir s'y prendre comme il faut, a expliqué le Monsieur, toujours tourné vers la fenêtre de la pédicure qui s'efforçait de convaincre son patient de l'innocuité des limes en les exhibant l'une après l'autre devant son visage paniqué. Si on presse le bon bouton, elles s'éprennent aussitôt de vous et, après, c'est la croix et la bannière pour s'en débarrasser.

— Remontez la fermeture de votre pantalon et taisez-vous, a ordonné le premier gendarme en étudiant la carte, penché sur le guidon de son immense engin, pendant que son collègue contournait l'automobile à pas mesurés pour noter le numéro d'immatriculation. Et les papiers de la dame, ils sont où?

Si ma femme apprend ça, je suis cuit, a pensé le Juge d'instruction en se voyant déjà dans une chambre de pension minable et décrépite, à un troisième étage de la rue Ferragial, avec trois cintres dans une armoire bancale, un lavabo avec un seau dessous, un balcon donnant sur des lucarnes et des arrière-cours de pensions identiques, et une salle de bains unique au bout d'un corridor où malgré le couvercle le WC bouché régurgitait des gaz de marécage. Les rafales de vent du Guincho soufflaient du sable dans ses oreilles et dans les poches de son veston et la lanterne du phare révélait de temps en temps une poupe de chalutier.

— Donne tes papiers, Noémia, a dit le Magistrat en faisant claquer ses doigts à Madame le Procureur qui réparait son maquillage dans le rétroviseur à la lumière du plafonnier qui jaunissait le rembourrage des sièges, et soulignait ses paupières au crayon. Donne tes papiers et dès demain je me plaindrai de leur impolitesse à leurs supérieurs.

— Votre ami, par exemple, excusez-moi de vous le dire, s'y prend comme un manche avec les nanas, a dit le Monsieur d'un ton de pitié en s'écartant de la fenêtre pour faire face au Magistrat, sa cigarette se consumant entre les ongles de l'index et du pouce. D'après ce que nous savons, le pauvre va de rebuffade en rebuffade, et sa petite amie actuelle, celle qui s'est enfuie avec lui de la rue Gomes Freire, le cocufie que c'en est une merveille. Somme toute, monsieur le juge, c'est une œuvre de charité que de l'empêcher de s'enfuir avec la fille en Espagne car au bout d'un mois elle traînerait la réputation de notre pays dans la boue.

— Ah, vous vous plaindrez, ah, vous vous plaindrez? a dit d'un ton exultant le second gendarme dont la poitrine touchait presque celle du Magistrat qui griffonnait ses plaintes sur un bloc-notes. Jette leurs cartes au loin, Januário, et flanquons-les en taule, comme ça ils passeront au moins une nuit entière au poste en compagnie d'ivrognes qui leur vomiront dessus.

— Si bien que vous le liquidez pour lui épargner les cornes, votre bonté m'émeut, parole d'honneur, a raillé le Juge d'instruction qui en avait assez du patient et de la pédicure et qui rangeait les stylos, les gommes et les crayons marqueurs dans un petit pot en faïence. Et pour éviter que je n'ouvre intempestivement la bouche, combien de coups de revolver ferez-vous tirer sur moi?

Des camionnettes de livraison se dirigeaient vers Cascais, éclairant cahin-caha rochers et dunes, des reflets orangés scintillaient sur la mer, la lumière s'est levée du côté d'Alvide, émergeant de la cime des pins. Madame le Procureur, qui avait déjà enfilé sa jaquette ornée d'un col en lapin, parachevait le contour de ses lèvres, et le Magistrat a pensé Si ma femme me met à la porte, je ne vivrai avec celle-ci à aucun prix, j'arriverai peut-être à me louer un appartement à Carnaxide et avec une demi-douzaine de vieux meubles et une femme de ménage potable je m'en sortirai. Le problème c'est le déjeuner et le dîner, et les week-ends avec les mioches, j'ai horreur de manger au restaurant.

— Du calme, mon vieux, t'excite pas, c'est une carte du ministère de la Justice, si on les fourre en cabane, on nous convoquera chez le commandant et j'ai pas du tout envie d'avoir des ennuis avec ces mecs-là, a décidé le premier gendarme en montrant la photo du Juge d'instruction à son camarade qui comparait le portrait avec les traits du Magistrat rougis par la lanterne du phare. Le mieux c'est de laisser ces cons tranquilles et d'envoyer un rapport à leur chef. Ils foutent les autres en taule et en attendant c'est eux qui se comportent comme des porcs, on se croirait au Brésil, ma parole.

— Comme ça on n'arrivera à rien, monsieur le Juge, vous êtes complètement parano, complètement obsédé, nous voilà devenus de vulgaires petits assassins sans éthique, franchement, a dit le Monsieur avec un sourire en délaissant ses théories sur les femmes et secouant la tête comme devant les caprices d'un malade. Personne ne touchera à un cheveu de votre tête et vous aurez votre promotion, rassurez-vous, le Secrétaire d'État a l'intention de vous nommer conseiller à la Cour suprême à Evora.

Noémia habitait à Mem Martins, s'est rappelé le Juge d'instruction pendant que la pédicure, accroupie de nouveau sur son petit banc, calmait l'inflammation des oignons de son patient avec des compresses d'eau tiède, dans une villa au bord de la route dont la façade avait besoin d'être recrépie et qui avait appartenu à ses parents, pleine de chats et de meubles antiques, avec une salle de bains vétuste qui ressemblait à un laboratoire de chimie du siècle passé et une horloge de cuisine dont les aiguilles étaient un couteau et une fourchette tournant dans un couvercle de casserole. Je lui rendais visite le mardi après le déjeuner et je quittais le soleil de la rue pour une pénombre de damas et de plats chinois suspendus au mur par trois petits clous. Nous discutions de droit dans un petit salon avec des napperons au crochet sur les bras des canapés et deux oies en porcelaine, grandeur nature et le bec ouvert, me menaçaient du haut d'une console, et nous finissions par gravir, tout en continuant à parler de sentences, l'escalier à large rampe qui menait à l'étage supérieur où nous jetions notre dévolu sur la chambre à coucher de ses parents défunts, avec son vaste lit inconfortable et sans style entouré d'emballages de valium et d'armoires à glace au tain terni, sur le couvre-lit duquel nous faisions insipidement l'amour entre deux disputes sur les arrêts du tribunal en regardant la lumière de Mem Martins mourir derrière les persiennes. J'avais fait sa connaissance cinq ans plus tôt au tribunal d'Oeiras lors d'une audience au cours de laquelle nous nous étions querellés au sujet d'une amende pour excès de vitesse et dès le début j'avais été surpris par sa maigreur déterminée, sa tignasse teinte d'un ocre agressif de bouton de porte ou de tournesol, son sourire bizarre qui découvrait ses gencives et son empressement à accepter de déjeuner avec moi au réfectoire, écartant le petit doigt en prenant la cafetière pour se verser un café au lait aqueux et un gâteau à la crème où des mouches faisaient naufrage dans une boue de chantilly. Le mardi de la semaine suivante elle m'attendait à Mem Martins, dans sa villa horriblement difficile à découvrir parmi tout un lacis de ruelles, vêtue d'une jupe à volants, les paupières barbouillées de bleu et des masses de bagues aux doigts comme pour un bal d'ambassade, entourée de revues de jurisprudence et de manuels annotés, et le décolleté de sa robe révélait les arcs des côtes et la naissance flétrie de ses seins. Si ma femme m'avait chassé en criant, en m'insultant et en cassant la vaisselle, je n'aurais jamais supporté d'habiter avec Madame le Procureur de la République au milieu de ses plats chinois, de ses oies et de ses napperons, avec les trains de la ligne de Sintra qui ébranlaient mes rêves et le spectre de sa mère, une dame coiffée de bandeaux dans un cadre en argent, cherchant ses ciseaux égarés sur le dessus de la cheminée. Si les gendarmes m'avaient conduit au commissariat la nuit du Guincho, a pensé le Juge d'instruction, et si Clotilde avait déposé mes valises sans un mot sur le palier à Miratejo, j'aurais sans doute téléphoné à l'Homme à sa compagnie d'assurances et je me serais installé chez lui dans une pièce quelconque de la grande maison, et le dimanche nous aurions fumé ensemble, couchés dans le gazon autour d'un massif, sous les agapanthes, regardant le ciel de septembre à travers les feuilles des acacias.

— Numéro d'identification et nom, a demandé Madame le Procureur aux gendarmes, sans sortir de la voiture, abaissant la vitre et écrivant laborieusement sur son agenda avec le crayon à paupières. Vous allez voir que les insinuations malveillantes contre la magistrature, cela se paye cher, vous allez voir la déculottée que vous prendrez.

— Pas trop tôt, Tavares, a dit le Monsieur en soupirant dans le téléphone et réclamant de la main un stylobille pour pouvoir en tapoter le rebord de la petite table. Vous n'avez aucune excuse, les ordres sont les ordres, cela fait une heure vingt que j'attends de vos nouvelles, épargnez-moi l'idiotie que mieux vaut tard que jamais.

— Avec tous ces voyous en liberté, comment pouvions-nous deviner, Madame, expliquez-moi un peu? a rétorqué le second pandore en rendant les cartes et reculant vers sa moto en faisant alternativement des révérences et des saluts militaires, on nous envoie surveiller le Guincho et nous nous exécutons, et comme la nuit tous les chats sont gris, quand nous tombons sur un couple en train de se peloter nous vérifions les papiers, nous ne manquons de respect à personne.

— Quand je me chamaillais avec ma femme, la première idée qui me venait à l'esprit c'était de fuir à Benfica, a dit le Magistrat, le menton dans la paume, du ton endormi de l'homme qui se parle à lui-même, en tendant un stylobille au Monsieur. Depuis qu'il a renvoyé les bonnes et que ses grands-parents sont morts, il y a de la place à revendre au premier étage, des lits et des lits envahis par les plantes grimpantes, par les toiles d'araignée et par les souris. Et je pourrais me promener dans la ferme comme jadis, tirer sur les moineaux comme jadis, guetter par-dessus le mur la villa du docteur, comme autrefois, dans l'espoir de voir surgir une queue de cheval blonde qui a quitté le quartier il y a des siècles. J'achèterais peut-être des perruches pour la cage déserte, nous réussirions peut-être à remettre la ferme en état.

— Nous oublions que nous vous avons vus et vous oubliez que vous nous avez vus, et tout est OK, a conclu le premier gendarme en appuyant sur l'accélérateur de son engin, illuminant des arbustes, des herbes rampantes et un cône de sable avec le phare. (Les ténèbres se peuplaient de rares navires immobiles, frégates ou bateaux de guerre enracinés dans le vent.) Mais aussi, Madame et Monsieur les Juges, pourquoi n'avoir pas choisi un meilleur endroit pour vous détendre du tribunal, ici ce ne sont pas les agressions qui manquent.

— Décidément, votre ami débloque complètement, maintenant il essaie de convaincre le fou au violon de l'accompagner en Galice, a dit le Monsieur, debout à côté de la petite table et obturant le micro du téléphone avec sa manche. Attendez encore un peu si c'est possible, Tavares, le mieux serait de leur mettre la main au collet quand ils se tireront par l'arrière, commencer à canarder dans Benfica serait un peu trop voyant, il y a des affaires qui se règlent avec discrétion.

— Laisse-les partir, Noémia, ça a été un malentendu, c'est fini, ne pense plus à cet incident, a dit le Juge d'instruction à Madame le Procureur de la République qui continuait à griffonner dans son agenda avec le crayon à paupières. Tu vas gaspiller tout ton fard, toute ton ombre à paupières va rester sur les pages.

— Vous imaginez un peu le fou en train de jouer des tangos à Vigo, quelle idée idiote, a dit le Monsieur d'une voix étonnée, toujours debout, en posant le combiné et se grattant la joue d'un ongle perplexe tandis que le patient honteux renfilait ses chaussettes et se rechaussait en gesticulant des excuses. Si je voulais vraiment prendre la poudre d'escampette je ne m'encombrerais pas d'un boulet comme ce vieillard.

Et le Magistrat a imaginé l'Homme poussant son père en pyjama vers la frontière, faisant de l'auto-stop, le pouce en l'air, sur les routes du Nord bordées de sapins et de châteaux moribonds. Il les a imaginés déjeunant dans une gargote à Braga, hébétés par les carillons de la cathédrale, grimpant vers Viana et vers les mimosas penchés au-dessus des vagues, il les a imaginés parlementant avec un passeur réticent sur une colline d'où l'on apercevait l'Espagne, à l'abri d'un pan de mur entre des oliviers et des veaux, le fou cramponné à son violon ne prêtant attention ni à la conversation, ni à la propriétaire du foyer de vieux qui s'éloignait pour aller uriner parmi les cistes, ni à la discussion sur le prix du voyage, il les a imaginés, descendant la nuit vers la rivière, le vieux perdant ses pantoufles et trébuchant sur les cailloux, il a imaginé les herbes hautes, les arbres et les schistes de la berge, il a imaginé des hurlements de chiens et de précautionneuses navigations de chouettes, les gardes espagnols, loin de l'eau, jouant aux cartes dans les postes frontières, il a imaginé la barque qui les attendait, arrimée à un rocher, le neveu du passeur faisant force de rames et à cet instant le vieux qui s'immobilisait sous la lune, repoussant sans un mot l'Homme pour coincer son instrument entre le cou et la mâchoire, et à cet instant le vieux qui brandissait son archet à trente mètres de la rivière et qui commençait une de ses musiques absurdes à laquelle répondait aussitôt un chœur de chiens errants.

— Qu'est-ce que c'est que cette pitrerie, bordel de

merde, on n'est pas au cirque, l'ami, a chuchoté le passeur à l'oreille de l'Homme, si vous ne faites pas taire ce clown, je lui plante mon canif dans les reins.

— Et qui vous dit qu'il veut se tailler, qui vous dit qu'il ne veut pas se faire prendre? a demandé le Juge d'instruction au Monsieur qui assistait aux adieux de la pédicure et de son patient, lequel avançait sur le parquet comme s'il avait les chevilles en feu. Je pense que le bonhomme ne sait que trop bien ce qui l'attend, je pense que si ça se trouve il est déjà tombé sur vos soldats et qu'il est allé à Benfica dire au revoir à son père.

— Et il vous téléphonera aussi ici pour vous dire au revoir, a dit le Monsieur d'un ton amusé en traînant un fauteuil par le bras près du téléphone et s'y installant en tournant le dos aux immeubles d'en face qui s'assombrissaient avec l'arrivée du crépuscule. Si on suit votre raisonnement, monsieur le juge, vous mériteriez bien un petit mot d'amitié de la part d'un copain d'enfance.

— Je gaspillerai tout mon fard mais je donnerai une leçon de bonnes manières à ces sauvages, s'est obstinée Madame le Procureur sans lever les yeux de son calepin. Allons, votre numéro d'identification et votre nom, et que ça saute, je n'ai pas l'intention de passer toute la nuit ici.

— C'est un obsédé de la musique, monsieur, s'est excusé l'Homme en tendant les doigts vers le violon de son père, depuis que ma mère est morte dans un accident, il n'arrête pas de produire des sons. Mais je vais le faire taire, rassurez-vous, cessez de brandir votre couteau, je vais le faire taire immédiatement.

Ou alors, a pensé le Magistrat, il n'emmène pas le vieux avec lui et il l'abandonne dans la villa de Benfica où il errera de pièce en pièce dans la demeure déserte, avec ses feuillets striés de portées sans croches, son métronome détraqué et son étagère métallique, le vieillard descendra dans la cuisine à l'heure du dîner, il attendra la marmite qui ne viendra pas, il restera jusqu'au lendemain matin entre l'évier et la table au plateau de marbre, couteau et fourchette au poing, devant son assiette vide. Il abandonne son père et la Directrice de la maison de repos comme il m'a abandonné quand le fiancé de la fille du docteur nous a surpris en train de crever les pneus de sa voiture avec un clou, il s'est esbigné au grand galop vers la rue Emilia das Neves pendant que le barbichu m'agrippait l'épaule pour aller se plaindre au grand-père, Ce nabot a crevé mes chambres à air, j'aimerais bien savoir qui va me les rembourser, et Monsieur le Professeur, le plus tranquillement du monde, a convoqué mon père qui est entré dans le bureau en veston et cravate entre les pointes du col qui rebiquaient, déjà ivre, tortillant sa casquette, Ton petit gars a fait des bêtises avec la voiture de ce jeune homme, je vais payer les frais et je les décompterai de tes gages, et l'Homme, a pensé le Juge d'instruction, est apparu comme si de rien n'était, comme si ce n'était pas lui qui avait eu l'idée des clous, avec un regard veule, indifférent, vide, le barbichu, mon père, le grand-père derrière son bureau et moi, assis jambes croisées sur le canapé avec une revue d'aventures, regardant le fiancé additionner les dégâts sur un papier, Ça fait quatre mille escudos, et Monsieur le Professeur, imperturbable, Ce mois-ci tu toucheras quatre mille escudos de moins, Oscar, j'espère que tu apprendras à ton fils à cesser de faire des bêtises, et mon père, pupilles flottant dans le vin, Dès que j'arriverai là-haut, le bâton va danser, et le barbichu, indiquant l'Homme, C'est bizarre, mais le visage de ce garçon ne m'est pas inconnu, d'ailleurs j'ai l'impression qu'ils étaient deux autour de l'auto. Tu es sorti de la maison, António? a demandé Monsieur le Professeur en remplissant un chèque, et l'Homme, en me lançant un regard en coin et marquant du doigt la page de sa revue, Je n'ai pas mis le pied dehors, grand-père, j'ai horriblement mal au ventre, je me suis levé de mon lit parce que j'ai entendu des voix, si bien que mon vieux, dès que le patron nous a renvoyés avec un geste d'ennui, m'a roué de coups avec sa ceinture à travers tout le jardin jusqu'à ce qu'il bute sur un rosier et reste là à marmonner des paroles de haine, cramponné à sa cheville, sous les statues aux seins à l'air qui resplendissaient dans l'obscurité.

— Sincèrement, je ne crois pas qu'il téléphone, a dit le Magistrat au Monsieur qui posait un cendrier à sa portée sur un coin de la petite table et qui fixait l'appareil avec une grimace sardonique. Nous avons passé notre vie à nous faire mutuellement des crocs-en-jambe et quand des soldats encerclent votre maison, qui se souvient de son enfance?

— Pourquoi ne m'as-tu pas laissé porter plainte contre eux? a dit Madame le Procureur d'un ton acide en enfouissant crayon à paupières et calepin dans son sac, tu as eu pitié de ces malotrus ou peur que ta femme ne soit mise au courant? Tu ne veux pas lâcher Miratejo, avoue-le, c'est ça, hein, tu n'as pas l'intention de vivre avec moi, je suis tout juste bonne pour les cinq à sept du mardi et pour t'aider à rédiger les arrêts du tribunal, ne mens pas.

— Peut-être s'en souviendra-t-il mais le contraire est également possible, monsieur le juge, a répondu le Monsieur d'une voix lente en déchirant le timbre d'un paquet de cigarettes. Vous savez comment ça se passe, parfois les gens ont des impulsions étranges, moi, par exemple, j'aimerais bien que votre chéri téléphone, ça m'aiderait à y voir plus clair dans ses intentions.

— Si je suis avec toi c'est parce que je t'aime, a rétorqué hypocritement le Magistrat en appuyant sur l'accélérateur et pensant J'ai perdu une occasion magnifique de me débarrasser d'elle, j'aurais dû laisser la discussion dégénérer, j'aurais dû la provoquer un peu, alimenter sa fureur, faire semblant de me fâcher et ouf, finies les queues à dix à l'heure pour me rendre à Mem Martins. Bien sûr que j'ai envie de quitter Miratejo, a-t-il affirmé à Madame le Procureur, laisse-moi juste quelques mois pour régler les choses avec Clotilde et tu verras.

Et pourtant je ne réglerai rien du tout, s'est dit le Juge d'instruction en regardant l'allumette du Monsieur s'approcher de la cigarette et les lèvres former un O pour expulser une bouffée de fumée, indécis, résigné, nerveux, effrayé par l'idée d'une chambre dans une pension, effrayé d'avoir une attaque au beau milieu de la nuit et d'être seul, effrayé de n'avoir personne qui s'occupe de son linge, de ses repas, de ses grippes, effrayé d'habiter avec Madame le Procureur à Mem Martins, dans une maison aux odeurs inconnues et peuplée de fantômes qui ne lui appartenaient pas, faisant des patiences le dimanche devant une fenêtre qui donnait sur un jardinet à l'arrière, entendant défiler le cortège des voitures des jours fériés tandis que la Procureur, pieds nus, une tasse de camomille à côté d'elle et le nez chaussé de lunettes attachées par une petite chaîne en plastique, consignait à la machine à écrire les incidents et les péripéties d'un crime quelconque.

— On voit tout de suite que tu ne régleras jamais les choses avec Clotilde et que tu n'as pas du tout envie de les régler, a répliqué Madame le Procureur en agrafant sa blouse, ces discours te servent à gagner du temps et à maintenir le statu quo, l'épouse au foyer et la maîtresse pour quand ça te démange, tu es le plus grand lâche que je connaisse.

Tout recommencer à Mem Martins avec une femme qui passe son temps à criailler, Dieu m'en garde, a pensé le Juge d'instruction, arrêté au feu rouge du rond-point de Cascais, après la plage du Peixe parsemée de bateaux de pêche et d'une odeur d'algues et de viscères illuminés par les fenêtres de l'hôtel Baia, me coucher au milieu des cris, me réveiller dans les cris, sentir un corps trop maigre à mes côtés, assister à l'épilation de ses jambes et voir des chemises de nuit semblables à des pyjamas de prisonniers qui tuaient mon désir, humer l'odeur nauséabonde de ses crèmes antirides, toucher un sein qui ballottait entre mes doigts, dormir sur des oreillers trop épais et un matelas plein de bosses, supporter ses amies qui racontaient leurs ennuis avec leur mari et me propulser à la Judiciaire, endormi, les joues mal rasées, après trois ou quatre heures épuisantes, passées à pédaler des rêves entre les draps, et tout cela jusqu'à être trop vieux pour en avoir cure, préoccupé par l'hypertrophie de ma prostate et par mon cœur qui flanche, et finir sur le canapé, à la retraite, une couverture sur les genoux, attendant la thrombose rédemptrice au milieu de boîtes de médicaments.

Dans ces conditions, a pensé le Magistrat en entrelaçant ses doigts dans ceux de Madame le Procureur, Je t'aime, il est évident que je ne recommencerai rien à Mem Martins, il est évident que je resterai à Miratejo et que je supporterai les âneries de mes enfants et la mort de la chienne, que je mourrai de claustrophobie dans le petit salon, pestant contre la moquette et la couleur des rideaux, regardant le feuilleton télévisé le journal sur les genoux, il est évident que je resterai au milieu des bibelots que je déteste, des gravures que j'abomine, des livres que je ne lis pas et des chamailleries des voisines, il est évident que j'irai chercher le pain et le poisson, que j'irai au minimarché, à la polyclinique me faire faire des injections pour ma colonne, que j'irai jouer dans la rue avec les enfants parce que tu as la migraine, que je les conduirai à l'école parce que tu ne te réveilles même pas, que je les emmènerai seul à la plage parce que l'iode te fait du mal et un beau jour je me tromperai de chemin, je débarquerai devant la grande maison de Benfica, je frapperai à la porte de la cuisine jusqu'à ce que la clé tourne dans la serrure rouillée et j'annoncerai C'est moi, Antunes, tu n'aurais pas un matelas de trop? et nous passerons des heures à parler de pêches vertes et de singes dépressifs.

— Peut-être bien qu'il téléphonera mais peut-être bien aussi qu'il ne téléphonera pas, monsieur le juge, a répété le Monsieur en éteignant l'allumette avec son souffle, si l'Homme ne chasse pas le fou de musique hors de la villa, il téléphonera sûrement, à qui d'autre pourrait-il recourir en pareille circonstance?

— Laisse-moi à la gare, ton hypocrisie me dégoûte, a exigé Madame le Procureur en indiquant les ténèbres, elle a ramassé son sac sur la banquette arrière et l'a planté avec vigueur sur ses genoux. Je t'ai fait confiance trop long-temps.

— Et si ce vieux birbe ne fait pas taire son violon, que va-t-on faire? a demandé le passeur en décrochant son couteau de sa ceinture et faisant un pas vers le vieillard qui secouait sa chevelure blanche sous l'emprise de l'émotion artistique en brandissant son archet sur le profil d'une pente. Allons-nous attendre ici comme des imbéciles que les gardes-frontières rappliquent et leur expliquer que nous ne pouvons vivre sans boléros, alors nous n'aurons plus qu'à organiser un orchestre en prison.

— Je ne vois aucune gare ici, calme-toi, je te déposerai chez toi dans quelques minutes, a dit le Juge d'instruction qui roulait maintenant sur une route bordée d'arbres et de constructions sombres, avec un château datant des Maures au sommet de la montagne. Tu fais tout un plat pour rien, d'ici décembre j'aurai déménagé à Mem Martins, que veux-tu de plus?

— Vous me gâchez le métier, espèce d'imbécile, comment croyez-vous que ma famille mange? a crié le passeur furibond en renversant le fou d'une bourrade et lançant le violon dans une touffe de genêts. Je ne sais pas qui de nous trois est le plus cinglé, merde, si c'est votre père, ou vous, ou moi qui me suis montré bien aveugle en acceptant ce boulot.

— J'en ai ma claque de tes promesses, j'en ai ma claque de tes jurements, tu trouves normal que je supporte ça depuis tant d'années? s'est lamentée Madame le Procureur qui se calmait peu à peu et se retournait pour poser de nouveau son sac à main sur le siège arrière. Je t'attends mardi après déjeuner et n'invente pas des excuses pour venir à la saint-glinglin.

Dans le bureau de la rue Gomes Freire le Magistrat a commencé à masser légèrement de sa paume son genou goutteux parcouru d'une douleur qui allait croissant, pourtant quand le téléphone a soudain sonné il s'est redressé d'un bond et a saisi l'écouteur pendant que le Monsieur lui souriait sur sa chaise, jambes croisées, voilé par une gaze de fumée.

— Zé, c'est toi Zé? a demandé la voix de l'Homme avec l'hésitation d'antan, quand il assistait au tuage du cochon ou au bain des bonnes, ses paroles se bousculant dans une angoisse pénible. Pas besoin de te compromettre, pas besoin de me répondre, je t'appelle tout juste pour te dire bonjour.

6

Le sergent devait avoir cinquante ou cinquante-cinq ans et à en juger d'après la taille de son ossature il avait dû être un homme corpulent et fort. Maintenant qu'il vieillissait, il boitait légèrement, il arborait une brochette de décorations, son écusson des Commandos était enfoui dans la poche gauche de son blouson et ses muscles dilatés par la graisse s'arrondissaient sans énergie sous l'uniforme.

— Le lieutenant-colonel? a-t-il demandé au caporal de la police militaire chaussé de bottes scintillantes, assis dans l'antichambre, un journal sportif sur les genoux.

Le caporal a disparu par une porte dissimulée sous une tenture de l'autre côté de la pièce où se trouvaient un crachoir en porcelaine, des fauteuils dépareillés et des étendards de régiments suspendus aux murs par des crochets. L'unique fenêtre donnait sur une espèce de cour fermée par un haut mur et des miradors en ciment à chaque angle, réunis les uns aux autres par du fil de fer barbelé et tenus en place par des tiges de fer plantées dans la brique sur la crête du mur.

Le sergent estropié s'est approché du crachoir en remuant le visage, essayant d'extraire d'entre ses molaires des bribes de nourriture, quand le caporal de la police militaire a de nouveau traversé la pièce sans un mot et repris son journal sportif. Une voix a appelé de la tenture Eleutério, et un troisième militaire, un officier aux cheveux coupés ras, ni grand ni petit, avec les insignes de l'infanterie sur ses revers, l'a appelé d'un doigt en hameçon dans

375

un cabinet d'où l'on apercevait les mêmes miradors et la même cour que précédemment, mais les étendards étaient remplacés par la photo du Président de la République et par un drapeau national dont la hampe disparaissait dans un pot en cuivre ciselé. Derrière les barbelés le ciel de juillet resplendissait comme une plaque d'émail.

— Nous ne nous sommes pas beaucoup parlé ces derniers mois, Eleutério, a dit le lieutenant-colonel au sergent en fourrageant dans les papiers sur le bureau. En Afrique, entre autres choses, on se parlait, les nuits étaient plus longues, la camaraderie différente, le temps le permettait, le whisky aidait. Ici, à Lisbonne, je n'ai même pas une minute pour me gratter, ça fait des quinze ou seize heures de boulot d'affilée, un de ces jours je vais me choper une apoplexie et adieu la vie. Et d'ailleurs, à propos d'Afrique, comment va ta jambe?

— Des fois plus mal, des fois mieux, les courroies de la prothèse irritent le moignon, a répondu le sergent en haussant les épaules et continuant à remuer le visage pour expulser le filament de morue d'entre ses gencives. Mais j'imagine que vous ne m'avez pas fait grimper quatre volées d'escalier pour me demander des nouvelles de ma santé.

— Il y a vingt ans nous étions amis, Eleutério, nous sommes allés ensemble à Ambriz et à São Salvador du Congo, c'est moi qui ai parlé de toi au commandant pour une croix de guerre, a soupiré le lieutenant-colonel, offensé, en se laissant choir sur une chaise et indiquant au sergent un banc à l'autre bout de la table, face au mirador de la cour. Je ne suis pas coupable de la mine, bon sang, je ne t'ai pas obligé à marcher dessus, qui d'autre dans la compagnie est allé te voir à l'hôpital, qui d'autre s'est intéressé à toi, qui t'a fait entrer dans la Brigade, tu peux me le dire?

Des arbres et encore des arbres, une chaleur d'enfer, l'hélicoptère, tec, tec, tec, descendant dans une clairière pour transporter le sergent, alors fourrier, qui gémissait sur le sol, le genou enveloppé de compresses sanguinolentes, à l'hôpital de Luanda. Les soldats, les joues sales de barbe et leurs armes braquées sur les fourrés, protégeaient le blessé contre une attaque à la mitraillette.

— Vingt ans c'est un siècle, je ne m'en souviens même plus, a dit le sergent sur le banc en chassant les souvenirs de la main. (Et pourtant il se souvenait d'avoir pensé en survolant les villages indigènes, Finies les rations de combat, finis les filtres à eau, finies les diarrhées, finie la peur, je passerai le reste de ma vie au lit, pissant dans des petits sacs en plastique et déféquant sans m'en rendre compte dans un bassin en aluminium.) Bien sûr que vous n'êtes pas coupable de la mine, mon colonel, personne n'est coupable de rien, je voudrais juste savoir pourquoi vous m'avez fait appeler.

Quitter le cantonnement à trois heures du matin, alors qu'il faisait encore nuit, avec des couvertures, des toiles de tente, des appareils de radio, des bazookas et des mortiers, et quatre-vingts mètres plus loin ne même plus apercevoir le contour des abris, la clarté du mess, le volume des baraquements. Le lieutenant-colonel a de nouveau fourragé dans les papiers, il a rangé deux enveloppes et il a regardé le sergent en face, quêtant sur son visage, aujourd'hui bouffi, les vestiges ténus, diffus, imperceptibles, de jadis :

— Tu n'as pas changé, Eleutério, tu as toujours le même mauvais caractère, tu continues à maugréer et à ronchonner comme avant, a-t-il dit avec un sourire dépourvu d'affection, se trouvant subitement vieux, conscient de ses propres dents en plastique, de ses étranges insomnies matinales, du hérisson dans sa prostate, des poils blancs qu'il rasait sur son menton matin après matin. J'aurais pu te faire appeler pour jouer aux dames, pourquoi pas, mais depuis mon veuvage je n'ai pas touché à un pion. Il se trouve simplement qu'outre le fait que tu me manquais, ne fronce pas le sourcil, je ne suis pas pédé, j'ai un petit boulot pour toi, un petit travail tout simple.

L'hélicoptère survolait des paillotes misérables, des collines chauves, un champ de tournesols ébouriffé par les pales de l'hélice, et le sergent a pensé en palpant son moignon, En vingt ans on oublie tout, bon Dieu, même les semaines passées à l'hôpital et les opérations à la jambe me sont sorties de la tête. Le lieutenant-colonel a accentué son sourire et les rides se sont multipliées au coin de ses yeux :

— Un petit travail sans importance, Eleutério, car l'âge ne pardonne pas et le corps n'a plus envie d'aventures, s'est lamenté l'officier en levant vers le plafond, dans une grimace, des sourcils résignés. L'urée, les rhumatismes, la sciatique, trop de sucre dans le sang, une vraie merde. Et cet imbécile de toubib qui veut me faire faire un examen du cœur, tu imagines, pour voir s'il peut me tuer plus vite. Tant qu'ils ne vous découvrent pas un cancer ils n'ont pas de repos.

Des voix beuglaient dans la cour, des crosses tintaient, quelqu'un aboyait une harangue ou un discours, le cri soudain d'un clairon s'est brisé dans une réverbération d'échos. De temps en temps les moineaux de la rue voisine se perchaient sur les barbelés, comme des quadruples croches.

— Un petit travail sans importance, a répété le sergent pour distraire l'autre de ses maladies tout en pliant avec un coup de poing l'articulation de son genou. Depuis cette saloperie de mine, je ne suis bon que pour des petits boulots sans importance, faire des photocopies, coller des timbres, tailler des crayons, réserver des tables dans des restaurants, des merdes de ce genre. Cette fois-ci c'est quoi, mon colonel ?

Les oiseaux se posaient un instant sur les barbelés, secouaient le bec et disparaissaient aussitôt après un froissement d'ailes. Le clairon s'est interrompu et le silence a fait renaître la circulation de Lisbonne et la cloche de l'école plus bas qui annonçait le début ou la fin d'une classe. L'hélicoptère arrivait à l'hôpital de Luanda, des types en blouse se précipitaient vers lui, le lieutenant-colonel a ouvert la bouche, l'a fermée, l'a ouverte de nouveau et il a traîné sa chaise plus près avec une secousse décidée :

— Un petit travail curieux, Eleutério, a-t-il dit en fixant le sergent qui lui rendait son regard en arrangeant sa jambe artificielle avec une fatigue amère. Cet épisode du Juge d'instruction ami du terroriste te dit encore quelque chose ?

On l'avait transporté sur une civière de toile dans un cabinet où on avait découpé le pantalon de son treillis avec des ciseaux, on avait relâché le garrot et défait les pansements devant un sous-lieutenant tout jeune qui lui avait demandé depuis combien de temps il n'avait pas mangé et qui avait demandé à un infirmier d'aller chercher l'anesthésiste à la cantine de l'hôpital, l'arrachant à son gin et à son bridge.

— Nous les avons tués tous les deux et nous avons rejeté la faute sur les cocos, de sorte qu'il n'y a plus de problème, a résumé le sergent en bâillant et en extirpant avec ses ongles la morue d'entre ses dents. Nous nous sommes occupés du Juge avant-hier, les journaux se sont dûment indignés, comme nous le leur avions suggéré, de ce nouvel attentat terroriste, et maintenant, mon colonel, si vous voulez que je balance quelques petits pruneaux dans le cadavre, dites-moi dans quel cimetière se trouve le corps et je me propulserai là-bas.

On a déchiré son pantalon et sa chemise, on lui a ôté son linge de corps pour que le sous-lieutenant puisse l'ausculter, on a attaché son bras à un deuxième ballon de sérum et le sergent a pensé Je ne me suis jamais senti aussi bien, je ne me suis jamais senti aussi en paix, allez-vous-en, taisez-vous, éteignez les lumières, laissez-moi dormir.

— Interrompre mon bridge au moment où j'avais en main vingt points, huit piques, et le colonel qui ne comprend pas est d'une méchanceté horrible, s'est lamenté l'anesthésiste auprès du jeune sous-lieutenant, sans un regard pour le brancard où on injectait un analgésique au sergent. Ou tu me donnes une bonne raison pour m'avoir enquiquiné ou je te plante un bistouri dans le ventre.

— Ne parle pas si haut, on pourrait t'entendre, le caporal là dehors, par exemple, n'est au courant de rien, a dit le lieutenant-colonel, un index sur les lèvres. Le problème n'est pas de savoir qui a tué ou n'a pas tué, l'affaire est close et le gouvernement n'a pas mis le nez dans ces affaires confuses, est-ce notre faute si les gauchistes se zigouillent les uns les autres? Ce que je voudrais c'est que tu ailles chez les parents du Juge, la poitrine bardée de médailles, et que tu leur présentes des condoléances au nom de l'État : tu leur feras le salut militaire, en voyant apparaître un uniforme ils en feront dans leur culotte, de respect, jamais un uniforme ne leur a prêté la moindre attention.

— Une amputation, ça te suffit comme raison ? a demandé le sous-lieutenant, déjà torse nu, en indiquant le blessé d'un geste du menton. L'homme a perdu des masses de sang, si nous n'arrêtons pas l'hémorragie en vitesse, plof.

— Hier le capitaine Placido a parlé à la femme du décédé au nom du Premier ministre et, outre une pension viagère, il lui a promis que nous allions coffrer les coupables vite fait bien fait, a déclaré le lieutenant-colonel en jouant avec une petite boîte d'attaches et observant par la fenêtre un merle juché sur un des miradors. Son malheur ne semblait pas l'attrister et l'idée de la pension lui a fait plaisir, elle a aussitôt dit à Placido qu'elle s'achèterait une nouvelle voiture avec l'argent et qu'elle inscrirait ses enfants dans un collège convenable car à Miratejo la seule chose qu'ils apprennent c'est à lancer des cailloux dans les vitres. Mais le général de brigade prétend que les parents du défunt méritent un chèque de cinquante mille escudos et un petit mot de notre part, tu le connais, c'est un de ces catholiques outranciers, sa conscience et son curé doivent lui reprocher d'avoir accepté de faire tomber le juge dans un guet-apens.

— Tu ne joues pas avec toutes les cartes, Arthur, le climat t'a tourné la tête, le tonnerre t'a dérangé la cervelle, depuis quand est-ce qu'une amputation vaut huit piques ? s'est exclamé l'anesthésiste en demandant aux infirmiers d'appuyer son indignation. J'aurais fait au moins un petit chelem, j'aurais enfoncé le colonel et sauvé l'honneur de la milice, ça fait je ne sais combien de mois que j'essaie de le battre à plates coutures.

Une première ampoule, une deuxième ampoule, un comprimé et les visages se sont estompés, les sons ont acquis une phosphorescence ambrée, la clarté a ressemblé à une pluie de pétales d'acacia en été saupoudrant les meubles de leurs petits grains ailés. Le sergent, flottant comme une semence, s'est souvenu des citronniers de son enfance couverts de fruits mûrs près de la porte de la cuisine où les charrettes s'arrêtaient pour décharger et des oreilles immenses et des yeux couleur de blanc d'œuf de la mule, écarquillés d'attention entre les brancards cassés.

— Un chèque de cinquante mille escudos et une conversation avec un couple de vieillards, cela ne rime à rien, a rétorqué le mutilé en promenant sa langue à la base de ses canines et aidant la manœuvre avec l'ongle du pouce. Mais comme ce n'est pas pour moi que cela doit avoir un sens et si la voiture est là en bas, donnez-moi l'adresse et je vous expédierai cette affaire en une demi-heure.

Le lendemain de l'opération il s'est réveillé en proie à des cauchemars sans queue ni tête, croyant se trouver à Lambriz qui ressemblait à son village natal pendant la saison des vendanges (le même soleil, le même granit, la même absence d'ombres, la même saveur de moût dans la bouche), prêt à faire une descente dans la forêt avec une compagnie de parachutistes pour encercler un arsenal de guérilleros. Pendant qu'il se dirigeait vers la porte, son membre articulé résistait, achoppait et grinçait un peu en se pliant et le sergent a pensé Il faut que j'aille chez l'orthopédiste faire vérifier la prothèse, et sur ces entrefaites le lieutenant-colonel a toussé et l'a rappelé avec une timidité inattendue :

— La semaine prochaine monte donc ici et nous jouerons une partie de dames avec des haricots, a proposé l'officier, debout, d'un ton gêné, et ses phalanges sur le buvard du secrétaire ressemblaient à des crapauds dans l'herbe. Comme il y a vingt ans, hein, comme quand nous n'avions pas de cheveux blancs, comme dans les nuits angolaises. Nous enfilerons nos treillis et pour augmenter notre vivacité on achètera du whisky potable.

— Ne bougez pas, mon fourrier, restez tranquille, sinon vous allez m'arracher l'aiguille, a imploré l'infirmier en attachant le poignet du blessé au bois du lit et demandant à un collègue de lui immobiliser les pieds. C'est toujours comme ça quand on se réveille d'une anesthésie, on dirait qu'on vous a écrasé la tête à coups de marteau, je vous certifie que dès cet après-midi vous vous sentirez tout à fait bien, si vous me mordez je vous flanque une gifle.

Le merle a abandonné le haut du mirador, il n'y avait pas de moineaux sur les fils de fer et un nuage glissait en diagonale dans le rectangle de la vitre. Le sergent, la main sur la poignée de la porte, a regardé la cour déserte, le drapeau, le portrait du Président de la République et le lieutenant-colonel grisonnant derrière le bureau, qui le considérait avec les pupilles jeunes du passé :

— Il faudrait que je vous explique ce que c'est qu'un damier et je suis trop vieux pour donner des cours à des blancs-becs, a-t-il dit en poussant le rideau qui donnait sur l'antichambre où le caporal lisait son journal sportif. Je ne suis même pas certain d'être allé en Afrique et, en plus, depuis mon opération je ne bois plus, l'alcool est fatal pour ma gastrite.

Le chauffeur l'attendait à l'entrée du bâtiment, une vieille bâtisse longue et monotone, avec une façade de couvent ou de collège de religieux. Il a attendu que le sergent se soit installé sur le siège et ait remisé sa jambe artificielle, dont les pièces grinçaient, à l'intérieur de la voiture, une Mercedes qui avait connu des jours meilleurs, et alors seulement il s'est assis derrière le volant, il a mis le contact et a réveillé au fond du moteur un bruit mouillé de bielles qui faisait penser à d'innombrables pieds foulant du raisin dans un pressoir.

— Où est-ce qu'on va, mon sergent? a-t-il demandé en passant la première et cherchant dans le rétroviseur, sans les voir, les yeux de l'autre qui s'était penché pour nouer les lacets de son soulier. A une caserne, au ministère de la Justice, aux écoutes téléphoniques, à la prison?

Malgré les vitres baissées le sergent suffoquait de chaleur, écœuré par l'odeur d'essence et par le soleil qui se multipliait sur les murs, les pots de fleurs et les stores des immeubles et qui lui donnait la migraine comme une tumeur de plomb. Ses veines bourdonnaient dans ses tempes en pulsations accélérées et s'il fermait les paupières il perdait aussitôt l'équilibre, sa tête faisait des embardées vertigineuses. Ça doit être l'âge, a-t-il pensé, cinquante-sept ans et la vésicule bousillée ce n'est pas drôle, dès que j'ai fini de dîner je supporte à peine une page de revue et je sombre dans le sommeil. De sorte qu'il a ordonné au chauffeur, en déchiffrant le papier avec l'adresse que le lieutenant-colonel lui avait donnée, de prendre la route de Benfica jusque après l'église, se souvenant de l'époque où il résistait sans peine, pendant ses permissions, à trois ou quatre nuits blanches, gîtant dans une pension de prostituées découverte la veille, vautré sur les canapés du salon avec une bouteille d'anis.

— Et pas de vitesse, pas de radio, pas de conversation, a-t-il ajouté en déboutonnant son blouson et s'épongeant le front avec son mouchoir. (Il voyait les muscles de la mâchoire et de la nuque du chauffeur se contracter et il devinait les conversations avec les copains, autour d'un demi, après le travail.) Cet après-midi j'ai servi de bonniche à un couillon avec un tempérament de belle-mère, demande un peu au serveur de me montrer les crabes. C'est au 678, mon garçon, a ajouté le sergent en soulevant une paupière, prenez par le Jardin zoologique ou par la rue Columbano Bordalo Pinheiro, peu m'importe pourvu que vous me réveilliez quand nous serons arrivés.

Toutefois il n'a pas dormi, liquéfié sur son siège, mourant d'envie de fumer malgré les interdictions du médecin, désirant que le jour soit fini pour pouvoir retourner à son premier étage à São Bento, donner à manger au chat, ôter son uniforme, se libérer des boucles de la prothèse et s'étendre sur son lit, sans tirer les stores, sans se donner la peine de se faire à manger, sans se laver, jusqu'à oublier complètement le lieutenant-colonel, l'Angola et une tranche de son passé qu'il préférait mort et enterré au milieu des dentelles de la mémoire. Ils sont passés devant un centre commercial et un parc de stationnement sous une espèce de viaduc, des tours au crépissage sale, un quartier de HLM avec des jardinets prétentiards et des stucs disgracieux, un bois de peupliers, des constructions vieilles de quarante ou de trente ans qui survivaient péniblement, coincées entre des édifices mornes, et au moment où il s'endormait enfin et où ses propres ronflements le réveillaient avec un sursaut d'angoisse car il croyait approcher le talon d'une mine, le chauffeur a arrêté la voiture, a tourné la clé avec le geste rapide de quelqu'un qui ferme une armoire et a annoncé Nous sommes arrivés, mon sergent, vous avez passé tout le trajet à roupiller. Le militaire a aperçu un long mur surmonté de grappes de glycine et de cascades de fleurs, un moulin ossifié à la queue immobile comme l'aiguille d'une horloge que personne ne remonte et, derrière le mur, une maison demeurée debout à cause d'un caprice insolite de la gravité, à laquelle on accédait par une rampe et une cour, une remise branlante, une grange à moitié démolie, un jardin parsemé de tonnelles, de bassins et de narcisses moribonds, une roseraie bruissante comme les pages des vieux journaux dans les greniers, des bancs lézardés, un pigeonnier sur des pieux cagneux, des poulaillers sans grillage où des poules picoraient parmi les cailloux et un violon qui divaguait dans la villa voisine, titubant cadence après cadence sur une espèce de valse. Le chauffeur était resté à côté de la voiture, mains dans les poches et fesses collées au capot, sa casquette à la main, regardant une cigogne qui planait au-dessus d'un chêne et qui tendait ses pattes vers la courbure du feuillage.

Le sergent, traînant péniblement sa cuisse prolongée par une prothèse qu'il devait presque remorquer dans les allées de gravier, est entré dans une ferme, ou dans ce qui avait été une ferme, par une espèce d'arche et il a aperçu un verger mal entretenu avec des poiriers et des pommiers déplumés par l'abandon, une treille, ce qui ressemblait à une porcherie sans tuiles avec une porte grande ouverte, une maisonnette de deux pièces tout au plus, collée à un mur surmonté de tessons de bouteilles multicolores, illuminés par le soleil moribond de six heures, et une femme, pieds nus, vêtue de noir, la bouche remplie de pinces à linge, qui étendait des caleçons sur une corde.

Le lieutenant-colonel m'a dit que ses parents étaient des gens humbles, a pensé le sergent en observant la femme et cherchant son mouchoir pour éponger la sueur dans son cou, mais je ne crois pas qu'un juge ait pu naître d'une vieille comme celle-ci, aussi mal foutue et malpropre : si j'habitais au pays (et il s'est souvenu de la place du village et des hommes, chapeau sur la nuque, dans l'ombre des tavernes), les gens ne lui diraient même pas bonjour, en la croisant ils détourneraient le visage et ils siffleraient leurs chiens indolents pour leur faire presser le pas. Ça doit être une vagabonde qui a trouvé la ferme vide et qui s'y est installée avec son saint-frusquin déglingué et ses couvertures râpées, une septuagénaire éclopée, avec des lunettes rafistolées avec des bouts de sparadrap, qui nourrit en catimini des poules étiques, sans un gramme de chair, qui survivent dans le poulailler en ruine, une pauvre malheureuse menacée par les figuiers sauvages, courbés par l'ankylose et les rhumatismes, qui galopent en se bousculant, du puits jusqu'ici en secouant leur crinière de feuilles.

— Qu'est-ce que vous voulez? a demandé la femme en serrant la bassine des caleçons contre son cœur (et le sergent a pensé Au moins elle a un homme, un gitan, un Noir qui travaille sur les chantiers, un mendiant qui mendie à la porte des églises, un gueux qui la roue de coups et lui vole ses os de poulet), et en le regardant de loin avec une hostilité de bête. Si vous venez pour la propriété, faudra vous adresser aux cousins du jeune monsieur à Lisbonne, l'un d'eux est ingénieur à la municipalité, j'ai peut-être là-dedans une carte avec son téléphone.

Une douzaine de pigeons tout au plus tournoyait au-dessus du verger en prenant le pouls de la brise, et le soleil, qui avait disparu derrière une rangée d'immeubles, projetait de longues ombres noires sur l'herbe. Bientôt les insectes de la nuit commenceraient à chanter et le ciel se peuplerait d'étoiles minuscules, friables comme du mica, clouées sur une voûte de schiste. Alors les figuiers galoperaient vers la roseraie en hennissant, renversant les socles des anciennes statues de faïence réduites à un pan de tunique et piétinant sans pitié les bancs carrelés de leurs sabots branchus. C'est l'endroit le plus triste du monde en hiver, a pensé le sergent que son moignon tourmentait en rangeant son mouchoir dans sa poche et en rajustant son calot, pendant que les pigeons passaient en le frôlant comme un banc de poissons nerveux. La pluie sur une serre, avec les plantes qui essaient d'atteindre l'eau, ça donne la chair de poule.

— La propriété ne m'intéresse pas, a-t-il dit à la femme qui s'avançait vers lui en balançant sa jupe déguenillée, la paume contre l'oreille pour saisir le sens de ses paroles. Je cherche les parents d'un juge qui habitaient ici, mais visiblement vous ne savez pas qui ils sont.

La vieille s'est approchée davantage : il lui manquait des dents dans les gencives et celles qui lui restaient mordaient presque son menton, sa peau couleur tabac était toute froissée de rides enchevêtrées, on apercevait un bout de sein par l'entrebâillement de sa chemise et elle sentait la fiente d'oiseau et la faim. Avant de se désintéresser du sergent et de retourner à ses caleçons, les cartilages de son cou se sont élevés et abaissés rapidement, comme si elle préparait un hurlement :

— Mon fils est mort.

Le militaire est retourné à l'automobile en trébuchant sur les massifs, le chèque de cinquante mille escudos, que la vieille avait refusé, gonflant son blouson (Je n'ai jamais autant senti l'argent qu'aujourd'hui, a-t-il pensé, je n'aurais jamais imaginé qu'une saloperie d'aumône pèserait aussi lourd), il est retourné vers la voiture avec sa prothèse qui grinçait obstinément, l'obligeant à soulever exagérément la cuisse et à labourer le gravier avec sa semelle (Aujourd'hui sans faute il faudra que j'huile les vis de ce machin, aujourd'hui sans faute il faudra que je vérifie la languette de l'articulation), pendant que les pigeons s'égaillaient dans le verger et se cachaient derrière les pommes joufflues, les figuiers avançaient d'un pas en agitant leurs feuilles, le violon était arrêté sur une note douloureuse, les piquants des cactus cassaient les vitres de la serre et les herbes chantaient comme des harpes sous le poids de la nuit, sous le ventre tiède de la nuit, peuplée de murmures et de grillons.

Il est retourné à l'automobile trahi par l'obscurité du jardin et par le silence lourd de présages de la grange, dans laquelle, à en juger d'après l'odeur, fermentaient de vieux oignons que le temps avait transformés en petites bulles translucides. Il est retourné à l'automobile en trébuchant sur des buis inopinés, des tuyaux enroulés et des dahlias qui gémissaient dans les douleurs de l'enfantement, jusqu'à arriver à la cour goudronnée qui menait à la rue où des plantes grimpantes envoyaient de dansants signes d'adieu sans destinataire, et rencontrer, immédiatement après le portail, les réverbères de la route de Benfica et les balcons des édifices voisins sous les dernières lueurs lilas du couchant. Son moignon le brûlait comme si de la cire à cacheter en avait coulé, les muscles courbatus de ses reins l'obligeaient à pencher le corps en arrière dans une position de brancard de procession et il sentait son cœur battre au bout de ses doigts avec une angoisse sans raison, comme lorsqu'il était enfant, pendant les paniques informes de l'aurore. C'est en descendant la rampe de la cour vers la Mercedes et le chauffeur loquace qu'une espèce de vrille lui a agrippé le bras et qu'il s'est trouvé nez à nez avec un homme immonde, affublé de guenilles ravaudées semblables à celles de la vieille et plus ou moins du même âge qu'elle, qui lui soufflait au visage une haleine avinée :

— J'ai entendu toute votre conversation du verger, je suis au courant des cinquante mille escudos que vous avez apportés parce que mon fils est mort, a-t-il dit avec un petit rire fraternel en se suspendant aux coudes du sergent. Ne faites pas attention au refus de ma femme, soldat, mon ami, et filez-moi l'oseille car j'ai une soif d'eau-de-vie du tonnerre de Dieu.

— Merci beaucoup, Rodrigues, ce sera tout, a dit le Monsieur en raccrochant, il a sorti son porte-cigarettes en écaille et il a regardé d'un air amusé le Juge d'instruction qui lui a rendu son regard avec un sourire contraint. Alors comme ça c'était un message de votre femme, monsieur le juge, alors comme ça c'était un coup de téléphone venant de chez vous? Si vous voulez, je vais vous repasser la voix de votre ami, je viens de l'entendre, elle est tout à fait claire, nous l'avons enregistrée sur bande.

— Le coq blanc a la crête qui tombe et une aile en charpie, a dit la femme du fermier d'un air préoccupé en entrant dans le poulailler, et elle a palpé l'animal, lui a soulevé les ailes, a observé sa queue, a découvert du sang sur le cou et constaté qu'un des ergots était cassé. Il s'est bagarré avec le moucheté là-bas, dirait-on, tu les as mis dans la même cage, Zé?!

La pédicure s'occupait d'une dame exubérante qui lui racontait une histoire avec véhémence, sans s'effrayer des ciseaux ni des pinces. Il devait être cinq heures ou cinq heures et demie car les queues s'allongeaient à l'arrêt d'autobus avec ces orbites sourdes qu'ont les gens après le travail. Les agents qui n'étaient pas de garde troquaient la police judiciaire pour les bistrots avoisinants où des putains majestueuses, installées à des tables en formica, avec l'air royal des abeilles reines, se bourraient de bière pour la traversée de la nuit.

— Ai-je parlé de Clotilde par hasard, ai-je dit que c'est

ma femme qui a téléphoné? s'est défendu le Magistrat en changeant de couleur, l'œil écarquillé de surprise, ses doigts incrédules posés sur sa poitrine. C'était un camarade de fac qui me téléphone de temps en temps, monsieur, entre deux audiences, pourquoi diable Antunes, entouré de flics, m'appellerait-il en pareil instant, vous imaginez un type aux abois en train de perdre son temps à papoter?

— Le moucheté aussi est blessé, il a reçu un coup de bec sur la tête, encore une chance qu'il ait pas perdu la vue, a dit la femme du fermier d'une voix inquiète en ramassant le volatile qu'elle a enveloppé dans son tablier pour examiner les dégâts. Comme il n'y a pas de trou dans le grillage c'est forcément toi qui les as encouragés à se battre, Zé, tu m'as complètement anéanti ma volaille.

— Un camarade qui habite à Coimbra et qui téléphone de Benfica, de la villa de la musique, c'est bizarre, vous ne trouvez pas, monsieur le juge? a demandé le Monsieur d'un ton désinvolte en grattant de l'ongle un défaut sur son porte-cigarettes. D'abord c'était votre femme, ensuite c'est un juge de province, ne vaudrait-il pas mieux vous décider une bonne fois pour toutes?

— Peut-être que l'un d'eux s'est glissé sous le grillage et est allé rejoindre l'autre, c'est arrivé la semaine dernière avec la poulette, tu te souviens? a suggéré le Magistrat à sa mère qui examinait l'orbite déchiquetée et la pelade rosée du coq. Ou alors un morceau de plâtre lui sera tombé sur la tronche, tu es sûre qu'il n'est pas arrivé un accident avec les perchoirs?

La dame exubérante, gesticulant comme un arbre, a posé une cheville sur les genoux de la pédicure qui braquait son spot sur le talon et cherchait la pince idéale sur le plateau. Deux ambulances de Beja ont hululé dans la rue Gomes Freire en direction de l'hôpital Saint-Joseph, suivies d'une troisième dont la sirène lançait des hurlements désespérés, et le Magistrat a pensé Il y a eu un accident du tonnerre de Dieu dans l'Alentejo, une voiture d'émigrants bourrée de valises et de paniers, une Peugeot immatriculée en France, avec des baluchons, des sacs et des bicyclettes d'enfants arrimés avec des cordes sur le toit s'est écrasée contre un chêne-liège au sortir d'un virage, elle a pris feu, et demain au petit déjeuner je lirai la nouvelle à la dernière page du journal. Les fourgonnettes de la Judiciaire, alignées le long de la grille, préparaient des rafles contre les clochards du crépuscule, la tenancière du kiosque à journaux fermait les volets de son édicule aidée par un farceur affublé de favoris.

— Pour autant que mon opinion vous intéresse, je trouve tout à fait naturel que l'Homme vous téléphone pour vous dire adieu, monsieur le juge, c'est ça l'amitié, le Secrétaire d'État, lui-même un grand sentimental, le comprendra parfaitement quand il écoutera la bande, a dit le Monsieur d'un ton rassurant en adressant au Magistrat un clignement d'œil solidaire. La vie est très étrange, elle est d'une extraordinaire complexité, ne soyez pas chagriné que nous vous considérions comme l'un des nôtres, nous vous avons inscrit dans les fichiers du personnel et tout et tout, on ne peut reprocher à personne d'être dérangé par un salopard.

— D'ailleurs je n'aime pas les coqs, j'y suis allergique, s'est justifié le Magistrat, adossé au poulailler et tentant de trouer le grillage avec le talon de son soulier. Pourquoi irais-je pousser des bêtes à se bagarrer?

— Fumer comme les grandes personnes, c'est du propre, c'est du joli, vraiment, on n'a rien inventé de mieux pour la santé, où des gamins de onze ans peuvent-ils bien se procurer de l'argent pour acheter des cigarettes? a demandé le visage du grand-père couvert par l'ondoiement des agapanthes tout en haut. C'est le proviseur du lycée qui vous les offre, après les cours, avec un petit verre de porto, ou bien vous les barbotez dans le tiroir de mon bureau?

— Comme vous avez pu le voir, monsieur, je n'ai pas ouvert la bouche, a affirmé le Magistrat en faisant claquer ses doigts, tant de culot m'a laissé pantois. La seule chose qui m'ennuie c'est que vous pensiez que je l'aide, la seule chose qui m'ennuie c'est qu'on s'imagine à la Brigade que je collabore avec des terroristes.

— Tu as fini de donner des coups de pied dans le grillage? a dit la femme du fermier avec indignation en écartant le Magistrat du poulailler avec une bourrade et brandissant une savate d'un air de menace furieuse. Tu allais casser le fil de fer et prétexter que le moucheté s'était échappé par là et tu t'en serais tiré comme ça.

— Me chiper mon tabac sans me demander la permission, bravo, a dit le grand-père d'un ton louangeur, le nez parmi les corolles et secouant la tête en une lente approbation. Rentre immédiatement à la maison, mon garçon, tu ne perds rien pour attendre, je m'en vais te frotter les oreilles comme il faut, quant à toi, l'avorton, mets-toi debout, tu es devant ton patron.

— Évidemment, évidemment, a dit le Monsieur d'un ton conciliant en soufflant la cendre de sa cravate et brossant son pantalon de la main. Le pauvre Secrétaire d'État qui vous fait confiance et qui a proposé qu'on vous décerne une décoration serait affreusement déçu s'il soupçonnait que vous aidez un criminel, s'il savait, le pauvre, que vous fréquentez des assassins.

Je ferais bien de me tailler le plus vite possible, a pensé le Magistrat devant l'amabilité de l'autre, ne rien dire à personne, ne pas repasser par Miratejo car la maison est sûrement surveillée sous couleur de me protéger, ne pas prendre l'auto car la police connaît le numéro d'immatriculation et me mettrait la main au collet sur la première route où une voiture de patrouille serait embusquée sous les arbustes, ne pas prendre l'avion car ma photo circule de guichet en guichet à l'aéroport, sortir du bureau sous prétexte d'aller pisser et disparaître dans la ville, louer une chambre à Sapadores, acheter un autre genre de vêtements, me laisser pousser la barbe, et si je tiens un mois sans qu'ils frappent à ma porte, sans qu'ils me réveillent au milieu de la nuit, s'installant familièrement sur mon lit, très à l'aise, me montrant leurs pistolets, Nous avons un circuit touristique à te proposer, mon garçon, que dirais-tu d'un petit tour à la Judiciaire? je tenterai de m'embarquer comme mousse à bord d'un cargo pour les Philippines ou pour le Canada, vomissant des conserves et des pêches au sirop dans une couchette au fond de la cale. Me tailler avant qu'ils ne me tuent, a-t-il pensé, car ils attendent sans se presser la meilleure façon, la façon la plus discrète de me faire la peau, comme ils font maintenant avec l'Homme, attendant qu'il quitte la villa du fou pour ne pas scandaliser le voisinage, pour ne pas se faire remarquer et abandonner tranquillement le cadavre à Loures et parler à la radio de règlements de comptes entre groupuscules maoïstes, disant au pays que le gouvernement contrôle la situation et qu'un juge qui recevait des pots-de-vin des Syriens s'est suicidé en prison, disparaître à l'instant même dans Lisbonne, a pensé le Magistrat, dans un lieu évident où ils seront le moins susceptibles de me chercher, un sous-sol au centre, une pension à deux cents mètres de la Judiciaire, le petit appartement à Alvalade que Noémia a hérité de sa marraine, pendant qu'ils fouillent les gares, les frontières, les trains d'émigrants, les quartiers de banlieue, les tentes des Cap-Verdiens, le néon de la nuit qui trafique au coin des rues des tourne-disques et des montres, pendant que je déambulerai dans les rues en liberté, mains dans les poches, une tignasse postiche de cheveux en nylon glissant de ma tête chauve.

— Je n'ai pas touché au grillage, mère, j'enlevais une crotte de ma semelle, c'est un péché? a murmuré le Juge d'instruction en levant les bras pour se protéger de la savate et mesurant du coin de l'œil la distance qui le séparait de la porte du poulailler, avec l'idée de s'enfuir et de se réfugier dans les figuiers de la ferme. Comment peut-on casser du fil de fer avec une chaussure, tu peux me le dire, j'aurais besoin d'une bonne tenaille et même comme ça il me faudrait une bonne demi-heure pour percer un trou qui soit visible.

— Si je te surprends de nouveau avec le jeune maître, tous les deux couchés dans le gazon, gais comme des pinsons, en train de fumer, ce n'est pas une gifle que je te flanquerai, a averti Monsieur le Professeur, flottant sur les agapanthes pendant que le Magistrat, appuyé sur un coude, tâtait sa lèvre avec sa langue, les paupières bouillonnant de larmes. Tu dévoies mon petit-fils, tu l'incites à faire des bêtises, tu l'empêches d'étudier, si je t'attrape encore je t'écorche vif.

— Tavares, a dit le Monsieur au téléphone, quoi de neuf? S'ils sont tous les trois dans la cuisine, continue le siège, les plaintes du lieutenant ne m'intéressent absolument pas, je ne veux pas savoir si le violon du cinglé les énerve, qu'est-ce que c'est que ces militaires merdiques qu'on nous a envoyés? Expliquez-leur de ma part qu'on n'est pas dans un western, que c'est du sérieux, que si quelqu'un fait l'imbécile ou se précipite vers la villa en tirant, je ferai un rapport au ministère de la Défense, il y a des douzaines de casernes dans le Trás-os-Montes pour les délicats qui n'aiment pas la musique.

— Tu mens à ta propre mère, malheureux, tu me manques de respect en débitant des menteries, Zé? a crié la femme du fermier en brandissant sa savate et lâchant le coq qui s'est réfugié dans l'ombre et avançant vers le Juge d'instruction dans un tourbillon furieux. Ne t'échappe pas, gredin, viens ici, quand je montrerai le coq à ton père il te brisera l'échine avec son sarcloir.

— Vous savez très bien que je collabore sans réserves avec vous, vous savez très bien que depuis le début je suis avec la Brigade, que j'ai risqué ma peau, que j'ai mis ma famille en danger, que sans mon aide vous n'auriez jamais attrapé les types, s'est défendu le Magistrat en suant de peur dans sa chemise. Quant au coup de fil d'Antunes, une idée m'a traversé l'esprit, il soupçonne que son téléphone est sur table d'écoute et il m'a appelé ici pour se venger, pour m'empoisonner la vie.

Me cacher dans la ferme de Benfica, comme quand j'étais môme pour échapper à ma mère, a pensé le Magistrat en fixant le Monsieur qui continuait à lui sourire, imperturbable, à travers le brouillard de sa cigarette, m'accroupir entre le mur moussu et les troncs du verger au milieu de l'herbe et des fruits par terre, m'asseoir sur une brique, les genoux sous le menton, et regarder la nuit tomber, et le jour se lever, et la nuit tomber de nouveau, tandis que les gars de la Brigade surgiront sans bruit derrière moi, un pistolet se collera contre mon oreille, un doigt appuiera sur la détente et tout s'évanouira soudain silencieusement dans une obscurité subite et instantanée, comme lorsque les fusibles sautent dans une maison.

— Regarde ce que ton grand-père m'a fait à la bouche, tu vois comme mes gencives sont enflées, s'est lamenté le Magistrat en montrant sa lèvre à l'Homme et en la dépliant avec ses pouces vers le menton. Encore une chance qu'il ne m'ait pas cassé une dent en petits morceaux, ne m'invite plus à fumer avec toi car le vieux me mettra en charpie.

— Deux coqs dans la même cage, vaurien, a grondé le fermier qui ne tenait déjà plus debout en posant sa bouteille sur le buffet et agrippant son fils par le poignet, tu veux mutiler les volailles, tu veux qu'on me mette à la porte à quarante et un ans et que je retourne dans la Beira bouffer des cailloux? Donne-moi le sarcloir, femme, car celui qui jette son père aux chiens ne mérite pas de pitié.

— J'ai un paquet d'américaines, mon vieux, oublie tout ça, des cigarettes à filtre doré, regarde, je les ai barbotées dans la commode de ma grand-mère ce matin, une de ses amies les lui a rapportées d'Espagne, a dit l'Homme d'une voix tentatrice en indiquant sa poche gonflée où apparaissait le bout d'une boîte en carton. Le vieux ne va pas plus loin que le jardin, tout ça c'est du baratin, de la frime, n'aie pas la trouille, si nous grimpons sur le toit de la porcherie même ta mère ne nous découvrira pas, j'ai des pastilles à la menthe pour enlever l'odeur.

— Nous ne pouvons nous permettre de faire du tapage, nous devons à tout prix continuer à avoir l'opinion publique avec nous, un peloton de l'armée ça alarme drôlement les gens, a expliqué le Monsieur au Juge d'instruction en alignant des losanges méditatifs sur son bloc-notes. Si nous ne le chopons pas dans la villa nous l'intercepterons discrètement ailleurs, j'ai truffé les alentours d'agents en civil.

— Ne torture pas le petit, arrête tes interrogatoires, cesse de l'embêter, laisse-le, a ordonné la grand-mère de l'Homme à son mari en disposant des petits flacons d'acétone devant elle sur la table couverte d'un mouchoir étalé. Je n'ai jamais vu une ineptie pareille, un pareil sadisme, grand Dieu.

— Des cigognes sur la grange, monsieur le juge, en quoi des cigognes peuvent-elles m'intéresser? s'est étonné le Monsieur en fronçant le sourcil et en éloignant la bouche du téléphone. Écoutez, Tavares, si tous les deux sortent sans le fou, demandez des renforts à la Brigade, retirez la troupe et contactez par radio l'inspecteur Moreira, qu'il envoie deux voitures les prendre en filature, il se peut qu'ils se réfugient dans un endroit plus commode pour nous, les abattre à Benfica serait beaucoup trop voyant alors qu'à Loures, par exemple, ça sera du gâteau. Finalement à l'heure qu'il est même la maison de repos nous conviendrait, les vieux pépés, eux au moins, ont l'avantage qu'ils se taisent. Et pas la peine de toucher au maboul ni de lui briser son violon, quand le bonhomme n'en pourra plus de faim il ira brouter les buis du jardin.

Et pourquoi pas, a pensé le Magistrat en suivant les mouvements du Monsieur dont les manches s'agitaient éloquemment au téléphone, faire de l'auto-stop pour Nelas au péage de Vila Franca au milieu d'adolescents avec des sacs à dos, d'étrangers en sandales et de recrues dans des uniformes trop grands et voyager pendant douze heures en direction de la Beira Alta, cramponné aux ridelles de la caisse d'une camionnette transportant des chèvres et des brebis qui bêlaient d'épouvante à chaque virage en poussant contre moi la moquette de leurs flancs, pourquoi pas, a-t-il pensé, débarquer dans le bourg, surpris par les constructions nouvelles, les cafés, les établissements, les personnes, cherchant à retrouver les silences, les odeurs et les bruits de l'enfance derrière les silences, les odeurs et les bruits de maintenant, reconnaissant un pignon, une ruelle, une façade, reconnaissant l'aveugle sans lunettes noires qui clignait sans cesse ses paupières fripées en demandant l'aumône à la gare, son béret sur les genoux, muni d'un immense bâton de berger contre les moqueries des garnements et les mauvais tours des romanichels, reconnaissant la treille du curé et la girouette de l'église, le balcon de la grosse dame aux jambes inutiles donnant sur la Serra da Estrela, sur la transparence des matins et la ligne de chemin de fer en contrebas, reconnaissant le bois de pins de Zé Rebelo et le sentier bordé de mûriers menant aux grandes maisons abandonnées, pleines de chauves-souris et de pigeons, reconnaissant le soir du côté des terrains en terrasses du patron âgé, une silhouette brandissant une baguette de noyer et criant aux vignes sans grappes et au citronnier à côté de la pompe Je suis Dom João, empereur de tous les royaumes du monde.

— Laissez-les en paix, Tavares, laissez-les partir, ne vous montrez pas, donnez-leur l'illusion que nous ne savons rien d'eux, qu'ils sont seuls, qu'ils sont à l'abri de la police, laissez-leur reprendre confiance, croire, se réjouir, penser que demain ils dormiront à Vigo, bercés par les vagues de la mer dans l'obscurité, a ordonné le Monsieur en se levant et en s'asseyant sur la chaise, excité, tirant le fil du téléphone presque jusqu'à la fenêtre de la pédicure qui disait au revoir à la dame exubérante à côté du rideau qui séparait les deux pièces. D'après mes calculs, ils se réfugieront très certainement dans le foyer de vieux, mettez une voiture en faction et des agents au coin des rues, coordonnez l'opération avec Moreira, qu'il réquisitionne une ambulance pour transporter les corps car ou je me trompe lourdement ou dans une heure ils seront à nous.

— Des cigarettes américaines, Zé, je n'ai jamais rien vu d'aussi exquis, a chuchoté l'Homme au Juge d'instruction sur le toit de la porcherie, tandis que les gorets reniflaient l'auge, que la chienne poursuivait un chat dans la propriété et que les vitres et les surfaces métalliques scintillaient sur la colline de Brandoa. On en prend cinq chacun et on gardera le reste pour plus tard, mon grand-père est parti à sa société il y a une heure, il n'y a aucun danger, ne sois pas bête, quand tu seras grand tu lui foutras une trempe avec le sarcloir et vous serez quittes.

— Vous regardez une cigogne se poser sur le palmier? a demandé le Monsieur dans le téléphone, incrédule, en détachant les syllabes et faisant un mouvement de vrille avec l'index sur sa tempe. Je m'occupe de terroristes, Tavares, je sauve le pays des bombes et vous, comme un crétin, vous me racontez des histoires de cigognes, si vous voulez, démissionnez, et passez le reste de votre vie à parler d'oiseaux avec monsieur le juge.

Je me cacherai à Nelas, a décidé le Magistrat, peut-être que la phtisique est morte et que personne n'habite la grange en face de notre ancienne maison, ce premier étage au-dessus de l'haleine brûlante des ânes et des vaches, dans la partie du bourg où l'électricité n'avait pas été installée, ou je chercherai la ruine en dehors du village où habite Dom João et dont personne ne connaît l'emplacement, un fragment de chapelle, un angle de synagogue, un manoir dément, avec des pierres armoriées en haut des escaliers, et l'empereur de tous les royaumes du monde ronflant sur un banc, emmitouflé dans des journaux, avec trois petites branches de pommier brûlant sur une dalle.

— Bien sûr que je me fâche, bon sang de bonsoir, bien sûr que je m'irrite, je travaille, moi, pendant que vous faites stupidement des risettes aux petits oiseaux, a crié le Monsieur en menaçant l'appareil de son poing fermé. Si vous ne vous amusez pas avec les cigognes, sonnez-moi dès qu'ils arriveront à la maison de repos et en dix minutes nous serons là, j'amènerai notre Magistrat dans ma voiture pour qu'il assiste au dénouement de la comédie.

— Ça a un goût de parfum, c'est comme si je suçais le tube dégoûtant de désodorisant de ma sœur, je n'ai jamais rien goûté d'aussi mauvais de ma vie, a dit le Juge d'instruction d'une voix outrée en jetant le mégot allumé et marchant à quatre pattes sur le toit vers la ferme. Ne m'invite plus à fumer de l'eau de Cologne avec toi, il m'est sorti tant d'encens par les poumons que je vais m'offrir au curé pour la messe de Pâques.

— Non, c'est lui qui insiste, c'est lui qui veut y aller à toute force, a menti le Monsieur plus calme en tâtant sa chaise et en tirant la langue au Juge. Et informez le lieutenant que j'exige que les soldats quittent Benfica dans une demi-heure, s'ils ont envie de se distraire qu'ils plantent des nids de cigognes sur la caserne car celles-ci, d'ici peu, seront la propriété du fou.

— C'est bizarre, j'ai l'impression que mes cigarettes ont disparu, une marque anglaise, excellente, très chère, que Filomena m'a rapportée en cadeau de Londres, s'est étonnée la grand-mère en écartant les bibelots en porcelaine, les briquets en argent et les coupelles pleines de perles et de bagues sur sa coiffeuse. Dis-moi, António, tu n'aurais pas vu par hasard une petite boîte grenat et blanche qui devrait être entre ta photo et la Colombine en biscuit?

Ou alors je ne fous pas le camp et je ne retourne pas dans

la Beira, j'attends, a pensé le Magistrat, pétrifié d'angoisse, en tentant de répondre à la grimace du Monsieur par un assentiment chaleureux et ne réussissant à produire qu'un rictus de clown dans une pantomime de foire. J'attends en me tenant bien coi entre la Judiciaire et Miratejo, j'instruis mes dossiers d'insultes de marchandes de volaille de la Ribeira et de rossées de prostituées de l'Intendente, je me promène le dimanche en famille d'Alcochete à Barreiro et de Barreiro à Alcochete, ou bien je les conduis à Lisbonne, dans un centre commercial bourré de monde, pour visiter au milieu de la cohue des magasins de jouets et de vêtements, en attendant que la Brigade décide de mon sort, en attendant que le Secrétaire d'État convoque le Monsieur au ministère et déclare Les choses se sont tassées, trois mois ont passé (ou quatre, ou cinq), résolvez-moi le problème du Juge avant dimanche, et en sortant de chez moi un matin, en entrant dans ma voiture, en rangeant ma serviette sur le siège arrière, on tirera sur moi d'une auto ou d'un fourgon et je m'effondrerai sur le volant dans une pluie d'éclats de fer et de petits morceaux de verre, écrasant ma poitrine sur le klaxon qui sonnera sans interruption, lancinant, dans la rue déserte, réveillant en sursaut les voisins et l'ingénieur du rez-de-chaussée qui descendra à la hâte, intrigué, les marches du vestibule.

— Mais c'est vraiment bizarre, je jurerais que j'avais posé mes cigarettes ici, je les ai peut-être mises sans m'en rendre compte dans un de mes sacs, je vieillis, ne fais pas attention, a dit la grand-mère à l'Homme en jetant un dernier coup d'œil derrière le coffret à bracelets et un vase en bronze, ouvrant encore un tiroir à linge et glissant la main sous les soieries. Une petite boîte grenat et blanche, António, de la taille d'un jeu de cartes, si tu tombes dessus, préviens-moi.

— Et elles donnent drôlement mal au cœur, crotte alors, a dit le Magistrat d'un ton geignard en se suspendant au toit de la porcherie et désignant le paquet de son nez froncé. Si tu me refiles encore une fois une lavasse pareille, je te jette au milieu des porcelets et affamés comme ils sont, ils te découperont en rondelles vite fait bien fait. Risquer une rossée de ton vieux pour avoir fumé une cochonnerie pour bonnes femmes, merci beaucoup, j'ai envie de dégobiller sur les framboisiers.

— Pardonnez-moi, monsieur le juge, ne vous offensez pas, cette histoire d'aller avec moi au foyer de vieux était une plaisanterie pour en boucher un coin à Tavares et cet imbécile m'a cru, a dit le Monsieur en replaçant le combiné et écrasant le filtre de sa cigarette dans un cendrier en fer-blanc. Rassurez-vous, j'irai seul, ne vous inquiétez pas, personne n'aime voir mourir un ami d'enfance.

— Tu es un provincial, un plouc, tu ne fais même pas la différence entre du tabac étranger et la paille que le bistrot nous vend, si tu te sauves je ne t'accompagnerai plus à Pedralvas, a dit l'Homme d'un ton menaçant en haut du mur en lançant les cigarettes de sa grand-mère dans les fourrés de la propriété contiguë, une petite ferme déserte, occupée à l'automne par des tentes de scouts et dans laquelle un mulet broutait des restes calcinés d'olivier. Si j'étais toi, je me tiendrais à carreau, car si je n'allonge pas quelques billets à la Borgne, tu pourras toujours te brosser.

— Tous les deux dans le foyer de vieux, Tavares, vous en êtes sûr, les tourtereaux à notre merci parmi les gagas? s'est exclamé le Monsieur d'un ton exultant en s'appliquant une grande claque sur la cuisse et palpant le volume du pistolet sous son veston. Surveillez-moi toutes les portes et toutes les fenêtres, ne les laissez pas s'échapper, je vais mettre la sirène et dans cinq ou sept minutes je suis avec vous. Non, seul, finalement notre cher juge ne peut pas, c'est dommage, ça sera pour une autre fois, il a des interrogatoires urgents qui l'attendent à la police.

— Ce cadeau de Filomena, figure-toi que je ne sais pas où il se trouve, je ne sais pas où je l'ai fourré, il a disparu, a dit la grand-mère d'un ton plaintif à table, sa cuiller à soupe en l'air, à son mari qui se versait du vin en regardant d'un air appréciateur les fesses de la nouvelle bonne. Quand quelqu'un de la société ira à Londres, fais-le-moi savoir, j'inscrirai la marque sur un papier, au *duty free* de l'aéroport cela ne coûte rien.

— Attendez, monsieur, attendez, je vous ai déjà expliqué cent fois que l'Homme n'a jamais été mon ami, les relations entre gosses ne veulent rien dire, a déclaré le Juge d'instruction au Monsieur en boutonnant son veston et mettant précipitamment en ordre son bureau, il avait horreur du goût de parfum des cigarettes de la vieille, il avait horreur de dépendre de l'argent de l'autre pour pouvoir payer les faveurs de la Borgne, il avait horreur de dormir avec ses frères et sœurs dans une chambrette minuscule adossée au mur du singe. Il est évident que je veux aller avec vous, bordel de merde, il est évident que je veux participer à l'embuscade, cet imbécile lui au moins n'embêtera plus personne.

Le chef n'a pas mis cinq minutes, ni sept, ni même dix pour arriver : comme je connais les habitudes de la maison, j'ai eu le temps de faire mettre des silencieux aux revolvers, d'affubler plusieurs agents de chemises à fleurs et de demander qu'on m'apporte du siège des tracts, des fanions et quelques fusils tchèques de l'Organisation avec l'idée de les disposer çà et là dans la maison de repos pour convaincre les journalistes et les jobards de la télévision qui sont fous de joie dès qu'on leur montre du sang et qui ne veulent rien savoir d'autre. Mon adjoint, un couillon qui a le respect de la hiérarchie, a encore eu le temps de se préoccuper Et si le mec arrive et ne nous trouve pas à la porte, et si le mec arrive et nous surprend avec une radio, qui l'empêchera de gueuler ? mais je lui ai dit Ne t'en fais pas, Serrano, le mec n'est pas près d'arriver, de sorte que j'ai organisé bien calmement le siège du foyer, j'ai posté le véhicule avec les tables d'écoute à un coin de rue avec moins d'interférences, j'ai éparpillé les renforts dans les cafés du voisinage, et la nuit était complètement tombée, il n'y avait presque plus de circulation dans la rue et les fenêtres de la salle à manger des vieux pépés s'étaient allumées depuis des siècles sur les pipettes de belladone dont les malheureux se nourrissent, quand le chef a garé son auto à vingt mètres de moi et en est sorti en pestant comme d'habitude contre les embouteillages et les sens uniques qui changent tous les jours dans le seul but de rendre les citoyens fous, suivi d'un petit type maigre dans un complet élimé qui avançait vers nous avec cet air honteux qu'ont les intrus.

— Finalement le juge qui aime un peu d'action de temps en temps au lieu de signer des papiers dans un bureau a décidé de m'accompagner pour s'informer de nos méthodes, on est tous friand d'aventures policières, pas vrai? a dit le chef qui continuait à être furieux contre le maire qui l'avait obligé à attendre une demi-heure devant un feu rouge en panne. Vous avez distribué des silencieux aux gars, Tavares, vous leur avez expliqué que je veux que tout se fasse en douceur?

Il n'y avait pas seulement la nuit : il y avait la nuit, la nouvelle lune et la pluie, une petite pluie inattendue, une fermentation de gouttes, un voile de bruine qui gainait les réverbères d'une lumière différente. Le néon orphelin pleurait sur le trottoir de grosses larmes vertes, Serrano a remonté le col de sa vareuse et j'ai pensé Ça y est, je suis foutu, avec cette humidité je vais me retrouver demain avec une de ces sinusites, et ma bourgeoise qui adore se faire du mauvais sang me tannera pour que j'aille voir le médecin et pour que je respire de l'eau salée comme si j'étais un poisson, me prodiguant des baisers sur le front et m'appelant mon pauvre petit chou, moi qui déteste les baisers et les diminutifs et qui préfère la prendre par-derrière dans les ténèbres du lit, retroussant les volants de sa chemise de nuit et me colletant avec ses fesses énormes, vidées par les grossesses, pour faire l'amour à la va-vite comme un dindon. Les hommes ne valent peut-être pas grand-chose mais si les femmes n'existaient qu'à partir de onze heures du soir, couchées bien peinardement au lit et en train de dormir, sans nous casser les pieds avec leur sollicitude, leur tendresse, leurs exagérations et leur rouge à lèvres, je vous jure que la vie serait plus facile.

— Comme vous pouvez le constater, monsieur le juge, notre profession est ingrate, rien que cet hiver j'ai attrapé deux pneumonies doubles pour avoir travaillé dans le froid, s'est vanté le chef qui n'avait même pas eu une angine, qui n'est jamais enrhumé et qui ne nous visite que tiré à quatre épingles, sans risquer d'attraper un pruneau dans la chaleur d'une embuscade et dont tout le plaisir est de donner des interviews à la radio. Et il y a des gens assez malintentionnés pour insinuer que nous gagnons des masses d'argent, que nous nous tournons les pouces et que nous recevons des pots-de-vin des malfrats, vous vous rendez compte. Vous avez apporté des tracts et des fanions de l'Organisation, une presse à main et des baïonnettes pour les montrer aux reporters?

— Un peu d'héroïne ne ferait pas mal dans le tableau, a suggéré le Juge d'instruction qui souffrait peut-être de sinusite comme moi et qui cherchait un portail où s'abriter de la pluie. Terrorisme et héroïne vont bien ensemble, nous devons les peindre le plus en noir possible, quelques petits sachets que la télévision pourrait filmer feraient un tabac terrible.

— On demande un peu de poudre à la Judiciaire et à peine l'opération terminée on la planque dans la cuisine de la maison de repos et on l'exhibe aux correspondants étrangers en même temps que les cadavres, a renchéri avec enthousiasme Serrano qui souhaitait se faire remarquer et tournicotait autour de nous malgré la pluie avec des petits bonds joyeux de toutou de cirque. Si vous voulez, chef, je téléphone au piquet rue Gomes Freire, mon beau-frère est de garde, nous aurons les sachets en un rien de temps.

Le Juge d'instruction nous contemplait du vestibule d'un édifice à côté d'une bijouterie tout en essuyant la pluie de ses lunettes avec un mouchoir, le chef a regardé Serrano d'un air indécis en se frottant une narine et je me suis dit, furieux contre les remarques de mon adjoint, Si je ne prends pas garde, cet imbécile aura une promotion avant moi, si je ne fais pas gaffe il sera nommé sous-inspecteur avec un bureau moquetté et un balcon donnant sur l'entrée principale et le mardi je devrai aller au rapport chez lui, obéir à ses ordres, rire à ses blagues, respectueux et vexé.

— Je me suis déjà occupé de ça, ai-je menti au chef. (Comme si ma femme ne suffisait pas, et l'humidité, et la sinusite, il faut encore que ce fayot vienne me casser les couilles. Ma chance c'est qu'il croit que les mecs avec de l'expérience sont dans la lune.)

— Sept ou huit kilos de drogue ne seraient pas une mauvaise idée, a dit le chef d'un ton approbateur en observant les fenêtres du foyer de vieux, les rideaux tirés, les silhouettes immobiles derrière les vitres, les agents aux poches gonflées de grenades fumigènes qui se glissaient un à un dans l'escalier de l'immeuble. Gardez-les dans le véhicule d'appui, Tavares, après la fusillade nous en décorerons l'étage. Vous avez recommandé aux hommes de ne pas tirer sur les pensionnaires? Les journalistes verront d'un bon œil que nous abattions les communistes sans toucher les petits vieux.

— De toute façon, a dit le Juge d'instruction depuis son vestibule avec une petite voix qui m'a fait dresser l'oreille, ce seront eux qui tireront, n'est-ce pas?

La pluie a augmenté d'intensité et le tonnerre a commencé à gronder du côté du parc Édouard-VII, des éclairs dénudaient les arbres et sculptaient les coins de rues, les toits et les ombres phosphorescentes dans une clarté minérale. Le chef s'est recroquevillé dans son veston boutonné et s'est dépêché d'aller s'abriter sous un auvent de café, Serrano, les cheveux collés au front, lui a aussitôt emboîté le pas avec sa petite démarche de chien, et moi, tout frissonnant, avec la chair de poule, me faisant du mouron pour ma gorge et pour ma sinusite, je me suis dirigé vers le véhicule d'appui, garé beaucoup plus loin qu'il n'aurait fallu, pour parlementer par radio, en criant à tue-tête, avec le chef de brigade de service à la Judiciaire, jusqu'à obtenir, après des heures de roucoulades, de serments, de menaces et de promesses de collaboration future quelques misérables petits paquets de haschisch auxquels ce radin a promis d'adjoindre quelques sachets de craie et de poudre de talc confisqués la veille sur le quai de Sodré à un peloton de marins finlandais à qui la bière avait fait fondre leur timidité et qu'elle avait incités à casser des bouteilles dans un troquet d'Angolais. Tandis que le policier, qui semblait aimer s'écouter parler, débitait ses salades, j'ai éternué une ou deux fois et j'ai pensé à ma bourgeoise faisant bouillir avec volupté des thés au citron et au miel qui transformaient ma langue en brandon douloureux, mue par cette pulsion inexplicable qui pousse les femmes à nous martyriser avec du mercurochrome, des badigeons, de l'acide borique, des thermomètres et des suppositoires, avec la certitude de nous sauver de la mort par leurs tourments absurdes. La spécialité de la mienne, par exemple, c'est de me coller des pansements rapides sur les zones poilues et de s'étonner de mes hurlements de douleur quand elle arrache le sparadrap. Je pense que c'est quelque chose qui naît en elles comme la cellulite, la manie des achats et la moustache, passé quarante ans : ma fille, qui vient d'avoir seize ans, me tient pour un douillet achevé parce que j'ai osé prétendre que l'aspirine rendait la bouche un peu acide. Et j'ai toujours été frappé par le fait qu'elles considèrent une visite chez le dentiste, ces mongo-loïdes qui vous démolissent les gencives avec une joie perverse, comme un événement normal, alors qu'elles sortent du cinéma en larmes, retirant des mouchoirs en papier de leur sac, bouleversées par des drames indiens qui n'émeuvent personne.

L'homme de la Judiciaire, un méfiant qui a allumé une allumette pour examiner ma carte de la Brigade, est enfin apparu, sans escorte, dans une Austin minuscule, avec une valise remplie de sachets en papier brun et un reçu que j'ai dû signer en prenant livraison de la drogue des Nordiques au moment où le tonnerre se dirigeait vers nous, secouant les immeubles et faisant surgir des ténèbres une pompe à essence éteinte, des détails inattendus dans la pierre de taille, le buste d'un poète dans un rectangle de marguerites municipales et la silhouette du Juge d'instruction dans un vestibule de marmorite, tout droit dans son petit costume râpé.

— Il ne travaille pas rue Gomes Freire, par hasard, celui-là ? a demandé avec curiosité l'homme de la Judi-ciaire qui avait laissé allumés les phares de sa voiture et que la pluie n'incommodait pas pendant qu'il vérifiait la signature sur la quittance à l'aide d'une deuxième allu-mette. Le directeur dit qu'après-demain au plus tard il reveut sans faute toute l'héroïne dans l'entrepôt.

— Tavares, m'a crié le chef de son abri sous l'auvent du café, qu'est-ce que vous êtes en train de manigancer dans la voiture ? Allons-y avant que les tourtereaux ne s'envo-lent, Serrano vient de voir la gérante des gagas épier par la fenêtre.

— Je réceptionnais le matériel envoyé par la Judiciaire, je pesais le haschisch sur la balance, ai-je dit en guise d'excuse en faisant signe au méticuleux de l'Austin de disparaître de ma vue dans son petit jouet. Tout est prêt, tout est OK, huit tireurs d'élite sur le palier, le pâté de maisons cerné, les hommes de réserve dans cette pâtisserie là-bas, dès que vous donnerez le feu vert, chef, on avance.

Les éclairs avaient jeté l'ancre au-dessus de nous dans une mer de nuages bruns qui volaient en éclats contre les lucarnes des constructions voisines. Le fournisseur de drogue ne parvenait pas à faire démarrer sa voiture dont le moteur tressautait et trépidait au bord de la crise de nerfs et j'ai ordonné au policier de se mettre en seconde et j'ai conseillé à deux agents de pousser un peu l'Austin jusqu'à la place là-bas au fond : ce qui est sûr c'est qu'ils se sont volatilisés tous les trois au coin d'une rue, la Mini rétive avec le collectionneur de reçus au volant et les deux soldats courant tout déséquilibrés derrière le pare-chocs, la main droite tendue paume ouverte vers les feux arrière, et maintenant, une semaine plus tard, ma sinusite guérie et moi-même définitivement transformé en phoque par les inhalations d'eau salée et le régime de poisson de ma bourgeoise, je les imagine, pas rasés, en train de galoper dans les innombrables quartiers de la ville, l'un se trompant dans l'embrayage et les vitesses et les autres, tendons de la nuque saillant, peinant derrière l'Austin sur la côte de Santa Catarina, auréolés de pigeons, beuglant Appuyez sur la pédale, c'est facile maintenant, appuyez sur la pédale, c'est facile maintenant, d'une voix mourante. Et si j'imagine cela, c'est parce qu'on ne les a plus jamais revus à la Brigade, pas même le vingt-trois du mois pour venir chercher leur salaire, leurs familles nous téléphonent tous les jours ou bien elles débarquent à la Brigade d'un air angoissé pour nous demander où ils sont, si nous les avons envoyés en mission secrète en Équateur ou au Liberia, et je me borne à leur conseiller d'acheter un plan de la ville et de chercher une Austin naine avec un méticuleux au volant sur les chaussées de Lisbonne car ils trouveront leur mari (ou leur fils, ou leur beau-frère, ou leur gendre) cramponné à la voiture en train d'ahaner, Appuyez sur la pédale, maintenant c'est facile, sur la rampe d'Ajuda ou dans une ruelle de l'Alfama, les cheveux jusqu'aux épaules, les ongles démesurément longs, leur pantalon en lambeaux leur glissant des hanches. Au fond, à vrai dire, je prie que personne ne les retrouve car j'ai signé le reçu pour la drogue, l'héroïne est chez moi et j'en vends çà et là quelques grammes à des potes à moi qui les refourguent ensuite à des garçons entreprenants de Casal Ventoso doués pour le commerce et aux élèves d'un internat tenu par des religieuses.

— Laisse là le haschisch, tu n'imagines tout de même pas que je vais me farcir ce déluge toute la nuit, a aboyé le chef en tendant le bras à l'extérieur de l'auvent pour mesurer l'intensité de la pluie. Dans cinq minutes on entre dans la maison de repos et on balaie tout ça à coups de mitraille, n'est-ce pas votre avis, monsieur le juge?

— C'est la seule solution, a renchéri Serrano, qui faisait la navette entre l'auvent et ses collègues à la radio pour afficher son zèle, en sortant son pistolet de sa ceinture. On donne l'attaque dans une minute, il n'y a aucun problème technique, et si vous m'y autorisez, chef, j'aimerais précéder les tireurs.

— Vous pensez vraiment qu'il est nécessaire de tirer, qu'il ne suffit pas de leur mettre la main au collet? a demandé le Juge d'instruction en sortant de son vestibule dans la tempête qui s'éloignait vers le Tage en illuminant les pâtés de maisons de la Baixa, les grues des docks et l'arc de la rue Augusta qui menait vers la place, tandis que les pigeons de la place Camoens, effrayés par le tonnerre, se cachaient dans la barbe de bronze des statues. Bientôt les mâts des chalutiers et les mille ombres des quais surgiront des ténèbres à chaque éclair, avec leurs mendiants trempés comme des anges malades à côté des conteneurs des cargos. On les arrête, on les interroge, on les noircit dans les dossiers, on les fait comparaître devant le tribunal et avec le cirque des témoins les journaux oublieront pendant quelques mois les hauts cris de l'opposition.

— Et si votre ami décide d'ouvrir sa gueule, et si votre ami se met à parler de nos promesses et des garanties que nous lui avons données, par exemple? a dit le chef en examinant les nuages, la paume toujours tournée vers le ciel et comptant à haute voix les gouttes qui tombaient sur ses doigts. Cela me navre infiniment, monsieur le juge, mais je vous offre ici Tavares qui pourra faire office de copain pour les cigognes si vous ne vous dénichez pas un autre compagnon pour vos petits jeux avec les oiseaux.

— Vous pourrez même collectionner les bestioles dans le débarras de la Brigade, parmi les fusils et les coupe-coupe, a dit Serrano en se portant candidat pour les balayer dans le dos d'une bonne rafale de mitraillette dès que nous serons entrés dans le foyer des vieux pépés. Pour les tourterelles c'est idéal, monsieur le juge, l'épicier en face vend du maïs de première qualité.

Mais ce n'était pas seulement les grues, les chalutiers et les conteneurs au bord du fleuve qui surgissaient de l'obscurité avec les éclairs : c'était les sifflements de la boue sur la berge, les maisonnettes éparses que la marée haute emporterait, les mouettes insomniaques et les barques de pêcheurs de crustacés, couchées sur le flanc sur la rampe cimentée menant au Tage. C'était les lampes des restaurants de Cacilhas qui dansaient sur l'épiderme des vagues, les fanaux des canots, le crissement de coquillage du pont et un paquebot qu'un remorqueur conduisait par la main jusqu'à la barre. Si ma bourgeoise était avec moi au lieu de rester à Belas à somnoler sur le canapé, elle passerait probablement des heures d'affilée, son chapelet à la main, à s'extasier sur la vue, tout comme elle se pâmait devant les images de spaghettis dans ses livres de cuisine et devant les concours de reines de beauté, demeurant bouche bée devant des jeunes filles qui avaient trente kilos de moins qu'elle. Quelquefois, je ne sais pourquoi, j'ai envie de les gifler de toutes mes forces, elle et ma fille, par-dessus la soupière. Je ne le ferai peut-être jamais mais je ne perds pas l'espoir de trouver un prétexte quelconque pour frapper leur popotin énorme à toutes les deux avec le tue-mouches en plastique.

Au bout des fameuses cinq minutes, quand les éclairs ont abandonné le fleuve et atteint les lagunes nauséa-bondes d'Alcochete, et qu'il a cessé de pleuvoir à Lisbonne où les arbres ont continué à pleurer d'anciennes peines pendant des millénaires, nous nous sommes dirigés vers l'immeuble de la maison de repos avec Serrano qui braquait son arme sur les rideaux au crochet de la salle à manger et tandis que nous gravissions l'escalier nous croisions des gardes en armes, cartouchière à la ceinture, à genoux sur les paliers, que le Juge d'instruction, qui insistait sur son idée de prison, contemplait d'un œil sidéré et paniqué en étudiant leur posture guerrière avec un malaise grandissant. Le chef, qui se prend pour un spécialiste de la guérilla urbaine et qui était pris de velléités et de fantaisies tactiques, avait fait surveiller l'entrée principale et l'entrée de service, et comme toutes deux se trouvaient côte à côte, séparées par la poubelle à gauche de l'ascenseur, il y avait une grappe de soldats qui se bousculaient sur le paillasson et qui encombraient le palier avec leurs tromblons d'un modèle antique et leur relent de caserne, tandis que le fourrier chargé des communications radio susurrait des messages chiffrés à genoux devant un téléphone qui crachouillait des ronflements, des spasmes, des sifflements, des étincelles électriques et des attaques convulsives de bronchite. Les voisins, en chemise de nuit, se penchaient par-dessus la rampe pour zieuter les armes, les enfants demandaient aux troufions de leur prêter un mortier, une robe de chambre a déclaré solennellement qu'elle avait été lieutenant de cavalerie aux Indes, un monsieur que les bazookas intriguaient m'a agrippé le bras en me demandant où se trouvait le metteur en scène du film, la voisine de l'étage du bas criait J'aimerais bien savoir qui va nettoyer tout ça, un gamin nous aspergeait avec son pistolet de carnaval pendant que son père l'admonestait Sois sage, Nelinho, tu empêches les acteurs de jouer, un homme avec de la suite dans les idées poussait un fauteuil roulant dans lequel était assise une invalide enveloppée d'un châle Pardon, faites de la place, pardon, ma mère voudrait voir le spectacle, la bonne femme de l'étage du bas, munie à présent d'un balai et d'un mari timide qui s'excusait d'un haussement de sourcils et qui répétait Pense à ta tension, Adelina, n'oublie pas que le docteur t'a interdit de t'énerver, menaçait Si vous ne m'expliquez pas qui lavera les marches, je vais téléphoner

411

au commissariat pour me plaindre, je m'en moque, moi, que ça soit du cinéma, je m'en contrefiche que ça soit des acteurs, je ne supporte pas ces charivaris qui vous décollent le plâtre des plafonds, Si vous me dénichez un uniforme et un casque je vous commande un peloton à l'œil, a offert le lieutenant des Indes, il vous suffira juste de m'indiquer la cible et d'attendre un petit instant que je prévienne ma famille et on attaque. Et celle-là, monsieur le juge, a dit le chef, inquiet, au Juge d'instruction que le fauteuil de l'invalide avait bousculé et qui sautait à cloche-pied en se tenant le soulier et en secouant son poignet libre comme si ses doigts le brûlaient, nous descendons aussi ces ploucs ou quoi? Enfoncez-moi la porte, Serrano, ai-je ordonné, avant que le commissariat de la Praça da Alegria ne nous tombe sur le poil en force et n'exige les papiers de tout un chacun, vous imaginez ce qu'on dirait à ces types sans compromettre la Brigade? Le fourrier à la radio sanglotait dans son appareil, Allô, Rómio Alfa Delta, allô Rómio Alfa Delta, ici hôtel Charlie Golf, ici hôtel Charlie Golf, je demande des renforts, stop, je demande des renforts, stop, j'écoute, over,

si bien que plus de deux cents militaires dans des chars blindés, armés de missiles et de canons comme pour une attaque nucléaire, traversaient Lisbonne sous la pluie, dans un bruit insupportable de chenilles, le néon des vitrines s'étendait sur le macadam mouillé, Serrano a reculé d'un pas, chassant les badauds, il a lancé son épaule contre la serrure et il a glapi Aïe, Jésus, je me suis cassé un os, et il est tombé assis par terre en se tâtant la clavicule sous les applaudissements de l'invalide aux anges, les spectateurs penchés sur la rampe riaient de ce qu'ils supposaient être un intermède comique dans le film et le Juge d'instruction insultait le fils de la malade, l'accusant de lui avoir écrabouillé le pied, si bien que j'ai fini par beugler en braquant ma mire autour de moi Éloignez-vous, quelqu'un a pris un enfant dans ses bras C'est pour rire, Bruno Miguel, n'aie pas peur, c'est comme les bandits dans les films. Mais je ne vois pas le cameraman, a dit une voix intriguée, où donc se cache le cameraman, bon sang? j'ai appuyé sur la détente, le canon a fait plop et j'ai fracassé la poignée, des éclats de porcelaine et de bois ont volé dans tous les sens, Quel réalisme, s'est exclamé le lieutenant des Indes d'une voix tout excitée, on dirait que la porte est vraiment fendue, sacrebleu, avec ces techniques modernes on réalise des choses étonnantes, la bonne femme de l'étage du bas qui avait gravi quelques marches étreignait avec indignation le cou de son mari, Et ne touche à rien surtout, Arsénio, ne frappe surtout personne, je devais être folle le jour où j'ai épousé un mollasson pareil, le chef a tourné ce qui restait de la porte en donnant un petit coup de pied aux gonds, tandis que le fils de l'invalide criait en poussant le fauteuil dans le vestibule, Ma mère a le droit de voir, bon Dieu, dans ce pays on ne respecte pas les malades, et nous sommes entrés pêle-mêle derrière l'invalide, le chef, le Juge d'instruction, moi, une trentaine de soldats au bas mot, le lieutenant des Indes qui n'avait renoncé ni au casque ni à ses desseins belliqueux, le mari de la voisine indignée et les habitants de l'immeuble qui traînaient gaiement leurs pantoufles derrière nous, convaincus de faire de la figuration dans le film, vers un salon désert avec un petit divan et un lampadaire dans un coin, du salon nous sommes passés dans un corridor où un vieux affreusement jaune avec des joues hâves gisait sur une civière dans un remugle d'urine putride, et du corridor à une espèce de réfectoire avec des tables couvertes de nappes en toile cirée et un appareil de télévision flanqué de deux images pieuses en haut de la console sur laquelle un oiseau poursuivi par un coyote à la paupière rusée courait en coassant des bip bip sur des chemins déserts.

— Attention aux balcons et tirez sans jacasser sur le premier objet qui bouge, a ordonné le chef en sortant une grenade de sa poche. Pendant que ces imbéciles pensent que c'est du cinéma, nous liquidons les terroristes, nous nous esbignons et finie la comédie.

Mais nous n'avons rencontré que des vieux pépés, des nonagénaires moribonds, installés aux tables couvertes de toile cirée, sans défense, efflanqués, chauves, avec des os spongieux et des mains comme des pattes de moineaux, marchant tout doucement, appuyés sur des cannes, vers des lits défaits, des bidets baroques, des robinets qui ne fonctionnaient pas, des WC bouchés et des puzzles auxquels il manquait des pièces, ou couchés sur des matelas décousus, sur des planches disjointes, avec un crucifix accroché à coups de marteau sur le mur et tenant au plâtre par un crochet en forme de hameçon, des gagas émiettant des croûtons avec leurs gencives ou jouant aux dames tout seuls, déconcertés par leur absence de mémoire, des dizaines de vieux, des centaines de vieux, des milliers de vieux que le manque de dents et les écailles de l'âge faisaient se ressembler les uns aux autres, pareillement fragiles, pareillement muets, pareillement laids, et cela pendant que le chef, grenade au poing, flanqué du Juge d'instruction, fouillait une pièce après l'autre, suivi de la malade aux petits yeux vifs dans son fauteuil, de Serrano qui se remettait de sa fracture en se massant la clavicule avec la main qui tenait le revolver et du lieutenant des Indes qui disait sur un ton de confidence nostalgique Ici les moussons me manquent, la mer de Goa, les dieux secrets de la forêt et cette fille aux cheveux de jais qui ne parlait jamais et qui me faisait des soupes à la tortue dans une cabane en torchis, le vent me manque, les geckos, les serpents et les tombes des marins qui ont découvert le Japon, dévorées par les lianes, les herbes et le silence de la nuit, dévorées par le salpêtre des vagues et les cris des crabes sur la grève à la recherche d'œufs de grenouilles dans les rochers, j'ai là-haut un coffret en camphrier et une photo de la petite que je vous montrerai dès que les prises de vue seront terminées.

Nous avons fouillé une chambre après l'autre à la recherche de l'Homme sans cesser de trébucher sur des vieux, de repousser des vieux, de flairer des vieux, d'écouter des gémissements de vieux, sans cesser d'être incommodés par des vieux, de renverser des bassins hygiéniques de vieux, des plateaux avec des repas pour les vieux, des tasses de café au lait pour les vieux, les tiges des béquilles des vieux, les vestes, les gabardines et les cache-nez des vieux suspendus à des portemanteaux vermoulus, des vieux qui se multipliaient en claudiquant devant nous ou qui nous attendaient, assis dans l'embrasure d'une fenêtre avec une immobilité effrayante, des vieux qui nous adressaient des discours en bavant des paroles sans queue ni tête, des dents postiches et des miettes de biscuit, des vieux qui nous fuyaient en trottinant d'un air alarmé, une page de revue déchirée à la main ou un petit sachet de bonbons se balançant à leurs doigts,

des vieux et des voisins qui tapotaient leurs cheveux pour avoir l'air plus élégants dans le film, des vieux et la voix sans repos de la voisine du bas qui braillait inlassablement des profondeurs de l'escalier J'ai téléphoné à la police pour déposer une plainte contre vous, bande de galvaudeux, c'est certainement pas bibi qui lavera par terre,

chambre après chambre sur la piste des poseurs de bombes et ne tombant que sur des oreillers étripés, des objets sans valeur de galions naufragés, des commodes à la dérive, des paniers de linge sale, des assiettes pleines de cartilages et d'arêtes, des coussins oubliés, des bottes sans lacets rongées par le temps comme celles des noyés sur les plages, jusqu'au moment où le chef a ouvert pour s'amuser une dernière porte en me disant Si par hasard nous les semons de nouveau, vous pouvez appeler un prêtre et recommander votre âme à Dieu, Tavares, et j'ai répondu Sauf s'ils ont réussi à s'évaporer, monsieur, car j'ai mis des hommes en armes jusque dans les gouttières et les bouches d'incendie,

ouvrir pour s'amuser une dernière porte en jurant comme un possédé Ils se sont échappés et je vous jure sur la tête de mon fils que vous êtes un homme mort, Tavares, que je sois damné si vous ne passez pas le restant de votre vie dans un fauteuil à roulettes,

il a ouvert une ultime porte, il est entré dans une espèce de bureau avec un secrétaire, des fichiers, un vase avec des fleurs artificielles sur une petite table, une bouteille de porto et des verres poussiéreux sur un plateau plaqué argent et une étagère de romans roses avec des couples tirés à quatre épingles s'embrassant sur la couverture, et son visage a changé, il a souri, il a murmuré Ah, ah, le Juge d'instruction s'est arrêté net, pris d'angoisse, le lieutenant des Indes a demandé sans que quiconque l'écoute qu'on lui prête une arme, faisant valoir son expérience asiatique, une femme que je connaissais des photos de la Brigade a levé les bras en surgissant de derrière un fauteuil et Serrano lui a vidé son chargeur plop plop plop plop plop plop plop dans la poitrine, pendant que les locataires s'interrogeaient, curieux, Comment font-ils pour que ça ait l'air de sang, comment font-ils pour que ça paraisse authentique? Ce n'est pas du cinéma, ce n'est pas pour rire, a crié le Juge d'instruction aux pyjamas qui applaudissaient, ces couillons tuent des gens pour de vrai, et quand le communiste qui sortait d'un rideau s'est effondré les yeux ouverts sur les verres, tout l'immeuble a explosé d'admiration, le lieutenant des Indes a complimenté le chef pour la mise en scène parfaite, le Magistrat s'est penché vers l'Homme en lui soutenant la tête et l'appelant Antunes, les copropriétaires en délire ont applaudi encore plus fort, enthousiasmés par le jeu des artistes, de sorte que je me suis tourné vers le technicien du son qui n'était pas là et vers l'opérateur invisible et j'ai dit Coupez. La malade dans le fauteuil roulant demandait à son fils de l'approcher des cadavres, un fan a demandé à un soldat dans quelle salle le lancement du film aurait lieu, follement amusés les enfants ramassaient des douilles sur la moquette.

— Ne me félicitez pas, ça a été un sacré boulot, vous n'avez pas idée, a dit modestement le chef au lieutenant des Indes en rengainant son pistolet. Vous n'avez pas idée du nombre de fois que nous avons répété cette scène.

Le Juge d'instruction avait rêvé des ormes de son enfance à Nelas, presque au bout du village, et des pins dont les branches se lamentaient comme des mouettes du côté de Canas. Maintenant, à mesure qu'il s'éveillait et que les meubles de la chambre se confondaient avec les visages et les odeurs du passé, à mesure qu'il prenait conscience de la sonnerie du réveil japonais et du corps sans surprise de la femme à sa gauche, répété des centaines de fois en autant d'autres matins, je voyais l'ombre des arbres grandir sur la moquette et estomper les oiseaux d'Urgeiriça et mes vête-ments sur la chaise, les feuilles cacher les photos sur la commode et un vent automnal, mystérieux et gris, décoiffer mes cheveux anxieux, et je pensais en cherchant mes pantoufles avec les crabes qu'étaient mes pieds aux petites chouettes qui tournoyaient autour des fenêtres de la maison et qui s'accrochaient en poussant leur cri aux plantes grimpantes du toit, lacérant leurs vrilles de leurs griffes. Je pensais Je vais retourner très vite là-bas, m'asseoir entre ma mère et ma grand-mère et écouter le murmure des défunts dans les soupirs des armoires, et ce n'est qu'en se brossant les dents qu'il s'est rendu compte qu'il n'était pas à Nelas mais à Miratejo (malgré le halètement des ormes derrière ses épaules), et qu'il avait vieilli de quarante-sept ans, de tribunal en tribunal, toujours avec les sanglots des oiseaux à l'esprit et ma mère et ma grand-mère, les yeux ronds et les doigts sur un ouvrage au crochet inachevé, se décomposant lentement dans leur robe de défuntes. Le bourg s'oxydait lui

417

aussi, là-bas très loin, avec son école, sa fontaine et son église qui tournoyaient, insignifiantes, dans la pluie automnale, pendant que l'eau de la douche glissait le long de ses flancs et qu'il sentait dans l'odeur de la savonnette l'odeur de granit de la Beira, les écailles de la rivière entre les rochers et les éclats de rire de son parrain dans le café de Viseu, alignant les verres d'eau-de-vie sur la table où il jouait aux dominos avec ses partenaires qui déplaçaient les double-six avec des mains noueuses comme des racines de vigne. En fermant le robinet les éclats de rire ont disparu, mais la main de son parrain pesait sur son cou pendant qu'il s'enveloppait dans la serviette et qu'il apercevait au-dessus du lavabo la maison du curé et le vol des milans dans le ciel pur, très haut au-dessus des champs, si bien qu'il s'est fait la barbe avec le rire du vieillard qui se promenait avec lui dans les rues du centre, saluant des greffiers inconnus, recevant des révérences discrètes des propriétaires de magasin, apercevant des pupilles de femme dans des profondeurs escarpées. Il a lavé le rasoir, l'a séché, l'a rangé dans son étui, l'a placé avec le blaireau sur l'étagère des désodorisants et de retour dans sa chambre il a levé le store pour affronter Miratejo et son âge d'aujourd'hui où le Nord se réduisait à une semaine en août, à se griller au soleil à l'entrée de la papeterie avec le journal de la veille, qui venait tout juste d'arriver, à la main. La femme a protesté entre deux rêves, elle a pédalé dans les draps, elle a toussé, elle s'est assise sur le matelas en observant la chambre avec des yeux qui flottaient d'un objet à l'autre avec une apathie comateuse, indifférente à moi qui boutonnais ma chemise, agrafais la ceinture de mon pantalon, nouais ma cravate de travers, recommençais, la nouais de nouveau de travers, recommençais encore, indifférente aux pins de Nelas qu'on devinait encore dans les ondulations du miroir et, à huit heures et demie, d'après le cadran rond au-dessus du réfrigérateur, elle a réchauffé le café du dîner de la veille à la cuisine, examinant par les vitres du balcon couvert la pâleur plâtreuse du matin, la voisine simple d'esprit, toujours en train de peigner sa tresse avec un va-et-vient de quenouille au troisième étage habituel, il s'est dirigé vers son bureau pour ranger les dossiers sur lesquels il travaillait dans la serviette qui l'avait accompagné à Loulé,

à Boa Hora, au tribunal civil, de cabinet en cabinet,
d'audience en audience, et qu'il avait l'habitude
d'abandonner par terre, à côté de sa chaise, avec ses papiers,
ses fiches et sa bouteille thermos, surtout dans l'Algarve en
été devant la mer, dans un réduit quelconque dans une ruelle
quelconque, pleine de plaques de dentistes, de coiffeurs, de
tailleurs qu'il imaginait en train de réparer dans des petites
salles obscures des doublures, des coiffures et des caries. Il
est retourné dans la cuisine chercher la boîte de biscuits dont
il restait à peine, comme d'habitude, une poussière de
miettes, il a envoyé du seuil de la chambre où les montants
en métal du lit commençaient à briller un adieu à sa femme
qui s'était rendormie malgré la lumière, malgré la position
inconfortable de son corps, malgré l'absence de chaleur sur
le matelas, malgré l'indignation des chouettes emprisonnées
sous le toit, malgré les secondes, les mois, les années que le
réveil japonais additionnait sans pitié, et en se dirigeant dans
le corridor vers le vestibule il a aperçu depuis Miratejo les
plages de Faro et sa mère et sa grand-mère qui descendaient
dans l'Algarve en septembre, installées sur les petites chaises
du jardin, entourées d'un halo de mouettes et du relent d'huile
des chalutiers revenus avec le vent du soir presque de la côte
du Maroc, essoufflés d'avoir labouré tant d'algues et de
crabes. Dans le vestibule, au-dessus d'une potiche bon
marché achetée dans un magasin de verres quelconque et
contenant deux parapluies, le mien et le sien, tout comme nos
brosses à dents plongeaient dans un unique verre en plastique
dans la salle de bains, il y avait une glace dans un cadre en
bois sculpté qui reflétait des ombres où son visage a
rencontré, l'espace d'un instant, une noirceur absolue de
ténèbres, mais il s'est retrouvé lui-même dans l'escalier,
grâce au bruit de ses souliers sur les marches et grâce à la
conscience de son ennui et de sa fatigue, de plus en plus nets
à mesure qu'il s'approchait de la rue et de la serrure
électrique détraquée de la porte gardée ouverte, très tôt le
matin, par une cale en bois. Il a aperçu au-delà de la petite
bande de gazon qui entourait les immeubles, la poissonnerie
et une fourgonnette de la Compagnie du gaz dont le moteur
était allumé et qui s'est déplacée lentement comme si elle le
suivait (comme si elle me suivait, a-t-il pensé, distrait, en

cherchant les clés de sa voiture parmi la menue monnaie dans sa poche), pour s'arrêter vingt mètres plus loin, devant l'immeuble de la voisine simple d'esprit qui peignait sa tresse à la fenêtre. Et en s'asseyant dans sa voiture, en baissant la vitre, en déverrouillant le volant, en le faisant tourner pour grimper vers la petite route d'Almada, un camion s'est arrêté net en crachant de la vapeur et en sifflant au coin de la rue, le sacristain de Nelas a ouvert l'église avec un grand bruit de gonds aux vieilles femmes qui attendaient en silence le long du mur du parvis, les ormes se sont dressés un à un devant lui avec leurs oiseaux qui étouffaient dans le feuillage, trois fusils-mitrailleurs ont surgi de la fourgonnette du gaz en faisant feu, la serviette est tombée de ses mains, les vitres de la voiture ont explosé en petits éclats granuleux, le corps a roulé sur le siège et s'est effondré sur le levier de vitesse, et quand la fourgonnette a démarré pour se fondre dans la circulation, le Juge a encore vu avec ce qu'on avait épargné de son visage la jeune fille à la tresse, un sèche-cheveux à la main, envoyer de son troisième étage au camion ou à lui un adieu de poupée mécanique.

Le Cul de Judas
Métailié, 1983
et « Suite portugaise », 1997

Fado Alexandrino
Albin Michel, 1987

Le Retour des Caravelles
Christian Bourgois, 1990
et « 10/18 », n° 2589, 1995

Explication des oiseaux
Christian Bourgois, 1991

La Farce des damnés
Christian Bourgois, 1992

L'Ordre naturel des choses
Christian Bourgois, 1994

La Mort de Carlos Gardel
Christian Bourgois, 1995

Le Manuel des Inquisiteurs
Christian Bourgois, 1996

Mémoire d'éléphant
Christian Bourgois, 1998

Connaissance de l'enfer
Christian Bourgois, 1998

IMPRESSION : BUSSIÈRE CAMEDAN IMPRIMERIES À SAINT-AMAND (CHER)
DÉPÔT LÉGAL : MARS 1998. N° 32459 (981382/1)

Collection Points